꽃의 짐승

꽃의 짐승 1

초판 1쇄 찍은 날 | 2019년 04월 16일
초판 1쇄 펴낸 날 | 2019년 04월 29일

지은이 | 조례진
펴낸이 | 서경석

편 집 책 임 | 이은주
편　　　집 | 이예진

펴 낸 곳 | 도서출판 청어람
등록번호 | 제387-1999-000006호
등록일자 | 1999. 5. 31
어람번호 | 제11-0100호

주소 | 경기도 부천시 부일로 483번길 40 서경B/D 3F (우) 14640
전화 | 032-656-4452 팩스 | 032-656-4453
http://www.chungeoram.com
E—mail | chungeorambook@daum.net

ISBN 979-11-04-91961-9　04810
ISBN 979-11-04-91960-2　(SET)

I
꽃의 짐승
조례진 장편소설
The Beast of the Flower
도서출판 청어람

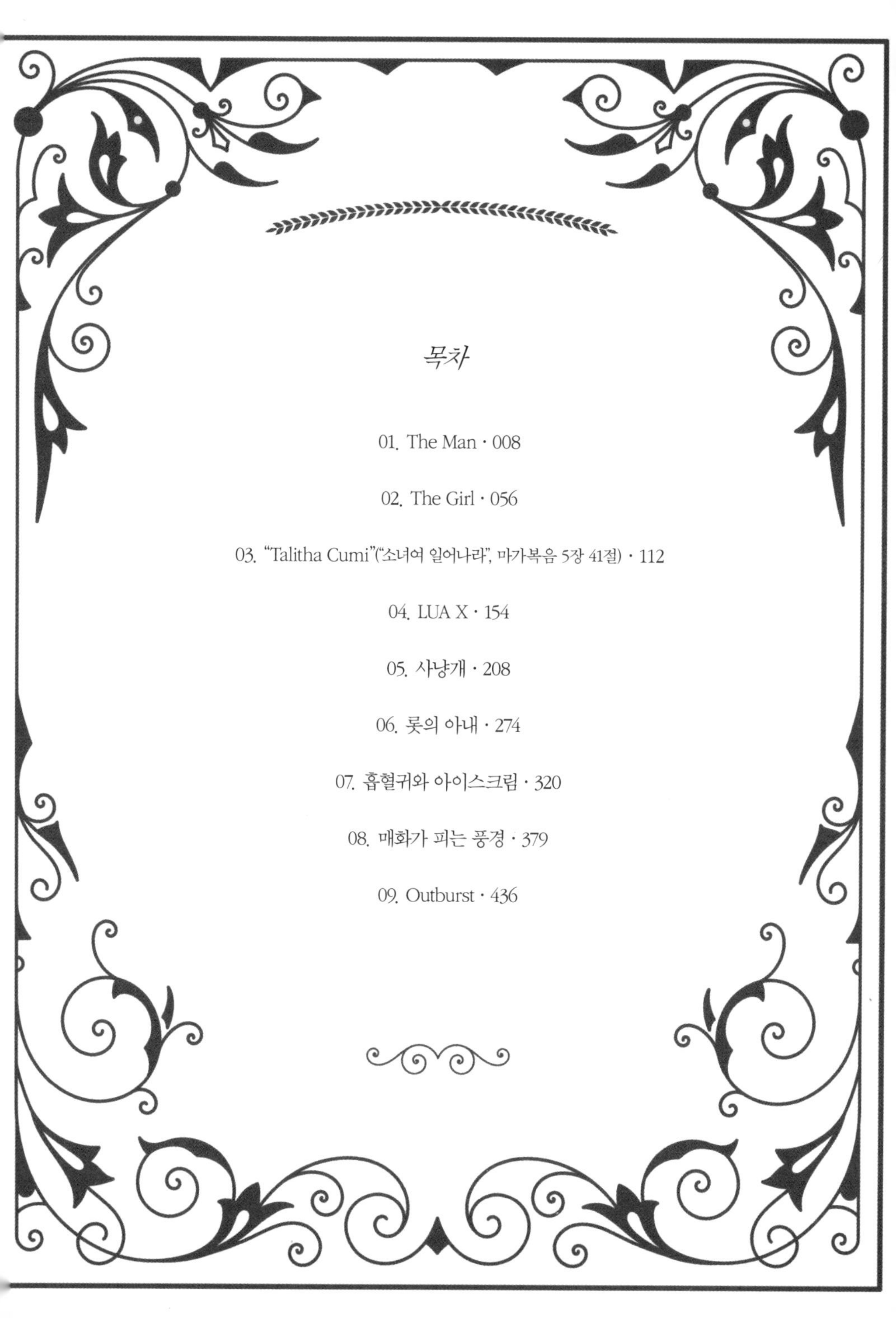

목차

'호모 비벤스(Homo bibens[1])', 즉 '마시는 사람.'

우주를 넘어 태초의 지구에 온 외계의 존재,
우리의 근원과 함께 진화해 온 형제 같은 존재,

우리는 그들을
'루아스(Luax)'라고 부른다.

- 마리에테 블란두스,
「이종의 기원과 역사」, p.32 발췌

1) 라틴어 원형동사 Bibere의 의미는 '마시다'

1 The Man

소녀는 유리창 너머에 앉아 있었다.

교복을 입고 허벅지 위에 두 손을 다소곳이 모은 채였다. 단정하게 빗은 긴 생머리는 가슴 밑까지 내려왔다. 발목에 가지런히 접은 하얀 양말은 깔끔했고 치맛자락 아래 드러난 두 무릎은 아기의 볼처럼 윤기가 돌았다.

사방에는 음탕한 붉은빛이 가득했다. 맛이나 풍미라고는 없는, 오로지 취하기 위한 싸구려 와인을 묽게 풀어놓은 것 같았다.

그는 충동적으로 유리창 앞에 앉아, 이제는 박물관에서나 볼 수 있을 것 같은 구식 수화기를 들었다. 벨소리가 나는지 무표정하게 앉아 있던 소녀도 유리 너머에서 수화기를 들었다.

"안녕."

그는 다정하게 인사했다.

[안녕하세요.]

소녀는 수화기를 들고 있음에도 고개를 숙여 인사했다. 그런 소녀가 귀여워서 그의 입가에 미소가 떠올랐다. 미성년자가 있을 리 없는 곳이건만 진짜 고등학생 같았다. 아니더라도 진짜 제 교복을 벗은 지 얼마 되지 않았다는 건 분명해 보였다.

소녀는 예쁘장한 편이지만 군중 속에서 두드러지는 느낌은 아니었다. 오히려 군중 속에서는 눈에 띄지 않지만 옆을 지나가면 저도 모르게 돌아보게 되는, 으레 옆집에 살 것 같은 아이였다. 웃는 얼굴이 예쁠 것 같았다.

"혹시 일한 지 얼마 안 됐어?"

그는 물었다.

[어…… 네.]

소녀는 어떻게 알았는지 궁금해하는 것 같았다. 생각이 얼굴에 그대로 드러났다. 전 손님이었던 중년 남자가 이 앞에 유난히 오래 앉아 있다 싶었는데 왜 그랬는지 알 것 같았다.

[혹시 티가 많이 나나요? 아까 손님도 물어보시던데…….]

"아무래도 너 같은 아이가 앉아 있으니까."

그가 대답해 주어도 소녀는 '너 같은 아이'라는 말의 의미를 잘 이해할 수 없는지 고개를 갸웃거렸다. 그는 그 모습을 보다가 말했다.

"이런 곳에서 일할 것 같진 않은데."

소녀가 유리창을 보았다. 그쪽에서는 이편이 보이지 않겠지만 왠지 소녀가 하고 싶은 말이 뭔지 알 것 같아 그는 선수를 쳤다.

"손님으로 온 내가 이런 곳이라고 하니까 좀 이상한가? 집 앞이라 가끔 와. 대화 상대가 필요할 때."

[아…….]

소녀는 작게 소리를 내더니 조금 긴장을 푸는 것 같았다.

[그렇군요.]

그가 다른 남자들처럼 어떤 특정한 목적을 가지고 온 게 아닌, 그저

외로운 영혼이라고 생각한 모양이었다. 적어도 전 손님 같지 않다는 데 안심한 것 같았다. 전 손님은, 뭐랄까, 바라는 게 분명해 보였으니까.

"혹시 뭘 좋아해?"

그도 아이가 경계하길 바라지 않았으므로 더 다정한 투로 말을 건넸다.

한동안 정말 삼촌과 조카같이 대화하다 보니 아이는 작게 웃어주기까지 했다. 역시 웃는 얼굴이 아주 예뻤다. 조금 어색한 미소였지만 경계심을 누그러뜨린 것 같아 그는 물었다.

"실례가 안 된다면 왜 너 같은 친구가 이런 일을 하는지 물어봐도 될까?"

아이는 얼굴이 굳어졌다. 하지만 그는 대답이 궁금했기 때문에 기다렸다.

[그게…….]

소녀는 볼을 살짝 붉혔다.

[아이를…… 가진 것 같아요.]

생각지 못한 대답이었지만 납득은 됐다. 남에게 말할 수 없는 이유로 돈이 필요하지 않고서야 이런 곳에서 일할 생각은 하지 못했을 테니까. 대화만 하는 곳이라 해도, 여길 찾는 남자들이 유리창 너머 각종 콘셉트 복장을 한 여자들을 보면서 무슨 생각을 하는지는 이런 아이라도 잘 알 것이다.

"아이라면…… 남자친구의?"

그가 특별한 내색을 하지 않자 소녀는 고개를 끄덕였다. 그는 다시 물었다.

"남자친구는 알아?"

이번에 소녀는 고개를 저었다.

[말 못 했어요.]

"왜? 남자친구도 알아야……."

[지우지 못하게 할 것 같아서요.]

소녀는 이쪽을 쳐다보지 못하고 눈을 내리깔았다. 부끄러워하는지 슬퍼하는지 검은 눈동자에 연한 빛이 돌았다.

그는 결심했다. 이 아이로 해야겠다고. 이 인근을 돌아다니는 뱀파이어가 그 말고도 제법 있었기 때문에 우물쭈물하면 뺏길 게 분명했다. 눈이 밝은 녀석이라면 이런 아이를 놓칠 리 없었으니까.

단순히 마시고 버릴 게 아니라 사육하고 싶은 상대는 정말 간만이었다. 일탈 한 번 해 보지 않은 착한 딸일 것만 같은 순진한 얼굴로 남자친구와 보호하지 않은 성관계를 하는 발칙한 면이 더 자극적이었다.

[저기……?]

그가 말이 없자 소녀는 의아해하며 불렀다. 그래도 돌아오는 소리가 없자 수화기를 툭툭 쳤다. 고장 났는지 확인해 보는 것 같았다. 하지만 그는 이미 손님은 들어올 수 없는 방 반대쪽 문 앞에 서 있었다.

철컥. 그는 문고리를 돌려 열었다. 소녀는 자신이 비치는 깜깜한 유리창을 보고 앉아 있었다. 그리고 문이 열리는 소리에 유리창을 보았다가, 그곳에 비치는 그를 보고 깜짝 놀라 엉거주춤 일어났다.

소녀는 한눈에 심상치 않은 기운을 느꼈는지 당황해서 물러났다. 그때 그의 뒤에서 인기척이 들이닥쳤다.

"너 이 자식, 안쪽에 어떻게……!"

업소를 관리하는 매니저 같았다.

"꺼져."

그는 돌아보고 이를 드러냈다. 짐승, 그것도 맹수류에 가까운 이였다. 매니저는 흠칫 물러나며 중얼거렸다.

"흡혈……."

그때 흡혈귀는 매니저를 보느라 소녀의 눈빛이 변하는 걸 알아채지 못했다. 놀란 듯 크게 뜬 눈에 힘이 들어가면서 예리한 빛이 도는 것을.
얌전히 있던 소녀는 순식간에 벽을 박차고 뛰어올라 다리로 흡혈귀의 목을 휘감았다. 컥 소리를 낼 새도 없었다. 소녀는 그대로 다리 힘으로만 그를 돌려 바닥에 처박았다.
굉음이 나고 방 전체가 흔들렸다. 흡혈귀는 자신이 몇 바퀴를 돌아 바닥에 떨어졌는지도 알 수 없었다. 바닥에 파고들 것처럼 파묻힌 상태라, 모조리 흩어져 있는 물건들을 겨우 볼 수 있을 뿐이었다.
흡혈귀는 온 힘을 다해 일어나려 했지만 꿈쩍도 하지 않았다. 오히려 그가 벗어나려 할수록 목을 누른 소녀의 다리에 힘이 들어갔다. 숨이 막히고 온몸의 혈관이 불끈거렸다. 이 힘은 절대 인간의 것이 아니었다.
"너 설마……."
소녀는 허리춤에서 총을 꺼내 흡혈귀의 관자놀이에 총구를 밀어붙였다. 그는 정말로 총구에 관자놀이가 뚫릴 것 같았다. 그 상태로 소녀는 말했다.
"사회보장번호 LKESE-M-0043981. 현 시각으로 귀하를 1건의 살해 용의와 6건의 불법 흡혈 용의로 체포합니다."
아까와 같은 음성이지만 톤이 너무 달라 같은 목소리로 들리지 않을 정도였다. 눈 옆으로 얼핏 보이는, 빛을 등져 음영이 진 얼굴이 무겁고 심각했다. 검은 눈동자는 날카로웠다.
"당신은 변호인을 선임할 권리가 있으며 변명의 기회가 있고 체포구속적부심을 법원에 청구할 권리가 있습니다."
흡혈귀를 억누르고 있는 연하는 익숙하게 미란다원칙을 읊고 나서 말했다.
"승냥이 여덟, 상황 종료."
그러자 방 밖에서 무거운 발소리들이 빠르게 가까워졌다. 그리고 문가에 검은 군홧발들이 나타났다. 잠깐 안쪽의 상황을 가늠하더니 자세를 풀고 어설트 라이플의 총구를 내렸다.

"갑자기 예상하지 못한 행동을 해서 놀랐는데 싱겁게 끝났군."

군화들 사이로 낡은 구두 하나가 들어왔다.

"괜찮으십니까?"

바닥에 파묻혀 있는 흡혈귀는 설마 싶었다. 힘겹게 눈을 더 들자 중무장한 대원들 사이로 소녀의 전 손님이었던 중년 남자가 이쪽을 보고 있었다.

중무장한 대원들 중 하나가 중년 남자에게 척 엄지손가락을 세우고 말했다.

"와, 중사님, 메소드 연기. 장난 아니던데요? 이런 데 좀 다녀보셨나 오해할 뻔했잖아요."

중년의 중사는 멋쩍게 웃고는, 막 흡혈귀에게 수갑을 채우고 있는 연하에게 말했다.

"실례했습니다, 상사님."

상사? 흡혈귀는 놀랐다. 그렇다면 이 소녀가 저 중년 남자보다 상급자라는 의미였다.

"괜찮아요."

연하는 무심하게 대답하는가 싶더니 덧붙였다.

"다른 데 가서 그런 식으로 이야기하지만 않으시면."

"진짜, 저희가 아청법 위반으로 신고하고 싶을 정도였다니까요."

한 대원이 장난처럼 말하자 다른 대원이 덧붙였다.

"상사님이 진짜 미성년자가 아니라서 다행이죠."

그때 두 대원이 흡혈귀를 잡아 일으켜 세웠다. 흡혈귀는 그제야 소녀, 아니, 소녀의 얼굴을 한 군인을 제대로 볼 수 있었다.

"그럼 임신했다는 것도……."

흡혈귀가 말하자 연하 옆에 서 있는 대원이 기가 막힌다는 듯이 그를 돌아보았다.

"했겠냐."

그러자 다른 대원이 안 그래도 궁금했다는 듯이 물었다.

"그러게요. 안 그래도 여기서 일하는 데에 대한 변명이 왜 하필 임신이에요? 소령님이 그러라고 했을 때 상사님 표정이 흔들리던데요."

교복 허리춤에 다시 총을 집어넣던 연하가 생각났다는 듯이 말했다.

"맞아. 깜짝 놀랐잖아."

소령, 도영이 파리 눈 같은 야간투시경을 밀어 올리자 잿빛이 섞인 푸른 눈동자가 드러났다. 마스크를 쓰고 있어서 얼굴은 잘 보이지 않았지만 눈만 봐도 동서양 혼혈이라는 걸 알 수 있었다.

"너처럼 생긴 녀석이 유흥비 벌려 한다는 게 더 이상하잖아."

도영이 말했다.

"나처럼 생긴 게 뭔데?"

연하는 순진해 보일 정도로 어리둥절해하며 물었다. 나이 차가 있어 보였음에도 꼭 친구를 대하는 것 같은 투였다.

"소령님."

그때 다른 대원이 부르자 도영은 돌아보느라 대충 대답하고 그쪽으로 갔다.

"얼빠진 얼굴이다. 됐냐?"

연하는 고개를 갸우뚱했다. '그런가?' 하고 생각해 보는 것 같았다. 그때 흡혈귀가 쳐다보는 시선을 느꼈는지 연하는 그를 돌아보았다. 검은 눈동자는 무심했다. 겉모습은 처음 봤을 때와 다르지 않았지만 그 눈 속에 사는 것은 전혀 다른 사람이었다. 모든 상황에 압도되어 겁을 먹은 소녀가 아니라, 좀 더…….

갑자기 누군가가 흡혈귀를 거칠게 당겼다.

"뭘 보고 있어? 나와, 인마."

한 대원이 흡혈귀를 밖으로 끌어냈다. 그는 복도로 밀려 나갔다. 뒤에 남은 연하는 새삼 방을 둘러보았다. 교실을 모방한 공간이어서 한쪽에는 칠판이 걸려 있었고, 자신이 앉아 있던 의자 앞에 책상이 있었다.

따르릉.

그런데 갑자기 책상 위에 놓인 전화기가 울렸다. 전화는 유리 너머에 있는 소위 '손님'들과 이야기하기 위한 내선 전용이었다. 이 난리 통에 누가 건너에 앉았을 리는 없지만 연하는 의아해 수화기를 들었다.

"여보세요?"

연하가 물었지만 수화기 건너편에서는 아무 소리도 들리지 않았다. 연하는 까맣게 칠해져 아무것도 보이지 않는 유리를 응시했다.

'누가 있는 것 같긴 한데…….'

쾅. 갑자기 문밖에서 시끄러운 소리가 났다. 연하는 흠칫 고개를 돌렸다.

"잡아!"

밖에서 대원들이 외치는 소리, 무언가 부딪치는 소리……. 연하는 당장 방을 박차고 나갔다.

"그래."

뼈대가 굵은 손이 옛날식 수화기를 잡고 있었다.

"확인되는 대로 연락해."

통화를 끝내고 손이 수화기를 내려놓았다. 손은 그대로 수화기 위에 잠깐 머물러 있다가 턱으로 향했다.

좌석 팔걸이에 팔을 걸치고 턱을 괸 채 창밖을 보는 남자는 하얀 와이셔츠에 무늬가 촘촘한 넥타이를 맨 모습이었다. 어깨가 넓었고, 깨끗한 와이셔츠 칼라 위로 울대가 두드러졌다.

"국장님."

부르는 소리에 이반은 고개를 돌렸다. 좌석 옆 복도에, 단정한 치마 유니폼을 입은 전용기 승무원이 손을 모으고 서 있었다.

"더 필요한 것은 없으십니까?"

이반은 희미하게 웃었다.

"없습니다. 감사합니다."

승무원은 어쩐지 볼을 살짝 붉혔지만 직업적인 태도를 잃지 않고 묵례하고 지나갔다. 그리고 뒤쪽으로 간 승무원이 승무원용 좌석에 벨트를 매고 앉자 조종실에서 캡틴이 돌아보고 말했다.

"착륙합니다."

이반은 불이 들어온 안전벨트 사인을 보며 등받이에 편하게 등을 기대었다. 비행기 창 너머로 구름이 빠르게 지나갔다. 그리고 저녁 속으로 다이빙하듯이, 저녁 기운에 감싸인 대지가 성큼 가까워지기 시작했다.

곧 동체가 활주로에 내려서는 진동이 좌석에까지 전해져 왔다. 창밖을 보자 내뻗은 활주로 너머 검은 물속으로 붉은 태양이 가라앉아 가고 있었다.

택싱[2]이 끝나고 안전벨트 사인이 꺼졌다. 안전벨트가 자동으로 풀리자 이반은 자리에서 일어났다.

"여기 있습니다."

승무원이 코트를 가져다주었다.

"감사합니다."

승무원은 살짝 고개를 숙였다. 그때 캡틴이 조종실에서 나와 경례하고 말했다.

"건투를 빕니다."

문 앞에 선 이반은 캡틴을 돌아보았다.

"전쟁터에 나가는 것도 아닌데 말이죠."

---

2) 지상에서 바퀴로 이동하는 일

캡틴은 웃었다.

"그보다 더 행운이 필요하실 테니까요."

이반도 조금 웃었다.

"감사합니다. 기지까지 조심히 돌아가십시오."

캡틴은 제 걱정은 하지 말라 말하듯 고개를 끄덕였다.

그때 문이 밀려나고, 바람이 불어왔다. 습도가 높은 바람이었다. 탑승 계단 아래 군복을 입은 사람들이 양옆으로 도열해 있었다. 그 끝에는 검은 차량이 대기하고 있었고, 짙은 카키색 제복을 입은 젊은 한국인 사내 하나가 앞에 서 있었다. 그는 다이아몬드 세 개가 수놓아진 대위 계급장을 달고 있었다.

비행기 탑승구 밖으로 구둣발이 나왔다. 그리고 탑승 계단을 내려와, 간격마저 맞춰 서 있는 검은 다리들 사이로 걸어왔다. 이내 국장이 앞에 와 서자, 대위 계급장을 단 사내는 힘차게 경례했다.

"이경헌 대위입니다. 오늘부로 전속부관으로 발령받았습니다."

꽤나 긴장한 상태인 것 같아, 이반은 손을 뻗었다.

"반갑습니다."

"네? 아, 네."

이 대위는 국장이 악수를 청하는 일이 뜻밖인 것 같았지만 임기응변을 발휘해 바로 손을 맞잡았다. 그리고 차량 쪽으로 손짓했다.

"모시겠습니다."

"큭!"

날아간 두 대원이 벽에 처박혔다. 얼핏 보기에 콜사인 아홉과 열이었다. 갑자기 난동을 부리기 시작한 흡혈귀의 파워에 떠밀린 것이었다. 두 대원은 바닥으로 굴러 떨어져 제대로 숨을 내쉬지 못했다. 인간의 몸으로 뱀파이어를 상대하면서 방심하는 순간 돌이킬 수 없다는 사실을 잘 알고 있는 대원들이 마음을 놓았을 리는 없었다. 용의자가 추정치보다 강하거나 그쪽도 필사적이 된 것 같았다.

"열하나!"

누군가가 외쳤다. 아직 서 있는 열하나가 당하기 직전이었다. 흡혈귀의 손이 눈앞까지 다가왔지만 열하나는 자신이 당한다는 사실을 인식하고 있으면서도 차마 속도를 따라가지 못하고 있었다. 다른 대원들도 눈을 크게 뜨고 있을 따름이었다. 그런데 쫓기듯 눈을 깜빡이는 찰나, 열하나 뒤에 연하가 나타났다.

연하는 그의 조끼를 잡았다. 그리고 온 힘을 다해 잡아당기는 동시에 몸을 돌렸다.

섬뜩한 파열음이 울렸다.

"강ㅇ…… 여덟!"

반대편 복도 끝에 서 있는 도영이 외쳤다.

흡혈귀의 미간이 꿈틀거렸다. 하얀 교복에 붉은 물이 번지기 시작했다. 소녀는 어깨가 그의 손에 거의 반 토막이 난 채였다. 살짝 고개를 숙이고 있는 소녀의 낯빛이 서늘했다. 그녀가 천천히 시선을 들어, 새파란 빛이 흐르는 검은 눈동자가 흡혈귀를 보았다. 그는 어쩐지, 소름이 돋았다.

하얀 피부, 검은 눈, 붉은 입술.

계모의 시기심을 샀던 백설 공주가 이런 느낌이었을 것이다. 하지만 그녀에겐 어디에도 공주 같은 면모가 없었다. 눈에는 무시무시한 야수가 살고 있었고, 입에는 웃음을 잃은 소녀가 죽어 존재했다.

턱, 하고 연하가 흡혈귀의 팔을 잡았다.

"좀 아플 거야."

"무슨 수작……."

흡혈귀는 당연히 팔을 빼려고 했지만, 빠지지 않았다. 아까도 느꼈지만 그의 팔을 붙잡은 손의 악력이 무시무시했다.

'무슨 힘이—'

이건 뱀파이어라 해도 과한 힘이었다. 섬뜩해진 순간이었다. 가까운 거리여서, 소녀의 귓속에 꽂혀 있는 작은 골전도 수신기가 보였다. 인간은 비교할 수도 없는 뛰어난 오감이 작동하기 시작했다.

치직. 수신기에서 기계음이 울렸다. 힘껏 집중하자 그 안에서 울리는 희미한 소리를 들을 수 있었다.

[승냥이 열둘.]

[승냥이 열둘, 준비 완료.]

상황을 가늠하는 것 같은 침묵이 짧게 감돌았다.

[그린 라이트 커맨드.]

흡혈귀는 홱 고개를 돌렸다. 창문 너머, 줌을 당기는 카메라처럼 훅 가까워지는 건너편 건물에서 빛이 반짝였다. 하지만 겨우 그렇다고 눈치챌 시간밖에 없었다.

팍.

흡혈귀는 눈을 부릅떴다. 그의 이마 정 가운데에 자국이 나 있었다. 저격수의 솜씨는 완벽했다. 안구의 실핏줄이 터져 눈이 붉게 물들기 시작했다.

"일부러 붙잡혔구나!"

흡혈귀는 울부짖으며 연하에게 다른 손을 뻗었다. 그를 붙잡고 있다는 건 저쪽도 붙잡혀 있다는 의미였다. 피할 길은 없었다. 하나라도 데려갈 것이다.

"Baisse la tête(머리 숙여)!"

사방을 뒤흔드는 외침이 울린 순간이었다. 연하는 온 힘을 다해 몸을 숙였다. 우렁찬 기합 소리가 났다. 그리고 침묵이 감돌았다.

연하 뒤에 서 있는 도영은 유난히 흉기처럼 생긴 군용 쿠크리를 양손으로 쥐고 있었다. 홈런을 날린 것 같은 자세에서 아직도 칼을 휘두를 때의 힘과 긴장이 느껴졌다.

스륵. 흡혈귀의 목이 미끄러져 내리고, 간헐천처럼 피가 솟구쳤다.

"다들 물러서!"

외침이 들렸다. 하지만 붙잡혀 있는 연하는 피할 수 없었고, 마치 장막을 휘두른 것처럼 솟아오르는 검붉은 액체를 쳐다보고 있는 수밖에 없었다. 결국 그녀는 뜨거운 액체를 머리부터 뒤집어쓰고 말았다.

"으윽……."

보기만 해도 끔찍한지 누군가가 진저리를 쳤다.

쿵. 목이 사라진 흡혈귀의 몸이 무너져 내렸다. 겨우 풀려난 연하는 무표정한 얼굴로 젖은 빨래처럼 늘어진 머리카락을 쓸어 올렸다.

"상사님! 괜찮으세요?"

대원들이 뛰어오려고 하자 연하가 손을 들었다. 대원들은 멈칫했다. 그러자 연하는 몸을 숙이더니…….

속을 게워내는 엄청난 소리를 내기 시작했다.

"허?"

도영은 기가 막힌다는 듯이 소리를 내었다.

"인마, 네가 그러면 어떡해?"

"하지만 나 피는 좀……."

말하면서 고개를 들었던 연하는 다시 허리를 꺾고 듣기만 해도 메슥거리는 소리를 냈다. 심리적인 거라서 나오는 건 없었지만.

도영은 쿠크리를 어깨에 올리고는 다른 손으로 삐딱하게 허리를 짚고 섰다.

"나 참, 피를 뒤집어쓰고 토하는 흡혈귀라니."

"흡혈귀라고 하지……."

연하는 말하다가 다시 토기가 올라오는지 허리를 숙였다. 다른 대원들은 곤란한 웃음을 지었다.

"상사님께서는 피를 마셔보신 적이 없으니까요."

그런데 갑자기 연하가 무너지듯 주저앉았다. 대원들은 흠칫 돌아보았다.

"강연하!"

도영도 놀라 달려갔다. 피범벅이어서 몰랐는데 연하의 오른쪽 어깨의 상처가 심각해 보였다.

"너 이 정도면 말을 했어야……!"

도영이 탓했지만 연하는 대답할 힘도 없는 것 같았다. 도영은 당장 상의의 포켓에서 반투명한 네모난 케이스를 꺼냈다.

-제노아틱스(Xenoatix)

브랜드 명이 적힌 케이스의 밀봉을 뜯자 가느다란 주사기가 나타났다. 도영은 이로 주사기의 뚜껑을 빼내 뱉어냈다.

"힘 빼."

도영은 엄지손가락으로 연하의 팔꿈치 안쪽 부근을 더듬더니 전문성이 느껴지는 손길로 바늘을 깊숙이 찔러 넣었다. 저항감도 잠시, 기묘할 만큼 탄성 어린 피부 속으로 이내 쑥 미끄러져 들어가는 바늘과 하얀 팔의 대비가 날카로웠다.

주사기 내용물의 수위가 천천히 낮아지는 동안 도영은 미간을 찌푸리고 있는 연하를 흘긋 보았다.

"무식하게 단단한 몸뚱이만 믿고 설치니까 또 그 꼴이 나는 거야. 내가 적당히 설치라고 했지?"

피는 금세 멈추었다. 하지만 이물질이 몸을 도는 느낌에 연하는 난폭한 마음이 일어서 평소라면 하지 않을 말이 튀어나와 버렸다.

"닥쳐."

아차, 할 시간도 없었다. 퍽 소리가 나도록 뒤통수를 얻어맞은 연하는 홱 고개를 앞으로 숙였다. 도영은 주먹을 날린 자세 그대로 서늘하게 말했다.

"말 참 예쁘게 한다."

잠시 침묵.

"Merde(빌어먹을)!"

도영은 바로 손을 털며 욕설을 터뜨렸다. 장갑을 끼고 있음에도 불구하고 손이 부러진 게 아닐까 싶었다.

"아, 자식, 대체 머리를 뭐로 만든 거야?"

대원들이 낄낄거렸다.

"소령님만 손해라니까요."

한 대 시원하게 얻어맞고 나니 정신이 드는지, 연하는 멍한 눈을 들었다. 전투의 여신 같은 모습은 거짓말이었던 듯 마냥 순한 어린아이 같은 눈빛이었다.

"오시는 길은 편안하셨습니까?"

차의 건너편 좌석에 앉은 대위가 물었다.

"아주 편안했습니다."

국장이 대답했다. 낮고 부드러운, 근사하다고 할 만한 목소리에 웃음기가 있었다. 이 대위는 긴장이 풀리는 느낌이었다. 다행히 이 새로 온 국장은 대하기 까다로운 타입이 아닌 것 같았다. 소식을 듣고 밤잠까지 설쳐 가며 고민한 일이 머쓱해지고 말았다.

"관사로 바로 가시겠습니까?"

대위가 묻자 국장은 아래쪽을 보던 눈을 들었다. 단순히 그것뿐이었는데, 이 대위는 움찔하고 말았다. 인간에게서는 볼 수 없는 선명한 붉은 눈동자가 비수처럼 가슴을 찌르는 것만 같았다. 바깥에서 네온 빛이 쏟아져, 붉은 눈동자에 비늘 같은 무지갯빛 윤기가 지나갔다. 마치 공룡의 것처럼—

그 옆에는 계급장이 달리지 않은 검은 제복을 입은, 군인답지 않은 화려한 긴 금발 머리를 늘어뜨린 남자가 앉아 있었다. 비행기에서 국장을 따라 내린 이래 그는 한 마디 말도 하지 않았고, 거의 미동도 없었다. 밖에서 빛이 지나갈 때마다 투명해지는 선글라스 너머로 국장과 비슷한 붉은 눈이 나타났다 사라졌다. 이 대위는 가슴께가 섬뜩했다.

"청사로 먼저 부탁하죠."

이반은 웃음기를 잃지 않고 말했다. 이 대위가 두려워한다는 사실을 아는 것처럼.

"아, 네."

이 대위는 제 임무를 상기하고 가슴을 진정시켰다.

그때 이반이 서류를 넘기자 두툼한 종이 뭉치 사이에서 얇은 페이퍼백 책이 떨어졌다. 이반 옆에 앉은 금발 남자가 책을 주워 건넸다. 색이 바랜 걸 보니 꽤 오래된 책이었다.

"괴테군요."

이 대위는 의외다 싶으면서도 생각지 않게 친근감이 들어 웃었다.

"요즘 저 말고도 괴테 같은 걸 읽는 분이 있었군요."

금발 남자에게 책을 건네받은 이반은 조금 웃었다.

"제게는 아직 젊은 시인처럼 느껴지는데 말이죠."

"아."

대위는 자기도 모르게 머쓱한 표정을 지었다. 이반은 피식 웃고 책을 서류 가방에 넣으려다 시선이 멈춘 것처럼 바깥 풍경을 보았다. 깨끗한 유리창 너머 도시의 전경이 지나갔다. 우뚝 솟은 마천루들과 쭉 내뻗은 도로, 그리고 반짝이는 전광판들.

서울은 예전에 방문했을 때보다 미래적인 분위기를 풍겼다. 가지런한 치열처럼 고르고 깨끗한 건물들이 늘어선 풍경은 얼핏 봐서는 이곳이 뉴욕인지 서울인지 헷갈릴 정도였다. 그러면서도 현대적인 건물에 기와 지붕이나 단청 기둥이 섞여 있는 등 전통적인 느낌도 더 짙어진 것 같았다. 정체성을 잃지 않으려고 노력하는 것처럼. 여전한 것은, 밤이 아름다운 도시라는 점이었다.

그때 각종 광고와 방송이 흘러나오는 전광판 중 하나가 시선을 끌었다. 인터뷰 기자 앞에 앉은 한 노학자가 이야기하고 있었다.

[다국적 제약회사 제노아틱스가 개발한 '하이마(Haima)'는 인간 혈액의 완벽한 대체재로서, 호모 비벤스들의 식량 문제를 해결한 혁신적인 발명품입니다.]

['하이마'라는 단어 자체가 그리스어로 '피'라는 뜻이죠?]

인터뷰 기자가 묻자 노학자는 고개를 끄덕였다.

[호모 비벤스들이 마시기 때문에 그런 이름이 붙었는지 모르겠지만 하이마가 혁신적인 점은 피와는 아무 관련이 없다는 겁니다. '쿨리시다이닌'이라는 성분을 기반으로 하는, 완전히 새로운 물질이죠. 여러분도 아시다시피 쿨리시다이닌이 발견된 과정은…….]

한참 이야기하던 노학자는 카메라를 보았다.

[하이마의 탄생은 우리 두 종이 공존할 수 있는 토대를 만든 위대한 사건이었습니다.]

노학자의 붉은 눈이 부드럽게 빛났다.

[칫솔이 인류의 수명을 두 배로 늘리고, 세탁기가 여성을 집안일에서 해방시켰듯이 말이죠.]

"이 약품은 말이야."

막 운을 떼는, 군의관 리웨이 파웰 대위의 어조는 완고했다. 번뜩이는 은테 안경은 칼보다도 날이 서 있었고, 백의 천사 나이팅게일이 아니라 나이팅게일을 잡아먹었음직한 붉은 립스틱을 바른 입술은 단호한 한 일(一) 자였다. 보라색 매니큐어를 바른 손은 가느다란, 속이 빈 주사기를 들고 있었다.

"순간적으로 루아스의 상처 치료 능력을 극대화시키는 편리한 물건이지만."

안경알 너머 검은 눈동자가 번뜩였다.

"좆같이 비싸."

그러거나 말거나, 의무대 침대에 앉아 있는 연하는 아동적인 색감을 가진 팩 주스를 마시면서 멀뚱히 리웨이를 보았다. 차림은 검은 티셔츠에 검은 트레이닝팬츠, 해초 같은 머리카락은 빗지도 않은 채 길게 늘어뜨려 두었다. 그런 상태로 구부정하게 앉아 팩 주스를 마시는 모습은, 아무리 외모 나이가 열아홉이라지만 그 정도면 다 큰 처자임에도 어쩐지 다섯 살짜리 아이를 연상시켰다.

"그러니까 이건 비상용이라고, 작전기획실에서 당부하지 않았어?"

리웨이가 말했지만 연하는 쪼오오오옥 소리를 내며 양 볼이 푹 패도록 팩 주스의 빨대를 빨았다. 리웨이의 표정이 서서히 일그러지기 시작했다.

"강 상사."

침대 옆에 팔짱을 끼고 서 있는 도영이 발로 연하의 발을 툭 치며 불렀다. 하지만 연하는 부른 이유를 묻듯이 멀뚱히 돌아볼 따름이었다. 갑자기 리웨이가 숨을 크게 삼켰다. 뒤에 일어날 일을 눈치챈 도영은 얼른 양손으로 제 귀를 막았다.

"강 상사!"

단전에서 끌어 올린 우렁찬 외침이 사방을 뒤흔들었다. 귀를 막은 도영마저 고막이 울려왔지만 정작 연하는 여전히 무슨 일이라도 났냐는 듯 멍한 눈으로 주변을 둘러볼 뿐이었다. 리웨이는 다리에 힘이 빠져 비틀거리며 책상 모서리를 짚었다.

"오, 주여. 누가 이 아이에게 초인적인 육체 능력을 주셨나이까."

도영은 한심하다는 눈으로 연하를 보았다.

'도대체가…….'

맹해도 이렇게 맹할 수가 있는지, 사실 사랑의 매를 드는 심정으로 말하자면, 싸울 때를 제외하면 연하는 쓸데라고는 없는 존재였다. 그나마 관상용이나 될까. 멍하고 느릿하고 살의를 가진 공격이 아니라면 거북이가 스승님 삼겠다고 할 만한 반사 신경을 보여주었다.

"내가 몸 보존해 가면서 싸우라고 했어, 안 했어! 예산이 무슨 감자야? 땅 파면 나오게? 제발 좀 그랬으면 좋겠다만!"

리웨이는 오늘도 연하의 귀에 잔소리 팔만대장경을 새기기 시작했다. 도영은 자기는 무슨 죄인가 싶었지만 군말 없이 듣는 수밖에 없었다. 이럴 때 의무대의 실질적인 '통'인 리웨이 파웰 대위를 건드려서 이로울 일이 없었기 때문이다.

'생각해 보면 우스운 일이지.'

도영은 생각했다.

아무리 작은 지부 소속이라지만 연하 같은 특수한 대원에 대한 예산은 부르는 게 값이었기 때문이다. 그런데도 리웨이가 틈만 나면 예산 운운하며 잔소리를 늘어놓는 이유는, 연하가 제 몸의 안위에 관해서만은 사소한 것 따위 신경 쓰지 않는 상남자가 따로 없는 인물이기 때문일 것이다. 물론 약품이 좆같이 비싸기 때문인 것도 있겠지만.

그런데 옆에서 연하는 여전히 팩 주스 마시기에 여념이 없었다. 도영이 기가 차서 보자, 연하는 그에게 팩 주스를 내밀었다.

"줄까?"

어린아이와 동물에게 있어−물론 연하는 둘 다 아니었지만 어쩌면 둘

다 맞는 게 아닐까 싶었다.- 자신의 음식을 주는 것만큼 확실한 애정 표시도 없지만 도영은 거절했다.

"그거 나한텐 좀 역해."

"역해?"

연하는 이해되지 않는다는 투였다. 도영은 기가 막혔다.

"생각 좀 해라. 인간이 그걸 먹을 수 있을 리……."

"아니, 소령님도 그래요!"

갑자기 화살이 도영에게로 날아왔다. 리웨이는 버럭 외쳤다.

"명색이 팀 리더라는 사람이! 말렸어야죠!"

도영은 '지금 무슨 이야기를 하고 있었더라?' 생각하다가 도로 기억해냈다. 그리고 선생님, 하고 부르는 학생처럼 한 손을 들어 올리고 말했다.

"혼자 나대다가 얻어맞은 걸 제가 어떡합니까. 피를 철철 쏟아내면서 반 죽어가고 있는데 '아까워! 아껴 써!' 이러면서 주지 않을 수도 없잖아요. 게다가 먹을 땐 개도 안 건드린다는데 하물며 이건……."

연하가 끼어들었다.

"내가 개야?"

도영은 대답했다. 매우 단호히.

"미친개지."

연하는 '그런가?' 하고 고개를 갸우뚱거렸다. 리웨이의 눈에 살기가 돌기 시작했다. 좋지 않은 징조였다. 도영이 슬그머니 침대 프레임을 짚고 돌아서 가려는 찰나, 다시 한번 사방을 뒤흔드는 고함이 울렸다.

"됐으니까 둘 다 꺼져요!"

"아, 젠장."

도영은 짙은 고동색을 띠는 풍성한 머리카락을 쓸어 올리며 투덜거렸다. 하여간 저 여자는 수틀리면 계급이고 뭐고 없었다.

"진짜 고막 터지는 줄 알았네."

그는 혼혈이지만 동양 느낌이 좀 더 나는 단정한 이목구비를 가진 미남으로, 햇볕에 조금 그을린 연한 올리브색 피부가 건강미를 뿜었다. 키는 180cm 초반쯤, 직업을 보여주듯 티셔츠 위로 드러나는 몸이 날씬하면서도 다부졌다.

돌아오는 반응이 없어 도영은 돌아보았다. 옆에서 걸어가는 연하는 허공의 불분명한 곳에 초점을 맞추고 있었다. 꼭 인간의 눈에는 보이지 않는 뭔가를 응시하고 있는 고양이처럼. 물론 그러면서도 빨대로 주스를 빨아들이는 입은 쉬지 않았다. 색색의 실로 엮은 팔찌를 찬 팔이 그녀가 걸을 때마다 힘없이 흔들렸다. 하얀 도화지에 가는 만년필촉으로 그린 것 같은 팔목에 차고 있는, 보풀이 일어난 낡은 팔찌는 왠지 가시관을 연상시켰다.

도영은 연하가 들고 있는, '루챠챠'라는 웃긴 이름의 혈액 보충제 주스를 물끄러미 보았다.

"맛있냐?"

도영이 묻자 연하는 고개를 두 번 끄덕였다. 아주 맛있다는 의미였다. 도영은 기가 막혔다.

"요즘 진짜 별게 다 나오네. 난 처음에 무슨 새로 나온 프로틴 주스인가 싶어서 마실 뻔했잖아."

"인간을 위한 게 아니라고 쓰여 있잖아?"

연하는 주스의 하단에 적혀 있는, 친절한 안내 문구를 가리켰다.

-Not For Human(비인간용)

그 옆에는 자그마하게 사람이 마시는 것을 금지하는 모양의 그림도 그려져 있었다.

"보험 약관이냐? 그렇게 조그만 글씨를 어떻게 읽어?"

도영은 정색했다.

"난 보이는데."

"너야 그렇…… 앞에 봐."

도영은 벽에서 튀어나온 기둥에 부딪힐 뻔했던 연하를 끌어당겼다.

"아."

연하는 멍한 소리를 내며 끌려왔다. 이럴 때 보면 루아스의 육체 능력이란 것에 의구심이 들기도 하지만. 아무튼.

도영은 말했다.

"좀 큰 지부에는 자판기도 있다더라. 근데 자판기는 좀 위험하지 않나? 누가 멋모르고 뽑아 마시면 어떡해? 뭐, 마셔도 죽진 않겠지만……. 아, 대신 철분 과다 섭취로 속이 엄청 메스꺼우려나."

한참 말하는데 연하는 무슨 생각을 하는지 팩 주스를 물끄러미 보고 있었다.

"자판기……."

중얼거리는 본새가 아무래도 부러운 모양이었다. 도영은 피식 웃었다.

"하긴, 그런 게 있으면 편하긴 하겠다. 넌 받으려면 항상 의무대에 가야 하니까. 잔소리도 덤으로 얻고."

도영은 뻐근한 팔을 뒤로 돌려 스트레칭 하며 덧붙였다.

"세상 진짜 좋아졌지. 옛날에는 피를 마시지 못해 아사하는 루아스도 있었다는데."

어쨌든 플라스틱에 이어 세기의 혁신 물질로 불리는 하이마가 개발된 이후로는 피를 마신다는 것 자체가 자동차를 두고 굳이 마차를 타는 것 같은, 가성비가 좋지 않은 시대착오적인 일이었다.

초르르르르륵. 그때 텅 빈 팩에서 마지막 한 방울까지 빨아내 빨대가 허공에서 떨리는 소리가 났다. 도영은 엄마 젖을 빨듯 빨대를 빠는 연하에게서 주스 팩을 빼앗았다.

"야, 야, 그만해. 다 마셨잖아."

팩을 욱여서 쓰레기통에 던져 넣자 연하는 못내 미련이 남는 시선으로 좇았다. 도영은 쯧 혀를 찼다.

"하여간 넌……."

못 먹고 큰 것도 아닌데 유난히 음식에 집착하는 자식이 한심한 부모처럼 도영은 한 마디 하려다가 미간을 찌푸렸다. 연하의 낯빛이 너무 창백한 것 같았기 때문이다. 비유가 아니라 원래부터 백지장 같은 얼굴이긴 하지만 먹색에 농도가 있듯이 창백한 색에도 농도가 있는 법이었다. 평소에는 투명한 대리석 같다면 지금은 푸른 냉기 같은 기운이 돌아서 오히려 송장 같은 느낌이었다.

역시 간밤에 지나치게 피를 흘려서일 것이다. 어쩐지 평소보다 더 심하게 멍을 때린다 싶었다.

"너……."

그때였다. 도영은 말하면서 나머지 손을 원위치로 돌리다가 지나가는 사람을 치고 말았다.

"아, 죄송……."

사과하며 돌아본 도영은 표정이 굳었다. 이쪽을 경멸 어린 시선으로 보는 세 명의 남자. 그들은 정복을 입고 있었다.

그들이 보이는 경멸은 단순히 상대가 싫다거나 본인과 맞지 않다거나 한심하다는 개인적인 감정을 넘어서는 것이었다. 종적인 거부감이 뿌리 깊게 느껴졌다.

"이거, 이거."

도영은 표정이 굳었던 게 언제였나는 듯 씩 웃었다.

"우리가 무슨 전염병 보균자도 아니고 너무 과민반응인 거 아닙니까?"

그들은 장교인 도영을 의식해서인지 대놓고 뭐라고 하진 않았지만 떨떠름한 얼굴이 되었다. 개중 한 남자가 말했다.

"전염병 보균자가 하나 있지 않습니까?"

도영은 빙긋이 웃었다.

"에이즈 환자를 만지기만 해도 전염된다고 할 몰지각한 분이시군요. 무슨 문둥병인 줄 아십니까?"

세 남자는 아주 미묘하게 웃었다.

"흡혈귀 주제에 말이죠."

그러고는 갈 길을 갔다. 뒤에 남은 둘은 시선을 교환했다. 연하가 먼저 입을 열었다. 자신과 무관한 일인 것 같은 어조로.

"사실이니까."

도영은 미간을 찌푸리고 말했다.

"하지만 중앙루아스권위원회에서도 학명인 '호모 비벤스'나 '루아스' 외에 모든 명칭을 차별적 언어로 규정하고 금지하고 있는 거 몰라?"

정치적 올바름에 관한 문제라고 할까. 물론 정치적 올바름에 관심이 없는 민간에서는 아직도 뱀파이어니 흡혈귀니 부르지만 말이다. 그래서 위원회도 인식이라는 것이 하루아침에 바뀌기 힘들다는 점을 인정하고 공익광고를 찍거나 올바른 명칭을 위한 운동을 펼치는 등 다방면으로 노력 중이었다. 하지만 뱀파이어를 그리 어렵지 않게 볼 수 있는 지부 내에서도 이 정도여서야…….

"아직도 차별 없는 아름다운 세상은 요원해 보인다."

도영은 고개를 저었다.

"하루 이틀 보고 산 것도 아니고 질리지도 않아요, 저것들은. 힘이 남아돌아서 저러는 거지. 하여간 뺑뺑이를 돌려줘야 해. 헛소리할 힘도 없게. 그리고 너도 말이야."

도영은 삐딱하게 서서 연하를 가리켰다.

"차라리 짬으로 눌러 버리라고. 아무리 우리 팀 군기가 개판 5분 전이라지만 다른 팀 녀석들까지 상사 보기를 길가의 짱돌 보듯 둬도 되겠어?"

"그래봤자 소령님만 곤란해지는걸."

도영은 열일곱에 임관해 정확히 최소 복무 기간 11년 만인 스물여덟에 소령으로 진급했다. 이쪽 바닥은 진급이 빠르니까 없을 법한 일은 아니었지만 현실적으로 드문 경우여서 그는 디비전 내 여섯 개 팀을 지휘하는 중대장들 중 가장 어릴 수밖에 없었다. 그렇다고 밀릴 성격이 아니라서 더 문제였다. 열 받은 도영이 계급장을 떼고 지랄하기 시작하는 순간 동네 꼬마들 싸움이 부모 싸움으로 번지듯이 일이 커지기 때문이었다. 이건 경험을 바탕으로 한 이야기였다.

반면 도영은 할 말을 잃은 얼굴이었다.

"네가 남 걱정할 때냐?"

말은 그렇게 해도 한 꺼풀 꺾인 어투였다. 연하는 무심히 말했다.

"그리고 소령님도 나한테 흡혈귀라고 하잖아."

"그거야 애정을 바탕으로 한 거지."

"그런 애정 필요 없는데."

"뭐, 인마?"

도영은 연하의 머리채를 잡아당겼다. 강도는 세지 않았지만 연하는 고개가 옆으로 젖혀져 작게 소리를 냈다.

"아."

"그런데."

도영은 갑자기 말했다. 그러고 보니 이런 늦은 시간에 정복을 입은 대원들이 돌아다니는 건 흔한 일이 아니었다.

"분위기가 좀 다르지 않아? 왠지 소란스러운데."

도영은 말하자마자 깨달은 얼굴이 되었다.

“아, 국장이 새로 온다고 했지.”

“그래?”

“응, 아마 내일…….”

말하던 도영은 자신이 아직도 연하의 머리채를 붙잡고 있다는 사실을 깨달았다. 연하는 별말도 없이 기다리고 있었고, 도영이 깜짝 놀라 손을 놓자 연하는 부스스 고개를 바로 세우고 말했다.

“가자.”

임무를 무사히 끝낸 기념으로 한잔하기 위해 술집에 가는 중이었기 때문이다. 다른 팀원들은 이미 술집에서 기다리고 있었다.

“야, 넌 진짜…….”

도영은 이게 바위인지 곰인지 사람인지 헷갈려 한 마디 하려다가, 제 입만 아프지 싶어 손을 내저었다.

“됐다, 됐어.”

그리스식 석주가 받치고 있는 정문을 나서자 바람이 불어왔다. 계단을 따라 양쪽으로 늘어선 주두식 전등들이 내뿜는 주황빛이 어스름했다. 낮은 바람이 불어오는 가운데 주황빛 물감을 묽게 풀어놓은 것 같은 공기가 묘하게 비현실적이었다.

그런데 몇 걸음 앞서 계단을 내려가는 연하의 머리카락이 흐트러져 있었다. 도영은 아까 제게 잡혔다가 정리하지 않았기 때문이라고 깨닫고 머리를 정돈해 주기 위해 손을 뻗었다.

‘하여간 이렇게 칠칠맞아서 어느 남자가 좋다고 할지…….’

그때였다. 계단 아래 차 한 대가 들어와 멈추었다. 광을 낸 차 표면에 윤기가 미끄러졌다.

어쩐지 산 자보다 죽은 자를 위한 것 같은 차들이 계속 미끄러져 들어왔다. 이어서 차 문들이 벌컥벌컥 열리고 검은 제복을 입은 사람들이 검은 안개처럼 쏟아져 내렸다.

그들은 한 몸처럼 순식간에 계단 앞에 도열했다. 여자가 반, 남자가 반 정도였지만 뒷짐을 지고 선 각도까지 비슷했다. 뭉근한 바람 탓인지 수런거리는 전등 빛 때문인지 모든 게 비현실적이었다.

마지막으로 계단 바로 앞에 선 차의 문이 열리고 역시 검은 제복을 입은 사람이 내려섰다. 허리까지 내려오는 눈부신 금발, 마치 망자의 안면 같은 무표정한 얼굴, 그리고 계단에 서 있는 두 사람을 돌아보는, 감정을 드러내지 않는 붉은 눈.

도영은 얼어붙어 움직일 수 없었다.

대개 루아스는 인간이었을 때의 눈동자 색을 유지했다. 하지만 그건 연하를 포함해 얼마 살지 않은 경우고, 수명이 어느 임계점을 넘으면 눈동자 색이 붉게 변했다. 그렇지만 '대개' 그렇지 않다는 이야기는 그만큼 임계점을 넘은 루아스가 흔하지 않다는 의미였다. 그런데 차에서 내린 검은 제복을 입은 자들은 모두 붉은 눈이었다.

금발 남자가 내린 뒷좌석의 어둠에서 구둣발이 내려왔다. 짙은 남색 양복을 입은 다리가 이어지고, 검은 코트가 흩어져 내렸다. 마치 어둠에서 태어나듯 일어난 남자는 똑바로 두 사람을 쳐다보았다.

도영은 이해할 수 없었다. 어째서 난생처음 보는 남자가, 그것도 단순히 '남자'라는 성의 없는 명칭으로 불려서는 안 될 것 같은 존재가 자신을 보고 웃는 것처럼 느껴지는지. 초신성 같은 붉은 눈동자가 다정하게 변하는지.

'날 보는 게 아냐.'

도영은 다음 순간에 깨달았다.

'보는 건…….'

돌아보자 연하도 파랗게 얼어서 남자를 보고 있었다. 하지만 남자를 알아봐서가 아니라, 꼭 맹수를 마주친 얼굴 같았다. 졸아붙은 눈동자에 수많은 것이 지나갔다. 죽음을 목전에 둔 자의 공포, 위기감……. 아까 얼굴에 푸르스름하게 보이던 기운은 이제 거의 푸른 염을 들여놓은 듯했다. 누가 목이라도 조르고 있는 것 같았다.

"너 왜 그러……."

도영이 말하려는데, 갑자기 뒤에서 사람들이 계단을 달려 내려갔다. 개중에는 현재 공석인 국장 대행을 맡고 있는 부국장도 있었다.

"오셨습니까!"

부국장은 남자를 향해 넙죽 허리를 숙였다. 천성적으로 코웃음을 장착한 그치가 맞는지 의심이 들 정도였다.

"오신다는 이야기는 들었는데 이렇게 갑자기 방문하실 줄은……."

연락을 주셨더라면 환영 인사를 준비했을 터인데……. 오시는 길은 편안하셨는지…….

이런저런 이야기를 변명같이 늘어놓는데, 평소 부국장은 루아스라면 일단 한 번 멸시하지 않고서는 배기지 못하는 종류의 인간이었다. 그런데 부국장이 알랑방귀를 뀌고 있는 남자는 아무리 봐도 루아스였다.

그리고 연하에게서 단 한 순간도 시선을 떼지 않는 루아스였다. 주변에서 누가 뭐라고 하든지 간에.

새 국장이 쳐다보는 곳을 눈치챈 부국장이 연하를 가리켰다.

"아, 저쪽은……."

그때였다. 도영은 연하의 눈이 까뒤집힌다고 느꼈고, 이어서 그녀의 몸이 무너졌다.

"강연하!"

도영은 놀라 연하의 팔을 잡았다. 그런데 연하의 안에 코끼리라도 들어앉아 있는 것 같은 엄청난 무게가 느껴졌다. 이건 극한까지 단련된 몸으로도 어쩔 수 있는 무게가 아니었다. 도영은 찰나에 끌려간다고 생각했고, 분명히 볼썽사납게 굴러떨어지는 모습을 예상했다. 하지만 무언가에 걸려서 낙하가 멈추었다.

"괜찮으십니까?"

그게 한 루아스가 빛처럼 나타나 연하를 붙잡았기 때문이라는 걸, 도영은 조금 뒤에 알았다.

그때 계단 아래 있는 국장의 준미한 미간에 심각한 빛이 스몄다. 국장은 가죽 장갑을 벗어 옆에 있는 금발의 루아스에게 건네고 계단을 올라오기 시작했다. 마치 부동의 항성이 천체의 궤도를 벗어나 다가오는 것 같은 압력이었다. 그저 가볍게 바람을 맞으며 걸어오고 있을 뿐인데.

국장이 코트를 흩날리며 옆을 지나가자 그제야 도영은 자신이 숨도 쉬지 않고 있었다는 사실을 깨달았다. 목구멍에 붙잡혀 있던 숨이 터져 나왔다. 옆얼굴을 타고 식은땀이 흘러내렸다.

"이리."

국장은 루아스에게서 쓰러진 연하를 건네받았다. 그리고 장갑을 벗은 손으로 의식을 잃은 연하의 볼을 쓸어내리고는 혀를 찼다.

"안색이 나쁘군."

"강 상사! 무슨 일이야?"

그때 계단 위에서 리웨이가 연하를 부르며 뛰어 내려왔다. 소란을 듣고 왔다가 쓰러진 연하를 목격한 모양이었다.

"리웨이 파웰 대위."

리웨이는 쓰러진 연하를 목격하고 놀라서 미처 발견하지 못했던 남자를 보았다. 그리고 히포크라테스의 선서를 한 이래 제 본분을 잊은 순간은 그때가 처음이자 마지막이라고 훗날 반추했다. 정말로 이런 건, 처음 보았다.

리웨이는 흠칫 깨어났다.

"절 어떻게……."

국장은 가운의 가슴 주머니에 박힌 이름을 눈짓했다.

"당신이 주치의입니까?"

"그렇습니다만……."

리웨이가 대답하자마자 붉은 눈에 경멸이 떠올랐다.

"엉망이군요."

"네?"

드물게도 리웨이는 당황해 반문했다.

"이 정도로 피가 부족한 채로 두다니. 주치의 자격이 없군요."

국장은 말하고 그대로 연하를 안은 채 계단을 올라갔다. 한 몸 같은 나머지 루아스들, 그리고 부국장을 위시한 사람들이 뒤를 따라갔다. 이내 그 자리에 남은 사람은 리웨이와 아직도 계단에 누워 있는 도영뿐이었다.

도영 옆에 구둣발이 다가왔다.

"소령님, 뭐 하십니까?"

도영은 일어날 생각도 하지 못하고 시선만 돌려 이 대위를 보았다.

"뭡니까, 저 사람은……?"

이 대위는 미묘한 웃음을 지으며 계단을 올려다보았다.

"새로 부임하신 국장님입니다."

"제가 모시겠습니다."

따라오는 루아스가 손을 내밀었다.

"됐어."

이반은 걸음을 멈추지 않았다. 그러자 루아스는 두 번 말하지 않고 뒤를 따랐다.

안내하는 사람은 명색이 부국장과 그 일행이었지만 어쩐지 그들이 더 앞서가는 모양새였다. 부국장은 다리 길이의 차이로 인해 뱁새가 황새를 쫓는 꼴로 분분히 따라가다가, 목적지에 다다라서야 재빨리 앞서가서 안쪽으로 손짓했다.

"이곳입니다."

이반은 본 체도 하지 않고 문을 넘어갔다. 뒤를 따르려는데 갑자기 루아스들이 돌아서서 그들을 막았다. 부국장은 펄쩍 날아 뒤로 물러났다. 전형적인 오십대 중년 남성의 몸을 가진 부국장이 그렇게 날랬던 순간은 오랜만이었을 것이다.

"아, 안까지 안내를……."

부국장이 어렵사리 말했지만 루아스들은 살아 있는 벽을 형성한 채로 미동도 없었다. 아무래도 비인간적인 모습에 부국장 일행은 기가 죽어 슬그머니 몸을 물렸다. 아무리 요즘 뱀파이어들이 흡혈하지 않는다지만 권력에 아첨하는 탐관오리의 마음가짐이 아니었다면 지금까지도 버틸 수 없었을 것이다.

"부국장님, 저 너무 무섭습니다."

한 직원이 속삭였다. 부국장은 그를 노려보았다.

"조용히 해. 나도 무서우니까."

갑자기 뒤에서 목소리가 들려왔다.

"저희는 인간보다 청력이 좋습니다."

부국장 일행은 얼어붙었다. 차마 뒤를 돌아볼 용기가 나지 않았다.

"죄, 죄송……."

부국장 일행은 결국 사과도 하는 둥 마는 둥 부리나케 자리를 벗어났다. 그 모습을, 붉은 눈들은 아무 감정 없이 응시했다.

이반은 침대처럼 넓은 가죽 소파에 연하를 내려놓았다. 그러다가 그녀의 오른쪽 어깨에 있는 흉터를 보았다. 어깨가 거의 두 동강 났을 법한 큼지막한 흉터는 티셔츠의 어두운 안쪽까지 이어져 있었다.

이반은 손끝으로 흉터의 오돌토돌한 표면을 쓸어보았다. 뭔가 처치를 한 것 같은데 아직까지 흉터가 다 사라지지 않고 있을 정도라면 상당히 심각한 부상이었다는 의미였다.

이반은 미간을 찌푸렸다. 이렇게 거칠게 다루다니. 거의 숨도 쉬지 않는 것 같은 연하의 푸릇하게 뜬 얼굴이 안쓰러웠다.

'얼마나 피를 잃었으면…….'

입에서 희미하게 익숙한 냄새가 나긴 했지만 대체 뭘 마신 건지 싸구려 합성 액에 과다 첨가된 설탕 냄새가 섞여 있었다.

이반은 코트와 양복 상의를 벗어 대충 소파에 던지고 넥타이를 풀었다. 그리고 와이셔츠의 단추를 두어 개 푸르고 연하에게 다가가, 차가운 볼을 한 번 쓸어내렸다.

"강연하."

연하는 반응하지 않았다. 이반은 조금 더 몸을 숙여 위로 그림자를 드리웠다.

"강연하."

몇 번 더 끈질기게 부르자 철문처럼 감긴 눈꺼풀이 들렸다. 그리고 반타블랙처럼 흑색 그 자체라고 할 수 있는 눈동자가 그를 보았다.

이반이 몸을 일으키자 연하는 그들 사이에 자기장이 작용하는 것처럼 그를 따라왔다. 나른하고 현실감이 없는 움직임이었다.

이반은 긴 소파의 반대편 팔걸이에 등을 기댔다. 그러자 이번에는 연하가 그의 위에 그림자를 드리우며 위험하도록 가까이 얼굴을 가져왔다. 지금 그녀가 이성을 가지고 하는 행동이 아닌 건 알지만 이반은 자못 즐거워하는 얼굴을 숨기지 못했다. 볼에 난 솜털이 스칠 정도로 가까운 거리에서 연하는 고개를 아래로 내렸다. 무언가를 찾는 것 같았다. 그리고 연하는 손을 느리게 올려 이반의 가슴을 짚고는 짚단 속 개다래나무를 찾는 고양이처럼 손을 와이셔츠 안으로 밀어 넣었다.

"간지러워."

이반은 낮게 웃고 말았다. 그 웃음소리가 뇌의 어떤 부분을 자극했는지 연하가 움찔하더니 고개를 들었다. 검은 눈에 얼핏 윤기가 돌아왔다.

연하는 천천히 눈을 깜빡이더니 얼굴에 커다란 물음표가 떠올랐다.

'어쩌다가 난 반 벗은 남자 위에 올라타고 있게 된 걸까?'

그것도 처음 보는 남자였다. 아, 아니었다. 아까 계단 아래서 본 남자였다. 그가 차에서 내리고, 사람들이 뛰어간 것까지는 기억났다. 그 뒤로는 암전이었다. 아마 의식을 잃었으리라. 도영이 화낼까 봐 말하진 않았지만 그전까지 굉장히 어지럽고 멍했으니까.

그러니까 남자와 처음 보는 사이는 아니라고 할 수 있겠지만, 잘못 편집된 비디오처럼 중간 과정이 통째로 날아가고 이런 부적절한 자세로 직행할 만한 관계는 분명히 아니었다. 도영이 들으면 놀라겠지만 연하에게도 낯선 남녀 사이에 이런 자세가 부적절하다는 상식 정도는 있었다.

그런데 남자가 이마를 짚고 웃었다. 웃음을 참을 수 없지만 참고 있다는 듯이.

"왜…… 웃어요?"

연하는 알 수 없어 물었다. 이반은 웃음기가 일렁이는 눈으로 그녀를 보았다.

"네 표정이 너무 걸작이라."

어쩐지 놀리는 것 같아 연하는 미간을 찌푸렸다. 그런데 숨이 가빠서 숨을 들이마셨다가, 좋은 냄새를 맡았다. 아주, 좋은 냄새였다. 머리를 몽롱하게 만들었다. 그래서 연하는 그 냄새밖에 생각할 수 없었다. 자신이 그렇다고 인식하지도 못하고 오로지 그 냄새를 쫓아 그에게 다가갔다.

좋은 냄새가 나.

왠지 입 밖으로 말한 것 같았지만 아무래도 좋았다. 남자가 웃자 맞닿은 몸에서 진동이 전해졌다. 연하는 어쩐지 달뜨는 기분이었다.

'이가 간질거려.'

평소에는 숨겨져 있는 송곳니가 자라나는 것이 느껴졌다. 연하는 벼른 낫처럼 차갑고 날카로운 이 끝을 혀로 핥았다. 그리고 본능에 따라, 단단한 저항성을 뚫고 들어갔다. 물씬 솟아오른 액체가 입안을 채웠다.

마치 설탕을 처음 맛본 중세시대 사람 같은 기분이었다. 그때까지 알던 단맛은 진짜 단맛이 아니었다.

동방의 온갖 신비한 향신료들을 모두 섞는다 해도 이런 향기로운 감미는 내지 못할 것 같았다. 그 시절 향신료가 약재였듯, 연하는 스스로도 이해할 수 없는 활력이 솟는 것 같았다. 그래서 거의 정신을 놓고 그 근원을 좇았다. 목구멍에서 낮고 거친 으르렁거림이 올라왔다. 자신이 동물이 된 것 같았다. 하지만 멈출 수가 없었다. 이건 본능보다도 더 근본적인 감각이었다. 마치, 몸 안에서 꽃이 피는 것 같은—

그만.

갑자기 남자가 연하를 떼어냈다. 하지만 그녀는 조금도 그만두고 싶지 않아서 몸을 비틀었다.

온 힘을 다해 벗어나려고 했지만 남자는 무서울 정도로 힘이 셌다. 아니, 오히려 전혀 힘을 쓰는 것 같지 않았다. 그저 가볍게 자신을 안고 있는 것 같았는데 연하는 붙잡히지 않은 팔다리를 내저을 수 있을 뿐, 그에게서는 벗어날 수 없었다.

가만히.

남자가 귓가에 속삭였다. 달팽이관 안쪽에 기분 좋은 진동을 울리는 목소리였다. 낮고, 깊었다.

'듣기 좋아…….'

틈 하나 없이 밀착해 있는 몸이 인식되었다. 남자는 크고 단단했다.

몸을 뒤채자 남자는 연하가 아직도 벗어나려 한다고 생각했는지 진정시키듯 등을 쓰다듬었다. 연하는 소파에 손을 짚고 일어났지만 그의 손이 막아서 몸을 조금 뗄 수 있었을 뿐이다. 그래서 오히려 입술이 스칠 듯 가까운 거리였다.

남자의 눈은 얼핏 자색까지 띤다고 생각될 정도로 물기가 짙은 선명한 핏빛이었다. 이렇게까지 붉은 눈은 본 적 없었다. 상대를 홀리는 황홀한 빛깔이었다. 연하는 홀린 듯이 그에게 가까이 갔다.

강연하.

남자는 거의 들리지도 않을 만큼 작게 속삭였다. '이리 와.' 하고 주문을 거는 것 같았다. 연하는 눈을 내리깔았다. 둘의 입술이 거의 맞닿았다.

"강연하."

멀리서 맴돌던 목소리가 성큼 가까워진 순간이었다. 시야에 불꽃이 튀고, 연하는 갑자기 눈앞이 맑아졌다. 이마는 횃불로 얻어맞은 것처럼 화끈하고 얼얼했다.

연하는 눈을 깜빡였다.

'내가 지금 뭐 하려고 했더라?'

그리고 세상은 왜 이렇게 뒤집혀 있는지 궁금했다. 뒤늦게 제 목이 뒤로 꺾여 있기 때문이라고 깨닫고, 아크로바틱을 하듯 완벽한 활자 모양으로 휘어 있는 몸을 원위치시켰다. 쓰라린 이마를 문지르면서.

이반은 총 대신 쓸 수도 있을 것 같은 딱밤을 날린 손을 내렸다. 삐딱하게 웃는 얼굴이었고, 와이셔츠가 풀어 헤쳐져 있어서 누군가가 일부러 조각해 놓지 않고서야 이렇게 생길 수 없을 것 같은 몸이 드러난 상태였다. 그리고 오른쪽 목덜미에 두 개의 구멍이 있었다.

이반은 연하의 한쪽 볼을 꼬집었다.

"이런 짓은 어디서 배웠을까?"

살짝 꼬집은 정도였지만 귀싸대기라도 맞은 것 같은 볼을 쓰다듬는 동안, 이반은 테이블에 놓인 휴지를 뽑아 목덜미를 닦고 일어났다. 그리고 손끝이 단정한 손으로 와이셔츠를 추스르더니, 오른쪽 목덜미가 뻐근한 듯 주물렀다. 연하는 테이블 위에 구겨져 있는 휴지에 묻은 핏자국이 신경 쓰였다.

어, 아픈 거겠지. 역시.

"미안해요."

말하자 이반은 무슨 소리냐고 묻듯 돌아보았다. 연하는 그의 목덜미를 가리켰다.

"제가 그런 거잖아요."

이반은 옆에 앉아 연하의 머리를 쓰다듬었다.

"착하게 자랐구나."

그러고 보니 연하는 아까부터 신경 쓰이는 점이 하나 있었는데 이 시점에서는 그냥 덮어둬선 안 될 문제 같았다. 연하는 고개를 갸웃하고 물었다.

"근데 누구세요?"

이반은 희미하게 웃었다. 눈의 자색이 좀 더 짙어졌다.

"섭섭하네. 날 잊다니."

연하는 미간을 좁혔다. 맹세코 이런 남자는 본 적이 없었다. 아니, 맹세할 것도 없이 이런 남자를 봤다면 잊을 리가 없었다. 눈이 불순물 하나 없이 붉다든가, 미적 감각이라고는 없는 제 눈으로 봐도 좀 지나치게 잘생겼다든가, 대면하는 것조차 황송하게 만드는 제왕적인 분위기라든가 하는 것 때문만은 아니었다. 이렇게 사람이 좋아 보이는데도 우리에 나 둬야 할 것 같은 맹수 느낌이…….

위험했다. 만일 밖에서 만났다면 이미 십 리 밖으로 도망갔을 테지만 상황이 상황인지라 일단 궁금증은 해결하고 봐야 할 것 같았다.

"어렸을 때 생이별한 오빠라든가……?"

"흠."

남자는 흥미롭다는 듯이 소파 등받이에 팔을 대고 얼굴을 괴는 모습마저 화보 같았다.

"동안 소리를 듣긴 하지만 그렇게 어려 보인다니 영광이네."

"아버지가 나 모르게 정한 정혼자 같은 건가, 그럼."

연하는 얼마 전에 지나가면서 봤던 드라마가 떠올라서 혼잣말했다.

"그런 거 없잖아."

이반은 바로 말했다. 연하는 그를 의아하게 보았다.

"그걸 어떻게 알아요?"

이반은 손을 내리고 빙긋이 웃었다.

"내가 네 아버지니까."

연하는 처음에는 이게 무슨 소리인지 이해하지 못했다. 그러다가 고개를 옆으로 젖히며 '하……?' 소리를 내었다. 남자의 웃는 얼굴 위로 다스베이더의 가면이 겹쳐지는 건 착각이었을까.

도영은 다시 생각해도 기가 막혔다.

"루아스가 국장이라고요? 그런 참신한 이야기는 듣도 보도 못 했는데요."

인간에게는 인간의 영역이, 루아스에게는 루아스의 영역이 있는 법이었다. '카이사르의 것은 카이사르에게'라는 성경의 유명한 구절도 있잖은가. 이 상황과 정확히 맞는지는 모르겠지만.

옆에 있는 리웨이는 어깨를 으쓱였다.

"총사령부 소속, 계급 공용 부호코드 OF-6. 여기 기준으로 준장이니, 자격 요건에서 떨어지진 않죠."

"그건 그렇지만……."

도영은 인상을 쓰고 시선을 돌렸다. 멀리 국장의 관사로 연결된 구름다리로 통하는 문이 있고, 그 앞을 지옥의 개 같은 파수꾼들이 지키고 있었다. 정확히 일곱 명이었다. 기둥 뒤에 숨어서 지켜본 지 꽤 되었는데 단 하나도 코를 긁거나 기침을 하거나 머리카락을 넘기는, 지극히 자연스러운 행동을 하지 않았다. 정말 일곱 개의 조각을 꿔다놓은 것 같았다.

"저 제복, 중앙근위사단이죠?"

도영은 그들에게서 시선을 떼지 않고 물었다. 리웨이는 고개를 끄덕였다.

"중앙근위사단이죠."

"설마 다 여기로 배속된 건 아니겠죠?"

"이런 작은 지부에요? 미쳤다고 그런 인력 낭비를 하겠어요? 그냥 국장을 여기까지 경호하는 임무를 맡은 거겠죠."

도영은 리웨이를 쳐다보았다.

"국장이 뭐라고요?"

리웨이는 바로 뭐 씹은 표정이 되었다. 국장이 한 말을 떠올리는 얼굴이었다.

"제가 그걸 알면 지금 이러고 있겠어요?"

계급 때문에 존댓말을 하긴 하지만 도영은 가끔 이럴 때면 차라리 반말을 하는 게 낫지 않나 싶었다.

도영은 뒷골목에서 담배를 피우는 불량 학생처럼 앉아 무릎 위에 양팔을 걸치고 있는 자세로 생각하다가 물었다.

"강 상사 그냥 흙수저 루아스 아니었습니까?"

그런데 오늘 처음 부임한 국장이 왜 연하를 데려간 건지 알 수가 없었다.

리웨이는 아무 반응 없는 문을 살피면서 대답했다.

"제가 알기로도 그런데 말이죠. 거의 죽기 직전에 병원으로 이송됐죠. 도착했을 때는 이미 감염이 진행되는 상태였고."

루아스는 감염을 통해 태어나지만 모두가 감염을 이기는 것은 아니었다. 감염된 사람 대다수는 단순히 주검으로 끝났다. 오로지 선택받은 자들만이 밤의 전사로서 다시 일어나는 것…… 이라지만, 죽어가는 연하에게 과연 죽음 대신 이런 삶을 선택하겠냐고 물어본 사람이 있었을까.

도영은 생각하고는 다시 문을 살폈다.

'근데 뭐 하는데 아직까지 나오지도 않고 있어?'

누구에게 힘으로 밀릴 녀석이 아닌데 말이다.

H빔으로 얻어맞아도 꿈쩍 않는 무시무시한 용가리 통뼈의 소유자 강연하가 아니던가. 물론 정신을 잃긴 했지만 탑 위에 갇힌 공주인 양 파랗게 질려서 쓰러지던 모습이 더 충격적이라 도영은 그 장면이 오랫동안 잊힐 것 같지 않았다.

"쳐들어가면 살아서 나올 수 있을 것 같습니까?"

도영이 루아스들 쪽을 보면서 중얼거리자 리웨이는 휘휘 손을 저었다.

"아서요. 경호받아서 왔다니까 샌님 같아 보여요? 눈 붉은 거 못 보셨어요? 저기 쟤들 다 합친 것보다 국장이 더 강할 수도 있어요."

도영은 인상을 쓰고 리웨이를 보았다.

"오버하지 말아요, 좀. 다 저렇게 눈이 붉은데."

'이 어린놈이 아직 세상의 맛을 덜 봤구먼.'

리웨이는 바로 이런 글자가 부조된 표정이 되더니 어깨를 으쓱이고 말했다.

“뭐, 어쨌든 잊지 마세요, 드페르 소령님. 상대는 오늘부로 우리 지부의 임금님이라는 걸. 그래요, 권력의 향기를 맡으셨습니까?”

도영은 절레절레 고개를 저었다. 하여간 공양미 삼백 석에 강연하를 팔라 하면 당장 보쌈해서 인당수에 던져 버릴 여자 같으니. 괜히 속물의 가운데 토막인 부국장마저도 한 수 접어준다는 리웨이 파웰이 아니었다.

리웨이는 계속 말했다.

“괜히 인실좆이 아니니까 세상의 맛을 온몸으로 체득하고 싶지 않으면 짜…… 짜짜로니.”

도영은 물끄러미 리웨이를 보았다.

“지금 분명히 짜지라고 하려고 한 것 같은데요.”

리웨이는 손사래를 쳤다.

“어휴, 설마요.”

계급을 들고 깃발처럼 흔들 것도 아니고 아무래도 좋아진 도영은 루아스들 쪽을 가리키며 말했다.

“그렇다고 안에서 무슨 일이 일어나고 있는지도 모르는데 그냥 둬요?”

“설마 잡아먹기야 하겠어요. 동족인데. 신고식을 엄하게 치르는 거 아닐까요?”

“그런 줄 알면 왜 이러고 있는 겁니까?”

리웨이는 또르륵 눈을 굴렸다.

“호기심?”

이 여자가 정말.

도영은 그런 감정을 숨기지 않고 리웨이를 쳐다보았다. 그때였다. 부동자세를 풀지 않는 루아스들 중 하나가 사라졌다. 말 그대로 지워지듯이. 다음 순간, 두 사람 앞에 나타났다. 리웨이와 도영은 덤불에서 튀어

나온 표범을 마주친 토끼인 양 흠칫했다. 심지어 리웨이는 너무 소스라치게 놀라 어디 말인지도 모를 욕설을 내뱉다 겨우 입을 막았다.

"젠장, 너무 놀라서 방언 터졌네."

아까 차에서 마지막으로 내린 금발 루아스가 둘을 내려다보고 있었다. 반짝이는 긴 금발을 늘어뜨리고, 미동도 하지 않는 붉은 눈동자로.

다른 곳에서 봤다면 넋을 놓고 쳐다봤을 만큼 아름다운 외모였다. 하지만 악어라는 비교 대상이 바로 떠오를 만큼 변온 동물 같은 차가운 아름다움이어서 저도 모르게 등골이 서늘해질 정도였다.

"저희는 인간보다 청력이 좋습니다."

그 루아스가 굵은 목소리로 말했을 때, 리웨이와 도영은 서로를 쳐다보았다.

"남자예요?"

도영이 놀라 물었고, 리웨이는 얼떨떨하게 중얼거렸다.

"저 얼굴로……. 세상 말세네요."

특별히 여성스럽게 생겼다기보다 너무 아름다운 얼굴이 성별이란 게 의미가 없는 느낌을 주었기 때문이다. 하지만 익숙한 오해인지 원래 그런 표정인지, 둘의 말을 들었으면서도 금발 루아스는 무표정했다. 생긴 것도 그렇고 살아 있는 석상이라는 묘사가 이렇게 부합할 수 없었다.

리웨이는 그를 보고 어색하게 웃었다.

"네. 좋으시겠어요."

도영은 미쳤냐는 듯이 리웨이를 보았다. 하지만 금발 루아스는 역시 변하지 않은 얼굴로 말했다.

"그래서 두 분의 대화가 잘 들린다는 말씀을 드리고 싶은 거였습니다."

"아아……. 그럼 안에서 무슨 일이 있는지 좀 알아봐 주실 수 있을까요?"

도영은 리웨이의 되우 큰 간땡이에 감탄했다.

"저희에게 국장님의 일에 관여할 권한은 없습니다."

금발 루아스는 목소리에도 표정이 있다면 완전한 무표정일 것 같은 목소리로 대답했다. 하지만 리웨이는 개의치 않았다.

"강 상사한테 관여할 권한은 있잖아요? 중앙근위사단의, 그것도 장교로 보이시는 분께 그 정도 권한은 있겠죠."

금발 루아스는 한동안 리웨이를 보았다. 괜히 도영이 더 긴장되는데, 그때 구름다리로 이어지는 문이 열리고 연하가 혼자 걸어 나왔다. 도영은 얼른 일어났다.

"강연하."

연하는 도영을 돌아보았다.

"소령님."

그녀에게는 아까 시체 같은 낯빛이 전혀 없었다. 오히려 다시 태어난 듯 생기가 돌아서, 백지장 같은 얼굴에 홍조가 핀 것처럼 보일 정도였다.

"괜찮아?"

도영은 연하에게 다가가 물었다. 오히려 들어갈 때보다 멀쩡해 보여 묻는 게 민망할 지경이긴 했다. 다만 이마 정 가운데에 불그스름한 자국이 있었다. 꼭 딱밤이라도 맞은 것처럼.

"새로 온 국장이 너한테 무슨 볼일이래?"

도영은 물었다.

"그건……."

연하는 주저했다. 머리와 입 사이에 필터가 없는 걸로 악명 높은 강연하가 별일이었다. 그래서 도영은 더 궁금증을 참을 수 없었다.

"왜, 뭐라는데?"

그런데 뭔가 뒤통수를 뚫어버릴 것 같은 시선이 느껴져서 도영이 돌아보니, 루아스들이 모두 살아난 석상처럼 그들을 보고 있었다. 그제야 도영은 자신이 루아스들의 사정거리 안에 들어와 있다는 걸 깨달았다. 이렇게 많은 붉은 눈들이 주목하는 대상이 된다는 건, 절대로 유쾌한 일이 아니었다.

도영은 슬그머니 연하의 뒤로 숨었다. 어디까지나 평범한 인간인 그보다야 연하가 가망 있지 싶어서.

"너……."

오랜 팀 생활로 도영의 생각을 읽었는지 연하는 눈썹을 추켜들고 그를 보았다.

"뭐, 왜?"

도영은 찔려서 괜히 시비조로 내뱉었다.

"뭔가 말씀을 하셨습니까?"

금발 루아스가 어느새 뒤에 와 물었다. 도영은 흠칫했으나 연하는 놀라지 않고 돌아보았다.

"네."

"뭐라디?"

리웨이도 호기심을 감추지 않고 묻자 연하는 안에서 있었던 일을 회상했다. 그리고 입을 열었다. 모두가 그 입을 주시했다.

"물론 내가 널 낳진 않았다만."

이반이 말했다.

"네, 임신하실 수 있을 것 같진 않아요."

연하는 머릿속에 떠오른 그대로 말이 나왔다. 도영이 생각 좀 하고 말하라고 했는데.

이반은 큭 웃었다. 그게 다인 줄 알았으나, 생각해 보니 웃겼던지 손에 얼굴을 묻고 좀 더 웃었다. 그리고 즐거움이 다 가시지 않은 얼굴로 고개를 들었다.

"아, 이건 좀 웃기군."
"즐거움을 드릴 수 있었다니 영광이에요."
또 아무 말 대잔치였다. 이반은 묘한 표정을 지었다.
"대체 여기서 뭘 배우는 거냐?"
"글쎄요, 딱히……. 근데 제 아버지라고요?"
한순간 연하는 12년 전에 돌아가신 아버지가 환생이라도 한 줄 알았다. 물론 남자는 얼추 보아도 삼십대 초중반으로 나이가 맞지 않았다. 그럼에도 아버지라 밝힌 태도가 하도 당당하여, 연하는 이산가족이 상봉하게 된 현장에 뜨거운 눈물을 흘리며 그를 포옹이라도 해야 하는 건지 헷갈렸다. 하지만 눈앞에 있는 남자를 보니 웬만하면 그러고 싶지 않았다. 도저히 아버지라고 생각할 비주얼이 아니었다.
이반은 피식 웃고 일어났다.
"생각이 표정에 다 드러나는구나."
도영은 늘 반대로 이야기했는데 말이다. 도대체 흐리멍덩한 얼굴로 무슨 생각을 하는지 모르겠다고.
이반은 거실에서 이어지는 복도를 지나갔다. 연하는 기다렸지만 그가 돌아오는 기색이 아니어서 따라갔다. 복도 한쪽이 유리 전면 창으로 덮여 있고 그 창 너머에 네모난 정원이 가꿔져 있었다. 그리고 복도 너머에는 거실이 하나 더 있었다.
'어디 갔지? 기척이 없어서 모르겠네.'
당연하겠지만 남자에겐 인간 같은 기척이 없었다. 그래서 거실에 서서 잠깐 헤매고 있는데 낮은 계단을 올라가면 이어지는 공간에서 목소리가 들렸다.
"뭐 마실래?"
부엌인 모양이었다.
"아뇨. 괜찮아요."

목소리가 들린 곳으로 가보자 부엌은 검은 대리석 느낌이 나는 모던하고 단순한 공간이었다. 남자는 마치 아파트 광고에나 나올 것 같은 모습으로 냉장고 앞에 서 있었다. 연하는 이 지부에서 거의 반평생을 살고도 국장 관사에 들어오는 일은 처음이었다.

이반은 물을 잔에 따라 한 모금 마시고 내려놓았다. 흰색 마블링이 들어가 밤하늘처럼 보이는 검은 대리암 아일랜드 탁자의 매끄러운 표면에 그가 거꾸로 비쳤다. 투명한 잔의 표면에 매달린 물방울이 흘러내려 탁자와 컵 사이에 고였다.

"아버지라고 했던 건 농담이었군요."

연하는 깨닫고 말했다. 사실 당연했다. 그녀에게 이러나저러나 아버지란 존재는 없으니까.

이반은 그녀 앞에 와 섰다.

"너에 대한 건 오래전부터 알고 있었어. 열아홉 살 때 테러리스트들이 일으킨 열차 테러에 휘말려 중태에 빠졌지. 모두 죽을 거라고 생각했지만 나흘간 감염을 버틴 끝에 변이를 이겨낸, 서울 지부 ERU(Emergency Response Unit) 3팀의 루아스, 강연하 상사. 31세."

이반은 손을 내밀었다. 연하가 이건 무슨 의미인가 싶어 손을 쳐다보자 이반은 말했다.

"건장한 성인 남자도 대개 이기지 못하는 감염을 이겨낸 용감한 아가씨를 만나서 영광이구나."

연하는 그 손을 맞잡았다.

"확실히 제 아버지는 아니신 것 같네요."

"어디서 그런 결론이 나왔어?"

이반은 정말로 궁금한 것 같았다. 연하는 어깨를 으쓱이고 대답했다.

"나이가 상당히 많으신 것 같아서요. 요즘 사람들은 용감한 아가씨 같은 말은 쓰지 않거든요."

"아, 그런가."
이반은 팔짱을 끼고 중얼거렸다.
"하지만 틀린 말은 아냐. 이제부터 내가 네 아버지니까."
연하는 이반을 위아래로 훑었다. 아무리 봐도…….
"아버지처럼 보이시진 않는데요."
"동족이니까. 아버지처럼 생각하란 의미야."
연하는 다시 이반을 위아래로 훑었다. 역시 두 번 봐도…….
"아버지처럼 안 보이는데."
연하가 혼잣말처럼 중얼거리자 이반은 피식 웃었다. 묘한 데서 고집이 센 그녀의 성격을 눈치챈 듯 더 이상 설득하길 포기한 것 같았다.
"아무튼 잘 부탁한다."

"잘 부탁한다고."
연하는 말했다.
"뭐?"
도영이 되묻자 연하는 다시 말했다.
"잘 부탁한다고 했는데."
도영은 황당하단 듯이 물었다.
"그게 다야?"
다른 대화도 나누긴 했지만 결론적으로 국장이 하고 싶었던 말은 그거 하나인 것 같았다. 그래서 연하는 고개를 끄덕였다. 그러자 뒤에 서 있는 금발 루아스가 여전히 무표정한 얼굴로 말했다.
"들어가십시오."
연하는 거수경례하고 돌아섰다. 어쨌든 그녀보다 상급자인 것 같으니까.
"정말 그게 다였어?"

같이 복도를 걸어가며 도영이 다시 물었다.

"응. 새로 온 국장인데 자기를 아버지처럼 생각하라고……."

도영은 미간을 좁혔다.

"국장이 왜 네 아버지야? 하여간 그런 말 하는 것들은 절대 믿으면 안 돼."

리웨이는 아직 시야에 들어오는 루아스들을 돌아보고 '쉿' 소리를 냈지만 그녀도 슬그머니 속삭였다.

"그러게. 세상의 아버지가 다 얼어 죽었나 보다."

붉은 눈동자들은 멀어지는 그들을 끝까지 응시하고 있었다. 그리고 세 사람이 모퉁이 너머로 사라지자 한 루아스가 고정된 그림 속에서 살아난 것처럼 갑자기 말했다.

"말씀하지 않으신 것 같군요."

"생각하시는 바가 있겠지."

금발 루아스가 무심히 대답하며 나머지 여섯을 돌아보았다.

"아무튼 이만 돌아가도록 해. 먼 길을 가야 하니까."

여섯 루아스들은 일제히 자세를 갖추고 거수경례했다.

"곧 뵙겠습니다."

"몸조심하십시오."

금발 루아스는 고개를 끄덕이고 관사로 통하는 문 너머로 사라졌다. 여섯 루아스는 몸을 돌려 복도를 내려가기 시작했다.

"아무리 생각해도 저희 중 한 사람이 남는 게 맞지 않겠습니까?"

한 루아스가 말하자 개중 리더로 보이는 루아스가 뒤를 돌아보았다.

"아니, 우리로선 역부족이야."

시선이 구름다리 너머로 향했다.

"저분을 감당하기엔."

문이 열리는 소리가 들려 창가에 서 있는 이반은 돌아보았다.

"렉스."

렉스는 여태 들고 있던 장갑을 테이블에 내려놓고 말했다.

"말씀하지 않으신 것 같더군요."

"첫날부터 경계하게 만들 필요는 없으니까."

맹한 것 같으면서도 감정을 그대로 드러내는 드라마틱한 표정들을 생각하자 이반은 저도 모르게 웃음이 났다. 생각했던 것과는 조금 다른 타입 같았다.

혼자 웃는 게 이해되지 않는지 렉스가 쳐다보았다. 이반은 웃음을 거두고 중얼거렸다.

"두고 봐야지. 12년 만이니까."

2

The Girl

"뭐? 국장의 피를 마셨다고?"

리웨이는 인상을 쓰고 물었다. 연하는 고개를 끄덕였다.

"같은 뱀파이어의 피는 마실 수 없는 거 아니었어?"

아마 짐작했겠지만 연하는 정치적 올바름 같은 문제엔 관심이 없었다. 그냥 나오는 대로 말할 뿐이었다. 뱀파이어든 루아스든 심지어 흡혈귀든.

리웨이는 잠깐 생각하다가 말했다.

"그게 가능했다면 아마 둘이 같은 혈액형일 거야. 안 그래도 거기에 대한 논문이 최근에 나왔거든."

연하는 고개를 갸웃했다.

"나한테 혈액형이 있어?"

리웨이는 얘는 어느 별에서 왔냐는 듯이 쳐다보았다.

"여태 그걸 몰랐단 말이야? 동물도 혈액형이 있는 걸. 어쨌든 인간도 같은 혈액형끼리 수혈할 수 있는 것처럼 루아스도 그런 모양이야. 다만 루아스의 혈액형은 인간과는 비교할 수도 없을 만큼 많아. 거의 개별 혈액형을 가진 것처럼 느껴질 정도로. 그래서 맞는 혈액형을 찾기가 힘들 뿐이지."

"그랬구나."

연하는 납득했다.

"어제는 정신이 없어서 같은 뱀파이어의 피는 마실 수 없다는 것도 잊고 있었어."

리웨이는 다시 인상을 썼다.

"조심하라고 했잖아? 잘못 마셨다가는……."

"알아. 다른 감염원의 공격을 받을 수 있어서 위험하다고."

하지만 국장의 피는 연하를 공격하기는커녕 나쁜 자세 탓에 만성적인 목 결림까지 치료해 준 것 같았다. 여담이지만, 뱀파이어의 강한 육체도 생활 습관에 따른 일상적인 불편에서는 자유로울 수 없었다.

아무튼 그래서 푹 자고 나서야 의아해졌던 것이다. 같은 뱀파이어의 피는 못 마신다고 하지 않았나? 하고.

"뭐, 잘됐네."

리웨이가 책상으로 가면서 말했다. 연하는 의아해하는 시선을 던졌다.

"잘돼?"

"자가혈 치료는 한계가 있으니까. 아직 그만한 기술이 개발되지 않아서 루아스의 피는 오래 보존이 안 된단 말이지. 지부에 같은 혈액형을 가진 루아스가 있으면 좋지."

"하지만 하이마 오메가가 있잖아?"

하이마 오메가는 그 약품 이름이었다. 며칠 전 문제가 된, 일시적으로 상처 회복 능력을 상승시켜 주는 그 좆같이 비싼. 이름에서 짐작했겠지만 하이마를 개발한 제노아틱스가 자랑스럽게 내놓은 후속작이었다.

리웨이는 찡그린 웃음을 지었다.

"인위적으로 상처 회복 능력을 극대화한다는 거, 몸에 좋을 리가 없잖아."

연하는 '그런가.' 생각하다가 물었다.

"그런데 뱀파이어끼리도 흡혈은 불법 아냐?"

요즘 흡혈이 허용되는 유일한 경우는, 소생 가능성이 없는 환자에게 당국의 허가를 받은 '의료 행위'일 때뿐이었다. 그래봤자 감염을 이기는 경우가 손에 꼽기 때문에 그다지 효과 있는 의료 행위는 아니었지만.

"걸리면 불법이지."

리웨이는 말했다.

"돌팔이."

"뭐, 인마?"

그렇게 말하며 돌아보긴 했지만 리웨이는 어깨를 한 번 으쓱이고 말했다.

"뭐, 말이 그렇다는 거고, 같은 혈액형을 가진 루아스들끼리 피를 공유하는 건 흡혈보다 수혈의 개념으로 보니까. 아무튼 흥미로운 생물이야. 원시의 지구에 불시착한 외계 바이러스가 인간을 숙주 삼아 진화한 거라는 가설부터 말이야. 하긴, 인간을 기반으로 하지만 전혀 다른 특질을 띤다는 게……."

리웨이는 종종 신나서 늘어놓고는 하지만 그런 이야기에는 영 관심이 없는 연하는 스툴에 앉아 빙그르르 돌았다.

"정신 사나워. 가만히 있어."

곧 리웨이가 라텍스 장갑을 끼면서 다가왔다.

"한 번 보자."

리웨이가 들고 있는 의학용 손전등의 빛이 연하의 눈동자를 비췄다.

"어지러웠다면서 왜 말 안 했어?"

이번에 리웨이는 입안을 보면서 물었다. 뾰족한 송곳니는 서랍 속에 넣어둔 흉기처럼 이 사이에 잠들어 있었다.

"금방 지나갈 줄 알았어."

입을 벌리고 있느라 발음은 '으바 지아가주 아았어.'에 가까웠다. 그래도 리웨이는 용케 알아들은 모양이었다.

"괜히 너 때문에 나만 혼났잖아."

"리웨이가 자꾸 소리치니까."

"그래. 내 탓이다, 내 탓이야."

리웨이는 손전등을 내려놓고 말했다.

"많이도 마셨나 보다. 어제 그렇게 쓰러진 애라고는 생각할 수 없을 정도로 멀쩡하네. 너한테 피 뽑아주고 국장 안 쓰러졌니?"

'멀쩡해 보였는데.'

연하는 생각했다. 그보다 '마셨다.'라고만 했더니 피를 뽑아준 거라고 오해한 모양이었다. 그런데 연하가 오해를 정정하기 전에 리웨이가 물었다.

"국장 관사에서는 뭘 한 거야?"

안 그래도 흡혈 이야기를 하려는데 갑자기 어제 장면이 떠올랐다. 풀어 헤쳐진 와이셔츠, 몸을 타고 전해지는 가벼운 진동, 웃는 남자의 얼굴—

연하는 어쩐지 말문이 막혔다. 딱히 뭘 한 것도 아닌데.

"피 마시고 아버지 아니라 하고."

결국 에둘러 말하고 말았다. 리웨이는 한쪽 눈썹을 추켜들었다.

"그건 무슨 암호야?"

"몰라."

그러면서 연하는 침대에 드러누웠다. 리웨이가 슬그머니 물었다.

"근데 정말 주치의 자격이 없다고 하디? 그냥 한 말이라지?"

"그런 말을 했어?"

연하가 멀뚱히 대답하자 리웨이는 절레절레 고개를 저었다.

"하여간 도움 안 되는 것."

연하는 천장을 보다가, 몸을 돌려 베개 아래 양손을 넣고 말했다.

"다른 의사는 싫어."

리웨이는 찡그리고 웃었다.

"어디서 애교야? 나보다 언니면서."

"한 살밖에 차이 안 나잖아."

"그래, 좋겠다. 누구는 하루하루 늘어가는 눈가의 주름을 걱정하고 있는데 누구는 십대의 탱탱한 몸을 유지하고 있으니."

리웨이는 중국인과 미국인 혼혈이었는데 도영처럼 동양 쪽 피가 좀 더 발현돼서 동안인 편이었다. 하지만 물란 같은 긴 생머리와 붉은 립스틱을 포기하지 않는 진한 화장 때문에 나이를 잘 알 수 없는 묘한 느낌을 풍겼다. 화장만 저렇게 안 해도 좀 더 어려 보일 텐데 말이다.

어쨌든 세월을 속일 수는 없어서, 자세히 보면 슬슬 눈가의 주름을 발견할 수 있었다. 리웨이가 이 지부로 전출 온 것도 벌써 사 년 전이니까.

다른 사람이었다면 바로 그렇다고 이야기했을 것이다. 하지만 리웨이는 불같이 화낼 게 분명하기 때문에 연하는 말을 삼키고 대신 물었다.

"리웨이도 뱀파이어 할래?"

리웨이는 돌아보지도 않고 대답했다.

"제안은 고맙지만 변이를 이길 자신이 없거든. 마취 없이 심장 수술을 받는 것 같다던데. 실제로 쇼크사 하는 경우가 많고. 정말 그렇게 고통스러워?"

연하는 정면으로 돌아누워 천장을 보았다.

뱀파이어로 눈을 뜨는 순간부터 많은 질문을 받았다. 사람들은 인간이 뱀파이어로 변이되는 과정의 사소한 디테일까지도 연인의 과거처럼 알고 싶어 했다. 그 열망 어린 눈동자들을 보면 머릿속을 긁어서 기억의 부스러기들이라도 꺼내주고 싶었지만 연하가 해줄 수 있는 대답은 늘 정해져 있었다.

“잘 기억 안 나. 정신이 드니까 끝나 있어서.”

사고를 당한 후 눈을 뜨니, 병실이었다. 그래서 악몽을 꿨다고 믿었다. 그런데 어렴풋이 병실이 너무 크고 좋아 보인다고 느꼈다. 부모님한테 이런 돈이 어디서 나서— 하고 생각하는데, 낯선 사람이 병실로 들어왔다.

어리둥절해하는 연하에게 그 사람은 부드러운 어조로 그간의 일을 설명해 주었다. 그녀가 감염된 것, 그래서 한 번 심장이 멈췄던 것, 온몸이 재조직되는 변이를 겪은 것, 하지만 마침내 감염을 이겨내고 삶으로 돌아온 것……. 그 사람의 차분한 어조에 연하는 오히려 현실감을 느끼지 못했다.

변이 과정을 기억하지 못해서 그런지, 사실 지금도 연하에게는 인간과 루아스의 경계가 뚜렷하지 않았다. 어느 날 갑자기 더는 인간이 아니라고 해 봤자, 그냥 좀 더 빨리 달리고 높이 뛰고 금방 상처가 아물게 되었다고 느껴질 뿐이었다. 흡혈해야 했다면 좀 달랐을지도 모르지만 그것도 아니고.

그런데 갑자기 ‘용감한 아가씨’라는 말이 생각났다. 들을 때는 비웃었는데 갑자기…… 어, 좀 수줍어지는 이유는 뭔지.

“그 처음 보는 표정은 뭐야? 무슨 생각 하니?”

리웨이가 물었다. 연하는 옆으로 돌아누워 눈을 감았다.

“몰라.”

어제 그렇게 푹 잤는데도 왠지 모르게 졸렸다. 하지만 피곤하고 힘들어서 그런 게 아니라 뭔가 포만감이 들어서—

"채혈하고 자."

"응."

리웨이가 말했지만 연하는 대강 대답했다. 조금 있다가 물건들이 부딪치는 소리가 들리고 리웨이가 다가왔다.

뱀파이어의 피부는 어지간한 총알로도 뚫리지 않았지만 '결'이 있어서 방향을 잘 찾으면 일반 도구들도 들어갔다. 그래서 채혈할 수 있었는데, 요즘에는 그냥 뱀파이어의 피부를 뚫는 강도를 지닌 바늘이나 도구도 개발 중이라고 들은 것 같았다.

작업을 끝낸 리웨이는 혈액이 관을 타고 나가는 모습을 확인하고 연하를 보았다. 너무 익숙한 과정이라 그런지 연하는 그새 잠든 것 같았다. 하얗고 말간 것이 꼭 갓 젖을 뗀 새끼 고양이 같은 얼굴이었다. 약간 벌린 입술 사이로 고른 숨결이 느껴졌다. 따듯했다.

리웨이는 어느새 연하에게 지나칠 만큼 가까이 다가간 상태였다. 입술이 지척이었다. 거의 맞닿을 것처럼…….

리웨이는 갑자기 고개를 들고 턱을 괸 채 중얼거렸다.

"이게 어딜 봐서 서른한 살이냐."

몸에서 빠져나가는 잠기운이 발끝을 간질였다. 간만에 깊이 잔 것 같았다. 연하는 기분 좋은 숨을 내쉬며 가물가물한 눈을 떴다. 정장 상의를 벗은 와이셔츠 차림인 국장이 서서 무언가를 보고 있는 모습이 눈에 들어왔다.

연하는 나른한 눈을 감았다가 떴다. 이상한 일이지만 국장이 있는 풍경에 왠지 마음이 편해졌다. 무언가에 열중하는 옆모습이, 남자가 멋있어 보이는 게 이런 건가 싶었다.

그러다가 연하는 눈을 깜빡였다. 잠깐. 진짜인가?

"국장님?"

"일어났어?"
국장은 연하를 보았다. 반가워하는 얼굴에 멍해지길 잠시, 연하는 물었다.
"여기서 뭐 하세요?"
국장은 그가 당연히 올 곳을 왔다는 듯 당당하게 서서 차트 패드를 들고 있었다. 리웨이는 어디 갔는지 보이지 않았고, 팔에 꽂았던 바늘은 제거되어 있었다.
"왔는데 자고 있어서."
국장은 패드를 내려놓고 다가왔다. 고작 열 걸음이나 될까 싶은 거리인데 순간 조명이 쏟아지는 런웨이인 줄 알았다. 연하는 갓 일어나 부스스한 상태로 이불을 휘감고 멍하니 보았다. 국장이 앞에 와서 물었다.
"몸은 괜찮아?"
연하는 고개를 끄덕였다.
"어깨 좀 보자."
너무 당당한 손길이라 연하는 얼결에 어깨를 내주고 말았다. 서늘한 손이 티셔츠를 젖히고 거의 흐릿해진 어깨 흉터를 훑고 지나갔다. 순간 그녀는 등줄기가 쭈뼛 섰다.
"거의 다 나았구나."
그러고는 국장이 침대 옆 스툴에 앉아서 시선의 높이가 같아졌다. 연하는 물었다.
"국장님도 괜찮으세요?"
"뭐가?"
연하는 그의 목덜미를 가리켰다.
"괜찮아. 볼래?"
국장은 와이셔츠의 칼라를 젖혀서 목덜미를 보여주었다. 하얀 대리석 같은 목덜미에는 아무 자국도 없었다. 본의 아니게 낸 자국이었지만 덜

미안해해도 될까 싶어졌다.

그제야 연하는 자신이 국장을 먹잇감을 보듯 뚫어지게 보고 있다는 것을 깨달았다. 말없는 응시에 보통 사람이라면 당황해할 테지만 국장은 아니었다. 역시 그녀를 눈도 깜빡이지 않고 마주 보고 있었다.

'신기한 사람.'

갑자기 연하는 자신이 그의 이름조차 모른다는 사실을 깨달았다.

"성함이 어떻게 되세요?"

평범한 질문인데 국장은 기분 좋은 이야기라도 들은 것처럼 웃었다. 뱀파이어답지 않게 잘 웃는 사람이었다.

"이반 이바노프."

'이바노프라면…… 러시아인?'

하지만 국장은 러시아인 같은 느낌은 아니었다. 아무리 러시아가 넓어서 온갖 얼굴이 다 있다고는 하지만 전형적인 코카서스 러시아인 같진 않았다. 오히려 현대적인 느낌이 나는 그리스 조각상 같았다.

"러시아 사람처럼 안 보여요."

"그럼 어디 사람 같은데?"

"그건……."

정답을 찾아 이반을 뜯어보았다. 그래도 그가 어디 사람일지 잘 구별할 수 없었지만 한 가지는 알 수 있을 것 같았다.

'잘생긴 얼굴이란 이런 얼굴을 이야기하는 거겠지.'

뱀파이어들 중에는 소위 외모가 좀 된다는 사람들이 많은 편이었다. 리웨이가 말하기로는 재능이나 성품, 타인의 환심을 살 수 있는 외모 같은 것도 생존하는 데 유리한 조건이라서 병원체가 선택 어쩌고 했던 것 같았다. 아무튼 그런 것까지는 모르겠고, 국장이 개중에서도 두드러지는 편이라는 건 알았다. 어지간한 남자들도 한 걸음 비켜나 줄 것처럼 남자다운데, 어떤 각도로 보면 청년 같은 느낌을 풍기기도 했다. 묘한 사람이었다.

"그건 잘 모르겠지만…… 러시아 사람한테도 이렇게 검은 머리가 있어요?"

연하는 충동적으로 이반의 머리카락을 만져 보았다. 부드러웠다.

이반은 연하를 제지하지 않았다. 오히려 즐기듯이 긴 다리를 꼬고 앉아, 턱을 괴고는 그녀가 하는 양을 지켜보았다.

"있어. 넓은 나라니까."

"러시아 하면 춥다는 것밖에 생각나지 않는데."

그를 보느라 자신이 무슨 소리를 하는지도 모르고 떠오르는 대로 말한 건데 이반은 진지하게 대답해 주었다.

"춥지."

"가본 적이 없어서 어느 정도인지 모르겠어요."

"아주 추워."

"얼마나요?"

이렇게 실없는 대화를 하고 있으니 연하는 그가 불과 어제 아침만 해도 모르던 사람이라는 사실이 믿기지 않았다. 이름도 방금 전에야 알게 됐는데.

이반은 제 머리카락을 만지는 연하의 손을 잡아 내렸다.

"글쎄, 손가락이 얼어버릴 정도?"

그의 손에 잡힌 제 손이 아이의 것 같았다. 연하가 손을 빤히 보고 있자 그도 그쪽을 보고는 말했다.

"손이 작구나."

"안 작아요. 국장님이 큰 거지."

"그래?"

그래도 이반은 믿기지 않는다는 듯이 연하의 손을 유심히 보았다. 그러다가 손목 주름 바로 아래 옅은 흉터를 짚고 말했다.

"흉터가 있네."

"그러네요. 언제 생겼지?"

연하는 의아해했다. 제 손을 유심히 쳐다보고 있는 일이 별로 없으니까 깨닫지 못하고 있었다. 이반은 그녀를 잠깐 보다가 말했다.

"몸에 별로 신경 쓰지 않는구나."

"어차피 잘 부서지지 않는 게 장점인 몸이잖아요."

연하는 흉터가 언제 생겼을까 생각하느라 이반이 제 정수리를 물끄러미 보고 있다는 것도 모르고 대충 대답했다.

그런데 갑자기 이반이 잡은 손을 뒤로 뺐다. 당연히 팔이 쭉 당겨져, 연하는 얼떨결에 앞으로 끌려가다가 넘어지지 않기 위해 복부에 힘을 주었다.

"어, 잠깐……."

말하려는 찰나 얼굴에 그림자가 드리워질 정도로 성큼 다가온 남자를 흠칫 올려다보았다.

"그러라고 준 게 아니잖아."

빛을 등져 음영이 진 얼굴이 진지했다. 연하를 내려다보는 붉은 눈 속에서 정체를 알 수 없는 무언가가 천천히 소용돌이쳤다. 거기에 홀린 듯이 멍해져 있던 연하는 뒤늦게 말을 이해하고 되물었다.

"네? 누가요?"

지잉. 그때 자동 미닫이문이 열리고 리웨이의 목소리가 들렸다.

"당신이 왜 여기 있는 거예요?"

연하는 돌아보았다. 열린 문 너머 복도에 금발 루아스가 혼자 서 있고 리웨이가 그를 경계하는 표정으로 안으로 들어오고 있었다. 하지만 금발 루아스는 여전한 표정으로 대답하지 않았다.

오늘 그는 제복이 아닌 농장 일꾼들이 입을 법한 체크무늬 남방에 무난한 일자 청바지, 운동화 차림이었다. 제복을 입고 있을 때랑 너무 달라서 장발의 금발에 붉은 눈이라는 엄청난 특징에도 불구하고 알아 보지 못할 뻔했다.

리웨이는 금발 루아스에게 눈을 흘기면서 돌아보고, 멈칫했다. 그리고 앞에 펼쳐진 풍경이 해독되지 않는 듯 불가해한 눈으로 보았다. 그러다 겨우 가장 명백한 암호 하나를 해독해 낸 것처럼 말했다.

"국장님."

얼떨떨한 시선이 맞잡은 두 사람의 손에 멈추었다. 연하는 리웨이의 표정이 그렇게 일그러지는 건 처음 보았다.

"뭐 하세요?"

리웨이가 묻자 이반은 태연히 연하의 손을 놓고 일어났다. 연하는 아쉬웠지만 다시 손을 잡아달라고 할 만한 상황은 아닌 것 같았다.

"강 상사의 차트를 봤는데."

이반은 아까 책상에 내려놓았던 패드를 들고는 말했다.

"불필요한 검사와 채혈이 잦더군요."

리웨이는 그걸 걸고넘어질 거라고 생각 못 했는지 황당한 얼굴이었다.

"그건 모두 충분히 필요하다는 판단 아래……."

"앞으로 모든 검사와 채혈에 대한 보고서를 작성해서 제출하십시오. 제 허가를 받지 않은 건 전부 금지합니다."

이반의 말에 리웨이는 그제야 상황 파악이 됐는지 화난 표정을 감추지 않았다.

"전 오랫동안 강 상사의 건강을 책임져 온 담당의입니다. 국장님께서 무슨 권한으로……."

"지금 파웰 대위가 말씀하시지 않았습니까? 서울 지부 총책임자의 권한으로 강연하 상사에 대한 모든 불법적인 수집을 금지합니다."

그 말에 리웨이는 말문이 막힌 듯 노려보았지만 이반은 간지럽지도 않은 얼굴이었다. 바로 어제 도영에게 인실좆이라 하긴 했지만 이렇게 당할 줄은 몰랐다. 리웨이는 이대로 물러날 수는 없어 말했다.

"루아스들은 기사단에 정보를 제공해야 하는 의무가 있다는 걸 잊고 계시는 것 같은데요."

붉은 눈이 처음으로 낮게 가라앉아 리웨이는 흠칫했다. 이반은 서늘하게 말했다.

"그래서 허가를 받으라고 하지 않습니까?"

리웨이는 휙 연하를 돌아보았다.

"강 상사. 뭐라고 좀 해 봐!"

뭐라고 하라니, 연하는 아까부터 하고 싶었던 말을 했다.

"나 여태 불법적으로 수집당한 거야?"

"뭐? 이게……!"

리웨이는 명문대를 졸업한 똑똑한 머리로 연하는 전혀 도움이 되지 않는다는 사실을 바로 깨달았다. 버릴 패는 주저 않고 버리고, 다시 이반을 보았다.

"강 상사는 나라가 인정하는 훌륭한 성인입니다. 이렇게 칠푼이 같은 성인이라고 해도 말이죠."

"내가 왜 칠푼이……."

그 대목에서 연하는 반박했지만 깨끗하게 무시당했다. 리웨이는 오로지 이반에게 말했다.

"본인의 의지와 허락이 있는 경우에는 아무리 국장님이라 하셔도 강제할 권한이 없죠."

"그건 유효한 지적이군요."

이반은 순순히 인정했다. 리웨이는 이겼다 싶어 의기양양한 얼굴이 되었다.

"그래서."

이반은 연하를 보았다.

"강 상사는 공익을 위한다는 명목으로 개인의 권리를 침해하는 잘못된 관습을 묵인합니까?"

"뭐예요? 말을 왜 그렇게……."

리웨이가 황당해하는데 연하가 계몽된 중세 시대 농부인 양 손을 들고는 말했다.

"묵인하지 않습니다."

이반은 여봐란 듯이 리웨이를 보았다.

"그런다는군요."

리웨이는 겨우 분노를 참는 것 같은 붉으락푸르락하는 얼굴로 연하에게 물었다.

"언제는 다른 의사는 싫다며?"

"다른 의사는 싫지만 잘못된 관습은 묵인하면 안 되는 거야."

그 말에 리웨이는 황당하다는 표정을 숨기지 않았다.

"네가 언제부터 남의 말을 이렇게 잘 따랐다고?"

목적을 달성한 이반은 의무대를 나서려다가 돌아보았다.

"참, 파웰 대위."

리웨이는 결코 곱지 않은 눈으로 돌아보았다. 역시 이반은 간지럽지도 않은 얼굴이었지만.

"MCTC라는 공식적인 호칭을 쓰시는 편이 낫지 않습니까? 기사단이라니, 그건 호사가들이나 쓰는 멸칭이 아닙니까?"

리웨이는 이건 지지 않겠다는 듯 팔짱을 끼고 섰다.

"왜, 틀린 말도 아니잖아요. 못된 악당으로부터 인류를 보호해 주는 영웅 루아스들께서 활약하는 곳인걸요."

리웨이는 한껏 비꼬았다.

"그리고 대개 기사라는 칭호가 낯설지 않은 시대에서 오셨을 텐데.

다국 대테러부대 연합 같은 멋없는 이름보다는 훨씬 낭만적이지 않나요?"

다국 대테러부대 연합(Multilateral Counter-Terror Coalition). 통칭 MCTC.

인류와 손잡은 루아스들이 일하는 곳으로, 연하의 직장이기도 했다. 학생 때 받은 적성검사가 무색할 정도로 선택할 자유가 없었던 직장이긴 하지만 이래 봬도 국제법에 의거한 정부기관이었다. 즉, 연하는 공무원이었다. 따지고 보면.

'선생님이 되고 싶었으니 반은 꿈을 이룬 게 맞나.'

뜬금없이 그런 생각을 하고 있는데 이반이 훗 웃었다.

"차라리 십자군이 낭만적이겠군요."

'졌네, 졌어.'

연하가 흘긋 보니 리웨이는 거의 게거품을 물기 직전이었다. 그런 상황에 손쉬운 희생양은 바로…….

리웨이는 서슬 퍼렇게 연하를 노려보았다. 연하는 움찔했다. 리웨이는 거의 목에 핏대를 세우고 소리쳤다.

"너 이런 배신자!"

"아니, 잘못된 관습은……."

"이래서 머리 검은 짐승은 거두는 게 아니랬어!"

"리웨이가 날 언제 거두……."

연하는 늘 그렇듯 팩트를 이야기하려 했을 뿐이지만 이 상황에선 별로 슬기로운 대처가 아니라는 점을 몰랐다.

둘을 남겨놓고 이반은 만족한 듯 의무대를 나섰다. 문밖에서 기다리던 렉스가 뒤따르며 말했다.

"괜찮겠습니까?"

"인간한테 당할 리 없잖아."

"저쪽은 인간이라고 해도 만만치 않아 보이는군요."

그건 인정하는 바여서, 이반은 조금 웃었다. 그때 복도 맞은편에서 온 대원 하나가 인사하고 지나갔다.

대원은 의무대 안을 들여다보고 말했다.

"상사님."

"네!"

의무대 안에서 연하가 반갑게 대답하는 소리가 들렸다. 대원은 말했다.

"소령님께서 전해 드리래요. '일 안 하냐? 농땡이 피울래?'"

"마지막으로 ERU 3팀입니다. 팀 리더인 도영 드페르 소령."

남색 군용 티셔츠에 전투복 바지를 입은 도영은 가볍게 거수경례했다. 서울 지부 소속 ERU 3팀은 리더까지 포함해 총 열두 명. 실제 구성원의 숫자로 치면 소대지만 소수 정예로 특수한 임무를 수행하기 때문에 중대로 취급해 지휘관은 중대장인 소령, 도영이었다.

"팀 부지휘관에 강연하 상사입니다."

도영 옆에 서 있는 연하도 거수경례했다.

"중대원들로는 왼쪽부터 한규연 중사, 다니엘 임 하사……."

대원들도 차례대로 거수경례했다. 모든 팀원을 소개한 대대장 김 중령은 앞에 서 있는 국장을 보고 덧붙였다.

"그리고 이미 아시겠지만 여기 강 상사는 현재 저희 지부에 있는 몇 안 되는 루아스 중 하나입니다."

국장의 시선이 연하에게 멈추었다. 아닌 체하지만 다른 대원들도 둘을 힐끔거렸다. 소개를 받는 국장 역시 루아스라는 이례적인 상황이었기 때문이다.

"이렇게 보여도 나이는 제법 많습니다."

김 중령이 말하자 도영이 바로 말대꾸했다.

“여성에게 나이로 뭐라고 하는 건 실례입니다.”

정작 연하는 별생각이 없는 얼굴이었지만. 김 중령은 눈알을 한 번 굴리고 국장에게 말했다.

“이 건방진 소령나부랭이는 이 년 전에 파리 지부에서 전출 온 낙하산입니다.”

“제가 왜 낙하산입니까?”

도영이 뚱하게 말하자 김 중령은 들고 있는 파일로 그를 때리려는 손짓을 했다.

“너 같은 녀석이 생시르(프랑스의 사관학교)를 수석으로 졸업했다는 것 자체가 어불성설이야. 누가 뒤를 봐준 게 아니고서야.”

그러고는 김 중령은 다시 국장을 보고 파일로 대원들을 훑었다.

“어쨌든 이게 저희 서울 지부의 면면입니다. 어리바리한 녀석들이라 앞으로 고생하실 것 같군요.”

말은 그렇게 해도 대원들에 대한 자부심이 느껴졌다. 국장은 웃었다.

“이반 이바노프입니다. 잘 부탁합니다.”

대원들은 한마음으로 생각했다. 여직원들이 술렁이는 소리가 여기까지 들리는 것 같다고.

“그런데 이쪽은…….”

김 중령은 슬그머니 국장 뒤쪽을 보았다. 국장은 별것 아니라는 듯이 대답했다.

“제 개인 경호원입니다. 신경 쓰실 필요 없습니다.”

신경 쓸 필요 없다고 해도…….

국장 뒤에 있는 무표정한 얼굴을 마주한 사람들은 모두 할 말을 잃었다. 일단 정부기관 청사에 있다고는 보기 힘든 사복 차림에–그것도 상당히 묘한- 아름답지만 미동도 없는 서늘한 얼굴, 국장의 개인 경호원이라는 기묘한 신분. 뭔가 이상한 점투성이지만 상부에서 허가한 일이라는 것 같았다.

"그럼 일단……."

김 중령은 난감한 웃음을 지었다.

"밀린 결재부터 부탁드려도 되겠습니까?"

"그러죠."

국장과 그의 전속부관 이 대위, 경호원이라는 정체불명의 금발 루아스 렉스, 김 중령은 국장실 쪽으로 사라졌다. 대원들은 한동안 가만히 있다가 한 사람씩 말했다.

"드디어 뱀파이어다운 뱀파이어를 보는 느낌이네."

"그러게요. 우리가 늘 보는 뱀파이어라고는……."

대원들은 동시에 연하를 돌아보았다. 책상에 앉은 연하는 서랍에 숨겨둔 루챠챠를 꺼내 마시고 있었다. 그러다가 자신에게 모이는 시선을 느끼고는 물었다.

"왜요?"

대원들은 말할 가치도 없다는 듯이 다시 앞을 보고 자기들끼리 대화했다.

"러시아 제국의 장교였다지?"

"제15용기병 연대장으로 대령 제대했다던데. OF-6 코드를 받은 근거도 그거였고."

MCTC에 입대한 루아스들은 예전 군복무 여부, 업적, 군공 등을 계산해서 준하는 계급을 부여받는 것이 상례였다. 물론 군 경험이 없다면 연하가 그랬듯이 아예 밑바닥부터 시작해야 했다.

"모르죠. 어디서 뭘 하다 러시아 제국까지 흘러들어 갔는지."

모두가 쳐다보자 책상에 걸터앉아 있는 도영은 어깨를 으쓱이고 덧붙였다.

"그렇잖아요? 누가 확인해 줄 사람이 있는 것도 아니고."

한 대원이 말했다.

"러시아 제국 정도면 단편적인 자료라도 남아 있긴 할 텐데…… 뭐, 상사 좋아하는 경우는 없다지만 우리 소령님, 국장한테 벌써 안 좋은 감정이 생긴 겁니까?"

"안 좋은 감정은요. 믿을 수 없다고 하는 거죠. 그리고 어쨌든 옛날에는 흡혈을 했다는 의미잖아요."

도영은 고갯짓으로 연하를 가리켰다.

"이 녀석처럼 하이마가 개발되고 나서 루아스가 된 게 아니라면."

대원들은 다시 연하를 보았다. 연하는 의아해하듯 고개를 옆으로 젖혔다.

"뭐, 그건……."

한 대원이 말끝을 흐리자 불편한 침묵이 감돌았다.

사실 흡혈은 생존을 위해서 어쩔 수 없는 부분이었기 때문에 두드러지는 범죄 기록이나 정황만 없다면 덮어두고 가는 분위기였다. 특히 루아스가 된 지 오래됐을수록 확인이 어렵기 때문이었다. 그래서 루아스들이 고위급으로 진입하는 일이 어려웠던 건데 시기가 무르익었는지 변화가 일어나고 있는 것 같았다.

도영은 한숨을 쉬고 일어났다.

"일합시다."

그제야 사람들은 흩어졌다. 사무실은 금세 일상적인 공기를 되찾았다. 연하는 제 손을 보았다. 왜인지 거기 있는 줄도 몰랐던 흉터가 유난히 눈에 띄었다.

역시 왜인지는 모르겠지만 연하는 퇴근하지 않고 어슬렁거리고 있었다. 특별한 일이 있지 않은 한 평생 지나다닐 일이 없는 국장실 근처에서.

-Ivan Ivanov, the Director of the Office

지나가는 척하면서 쳐다보았는데 음각 팻말이 걸린 문 너머는 조용했다. 국장은 사무실에 없는 모양이었다. 그래서 연하는 멈춰 서서 불투명한 유리를 들여다보았다. 보이는 건 없었지만 뭐가 보이지 않으려나 싶어서 저도 모르게 좀 오래 기웃거리고 있었는지, 뒤에서 목소리가 들렸다.

"강 상사?"

연하는 조금 뜨끔했지만 그냥 지나가는 중이었다는 듯 태연하게 돌아보았다.

"국장님."

복도 건너에서 걸어온 이반은 혼자였다.

"퇴근하지 않았습니까?"

"이제 하려던 중이에요."

연하는 의뭉스럽게 대답했다. 이반은 물었다.

"커피 한잔하겠습니까?"

커피는 마시지 않지만 연하는 저도 모르게 대답했다.

"네."

이반이 문 옆에 붙은 패널에 손을 대자 국장실 문이 열렸다. 하지만 그가 들어가지 않고 연하를 내려다보기에, 그녀는 덩달아 잠깐 쳐다보다가야 정신을 차렸다.

"네?"

"안 들어갑니까?"

"아, 네."

상급자가 하급자 뒤에 들어가는 일은 들어본 적 없지만 어쨌든 연하는 이반을 지나 안으로 들어갔다. 그가 부임한 첫날이지만 이미 책상에 이런저런 자료와 파일들이 쌓여 있었다.

문이 닫히자 자동으로 불투명한 벽이 투명한 유리로 변하면서 건너 풍경을 비추었다.

"앉으세요."

이반이 말해 연하는 얌전히 소파 한쪽에 앉았다. 이반은 커피를 내리려다 멈칫하고 연하를 돌아보았다.

"커피가 다 떨어졌군요. 녹차 괜찮습니까?"

이반은 뒤늦게 연하가 커피를 마시지 않는다는 사실을 기억해 내고 물었다. 그러자 그녀는 오히려 잘됐다 싶은지 고개를 끄덕였다.

"네. 좋아요."

잠깐 기다리고 있으니 이반이 차를 건네주고 앞에 앉았다. 연하는 찻잔을 들며 말했다.

"감사합니다."

"뜨거우니까 조심하세요."

"네."

그러고는 연하는 말 잘 듣는 아이처럼 조심히 차를 홀짝였다. 이반은 군용 티셔츠에 회색 트레이닝팬츠 차림을 한 그녀를 보았다. 규정 복장이 아니긴 하지만 이 지부는 공식적인 자리가 아닌 한 가벼운 차림을 지적하는 사람은 없는 분위기 같았다.

그런데 어제도 생각했지만 머리만 길었다 뿐이지, 하고 다니는 모습을 보면 이게 여자애인지 사내애인지 구분이 가지 않았다.

'예전엔 치마도 자주 입었던 것 같은데.'

진짜 열아홉 살일 때 말이다.

무성 혹은 제3성에 가까운 군인으로 살면서 불가피한 변화였는지도 모른다. 하지만 동료들은 연애해서 결혼하고 애도 낳는데 듣기로 연하는 이 나이 먹도록 변변한 연애 경험도 없는 것 같았다. 어차피 아이는 낳지 못하는 몸이니 그렇다 치지만 요즘 같은 세상에 뱀파이어라고 연애하고 결혼하지 말란 법은 없는데도.

그때 연하가 고개를 들고 물었다.

"그런데 반말하지 않으셨어요?"

이반은 '아아…….' 말끝을 조금 끌었다.

"초면부터 말을 낮춘 것 같아서 오히려 미안하군요."

"괜찮습니다. 한참 연장자이실 텐데."

말하고 보니 아닌 것 같았는지 연하는 슬그머니 덧붙였다.

"한참은…… 아닌가?"

이반은 언뜻 웃었다. 묘한 귀염성이 있는 것 같았다.

"힘든 점은 없습니까?"

"없습니다."

연하는 군인다운 태도로 바로 대답했다. 상급자 앞이라서 그러나 싶어 이반은 말했다.

"편하게 말해도 괜찮습니다."

"아뇨. 편하지 않아서요."

연하는 자못 씩씩하게 대답했고, 이반은 눈을 깜빡였다. 태연한 얼굴을 보니 자기가 한 말이 어떻게 들리는지 의식하지 못하는 모양이었다. 이반은 웃음이 나올 것 같았지만 꾹 참고, 탁자를 짚었다. 그러자 벽에 화면이 떴다. 그가 손을 움직여 파일을 열자 태극기와 MCTC 깃발을 배경으로 정복을 입은 연하의 사진이 떴다. 아래로 업무 평가서가 이어졌다.

"업무 평가가 좋군요."

이반의 말에 연하는 고개를 갸웃했다.

"이거 면담이었나요?"

"아닙니다. 동족으로서 잘 지내고 있는지 확인하는 거라고 해두죠, 여러모로."

해두죠? 여러모로? 묘한 말이었다. 하지만 의미를 잘 알 수 없어서, 연하는 그냥 국장이 화면을 보는 동안 그를 지켜보면서 기다렸다.

눈이 붉을 정도로 나이가 많은-많을 걸로 짐작되는?- 루아스를 만난 건 처음이었다. 다른 팀에 루아스들이 있긴 하지만 다들 인간 나이 기준을 심하게 넘는 정도는 아니었기 때문이다. 그래서 붉은 눈이 그렇게 보기 흔한 건 아니었다. 어떤 사람들은 뱀파이어는 모두 기백 년은 우습게 살았을 거라고 생각하지만, 사실 생물보다 유물 분류로 넣어야 할 것 같은 루아스들은 생각보다 쉽게 볼 수 있는 존재가 아니었다.

그때 이반이 연하를 돌아보았다.

"루아스가 되기 전엔 직업으로 군인은 생각해 보지 않았을 텐데 잘 적응한 것 같더군요."

그 말에, 새삼스럽게 연하는 처음 훈련소에 들어가던 날이 생각났다.

"맙소사, 누가 농담이라고 좀 해줘."

"뱀파이어니까 힘은 있겠지. 하지만 저런 어린 여자애랑 같이 임무에 나가라고?"

"미친, 차라리 이 짓을 관두고 말지."

침입자를 보는 것 같은 적대감 아니면 호기심 어린 시선들……. 그도 그럴 것이, 그때까지만 해도 대테러부대란 금녀의 구역이었으니까. 물론 뛰어난 육체 능력 덕에 대테러부대의 전투원이 된 여성 루아스가 연하가 처음은 아니었지만 둘러멘 군장의 반이나 될까 한 어린 여자아이를 보고서는, 동기들도 기가 막히지 않을 수 없었으리라. 루아스로서 적응 기간을 거치고 입소한 거여서 연하는 그때 이미 성인이었지만 말이다.

"걱정 마세요. 육체적으로 당신을 해할 수 있는 힘을 가진 인간은 없으니까요."

훈련소에 들어가기 전에 들은 그 말이 유일한 위안이었다. 그리고 실제로 연하는 눈앞에 있는 사람들은 자신의 상대가 되지 않는다는 걸 알 수 있었다. 사람들이 들으면 기분 나빠 하겠지만 고양이를 봤을 때 제 상대가 안 된다고 아는 것과 비슷했다.

하지만 문제는 그게 아니었다. 지어진 지 얼마 되지 않은 여성 생활관에 혼자 누워 천장을 바라보던 첫날 밤의 기분은 평생 잊을 수 없을 것이다.

그럼에도 연하는 이반을 보고 어깨를 으쓱였다.

"다른 수가 있는 것도 아니었으니까요."

"만약 다른 수가 있었다면요?"

연하는 의아해졌다.

"다른 수라면…… 군인 말고 다른 게 될 수 있었다면 어땠을 것 같으냐는 의미인가요?"

"네."

국장은 진지한 얼굴이었다. 그런 걸 묻는 사람은 처음이었다. 요즘 세상에서 뱀파이어가 갈 길은 두 가지뿐이었으니까. 군인 아니면 범죄자. 그래서 연하도 딱히 의문을 품어본 적이 없었다. 어쨌든 변화를 받아들이고 나서는.

"그건……."

그런데 마침 선생님이 되고 싶었던 기억이 났다. 만약 선생님이 될 수 있었다면…….

연하는 이반을 보았다.

"그래도 달라질 건 없었을 것 같네요."

"어째서죠?"

이반은 의외로워하는 것 같았다.

"이 몸이 가장 필요한 곳은 여기였을 테니까요."

이반은 숨을 내쉬고 소파 등받이에 등을 기대었다.

"대학도 가지 않았군요. 시간은 충분하니까 졸업하고 장교로 임관할 수도 있었을 텐데."

"필요가 없었으니까요."

연하가 하고 싶은 건 군대를 지휘하는 게 아니었기 때문이다.

"그리고 하루라도 빨리 준비된 상태가 되고 싶었거든요."

연하는 말하고 뒷머리를 긁적였다. 만난 지 얼마 되지 않은 상대에게 이런 이야기를 하는 것도 처음이었다. 하지만 생각보다 이런 이야기가 스스럼없이 나온 이유는 국장이 동족이기 때문이라기보다 그녀에게 관심을 기울여 주는 듯해서일 것이다.

그때 유리 너머로 지나가던 김 중령이 연하가 국장실에 앉아 있는 모습을 발견하고는 황당해하는 얼굴로 그녀에게 무어라 말했다. 이반이 그 모습을 보고 들어오라는 듯 손짓했다. 그러자 들어온 김 중령은 연하를 보고 기가 막힌다는 듯이 물었다.

"강 상사, 너 뭐 해?"

연하는 찻잔을 들어보였다.

"차 마셔요."

"내가 지금 그걸 묻는…… 됐다."

김 중령은 손짓했다.

"얼른 나와. 실례했습니다, 국장님."

"괜찮습니다. 제가 청했습니다."

이반이 말하자 김 중령은 잠깐 두 사람을 번갈아 보다가 말했다.

"외모가 이래서인지 다들 쉽게 방심하는데 조심하셔야 할 겁니다. 고문관스럽기가 이를 데 없는 녀석이거든요."

"제가요?"

연하는 생전 처음 듣는 소리라는 반응이었다. 김 중령은 이반을 보고 '아시겠죠?' 묻듯이 눈썹을 추켜들고는 국장실을 나갔다.

정적이 감돌았다. 연하는 찻잔을 감싼 손가락을 꼼지락거렸다. 차는 이미 다 마셨고, 할 말은 없었다. 사실 어제 막 알게 된 사람, 그것도 까마득한 상급자와 대화할 만한 주제가 특별히 있을 리 없었다. 의무대에서는 거의 잠결이었고.

새삼 어색해다가 눈이 마주치자 이반은 조금 웃었다.

"가봐도 좋습니다."

연하는 고개를 꾸벅이고 일어났다.

"차 감사했습니다."

찻잔을 치우려고 하자 이반이 만류했다.

"놔두세요."

"그럼……."

연하가 손을 떼자 이반이 찻잔을 들고 일어났다. 키는 큰 편이지만 팔뚝이 그녀 허리만 한 현장 대원들에 비하자면 그는 오히려 슬림해 보이는 편이었다. 그런데도 저도 모르게 한 걸음 물러나게 되는 위압감이 있었다.

이반은 그런 연하를 보고 희미하게 웃었다. 꼭 전부 알고 있는 것처럼.

"또 마시러 오세요, 언제든지."

연하는 거수경례하고 국장실을 나왔다. 잠깐 서 있다가, 복도를 걸어가기 시작했다. 모퉁이를 돌 때쯤 반대편에서 오는 대원과 마주치자 대원이 인사하고 물었다.

"퇴근하세요?"

"네."

"푹 쉬세요. 수고 많으셨어요."

연하는 대원에게 인사하고 모퉁이를 돌아갔다. 그리고 멈칫했다.

출근하고, 출동하고, 훈련하고, 가끔 보고서를 쓰고 퇴근하는, 십여 년간 변하지 않은 일상이었다. 그런데 기분이 이상했다. 변한 건 아무것도 없는데 뭔가 들썩이는 기분.

'하긴, 뱀파이어인 국장은 처음이니까. 얼마나 있을진 모르겠지만…….'

크게 경력에 도움이 되거나 오래 붙어 있을 만큼 메리트가 있는 지부가 아니어서 말이다.

연하는 어깨를 으쓱이고 복도를 걸어갔다.

도영은 손목에 차고 있는, 언뜻 보면 문신 같아 보일 정도로 손목에 밀착한 검은 밴드를 눌러 전화를 걸었다. 몸에 칩을 심는 차세대 통신 기술은 해킹 문제로 뿌리를 내리지 못하고 현재로서는 웨어러블의 최종 형태까지 진화한 상태였다.

상대가 전화를 받았다.

"알아봤어?"

도영은 다짜고짜 물었다. 소리를 캐치해서 전달하는 기술 덕에 굳이 밴드를 입가로 가져다댈 필요는 없었다.

[응. 꽤 오래 산 것 같아.]

암호화된 통신 너머로 니콜라가 대답했다.

"그건 알아. 러시아 제국 제15……."

도영이 말하려는데 니콜라가 말을 끊었다.

[아니, 더.]

"더?"

도영은 한쪽 눈썹을 추켜들었다.

[별명이 '은둔자 이반'이라나 봐. 그런데 음, 어떻게 들릴지 모르겠지만 저기 불곰국에 노브고로드 공화국이 성립될 때 이미 그 지방에 '은둔자 이반'이란 존재가 있었다는 소문이 있더라고.]

도영은 헛웃음을 토해냈다.

"노브고로드라면 천 살은 됐다는 말이잖아? 지금 농담해? 진짜 무슨 외계인도 아니고……. 루아스들 사이에서도 열한 번째 환갑을 맞으려면 하늘이 보살펴야 한다는 소리가 있는 거 몰라?"

[소문에는 기원전에 태어난 루아스도 있다던데?]

도영은 한숨을 내쉬었다.

"그건 그냥 유니콘이고."

[하긴, 그래봤자 원래 인간인데 기원전은 좀 오버야.]

"백 보 양보해서 천 살이나 먹었다고 해도 그런 루아스가 위에서 까라면 까는 군인 따위를 하겠어?"

[아, 거, 자식, 그냥 그런 소문이 있다고. 이반이란 이름은 워낙 흔하니까 동명이인이거나 대물림된 별명이겠지. 오죽하면 러시아군이 쳐들어올 때 '이반 놈들이 쳐들어온다.'고 하겠어?]

도영은 멀리 펼쳐진 서울의 전경을 바라보았다. 깨질듯이 맑은 겨울의 푸른 하늘 아래 서울은 항상 그렇듯 분주하고, 하나의 생물처럼 살아 있었다. 처음 전출 올 때만 해도 지나치게 거대한 도시가 마치 다리를 내뻗은 문어 괴물 크라켄처럼 느껴졌지만 이런 높이에서 내려다보는 풍경은 멋지다고 인정할 수밖에 없었다.

"OF-6 계급을 부여받은 근거는 뭐래? 여기로 치면 준장인데."

[기밀. 접근할 수 없었어.]

도영은 인상을 썼다.

"기밀? 루아스에게 계급을 부여하는 일은 논란이 많기 때문에 더 투명하게 처리하는 게 규칙……."

이번에는 니콜라가 헛웃음을 토해냈다.

[교과서 읽냐? 너희 팀 부지휘관이 너 무시 안 하디?]

"완전 반대거든? 그 녀석 곰이 저리 가라 할 정도로 둔해서……."

[곰은 원래 엄청 기민한 동물 아냐?]

도영은 한숨을 내쉬었다.

"네가 보면 알아. 아무튼 어디서부터 어디까지 기밀이라는 거야?"

[전부. 그런데 MCTC의 창설에 관여했을지도 몰라. 아마도.]

도영은 미간을 찌푸렸다.

"아마도는 뭐야?"

[들어봐. 사실 뱀파이어 군인이라는 듣도 보도 못한 개념에 거부감을 나타내는 사람들이 많아서 MCTC가 창설되기까지 좀 난항을 겪었잖아. 명예 훈장까지 받은 우리 설립자 입장이 말도 아니었지. 뱀파이어를 군인으로 만든다, 확실히 그건 발칙한 발상이었으니까.]

어쩌면 미친 발상이기도 했다. 아니, 분명 그랬겠지만 생각해 보면 무력을 지녔으면서도 통제가 가능한 존재란 확실히 군인이었다. 물론 뱀파이어들은 그들이 껍질을 벗고 나온 하등생물 정도로 인식하는 인류의 군대에 입대한다는 생각에, 인류는 흡혈귀에게 공권력을 부여한다는 생각에 알레르기를 일으켰다. 따라서 처음 아이디어를 입안한 자의 영웅적인 명성에도 불구하고 MCTC의 첫 벽돌조차 놓기 쉽지 않았다.

니콜라는 계속 말했다.

[그때 우리 설립자 편에서 도와줬다는 막후의 인물에 대한 소문이 원래 있었거든. 그 사람이 이반이라고 불렸다는 이야기가 있어. 동일인물인지는 모르겠지만. 그래서 아마도, 라는 거야.]

도영은 이해가 되지 않아 물었다.

“도와줬다니, 어떻게?”

[제노아틱스.]

이 맥락에서 등장할 줄 몰랐던 이름에 도영은 눈썹을 추켜들었다.

[예수가 회사를 세웠으면 그 이름이 제노아틱스일 거라는 우스갯소리도 있지? 제노아틱스가 하이마를 개발하지 않았으면 종전은 없었을 테니까.]

그 공로로 영리단체인 제노아틱스가 노벨 평화상을 수상하기도 했지만, 사실 그건 제노아틱스가 평화에 기여한 바를 생각하면 과한 일이 아니었다.

[은둔자 이반이 거기 주주라는 이야기가 있어.]

니콜라가 말해도 도영은 여전히 이해되지 않았다.

“다시 한번 말하지만, 제노아틱스 주주가 왜 군인 같은 걸 하겠어? 떼돈을 벌 텐데.”

[그러게 말이야.]

도영은 한숨을 내쉬었다.

“그러니까 네 말은, 전부 소문에 불과하다는 거네.”

[빙고.]

전화 너머로, 초등학교 때부터 도영의 절친이자 현재 MCTC 정보국에서 일하는 니콜라 로랑 중위는 껄껄 웃었다.

[결국은 나도 잘 몰라.]

도영은 눈알을 굴렸다.

‘이딴 걸 정보국 소속이라고.’

니콜라는 덧붙였다.

[그리고 네가 거기 박혀 있느라 잘 모르는 모양인데 요즘은 루아스 국장, 지구촌 뉴스라고 할 만큼 쇼킹한 이야기는 아니야. 주요 보직으로

진출하는 루아스들이 늘고 있거든. 사실 그럴 때도 됐지.]
“박애주의자 나셨군.”
어조에서 느껴지는 비아냥거림을 다른 식으로 해석한 모양인지 니콜라는 물었다.
[너 그 여자 루아스 상사랑 잘 지내는 거 아니었어? 루아스에 대한 편견을 정면으로 타파한다더니.]
“그쪽이 아니라, 국장. 묘하게 수상해.”
[그러니까 뭐가?]
“느낌, 이랄까.”
니콜라는 허허 웃었다.
[미친 소령님아. 고작 느낌 때문에 죽을 시간도 없는 나한테 심부름 시킨 거? 죽어, 새끼야. 너 불알친구라고 내가 봐줄 거라고 생각했다면 오산…….]
삑. 과로로 머리가 살짝 맛이 간 것 같은 친구의 전화를, 도영은 가볍게 끊었다. 그리고 생각에 잠겨 도시를 돌아보자 바람이 불어와 머리카락을 흩날렸다.
도영은 이반 이바노프를 떠올렸다. 폭풍, 난파선, 잃어버린 도시, 수많은 해골들을 삼키고도 평온한 바다 같은 붉은 눈동자……. 엘리트 장교나 금융업자처럼 정장이 정확하게 맞는 남자와 은둔자는 확실히 어울리는 이미지가 아니었지만, 그 눈은 달랐다. 천 년까진 몰라도 확실히 아주 오래된 무언가를 품고 있었다.
“분명히 뭔가 있는데…….”
도영은 난간에 양팔을 걸치고 중얼거렸다. 이쪽 일을 오래 하다 보면 저절로 발달하는 육감이 있다고 할까, 경험상 이런 종류의 감은 그냥 무시할 만한 게 아니었다.
어쨌든 연하는 그의 팀원이고 여동생 같은 녀석이니까. 이래 봬도 적

잖이 책임감을 느끼고 있었다. 사실 여동생이라기에는 연하가 그보다 연상이지만, 맹해서 제 앞가림이나 제대로 할까 싶은 녀석인데 어디서 굴러먹다 왔는지 알 수 없는 개뼈다귀가 집적대게 둘 수는 없었다.

도영은 난간을 짚고 일어서며 중얼거렸다.

"어디 두고 보자고."

이반은 유리 건너를 보았다. 연하는 체육관 바닥에 양반다리를 하고 앉아 있었다. 역시 보급품인 군용 티셔츠에 트레이닝팬츠 차림이었다. 특히 오늘은 무릎까지 오는 반바지여서 더 사내애 같았다. 머리는 귀여운 포니테일이었지만.

가운데 씨름판처럼 펼쳐진 매트 위에서는 대원들이 삼삼오오 얽혀 훈련을 하고 있었다. 유리 너머로도 땀 냄새가 물씬했다.

연하는 대원들이 대화하는 옆에 덩그러니 앉아 있었는데 그 모습이 꼭 체육시간에 어디에도 끼지 못하는 외톨이 학생 같았다. 하지만 지켜보고 있으려니 대원들이 간간이 그녀에게 말을 걸었다. 연하도 대답하면서 자연스럽게 그룹에 섞였다가 또 자연스럽게 떨어져 나와 혼자 앉아 있었다. 그게 어색하기보다 편한 것 같았다.

초반에는 적응하는 데 약간 문제가 있었다고 들었지만 이제는 대원들도 특별히 그녀를 다르게 대하는 것 같지 않았다. 오히려 그녀를 인간처럼 생각하는 대원도 있는 것 같았다.

'도영 드페르.'

이반은 도영이 연하의 어깨에 손을 올리고 말하는 모습을 유심히 보았다. 연하도 거기 손이 있다는 걸 인식하지 못할 정도로 편해 보였다.

삐익. 그때 조교가 호각을 울렸다. 그러자 매트 위에 있는 그룹이 내려가고, 연하와 도영을 포함한 다음 그룹이 올라갔다. 연하는 바지를 한 번 추켜올리더니 매트 가운데로 나갔다. 조교는 연하를 세워놓고 둥 그렇게 둘러선 대원들에게 설명하기 시작했다. 조교가 손을 날리자 연하는 바로 몸을 젖혀 피했다.

"어떻습니까?"

갑자기 들려온 목소리에 이반은 돌아보았다. 옆에 부국장이 서 있었고, 뒤로는 그의 비서진과 김 중령 등 많은 사람들이 있었다.

"훈련 프로그램이 잘 짜여 있군요."

이반이 말하자 부국장은 흐뭇하게 웃었다.

"저희 지부가 그리 크진 않아도 대루아스 CQC[3] 트레이닝 프로그램을 초반에 도입한 지부 중 하나입니다. 그리고 여러 무술을 접목한 초기 CQC를 개량해서 저희 지부만의 특징을 살렸죠. 지금은 여러 지부에서 연수를 오고 있습니다. 이게 전부 제가 재직 중에……."

사람들은 최대한 티를 내지 않으려 애썼지만 또 시작이라는 얼굴이었다.

부국장이 뭐라고 떠들거나 말거나 이반은 다시 유리 너머를 보았다. 그곳에는 조교가 여전히 연하를 잡고 설명 중이었다. 연하를 한 번 밀고는 밀리지 않자 조교는 제 어깨를 두드리고는 그녀를 어깨로 강하게 밀었다. 대원들에게 어깨를 쓰라고 말하듯. 연하는 반쯤 일부러 뒤로 나자빠졌다. 루아스 범인 역할을 하는 모양이었다.

그때였다. 중첩되어 웅성거리는 소리들 사이로, 어떤 말이 유난히 선명하게 귀에 들어왔다.

"그러고 보면 상사님 파트로네스가 상당히 강했나 봐요."

이반은 목소리가 들려온 곳으로 시선을 돌렸다. 매트 밖에 있는 대원 둘이 대화하고 있었다.

"뱀파이어는 철저한 혈통주의라서 강한 파트로네스에게서 강한 클리엔테스가 태어난다던데."

3) 근접전투, Close Quarters Combat

"그러게. 저래 봬도 삼손이 따로 없다니까."

처음 말을 한 대원은 조금 마른 한국인이었고, 그보다 상급자인 것 같은 다른 대원은 전형적인 근육질에 동남아 혼혈이었다.

그때 그들 옆에 앉아 있는, 신입으로 보이는 앳된 대원이 고개를 돌렸다.

"파트로네스? 그게 뭐예요?"

두 대원은 황당한 눈으로 앳된 대원을 보았다.

"간첩이냐? 요즘 세상에 누가 그걸 몰라?"

신입은 머쓱한 얼굴이 되었다. 하지만 자기 나름대로 할 말은 있는 것 같았다.

"일반인들은 생각보다 뱀파이어를 볼 일이 별로 없거든요. 뱀파이어와 같은 팀이 된다는 것도 여기 와서 알았는걸요. 그전에는 뱀파이어로만 이뤄진 팀 같은 게 따로 있는 줄 알았죠."

"거야, 뭐……."

대원 둘은 서로 시선을 교환했다. 그리고 동남아 혼혈 대원이 어깨를 으쓱이고 말하기 시작했다.

"루아스에게는 가족이 없으니까. 대신 파트로네스와 클리엔테스라는 관계가 있지. 감염원의 공여자, 수혜자랄까. 하지만 단순한 기브앤테이크 관계라기보다는 스승과 사제, 아니면 대부모와 대자녀 같은 건가 봐. 이름도 '후원자와 피후원자'를 의미하는 고대 로마 제도에서 따왔다니까. 어쨌든 그쪽에선 가족처럼 가장 기본이 되는 단위라고 하더라고. 예전에는 인간의 눈에 띄지 않도록 크게 무리를 짓지 않았으니까."

갑자기 대원들은 매트 위에 있는 연하를 보았다. 이제 다른 대원과 대련 중인 연하는 상대 대원을 깔아뭉개고 있었다. 연하의 다리에 얼굴이 짓눌려 있는 대원은 간절하게 외쳤다.

"윽! 무, 무겁……!"

"너무해요. 숙녀한테 무겁다뇨."

연하는 자세를 풀지 않고 말했다.

"이게 어디가 숙, 숙녀의 무게……! 배 터질 것 같아요!"

"안 터져요."

멀리서 혼혈 대원이 동료 대원을 돌아보고 말했다.

"근데 상사님 경우엔 파트로네스가 아니라 기증자라고 해야지."

동료 대원은 어리둥절한 얼굴이 되었다가 깨달았다는 듯 말했다.

"아, 상사님은 '기증'받은 거여서요?"

"네? 그건 무슨 소리예요?"

신입이 의문을 표했다. 그러자 두 대원은 덩치에 비해 의외로 다정한 편인지 별 내색하지 않고 설명해 주기 시작했다.

"요즘엔 흡혈이 금지돼 있잖아. 그래도 유일하게 흡혈이 허용되는 경우가 있는데 그게 아, 이 환자는 정말 가망이 없구나, 할 때 마지막 치료 차원에서 감염시키는 거거든. 그런데 그게 거의 성공하는 경우가 없어요. 오죽하면 기증받아서 살아난 루아스를 만나면 행운이 온다는 도시전설까지 있겠어?"

동료 대원이 듣다가 물었다.

"하지만 특수한 치료라고 해도 결국 기증자, 그러니까 익명의 루아스에게 감염되는 거라던데 그렇게 구분이 엄격합니까?"

"파트로네스가 직접 선택했기 때문에 클리엔테스가 가지는 의미는 자식을 뛰어넘는다나 봐. 오히려 그래서 의료 수혜자는 클리엔테스로 인정하지 않는다더라고. 수혜자를 스스로 선택한 게 아니라서. 사실 그쪽 입장에서는 의뢰를 받아 감염시킨 것뿐일 테니…… 왜 그렇게 봐?"

혼혈 대원이 한참 말하는데 신입이 얼굴을 뚫어져라 보고 있자 물었다. 신입은 의외라는 듯이 말했다.

"보기와 다르게 잘 아시는구나 싶어서요."

"이쪽 일을 하다 보면 루아스를 자주 만나게 되니까. 너도 좀 공부해 두는 게 좋을 거…… 근데 잠깐, 보기와 다르게? 너 그거 무슨 의미야, 이 자식?"

동료 대원이 그 모습을 피식 웃으며 보다가 갑자기 생각난 듯 중얼거렸다.

"그런데 원래 기증받은 루아스는 일반 루아스에 비해 힘이 떨어진다고 하지 않았어요?"

혼혈 대원은 어깨를 으쓱였다.

"기증자라는 것 자체가, 강한 루아스는 굳이 할 이유가 없는 일이니까. 사실 뭐가 아쉬워서 생면부지 인간에게 제 힘을 나눠주는 일을 하겠어? 돈 몇 푼이 아쉬운 떨거지들이나 기증 따위를 하는……."

"국장님?"

부르는 소리에 이반은 정신을 차리고 돌아보았다. 사람들이 유리 너머 먼 곳을 빤히 쳐다보는 그를 이해하지 못하는 눈으로 쳐다보고 있었다.

"마음에 걸리는 게 있으십니까?"

"아무것도 아닙니다."

이반은 조금 웃으며 말했다. 이들의 청력으로는 이 유리 너머 소리를 들을 수 없다는 사실을 잠시 잊고 있었다.

그런데 갑자기 김 중령이 옆을 보고 파리를 내쫓듯이 패드를 흔들었다.

"저리 가, 인마."

이반이 돌아보자 유리 너머에 연하가 서 있었다. 이반은 조금 놀랐다. 연하는 손을 모아 유리에 입김을 불었다.

"어허, 이 녀석이?"

김 중령이 유리를 툭툭 쳤지만 연하는 개의치 않고 입김이 서린 유리에 무언가를 쓰기 시작했다.

-안녀

거기까지 썼는데 입김이 흐려져서 글씨가 사라졌다. 그러자 연하는 손으로 슥슥 문질러 지우고는 다시 입김을 불었다. 지워지지 않게 하려는지 하아아아아, 꽤나 길게.

-안녕하

하지만 이번에는 거기서 글씨가 사라지기 시작했다. 아무래도 '안녕하세요.'를 쓰려는 것 같았는데 마음대로 되지 않자 연하는 코허리를 찡그렸다.

터프하기로 손꼽히는 일을 하지만 오히려 반쯤 세상과 격리된 특수한 공간에서 지내서인지 아이는 아직도 천진한 구석이 있었다. 하지만 외모가 이렇다고 주변 사람들이 특별히 응석을 받아줬기 때문이라고는 생각하지 않았다. 팀에 어리광을 부리는 구성원이 있다면 제 목숨이 위험해지는 곳이니까.

연하가 원래 이런 성격인 것이다. 사실 그녀를 만나러 오기 전에는 걱정한 부분도 있었지만 기우였던 것 같아서, 이반은 조금 웃었다.

"안녕."

글자를 쓰던 연하는 멈칫했다. 꼭 못 볼 걸 본 사람처럼. 이반은 왜 그런 반응인지 궁금해지는데, 그때 뒤에서 도영이 부르는 소리에 연하는 거수경례하고는 뛰어갔다. 아이가 가버리는 게 왠지 모르게 아쉬웠다.

어쨌든 일하는 중이니 이반도 몸을 돌렸다. 그런데 사람들이 연하와 똑같은 눈으로 그를 보고 있었다. 이반은 의아해졌다.

"가죠?"

"아, 네."

사람들은 얼떨결에 대답했고, 이반은 무심히 앞서갔다.

연하는 깜짝 놀랐다. 국장이 너무…… 그러니까 너무…… 따듯하게 웃어서? 근사하게 웃어서? 정말 그녀를 그렇게 보는 사람은 아버지 이후로 처음인 것 같았다.

"뭐 하냐, 너?"

연하가 자리로 돌아오자 도영은 황당해하는 투로 물었다. 연하는 있는 그대로 대답했다.

"인사했어."

"국장이 네 친구지, 아주."

"아니, 동족인데."

도영은 코웃음을 쳤다.

"동족은 무슨. 인간이 육상 동물이고 루아스가 수중 동물이라면 넌 그 사이 어딘가에 있는 개구리야. 개구리는 폐 호흡하는 거 몰라?"

연하는 어리둥절했다.

"그게 무슨 소리야?"

"이게 무슨 소리냐고?"

도영은 어떻게 그걸 모를 수 있냐는 표정이었다. 연하는 대답해 달란 듯이 고개를 끄덕였다. 그러자 도영은 이리 오라는 듯 손짓했다. 궁금해진 연하가 귀를 기울이자 도영은 그녀의 귀를 잡고 귓속에다가 왁 소리쳤다.

"잡소리다, 이 자식아!"

청력이 좋은 연하는 진저리를 치며 손을 휘저었다. 도영은 어쩐지 즐거워하며 몸을 젖혀 피했다.

"귀 아파."

연하는 인상을 쓰고 꿍얼거렸다. 유난히 아이 같아 보이는 모습을 보니 도영은 아무래도 한마디 해줘야 할 것 같아서, 손가락을 튀겨서 연하의 이마를 탁 치며 말했다.

"너 이 오빠가 진지하게 조언해 주는데."

"소령님이 왜 오빠……."

"Écoute(들어)."

도영은 허공에 손을 긋고는 말했다.

"남자란 말이야, 자고로 흑심이 있지 않는 한 절대 잘해주질 않아요. 알아?"

마침 유리 너머로 지나가고 있는 렉스는 그 모습을 보며 무심히 생각했다.

'아버지에 오빠에 난리 났군.'

들으랬다고 연하는 또 도영이 하는 말을 경청하고 있었다. 하얗고 말간 소녀의 얼굴이었다.

역시 연하의 외모가 어려서 그런 걸까 싶었다. 주변 남자들이 다 보호자 의식을 느끼는 건.

'속까지 영원히 열아홉 살은 아닐 텐데.'

렉스는 덤덤히 생각하고 지나갔다. 그사이에도 유리 너머로 도영은 연하에게 당부하고 있었다.

"그러니까 남자가 좀 잘해준다고 헤벌레 쫓아가지 말고 항상 경계를 늦추지 말라고. 알았어?"

하지만 연하는 대수학 설명을 들은 초등학생처럼 미간과 입술을 모은, 묘하게 화장실을 가고 싶어 하는 것 같은 표정이었다. 도영은 이게 알아들은 건가 만 건가 싶어서 물었다.

"왜 대답이 없어? 이해 못 했어?"

"아니……."

연하가 말문을 뗐을 때였다.

삐잉. 삐잉. 삐잉.

출동 신호가 체육관 전체를 울리기 시작했다. 도영과 연하를 포함해 대원들은 흠칫 돌아보았다. 그리고 누가 뭐라고 하기 전에 모두 문을 향해 뛰기 시작했다.

"이번 주가 운이 좋다고 해야 할지, 오랫동안 수배 중이던 녀석이 하나 더 나타났습니다."

이반은 걸어가며 김 중령에게 패드를 건네받았다. 수배 전단이 떠 있었다. 평범한 흰색 테두리가 아닌 붉은 테두리는 용의자가 인간이 아니라는 사실을 의미했다.

"준비는 전부……."

자동문이 열렸다. 그리고 그곳에 연하가 란제리를 입고 서 있었다. 무장한 대원들 사이에.

이반은 저도 모르게 한 걸음 물러났다. 자동문이 도로 닫혔다. 자신이 뭘 본 건지 확신할 수 없는 상태로 앞에 서 있는데 김 중령이 말했다.

"아, 들어가셔도 됩니다."

문이 다시 열리고, 멀리서 이반을 발견한 연하가 거수경례했다. 다시 봐도 그녀는 그 모습 그대로였다. 란제리처럼 보였을 정도로 가슴가가 훤한 짧은 원피스에, 진한 화장, 싸구려 티가 나는 화려한 귀걸이를 한. 이건 차려입었다기보다…… 연하를 상대로 쓰기에는 미안한 단어지만 천박한 느낌이었다.

이반은 김 중령을 보았다.

"상황을 알 수 있겠습니까?"

"사회보장번호 LKEGS-M-0001242에 대한 체포 작전입니다. 11건의 흡혈 혐의와 3건의 폭행 혐의가 있는 질 나쁜 녀석입니다. 한동안 모습을 보이지 않다가 최근 자주 출몰하는 곳이……."

김 중령이 브리핑하는 동안 뒤쪽에서 연하는 부지런히 현장에 나갈 준비를 했다. 전투복에 장착된 디지털 시스템을 확인하는 대원들과 대화하면서 스타킹을 신고, 뭔가가 걸리는지 허벅지를 긁고, 바닥에 놓인 하이힐에 한 발씩 넣었다.

"그래서 강 상사가 매춘부 역할을 할 겁니다."

이반은 자신이 잘못 들었나 싶어 김 중령을 보았다. 김 중령은 패드를 보고 있었다.

"그리고 신호하면……."

"이런 일은 거의 강 상사가 투입되는 것 같군요."

말하자 김 중령은 이반을 한 번 보고 연하를 보았다. 별생각은 없는 얼굴이었다.

"아무래도 타깃들이 경계심을 가지지 않는 얼굴이어서요. 작전 성공률이 압도적으로 높습니다."

물론 작전 성공률을 생각하면 육체 능력이 월등한 루아스 대원을 앞세우는 게 효율적일 것이다.

"그렇다 해도 루아스 대원 한 명에게 기대는 방식은 권장할 수 없군요."

"예?"

국장이 그렇게 말할 줄 몰랐는지 김 중령은 당황한 기색이었다. 사람들도 하나둘 말을 멈추고 돌아보았다. 이반은 개의치 않고 김 중령에게 말했다.

"애초에 대루아스 CQC를 개발한 이유 자체가 루아스 팀원에 대한 지나친 의존성을 낮추기 위해서가 아닙니까?"

"그건 그렇습니다만……."

김 중령은 말끝을 흐렸다.

"하지만 제 몸이 가장 튼튼하니까요."

갑자기 연하가 끼어들었다.

"공격당했을 때 살아 돌아올 가능성이 가장 높은 사람이 미끼 역할을 하는 게 당연합니다. 특히 상대가 같은 뱀파이어일 때는요."

분명히 그러라고 준 게 아닐 텐데 튼튼한 몸을 애먼 데 쓰고 있는 것 같았다. 여성성은 더욱.

이반은 미간에 심각한 빛이 고였다.

"이건 강 상사만을 위해 하는 이야기가 아닙니다. 이런 방식일 경우 루아스 대원 하나가 전투 불능에 빠지면 작전 자체가 위험해질 수 있습니다."

"하지만……."

연하가 반박하려고 할 때 정보팀 프로그래머가 말했다.

"타깃이 이동 중입니다."

이반은 대답하지 않았다. 좌중에 침묵이 감돌았다.

"작전을 다시 짜기엔 시간이 부족합니다."

김 중령이 말했다. 연하는 흔들리지 않는 얼굴이었다. 어쩌면 이러느라 시간이 지체돼 범인을 놓친다면 이반을 미워할 것 같은 결의까지 엿보였다.

"가십시오."

이반은 어쩔 수 없이 말했다.

"일단 오늘은."

"출발해!"

말이 끝나기 무섭게 사방이 소란스러워졌다.

상황실 패널에 연하가 골목길을 걸어가는 장면이 비쳤다. 의외로 하이힐이 익숙해 보였다. 자주 신어본 것처럼. 항상 사내애처럼 하고 다니는 걸 보면 평소에 즐겨 신어서 그런 것 같진 않았다.

연하는 하이힐을 부딪치며 걸어가서 어떤 건물 앞에 섰다. 그곳에는 이미 오늘 밤 '영업 준비'를 끝낸 여자들이 줄지어 대기하고 있었다.

화면을 보고 있는 이반은 무심한 얼굴이었다. 하지만 속은 뭉글하게 끓어올랐다. 그가 모르고 지낸 동안 뭘 어쩌고 있었던 건지 보기나 하자 싶어 일단 허락했지만, 그래도 하필 매춘부 역할이라니.

그때 화면 너머로 남자 하나가 연하에게 접근했다.

"타깃이 아닙니다."

화면 너머 남자는 연하를 훑어보고 물었다.

[얼마야?]

연하는 손가락 세 개를 펼쳤다. 남자가 놀라자 연하는 가보라는 손짓을 했다. 그러자 남자는 다급하게 말했다.

[아냐, 좋아.]

"어이구, 새끼야, 한 번 하려고 그 돈을……."

상황실에 있는 좌중 누군가가 중얼거렸다.

[마음이 변했어요.]

타깃이 아니니 당연한 이야기지만 연하는 말하고 손가락을 다섯 개 펼쳤다.

[뭐? 장사 하루 이틀 해?]

남자가 화를 내기 시작했지만 연하는 어깨를 으쓱였다.

[싫으면 말고요.]

'능숙하게 화대를 거래하는 방법 따위 배우게 하지 마.'

이반은 이마를 문질렀다. 진짜 머리가 아파오는 것 같았다.

"얼른 투입해."

김 중령이 말하자 이런 사태를 대비해 심어놓은 진짜 매춘부가 골목에서 나와 남자에게 다가갔다.

[어머, 오빠. 나라면 반은 싸게 해줄 수 있는데.]

남자는 진짜 매춘부를 훑어보고는 연하에게 욕을 하더니 그 매춘부와 함께 사라졌다. 가면서 매춘부는 웃으며 말했다.

[내버려 둬. 어린 걸로 장사할 수 있는 것도 다 한때인데.]

연하는 다시 기다리기 시작했다. 상황실에도 정적이 감돌았다. 카메라는 사방에서 그녀를 비추었다.

화려한 화장은 마치 어린아이가 어머니 화장대를 습격해서 멋대로 바른 느낌이었다. 그런 아이는 천진난만하기라도 하지만, 어울리지 않는 진한 화장을 한 어린 매춘부에게서는 섬뜩한 삶의 냄새가 났다.

물론 연하는 진짜 매춘부가 아니지만 지금 그녀가 저러고 있을 수밖에 없는 상황이 풍기는 느낌은 비슷했다. 이반은 불쾌감이 발끝에 스멀스멀했다.

"타깃 나타났습니다."

화면 밖에서 한 남자가 걸어 들어왔다. 겉보기에는 징병 연령대의 평범한 인간 남자였다. 그래봤자 멋 부린 건달이었지만 아직 눈도 검은색이었고 길거리에서 마주쳤다면 특별히 이상한 점을 찾지 못했을 것이다.

존재가 드러나기 전까지 오랜 세월 인간 사이에 숨어 살아야 했기 때문에 그들은 겉보기로는 티가 나지 않았다. 붉은 눈, 흰 피부, 큰 키 같은 게 특징적이긴 했지만 눈이 붉어지기까지는 시간이 걸렸고 피부나 키는 개인차가 있어서 확실한 표식은 되지 않았다.

타깃은 기다리고 있는 매춘부들을 훑었다. 마트 선반 앞에 선 까다로운 주부처럼 정성들여 꼼꼼히. 그러다 연하에게 시선을 멈추었다.

'걸려라, 걸려라, 걸려라.'

이 방에 있는 모든 사람이 한 마음처럼 염원하는 소리가 들리는 것 같았다. 반면 이반은 저 양아치가 연하를 간 본다는 사실이 매우 불쾌했지만 그가 그녀에게 다가가자…….

'이건 또 이거대로 화가 나는군.'

이반은 미간을 주물렀다. 평생 걱정한 적 없는 혈압이 위험한 것 같았다.

[얼마?]

타깃은 고개를 까딱이며 물었다. 연하는 가늠하듯 그를 훑어보았다. 그리고 손가락 한 개를 펼쳤다. 타깃은 만족한 얼굴이었다.

[좋아.]

[따라와요.]

연하는 손짓했다.

두 사람은 뒤에 있는 건물 안으로 사라졌다. 화면이 바뀌면서 계단을 올라가는 두 사람이 비쳤다. 상황실 뒤쪽에서 지켜보고 있는 대원 중 하나가 옆에 있는 대원에게 고개를 기울이고 속삭였다.

"상사님이 동족이라고는 생각도 못 하는 얼굴이군요."

"어린 여자 루아스는 보기 힘드니까."

상대 대원 역시 작은 목소리로 대답했다.

"그래요?"

"성염색체 조합으로 태어나는 종이 아니잖아. 특별히 여자가 필요할 리 없지."

대원은 앞쪽에서 모니터를 지켜보는 이반과 사람들에게 방해가 되지 않도록 벽에 붙어 서 있는 렉스를 고갯짓했다.

"다수가 건장한 성인 남성이지."

그랬다. 우스갯소리로 '남탕'이라고 부르는 종이 보기에 암울하거나 말거나, 그들은 생존하는 데 최적의 조건을 지닌 적자생존의 총아들이었다. 보호해야 할 노약자가 딸리지 않은, 젊고 건강한 남성으로만 이루어진 종이 끝까지 생존할 가능성은 얼마나 높은가?

연하는 오로지 생존 가능성으로만 판단하는 냉혹한 선별자의 시험에 통과한 것이다. 그런데 지금은 매춘부 역할 따위를 하고 있었다.

'어디서부터 뭐가 잘못된 거지, 이건.'

이반은 원초적인 고민에 빠졌다. 역시 그의 어리고 순진한 클리엔테스를 인간들 사이에 살도록 내버려 둔 것이 잘못이었는지도 모른다.

연하가 방문을 열자 화면에 방이 비쳤다. 붉은 등이 비추는 다섯 평 남짓한 방 한쪽에 정리된 침대가 있고, 침대 테이블에 크리넥스와 콘돔이 놓여 있었다. 전형적으로 매춘을 위한 방이었다.

타깃이 먼저 들어오고 연하가 문을 닫았다. 그녀가 문고리에서 손을 떼려 하자 타깃이 돌아보고 말했다.

[문을 잠가.]

연하는 문을 잠갔다. 타깃은 바로 웃통을 벗어 던져 버리고는 연하에게 다가왔다. 그가 키스하려는 듯하자 연하는 고개를 돌렸다. 하지만 키스하지 않으려는 매춘부가 드물지 않으니 타깃도 이상한 기색은 느끼지 못한 것 같았다.

타깃은 제 입술을 연하의 목덜미로 내리고, 손은 그녀의 엉덩이 쪽으로 돌렸다. 렉스는 흘긋 이반을 보았다. 이반은 견고한 무표정이었다.

그리고 연하가 눈을 치켜뜨고 똑바로 카메라를 본 순간이었다. 그녀는 타깃의 팔을 잡아 돌리며 벽에 밀어붙였다. 거의 파묻어 버리려는 듯이. 그때 충격이 여기까지 전해지는 것 같았다.

[뭐……!]

타깃은 당황하는 것 같더니 금세 상황을 파악했다.

[넌 뭐야!]

타깃은 입 밖으로 자라난 송곳니를 번뜩이며 거세게 몸을 들썩거렸다. 그러자 연하는 힘을 주고 남자를 더 밀어붙였다. 타깃은 아무리 발버둥 쳐도 연하에게서 벗어날 수 없다는 사실에 충격을 받은 것 같았다.

[사회보장번호 LKEGS-M-0001242, 당신을…….]

연하가 거기까지 읊었을 때, 타깃이 울부짖었다. 어지간한 사람은 그 소리만으로도 나자빠질 것 같은 괴성이었다. 그리고 타깃은 순간 근육이 팽창하더니 연하를 밀어냈다. 연하가 뒤로 튕겨져 나가, 상황실에 있는 모두 눈을 크게 떴다.

"강 상……!"

누가 놀라 부르기도 전이었다. 화면 속에서 타깃이 돌아서면서 주먹을 날렸다. 자세, 힘, 속도, 모두 살상을 목표로 하고 있었다. 연하는 힘으로 밀렸다는 데 좀 놀란 것 같았지만 순간적으로 몸을 젖혀 피했다. 그리고 날아오는 팔을 잡고, 다른 팔꿈치로 타깃의 턱을 가격했다.

엄청난 소리가 났다.

연하는 그대로 팔을 틀어 손바닥으로 타깃의 얼굴을 감싸서 밀어 넘어뜨렸다. 타깃은 거의 바닥에 넘어졌다. 그런데 그 몸집에, 탈골되지 않고서는 꺾을 수 없는 방향으로 몸을 뒤집어서 일어났다.

연하는 놀라지 않고 그대로 몸을 뒤집어 뱀처럼 그의 목에 다리를 감았다. 다리로 목을 비틀려는 찰나, 타깃이 연하를 잡아 벽으로 내던졌다.

콰장창. 날아가는 연하의 발에 채여 조명과 카메라가 동시에 부서졌다. 소리로 보아 천장도 함께.

[승냥이 셋, 엔트리!]

현장에 대기하고 있는 도영이 무전 너머로 외쳤다. 그때 상황실 한쪽에서 김 중령이 누군가가 건네준 전화를 받았다. 그리고 모니터에서 와

장창 소리가 나는 동안 통화를 하더니, 전화를 끊고 이반에게 다가갔다.

"국장님."

팀이 방으로 돌입하는 모습을 보고 있던 이반은 김 중령을 돌아보았다. 김 중령은 심각한 얼굴이었다.

"방금 용의자에 대한 새로운 정보가 입수됐습니다. 저 녀석……."

조명이 박살 나 방은 어두웠다. 거친 숨소리가 들려왔다. 도영은 총구를 내리지 않고 신중하게 연하를 불렀다.

"여덟."

"여기 있어."

목소리가 들리고, 야간투시경의 초록 시야에 비친 연하는 다행히 서 있었다. 아래쪽을 보자, 타깃은 부서진 침대에 처박혀 있었다. 연하가 하이힐로 목을 밟고 있었다. 타깃이 낑낑대며 발을 밀어내려고 했으나 꿈쩍도 하지 않았다. 그럴 때마다 오히려 연하의 다리에 근육이 꿈틀거리며 힘이 가해졌다.

결국 타깃은 포기했는지 몸에 힘을 풀었다.

"포박하겠습니다."

한 중사가 합성 카르빈 소재로 만든 수갑을 꺼냈을 때였다. 타깃이 웃고 말했다.

"용케 날 찾아냈군. 하지만 소용없을걸."

연하는 의아하게 타깃을 보았다. 흡혈과 폭행 혐의로 붙잡힌 양아치가 하는 말치고는 의미심장했기 때문이다.

"우리는 너희다."

타깃이 한 말에 모두 흠칫한 찰나였다. 타깃은 바로 얼굴에 검푸른 빛이 올라오더니 목이 툭 꺾였다. 막을 새도 없었다. 이미 동공이 활짝 열려 있었다. 독도 듣지 않는 체질인 뱀파이어가 이렇게 단번에 죽으려면 자연이 아닌 실험실에서 만든 합성 맹독을 미리 입안에 넣고 있었다는 의미였다.

영원히 살 수 있음에도 죽음마저 각오한 의지.

연하는 천천히 발을 뗐다. 타깃은 움직이지 않았다.

"이 녀석……."

도영이 마스크를 끌어 내리고 신음처럼 말을 꺼냈다. 하지만 이 방에 있는 모두가 뒷말을 알고 있었다.

"이름이 없군."

이름이 없다. 그건 예전에 존재하지 않았던 전혀 새로운 의미를 지닌 관용어였다. '이름이 없는 자' 중 하나라는 의미.

연하는 지옥으로 통하는 입구처럼 활짝 열린 눈동자를 내려다보며 주먹을 꾹 움켜쥐었다.

"강 상사."

부르는 소리에 연하는 돌아보았다. 복도 건너에서 국장이 다가왔다. 뒤에는 그림자 같은 렉스가 따르고 있었다.

"이야기 좀 할 수 있겠습니까?"

연하는 앞에 선 이반을 올려다보았다.

"하실 말씀 있으시면 나중에 사무실로 찾아뵐까요?"

"아뇨. 잠깐이면 됩니다."

"아, 네."

연하는 아직 작전에 나갔던 차림 그대로였기 때문에 혹시 냄새가 날까 싶어 자기도 모르게 뒷목을 문질렀다. 땀을 너무 흘려서 씻고 오고 싶었는데.

"그럼 앉아도 될까요?"

연하는 옆에 있는 의자를 가리켰다. 이반은 고개를 끄덕였다.

"물론입니다."

연하는 의자에 앉아 하이힐을 벗었다. 따라 옆에 앉은 이반이 빤히 보기에 연하는 어색하게 웃었다.

"죄송해요. 발이 좀 아파서."

아까 천장에 부딪쳤기 때문인 것 같았다. 천장이 패여서 파이프가 드러날 정도였으니까. 게다가 하이힐을 신고 그 정도로 움직이면 아무리 루아스라도 발이 아플 법했다. 빨갛게 쓸린 상처는 나지 않을지라도.

이반은 바닥에 내려놓은 하얀 발을 보다가 연하를 보고 말했다.

"강 상사, 당신이 싫다 싶은 일은 할 필요 없습니다."

"네?"

연하는 선뜻 이해하지 못했다. 이반은 덧붙였다.

"저희는 인류에게 협력하고 있는 거지, 목줄에 매여 있는 게 아니니까요."

"어……."

어, 라니……. 이반은 의아했다. 왜 이 타이밍에 그런 반응이 나오는지 알 수 없었기 때문이다. 반면, 연하는 어떻게 이야기해야 할지 잘 알 수 없는 듯이 주저했다.

"제가 인간이 아니긴 하죠. 근데 딱히 인간이다, 아니다 생각한 적은 없는데……."

이반은 말이 없었다. 뭔가 허를 찔린 듯이. 왜 말이 없나 싶어 연하가 쳐다보자 그는 조금 웃었다.

"괜한 이야기를 했군요. 제가 한 이야기는 잊어버리세요."

그러고는 이반은 또 말이 없었다. 연하도 가만히 앉아 있었다.

'이야기가 끝난 건가……?'

그러면서 의아해하고 있는데, 그때 렉스가 모퉁이를 돌아 나타났다. 연하는 그제야 처음에는 국장을 따라왔던 그가 계속 보이지 않았다는 사실을 기억해 냈다.

그런데 다가온 렉스가 연하 앞에 슬리퍼를 내려놓았다.

"어."

생각지도 못한 배려에 올려다보자 렉스는 여전히 무표정한 얼굴로 이반을 보았다. 연하도 그 시선을 따라 이반을 보았다가 깨달았다. 그가 슬리퍼를 가져오라고 했던 모양이다.

'가져오길 기다렸던 거구나.'

그때 연하는 슬리퍼에 정신이 팔려 알지 못했지만 도영이 모퉁이를 돌아오다가 그 모습을 보고 멈칫했다.

"신고 가세요."

이반은 말하고 일어났다. 연하도 슬리퍼를 신고 따라 일어섰다.

"국장님."

연하가 부르자 이반은 돌아보고, 말하라는 듯이 기다렸다. 연하는 또 어떻게 이야기해야 할지 몰라 주저하다가 그냥 생각나는 대로 말했다.

"그래도 싫은 일은 한 적 없어요."

이반은 희미하게 웃었다.

"다행이군요."

연하는 어쩐지 가슴이 덜컥 내려앉았다. 그리고 이반이 가는 모습을 보다가 고개를 갸웃했다. 덜컥? 웬 덜컥?

"강연하."

그때 단추만 푼 전투복 차림 그대로인 도영이 다가왔다. 그리고 도영은 슬리퍼를 신은 연하의 발을 내려다보고 물었다.

"발 아파?"

"아니."

"인마, 솔직히 말해."

그렇게까지 말하니 연하는 바른 대로 대답했다.

"응."

도영은 미간을 찌푸렸다.

"근데 왜 말 안 했어?"

"다친 것도 아닌데?"

연하는 왜 그래야 하냐는 듯 정말 이해를 못 하는 얼굴이었고, 도영은 기가 막힌다는 표정을 지었다.

"그럼 여태 다친 게 아니라고 말도 안 하고 있었던 거냐?"

"응."

"앞으로는 말해."

"왜?"

도영은 기가 질린다는 얼굴이었다.

"팀 리더인 내가 네 상태를 알아야 할 거 아냐?"

"그렇지."

"이제 말할 거야?"

"알았어."

연하는 그제야 고개를 끄덕였다. 도영은 마침내 만족하는 얼굴이었다. 마지막으로 그 모습을 보고 모퉁이를 돌아간 이반은 한동안 말없이 복도를 걸었다.

"오해를 살 수 있다고 생각합니다."

따라오던 렉스가 갑자기 말했다.

"무슨 소리야?"

이반이 멈춰 서서 돌아봤지만 렉스는 대답하지 않았다. 하지만 무슨 말인지 알아들은 이반은 찡그리고 웃었다.

"저 애는 내 딸이야."

"하지만 강 상사에게 이바노프 씨는 낯선 남자일 뿐이죠."

렉스는 그렇게 말하고 무표정하게 덧붙였다.

"아무리 파트로네스이셔도 말이죠."

"그런 일이……."

이반은 말하다가 멈추었다.

"그렇게 비쳤나?"

렉스는 침묵으로 대답을 대신했고, 이반은 턱을 쓸며 난감한 표정을 지었다.

"딸과 재회해서 즐거웠던 것뿐인데."

렉스는 그런 이반을 잠깐 보다가 물었다.

"파트로네스라고 말씀하시지 않는 이유가 있습니까?"

"좀 무서워져서."

렉스는 여전히 무표정했다. 하지만 놀랐다. 이반 이바노프가 무서워한다니, 그런 일이 있을 수 있는지 미처 몰랐기 때문이다.

이반은 연하가 있는 쪽을 돌아보며 중얼거렸다.

"내가 자신을 흡혈귀로 만들었다는 걸 알면 어떻게 반응할까, 순간 손끝이 차가워졌어."

이 위치에서 연하는 보이지 않았지만 이반이 보고 있는 건 지금 그녀라기보다 기억 속의 그녀인 것 같았다.

"죽어가는 걸 봤을 땐 진흙탕에 빠진 새끼 강아지 꼴이었는데. 너무 작고 연약해서 도저히 살아날 것 같지가 않았지. 그런데 감염을 이겨낸 거야. 과연 내 딸이었지."

말이 나온 김에, 렉스는 아까부터 하고 싶었던 질문을 했다.

"자꾸 딸이라고 하시는데, 그럼 저도 아들입니까?"

이반은 돌아보고 렉스를 위아래로 훑었다. 이번에는 전혀 웃지 않았다.

"무서운 소리를 하는군."

"저도 이바노프 씨의 피를 받아 뱀파이어가 되었고 강 상사도 마찬가

지인데 차별이 심하시군요."

"너 같은 아들은 싫은데."

꼭 '당근은 싫은데.'라고 말하는 것 같은 어조였다. 렉스가 좀 더 섬세한 성격이었다면 상처받을 만한 말이었으나 그는 표정을 풀지 않고 말했다.

"다행히 파트로네스와 클리엔테스 사이에 혈연은 성립하지 않습니다. 같은 감염원을 가져서 혈액형이 같은 정도죠."

이반은 웃었다. 가끔은 이런 원칙주의자 같은 점이 귀엽다 싶을 때도 있지만 역시 물기 하나 없는 마른 장작 같은 사내 녀석은 싫었다. 이반은 이번에도 혼자 가겠다고 했건만 렉스가 부득불 따라왔다.

이반은 말했다.

"딸이건, 클리엔테스건, 뭐라고 부르는 건 중요하지 않아. 저 아이는 이바노프니까. 있어야 할 곳으로 돌아가야지."

웃음기를 띠고는 있지만 눈이 차가웠다. 그에 렉스는 생각했다.

'역시 다른 아이들은 역부족이었겠군.'

이반은 MCTC가 창설되도록 돕고 나서도 어떤 식으로든 연관되는 걸 거부해 왔다. 그런데 얼마 전 선뜻 현역으로 가겠다고 해서 모두를 놀라게 했다. 셀레나가 직접 내려와서 말릴 정도였으니까. 하지만 모두 왜 이반이 갑자기 움직이려 하는지 모르지 않았다.

그가 버린 막내 클리엔테스, 강연하.

이반은 갑자기 렉스를 보고 말했다.

"그런데 여전히 네 사복 차림은 굉장하군. 셀레나가 차라리 제복을 입고 다니라고 하지 않았어? 한동안 잘 듣더니."

렉스는 무심히 대답했다.

"지금은 공무 중이 아닙니다."

"여전히 융통성이라고는 없는 녀석이야."

이반은 고개를 젓고 걸음을 옮겼다. 제 패션 센스가 섬세한 심미안을 가진 이들에게 어떤 고통을 주는지 모르니까 저럴 수 있을 것이다.

렉스는 묵묵히 따라왔다. 길을 걸어가며, 이반은 허공을 보았다.

'연애를 못 하는 이유가 있었군.'

거의 확신에 가까운 예감이지만 지금까지 연하에게 관심을 보이는 사람이 없진 않았을 것이다. 외모가 어리긴 하지만 그만큼 사랑스럽고 엉뚱한 매력이 있는 아이니까. 다만 연하가 전혀 눈치를 채지 못한 것 같았다.

'그런 쪽에 전혀 관심이 없으니 누가 신호를 준다고 반응할 리가 없었겠지.'

연하가 그런 쪽에 왜 관심이 없는지도 충분히 알 만했다. 아까 급하게 소집한 간부 회의가 떠올랐다.

패널에는 사진이 떠 있었다. 요트에서 내리는 일행의 사진이었다. 일행은 각기 다른 인종과 나이대가 섞여 있었다. 옷차림도 제각각이어서 그들은 마치 여러 연극 무대를 한군데에 몽땅 섞어놓은 것 같았다. 유일한 공통점은, 붉은 눈.

패널 앞에 서 있는 김 중령이 말했다.

"뱀파이어가 존재한다는 사실을 세상에 알린 뱀파이어 테러리스트 그룹 SN[4], 즉 '이름이 없는 자들'입니다."

사진 속에서 한 쌍의 붉은 눈이 똑바로 이쪽을 보고 있었다. 카메라 렌즈를 인식하지 못하고 있는 다른 이들과 달리, 반가운 손님을 대하듯 웃음기를 머금고.

요즘 스타일로 깔끔하게 커트한 검은 머리 청년은 아주 아름다웠다.

---

4) Sine Nomine, Sans Nom, Sin Nombre, Senza un Nome. 순서대로 라틴어, 프랑스어, 스페인어, 이탈리아어. 뜻은 '이름이 없는(Without a name)'

나이는 스물쯤, 언뜻 동서양 혼혈 같았다. 하지만 사실 동양인 같지도 서양인 같지도 않은 외모는 현대엔 존재하지 않는 혈통 같은 독특한 느낌을 풍겼다.

김 중령은 덧붙였다. 무겁고 진지한 얼굴로.

"그리고 강 상사가 휘말려 죽을 뻔했던 12년 전 열차 테러를 일으킨 주범이죠."

3

"Talitha Cumi"

("소녀여 일어나라", 마가복음 5장 41절)

연하는 벤치에 앉아 발을 흔들었다. 웅장한 로비에서 그러고 있는 모습은 누가 봐도 학교에서 견학을 왔다가 선생님을 잃어버린 미아 같았다. 특히 평소처럼 트레이닝팬츠에 티셔츠, 후드 재킷 차림이라 정부기관 청사라는 장소와의 상관관계는 조금도 없어 보였다.

무료하게 앉아 있던 연하는 갑자기 벌렁 벤치에 드러누웠다. 경비원은 한 번 눈짓할 뿐 특별히 제지하지 않았다. 그때 양복 입은 남자가 지나가다가 연하를 발견하고는 흠칫했다. 그녀는 그를 올려다보고 생각했다.

'어, 아는 얼굴.'

행정부 9급 직원이었던 것 같았다.

남자도 연하를 알아본 것 같았지만 직립보행 동물에게는 불가능한 줄 알았던 게걸음으로 슬금슬금 피하더니 얼른 제 갈 길을 갔다. 연하는 천장으로 시선을 옮겼다.

'안 잡아먹는데.'

[15년 전 7월 16일.]

그때 로비 천장 가운데에 샹들리에처럼 매달려 있는 전자패널에서 목소리가 흘러나왔다. 연하는 그쪽으로 시선을 돌렸다.

[UN 안전보장이사회가 승인한 비상의장국장, 프리드리히 마드찰란 독일 총리는 공식적으로 루아스들과의 전쟁에 종식을 선언했습니다.]

화면에서는 운집한 관중 앞 연단에 서 있는 중년 남자가 막 입을 열고 있었다. 워낙 자주 본 내용이어서 연하도 절로 따라서 중얼거리게 되었다.

"멸망을 막는 유일한 방법은 공존입니다."

여성 해설자가 부드러운 목소리로 해설을 덧붙였다.

[마드찰란 총리는 종전을 기념하는 베를린 연설에서 말했습니다.]

화면 속에서 연단 위에 선, 갈색 피부에 고동색 눈동자를 가진 중년 남자가 강한 목소리로 말했다.

[우리는 같은 자궁에서 태어난 쌍둥이 형제입니다. 우리는 항상 이곳에 함께 있었습니다. 단지 달의 다른 쪽 면을 모르듯이 서로를 모르고 지내왔을 뿐입니다.]

여성 해설자가 다시 덧붙였다.

[마드찰란 총리는 이라크 전쟁 난민 아버지와 유대계 독일인 어머니 사이에서 태어났습니다. 따라서 무지와 오해에서 비롯된 반목이 얼마나 큰 비극으로 치달을 수 있는지, 그로 인한 전쟁이 얼마나 파괴적이며 허무한지를 온몸으로 구현하는 사람이었습니다. 아마도 그런 배경이 그를 대표적인 평화파로 만들었을 것입니다.]

화면 속 마드찰란 총리는 강인한 눈빛으로 관중을 주시하며 말했다.

[우리는 다시 과거의 실수를 반복해서는 안 됩니다. 피부색이 달라서, 민족이 달라서, 종교가 달라서 차별받는 사람은 없어야 합니다. 따라서 단순히 다른 종이라는 이유만으로 차별받는 일도 없어야 합니다.]

관중은 함성을 지르고, 각종 언어로 반전 구호가 적힌 종이와 패널, 깃발을 흔들었다. 마드찰란 총리는 차분하면서도 뜨거운 목소리로 계속 말했다.

[적은 악한 의지를 가진 자들입니다. 테러리스트들입니다. 우리가 힘들게 쌓아올린 터전과 안전을 위협하는 테러리스트들을 결코 용인하지 않을 것입니다. 하지만 오히려 그렇기 때문에, 선한 의지를 가진 자들의 연대가 중요합니다. 따라서 오늘 저는 이 자리에서 평화를 선언…….]

"노숙자냐?"

머리 위로 도영이 불쑥 얼굴을 내밀었다. 연하는 놀랐다.

"소령님."

도영은 청바지에 흰 티셔츠, 재킷을 입고 운동화를 신은 사복 차림이었다.

평소에는 워낙 우락부락한 대원들 사이에 있어서 말라 보이지만 도영은 키가 크고 몸이 좋아서 뭘 입어도 옷맵시가 좋은 편이었다. 일단 늘씬한 미남이라는 점에서 무장을 하고 있으면 실제 대테러부대원이라기보다 그렇게 분장을 한 배우 같았다. 그래서 여자들에게 상당히 인기가 좋은 편이었다. 본인도 그 점을 잘 알고 있는 데다 즐기는 것 같았고.

그도 그럴 게, 일단 프랑스인이잖은가?

"어디 가?"

연하가 부스스 일어나며 묻자 도영은 대답하지 않고 손목 밴드를 보았다. 그리고 몇 초를 세는 것 같았다. 삐빅. 삐빅. 마침 연하가 차고 있는 손목 밴드에서 알람이 울렸다. 표면에 푸른 글씨로 '대기 해제'를 의미하는 코드가 떠 있었다. 드디어 청사를 벗어나도 된다는 의미였다.

도영은 문 쪽으로 고갯짓했다.

"가자."

연하는 일어났다.

"소령님도 가려고? 근데 내가 어디 가는지 알고?"

"네가 갈 곳이라고는 한 군데밖에 더 있어?"

맞는 말이라, 연하는 납득했다.

사람들이 오가는 정문을 나서자 며칠 전 그녀가 쓰러진 계단에 해가 쓰러지고 있었다. 눈이 부셔서 들어 올린 손가락 사이로 일몰 직전의 쨍한 햇빛이 넘실거렸다.

"눈부시면 선글라스 써."

도영이 말했다.

"응."

연하는 대답하고 후드 주머니에서 선글라스를 꺼내 썼다.

루아스들에게 햇빛은 적이 아니었다. 계속 어둠 속에서 활동했기 때문에 어둠 속에서도 어렵지 않게 사물을 볼 수 있을 뿐, 햇빛을 본다고 기화하는 마법 같은 일은 일어나지 않았다. 오랫동안 전설과 신화 영역에 머물러 있었지만 사실 뱀파이어는 생각보다 현실적인 동물이었다. 메커니즘의 상당 부분이 과학적으로 해명되었고, 아직 남은 부분도 서서히 밝혀지고 있었다. 그런데도 옛날 사람들이 흡혈귀가 햇빛에 타버린다고 생각한 이유는 아마 압도적인 공포를 주는 존재도 신적인 광휘에는 꼼짝할 수 없으리라고 믿고 싶었기 때문이 아닌가 싶었다.

루아스가 루아스로 불리기 이전, 전설적인 존재로서 상상과 소문 속을 돌아다닐 뿐이던 그 시절—

렉스는 읽고 있는 책에서 시선을 들었다. 사무실은 조용했고, 그는 반쯤 블라인드가 내려온 투명 벽 앞 소파에 앉아 있었다. 그래서 가끔 유리 너머 복도로 지나가는 사람들이 그를 흘깃거리는 시선이 느껴졌다. 한가운데 책상에 앉은 이반은 아직도 보안을 위해서 종종 사용하는 종이 서류를 보고 있었다.

"나가는군요."

사무실 벽에 걸린 액자보다도 존재감 없이 있던 렉스가 말하자 이반이 시선을 들었다.

"어디로?"

렉스는 잠깐 소리를 듣다가 말했다.

"시내로 가는 것 같습니다."

이반은 창 너머를 보았다.

"뭐, 누가 납치해 갈 수도 없을 테니."

이반은 어깨를 으쓱이고는 다시 서류로 시선을 돌렸다. 렉스는 가만히 있다가 중얼거렸다.

"이름이……."

"무슨 이름?"

이번에 이반은 시선을 들지 않고 물었다.

"강 상사가 소속된 3팀의 소령 말입니다."

이반은 바로 렉스를 보았다.

"도영 드페르?"

"같이 가는 것 같군요."

이반은 다시 창 너머를 보았다.

"따라가."

렉스는 움직이지 않았다. 이반이 '뭐 해?'라고 말하듯이 돌아보았다. 그제야 렉스는 깨달았다.

"진심이시군요."

이반은 기가 찬다는 얼굴로 만년필을 들고 있는 손으로 턱을 괴었다.

"농담이란 건 이런 게 아냐. 정말, 셀레나가 그리워지는군."

어차피 더 있어봤자 좋은 소리는 들을 수 없었으므로, 렉스는 읽던 책을 내려놓고 일어났다. 그리고 묵례하고 사무실을 나섰다.

"다녀오겠습니다."

열차가 빠르게 강 위로 다리를 가로질렀다. 후드를 눌러쓴 연하는 선글라스 너머로 해를 꿀꺽꿀꺽 삼키는 강물을 바라보았다. 한강변은 예나 지금이나 크게 변하지 않았다. 탁 트인 강변에서 여가 시간을 즐기고 싶어 하는 건 인간의 본능인 모양인지, 주변으로 도로가 좀 더 높고 어지럽게 얽혀 있을 뿐이었다.

세상은 참 쉽게 변하지 않는다는 사실을 실감했다. 아직도 차는 날아다니지 않았고, 지금도 사람들은 비가 오면 우산을 꺼내 펼쳤다.

"한때는 세상이 멸망하는 줄 알았는데."

연하가 중얼거리자 옆에 앉은 도영이 말했다.

"멸망은 무슨. 인간을 그렇게 쉽게 없애 버릴 수 있을 것 같아?"

인류의 생존 능력을 자랑스러워한다기보다 지긋지긋해하는 투였다. 하여간 도영은 전쟁 이후 허무주의에 빠진 포스트모더니즘 예술가들처럼 염세적인 구석이 있었다.

연하는 살짝 고개를 내젓고, 해가 지는 창 너머를 바라보았다. 해는 강물 속에 잠기는 것 같기도 하고 강물 속에 녹아 흘러드는 것 같기도 했다.

어느 날, 새벽빛 속에 인간이 아닌 것이 모습을 드러냈다. 2017년, IS에게서 이라크 모술을 탈환하는 데 성공한 CJTF-OIR[5] 지상군은 모술의 니네베 유적에서 아주 묘한 것을 발견했다. IS가 부순 이교의 우상, 고대 아시리아 조각상에 못 박혀 죽은 남자의 시신이었다.

보통 때라면 IS의 극악한 소행 중 하나로 치부되고 넘어갈 일이었지

5) Combined Joint Task Force – Operation Inherent Resolve, 연합 합동 특수임무부대-내재한 결단 작전. 미국을 중심으로 국제 연합군이 IS를 퇴치하기 위해 실행한 작전. "Operation Inherent Resolve, Targeted Operations to Defeat ISIS", U.S. Department of Defense, 2018년 8월 13일

만, 문제는 비바람에 얼굴을 알아보기 힘들 정도로 바싹 말라붙은 그것이 인간이 아니란 점이었다. 적어도 인간처럼 보였지만, 해부해 본 결과 짐승처럼 발달한 송곳니나 근질, 무게, 인체의 메커니즘, 모든 게 달랐다. 학자들은 '인간이라기보다 인간의 껍질을 쓴 맹수류의 짐승'이라고 이야기했고, 사람들은 '뱀파이어'라고 수군거렸다.

그리고 머지않아 어둠 속에서 '그들'이 일어났다.

[우리는 낡고 병든 작금의 인류를 끝내고 새 세상을 만들기 위해 일어났다.]

유명 동영상 사이트에 공개된 한 동영상 속에서 남자는 무표정하게 대본을 읽었다. 그는 아주 평범해 보였다.

[이 세계가 병들었다고 생각하는 자, 더 이상 나아질 미래가 없다고 생각하는 자, 그럼에도 더 나은 미래를 꿈꾸는 자, 우리에게 오라. 우리는 선택받은 자들을 미래로 데려갈 노아의 방주이며, 정화의 불꽃이다.]

똑바로 이쪽을 보는 붉은 눈은 화면을 오가는 분석 프로그램의 분석 결과에 의하면 컬러 렌즈나 특수효과 같은 게 아니었다. 하지만 알비노라고 하기에는, 남자는 흑인이었다. 그것도 붉은 눈이 더 도드라져 보일 정도로 완전한.

흑탄 같은 검은 피부와 선명한 붉은 눈의 배합이 묘하게 더 섬뜩한 남자는 눈도 깜빡이지 않고 카메라를 응시했다. 꼭 최면을 걸듯이.

[하지만 우리는 다른 무언가가 아니다. 너희들 사이에 우리가 있다. 그러므로 우리에겐 다른 이름이 없다.]

남자는 천천히 말했다.

['우리는 너희다.']

하지만 사이비 종교에 빠진 광신도의 독백 같은 영상을 진지하게 받아들인 사람은 거의 없었다. 사실 처음에는 조회 수조차 얼마 되지 않았다. 그런데 어느 날 세계의 지도자들이 하나둘 시신으로 발견되기 시작했던 것이다. 그리고 아무리 봐도 그때 상황을 찍은 것 같은 동영상들이 흑인 남자 영상을 올린 아이디로 업로드되기 시작했다. 사람들은 '어…….' 하고 얼떨떨해했고, 그리고 '어라…….' 하며 설마 했고, 이어서 '이거 혹시……?' 하고 반응했다. 이내 반응들이 폭발하며 영상들은 순식간에 해당 사이트 조회 수 1위로 등극했다.

-SN

그것이 영상들을 업로드한 아이디였다.

Sine Nomine, Sans Nom, Sin Nombre, Senza un Nome…….

이름이 없는.

로망스 계통 언어에서 같은 뜻을 가진 그 약자는 그대로 이 새로운 테러리스트들을 지칭하는 이름이 되었다.

이 새로운 테러리스트들 앞에서는 어떤 경호 시스템도 무력했다. 그들은 비인간적으로 강한 육체를 지녔고, 총탄이 소용없었으며, 철문을 맨손으로 뜯어냈다.

그것이 뱀파이어가 처음으로 세상에 등장한 순간이었다. 상상보다 더 최악의 형태로.

인간들 사이에 숨어 살던 많은 뱀파이어들은 경악했다. 현대 도시에 24시간 불이 꺼지지 않게 되며 여태 용케 정체를 숨겨왔다고 할 만큼 점차 숨어 사는 일이 힘들어지고 있는 건 사실이었다. 하지만 이건 그야말로 상상할 수 있는 최악의 시나리오로 정체가 밝혀지는 일이었다.

많은 뱀파이어들이 다급하게 성명을 발표하여, 그들은 이 광신도들과 관계가 없음을 천명했다. 하지만 어쨌든 뱀파이어는 인간의 피를 마시고 사는 생물이었고, 인류는 자신을 먹잇감으로 여기는 생물이 있다는 사실을 받아들일 수 없었다.

인류는 결국 지구의 밤에 거주하는 이웃에게 전쟁을 선포했다. 그렇게 전쟁이 시작되었다.

"국장 말이야."

도영이 갑자기 말해 연하는 고개를 돌렸다.

"은둔자 이반이라고 불린다더라."

연하는 의아해했다.

"은둔자?"

은둔자라면 중세 수도복 같은 걸 입은, 머리카락과 수염이 하얗게 센 우울한 노인이 떠오르는데 국장과는 전혀 어울리지 않는 이미지였다. 도영은 고개를 끄덕이고 말했다.

"거의 세상에 나오는 일이 없었던 모양이야. 어떻게 생겼는지조차 아는 사람이 별로 없다더라고. 그런데 꽤나 오래 산 것 같아."

"꽤나? 얼마나?"

"정말로 꽤나. 아무도 정확하게 모른대. 그냥, 은둔자 이반이란 존재에 대한 이야기는 언제나 들려왔다고 할 뿐이었어."

외모는 삼십대 초중반이지만 연하가 그렇듯 그건 국장이 인간으로서 죽은 나이를 보여주는 묘비일 뿐이었다.

"전쟁에도 참여하지 않았고. 종전 협정이 체결될 때도 그냥 인류 편에 선다는 증거로 끝자락에 사인한 게 전부인 모양이야. 그리고 또 두문불출하다가, 갑자기 우리 국장으로 나타난 거야. 수상하지 않아?"

연하는 고개를 갸웃했다.

"수상해?"

도영은 코웃음을 쳤다.

"이름도 이반 이바노프라니, 존의 아들 존? 완전 김 씨네 아들 김 서방 아냐. 그리고 솔직히 '이반 이바노프'라기엔 너무 러시아 느낌이 없는 얼굴이잖아. 우랄 산맥 서쪽이든 동쪽이든."

연하는 국장을 떠올렸다. 그의 얼굴, 그의 눈동자…….

"잘 어울리는데, 이름."

연하는 중얼거렸다.

"강연하야."

그러자 갑자기 도영이 등받이에 턱 팔을 걸치고는 말했다.

"내가 체육관에서 뭐라고 했어?"

연하는 어리둥절했다. 이름 이야기를 하다가 갑자기 무슨 말인지 알 수 없었지만…….

"남잔 다 늑대라고."

"잘 기억하네. 그러니까 조심하라고 했지?"

그렇게 말하면 연하는 묻지 않을 수 없었다.

"그럼 소령님도 늑대야?"

"난 아니지. 난 너한테 흑심을 품고 있지 않잖아."

그건 분명한 것이, 수년간 동고동락하면서 볼 꼴 못 볼 꼴 다 봐온 팀원들은 그녀를 뱀파이어로 볼지는 몰라도 여자로는 보지 않았다. 반대도 마찬가지였고.

"그럼 국장님이 나한테 흑심을 품고 있다는 거야?"

연하가 묻자 도영은 그녀를 한심해하는 눈을 숨기지 않았다.

"그걸 내가 어떻게 알아?"

"근데 뭘 조심해?"

연하는 정말 몰라서 물었다.

"그건……. 됐다, 됐어. 앓느니 죽지."

도영은 손을 내저었다. 연하는 고개를 갸웃하고 말했다.

"살 수 있으면 앓는 게 낫지."

"야, 강연하……."

'귀엽군.'

옆 칸에 서 있는 렉스는 생각했다. 두 사람은 생각보다 친한 것 같았다. 아무리 그래도 소령이 저렇게 스스럼없이 대할 수 있는 계급은 아닐 텐데 말이다.

그런데 갑자기 시선이 느껴져 고개를 내리니, 늙은 여인 하나가 그를 쳐다보고 있었다. 눈이 마주치자 여인은 끌끌 혀를 내찼다.

"눈깔에 뭐 희한한 걸 끼고……. 하여간 요즘 젊은 것들은……."

선글라스 틈 사이로 붉은 눈동자가 보였던가 보다. 렉스는 캡 모자를 더 눌러쓰고 창밖으로 시선을 피했다.

국토 면적에 비해 서울은 여전히 메가시티지만 이곳에서는 아직 루아스가 낯선 모양이었다. 이질적인 존재가 섞여 있을 거라고 생각지도 못하는 표정들이었다. 그러고 보면 혼혈 비율도 다른 나라들에 비해 낮았다. 아직도 반수 이상은 염색한 게 아니면 검은 머리, 검은 눈동자였다. 옛날에 총기와 마약을 대할 때처럼 아직도 격리구역 같은 통제력을 유지하는 모양이었다.

고향이기 때문이기도 할 테지만 아마 이래서 강연하를 이곳에 머물게 했을 터.

렉스는 강 위로 노을이 지는 풍경에 뜻하지 않게 시선을 빼앗겼다. 가끔은 그도 인간의 탄력성에 감탄할 수밖에 없었다. 일련의 난리를 겪고도 이렇게 다시 문명을 쌓아올린 회복력을 보면 말이다. 더구나 한 번 무너진 세계는 '뱀파이어'라는 이질적인 요소를 품고 유연하게 형태를 바꾸어 재건되었다.

"근데."

렉스는 정신을 차렸다. 칸 건너편에서 연하가 이야기하고 있었다.

"체육관에서도 이야기하고 싶었는데, 내가 아기 돼지 삼형제도 아니고 문밖에 늑대가 어슬렁거린다고 두 눈 시뻘겋게 뜨고 경계하고 있어야 돼?"

[이번 정거장은 인천, 인천역입니다. 내리실 문은…….]

마침 나오는 방송을 들은 연하는 어깨를 으쓱이고는 일어났다.

"재주 있으면 잡아먹어 보라지."

도영은 한 대 맞은 것 같은 느낌이었다. 기분이 묘해졌다.

'저 녀석이 저런 말을 하다니…….'

뭔가 머쓱하면서 얼떨떨한 기분이라고 할까.

렉스는 조금 피식 웃었다. 제법 맹랑한 구석도 있는 것 같았다.

혼자 웃는 렉스를 앞에 앉은 늙은 여인이 이상하단 듯이 보는데 칸 건너에서 연하가 도영에게 말했다.

"안 내려?"

두 사람과 약간 시차를 두고 열차에서 내린 렉스는 반대편 출구로 내려갔다.

연하와 도영은 역을 나와 거리를 걸었다. 뒤로 저녁 기운이 뚜벅뚜벅 따라왔다. 둘은 별 대화 없이 걷다가 편의점으로 들어갔다. 그리고 각자 음료수를 하나 골라서 나왔다. 음료수값은 나올 때 지갑 기능이 포함된 손목 밴드에서 자동으로 계산되었다.

둘은 편의점 앞 의자에 나란히 앉았다. 뒤따라오던 저녁 기운은 그새 저만치 앞서가 있었는데 골목 어귀에서 '안 따라와?' 하고 묻듯이 어슬렁대다가 훌쩍 가버렸다. 머지않아 그 뒤를, 퇴근하는 사람들이 웅성이며 따랐다. 연하는 턱을 괴고 사람들을 쳐다보았다. 사람들 가운데, 투피스 정장을 입은 한 여자가 눈에 띄었다.

늘씬한 키에 긴 생머리, 지적으로 보이는 예쁘장한 얼굴이 시선을 끌었다. 하지만 수많은 사람들 가운데 유난히 그녀가 눈에 띈 이유는 다른 게 아니었다.

머리카락을 쓸어 올리며 지나가던 여자가 우뚝 멈추었다. 바로 연하와 도영 앞에. 음료수를 마시던 두 사람은 흠칫했다. 여자는 그들을 빤히 응시했다. 연하와 도영은 등에 땀이 흐르는 기분이었다. 특히 연하는 선글라스랑 후드를 벗고 있지 않아서 다행이라고 생각하며 목을 더 움츠렸다.

이내 여자는 두 사람을 지나 편의점으로 들어갔다. 도영은 목구멍에 꽉 잡힌 숨을 토해냈다. 그리고 거의 후드 속에 처박힌 연하에게 속삭였다.

"이렇게 가까이서 보는 건 처음이야."

연하는 편의점 안으로 들어간 여자를 흘긋 돌아보고 속삭였다.

"우리가 마시는 거 보고 마시고 싶어졌나 봐."

"근데 가까이서 보니까……."

도영은 뒤를 살폈다. 편의점 냉장고 앞에 선 여자는 뭘 마실지 고민하는지 생사의 길목 앞에 선 햄릿 같은 태도로 냉장고를 보고 있었다. 그녀를 보며 도영은 새삼 인정할 수밖에 없었다.

"진짜 너랑 똑같이 생겼네."

여자가 눈에 띈 이유는, 딱 연하의 성장 버전이었기 때문이다.

"잠깐. 우리 규하 누나 나오기 전에 도망 가야 하는 거 아냐?"

도영이 뒤늦게 깨닫고 말하자 연하는 '맞다!'라는 표정을 지었다. 하지만 이미 늦었다. 규하가 맥주와 봉지 과자를 골라서 나오고 있었기 때문이다. 두 사람은 재빨리 고개를 돌렸다.

지잉. 자동문이 열리고 밖으로 나오는 구두 굽 소리가 울린 순간이었다. 삐삐삐— 경고음이 울렸다.

"씨발, 뭐야?"

규하가 거칠게 말했다. 연하는 음료수를 뿜을 뻔했다. 규하가 한 걸음 물러났다가 다시 나가려고 하자, 삐삐삐— 다시 경고음이 울렸다. 규하는 짜증 난다는 듯이 손목 밴드를 찬 제 팔을 흔들었다.

"왜 너까지 지랄이야?"

도영과 연하는 시선을 교환했다. 잘못하다가는 규하가 연하를 보겠다 싶어서, 도영은 어쩔 수 없이 일어났다.

"저."

규하는 손을 내미는 도영을 돌아보았다.

'어머, 잘생긴 청년.'

그런 생각이 표정에 그대로 드러났다. 연하처럼 생각을 숨길 줄 모르는 것 같았다. 아니면 숨기지 않는 건지.

도영은 규하에게서 맥주와 과자를 받아서 손만 문을 통과했다.

"제가 사는 걸로 하죠."

"그러지 않아도 되는데. 내가 어떻게 학생의 코 묻은 돈으로……."

하고 있는 차림도 그렇고 대학생쯤으로 보였던가 보다. 도영은 빙긋 웃었다.

"괜찮습니다. 집에 돈이 많거든요."

그런 당돌한 대답을 기대하지 않았는지 규하는 조금 놀라더니 피식 웃었다.

"멋지네. 난 언제 그런 말 한번 해 보려나. 그럼 고마워요."

규하는 맥주와 과자를 받아 지나가면서 연하 쪽으로 고갯짓하고 낮게 웃었다.

"좋은 시간 보내요."

규하가 가고 도영은 다시 탁자에 앉았다. 연하하고 세월의 흐름만 다른 똑같은 얼굴인데 느낌은 천지 차이라 기분이 이상했다. 확실히 규하 쪽은 어른스러운 느낌이었다. 하지만 다른 사람도 아니고 강연하의 쌍둥이를 보고 그렇게 생각했다는 걸 들키고 싶지 않아 도영은 괜히 툴툴거렸다.

"누가 강연하 쌍둥이 아니랄까 봐 하는 짓도 참 똑같다."

연하는 단조로운 어조로 대답했다.

"규하가 소령님보다 세 살이나 많아."

"뭘 새삼스럽게. 너한테도 맨날……."

늘 구박하고 낮잡아 말해도 얼굴 한 번 찡그리지 않는 연하였다. 하지만 지금은 전에 없이 단호한 얼굴이었다.

"그래, 미안하다."

도영이 말하자 연하는 대수롭지 않게 어깨를 으쓱이고 음료수를 마셨다.

"규하가 좀 철이 없긴 해. 나이가 몇인데 아직도 욕을 입에 달고 살고."

그러더니 연하는 사뭇 진지한 얼굴이 되었다.

"빨리 결혼을 해야 할 텐데."

도영도 테이블에 한쪽 팔을 괴고 음료수를 마시며 말했다.

"사귀는 남자도 없지 않아?"

"왜 없을까?"

연하는 정말 이해되지 않는다는 듯했다. 꼭 '우리 딸이 어때서?'라고 묻는 엄마처럼. 도영은 어깨를 으쓱였다.

"난들……. 선이라도 보게 해야 하는 거 아냐?"

"쟤가 보란다고 볼 애면 말도 안 하지."

"아무튼 어서 가자. 마주친 거에 대해서 시말서 써야 할 것 같은데."

도영은 다 마신 음료수 캔을 멀리 있는 쓰레기통에 정확하게 던져 넣고 일어났다. 연하는 도영을 따라 일어났다. 그리고 두 사람이 떠난 자리, 편의점 옆 어두운 골목에서 렉스가 나왔다. 동족인 연하를 상대로는 멀리서 지켜보기보다 숨어서 기척을 지우는 쪽이 낫기 때문이었다.

'나머지 쌍둥이군.'

무슨 생각을 하는지 렉스는 한동안 눈앞에 있는 것에 의미 없는 시선을 맞추고 있었다. 그때였다.

"아, 갔네."

갑자기 들려온 목소리에, 렉스는 시선으로만 옆을 보았다. 규하는 비어 있는 편의점 의자를 보며 중얼거렸다.

"하긴, 그 사이에 끼어서 뭘 하겠다고. 여자애는 이 밤에 선글라스 딱 끼고 앉아서 엄청 시크하던데."

그러더니 규하는 아까 도영이 앉았던 자리에 앉아 맥주 캔을 땄다. 렉스는 최대한 자연스럽게 시선을 편의점 유리에 붙어 있는 포스터에 고정했다. 마치 처음부터 그 포스터가 목적이었다는 듯이.

"그거 기한 지났어요."

갑자기 규하가 말해, 렉스는 그녀를 보았다. 하지만 규하는 그를 보지 않고 과자 봉지를 열고 있었다. 렉스가 흘긋 포스터를 보니, K-pop 콘서트에 관한 것이었다. 그러자 규하는 과자를 하나 집어 먹고 말했다.

"내 말 알아듣는 거 보니까 한국말 할 줄 아네요."

그래서 어쨌다는 건지 렉스는 빤히 규하를 보았다. 그녀는 맥주를 한 모금 마시더니 말했다.

"와서 내 얘기 좀 들어달라고 한 건데."

렉스는 걸음을 돌렸다.

"바빠서."

"콘서트 티켓 사러 가야 해서요?"

렉스는 멈칫했으나 대답은 하지 않았다. 규하는 어깨를 으쓱였다.

"뭐, 각박한 현대사회에서 초면인 사람한테 시간 내줄 의리를 기대할 순 없는 거죠. 이미 동서남북 사방에서 전천후로 돌려 까인 거, 한 번 더 까인다고 상처받지도 않을 것 같네요. 갈 길 가세요."

렉스는 규하를 돌아보았다. 그가 알 바 아니긴 하지만…….

"있어주길 바란다면 좀 더 친절하게 묻는 편이 낫지 않습니까?"

"인생이란 게 그래요. 있을 놈은 어쨌든 있고 갈 놈은 어차피 가거든요."

'강연하와 성격은 좀 다르군.'

렉스는 걸어가기 시작했다. 그런데 청력이 좋은 귀에 규하가 중얼거리는 소리가 들려왔다.

"갈 놈이었군."

렉스는 계속 걸어갔다.

"혼자예요?"

그런데 누군가가 규하에게 말을 거는 소리가 들려왔다. 돌아보니 렉스가 몇 걸음 가지도 않은 상태인데 벌써 두 남자가 규하 앞에 서 있었다. 하지만 규하는 익숙한지 그들을 쳐다보지도 않고 말했다.

"친구 기다리는 중이에요."

"설마 남자친구요?"

상당히 실망한 듯한 남자 둘은, 갑자기 그들 옆에 와 선 렉스를 돌아보았다. 규하도 그를 올려다보더니 과자를 쥔 손으로 가리켰다.

"왔네요."

남자 둘은 렉스를 훑어보더니 오히려 얼굴이 밝아져서 말했다.

"잘됐네요. 저희도 둘이니까……."

규하는 렉스를 보고 말했다.

"네 이름 말해줘."

정작 규하 자신도 모를 제 이름을 왜 말해주라는 건지 궁금했으나 렉스는 일단 따랐다.

"렉스."

순간 남자 둘은 서로를 보았다.

"목소리가…… 남자야?"

"이름도……."

남자 둘은 데칼코마니처럼 인상을 찡그리고 렉스를 한 번 더 보았다. 긴 머리카락과 얼굴에 시선을 빼앗겨 뒤늦게 그가 여자라기엔 너무 키가 크다는 사실을 깨달은 것 같았다. 다행히 일을 크게 만들고 싶은 마음은 없었는지 남자 둘은 혀를 내차고 자리를 떴다.

규하는 렉스를 보고 제 옆자리로 고갯짓했다.

"앉아."

정말 기다리던 친구를 대하는 것 같은 이 당당한 태도는 뭔가 싫었다. 렉스가 그렇게 생각한다는 걸 눈치챘는지 규하는 맥주를 마시다가 픽 웃었다.

"있을 놈이잖아."

어쩐지 그대로 가는 게 좋았을 거라는 생각이 들었지만 어쨌든 렉스는 아까 연하가 앉았던 의자에 앉았다. 그러자 규하는 턱을 괴고 그를 보았다.

"사실 나도 여자인 줄 알고 말 걸었던 건데."

키는 크긴 했지만 옷이 커서 그런가 말라 보였고 무엇보다 선글라스 아래 이목구비가 무척 아름다웠기 때문이다. 그래서 운동 좀 한 게르만 언니쯤 되는 줄 알았다. 그 동네 언니들 골격이 좀 기대고 싶어지는 편이니까.

그런데 말하는 순간 남자 목소리, 그것도 꽤 동굴 보이스가 나와서 놀랐다. 이렇게 정면에서 보니 남자라는 걸 알겠지만 이 정도면 오히려 착각한 게 무리도 아니다 싶었다.

"지금이라도 원하신다면……."

렉스가 말을 꺼냈지만 규하는 그가 말을 끝내길 기다리지 않았다.

"머리는 왜 그렇게 기른 거야? 록 같은 거 해? 아니다. 옷 보니 그건 아닐 듯."

렉스는 도대체 자신의 복장에 무슨 문제가 있는지 궁금했다. 물론 패셔니스타 소리를 들을 만하진 않아도 활동성 면에서 충분히 훌륭하다고 생각하는데 말이다.

"그런데 다들 이 밤에 선글라스는 왜 끼고 있는 거야? 아까 여자도 그렇고."

규하는 흡혈귀에게 가족 전원을 잃었다. 쌍둥이 자매 강연하를 포함해서. 어쨌든 본인은 그렇게 알고 있으니, 지금 렉스 그가 흡혈귀라는 사실을 알게 되어서 유쾌해할 것 같지는 않았다.

'죽이겠다고 덤벼들지 않으면 다행이겠지.'

렉스는 선글라스를 좀 더 밀어 올리며 말했다.

"유행이라서."

규하는 눈썹을 추켜들었다.

"은근히 유행에 민감한가 봐. 저기 콘서트도 그렇고."

하지만 그건 아무래도 좋았는지 이어 말했다.

"아무튼 가다가 다시 온 거 보니 그쪽도 오지랖 병이 깊다. 두 오지라퍼가 만난 기념이다. 내가 쏜다. 맥주 하나 가져와. 아, 맞다. 내 밴드 고장 난 것 같은데."

"괜찮습니다. 술은 마시지 않습니다."

"뭐, 술 마시지 않고도 괜찮다면야. 아무튼 준비됐어?"

규하는 정말 당장 일어나 달리기라도 할 것처럼 팔을 뻗어 스트레칭했다. 렉스는 궁금한 눈을 했다.

"뭐가 말입니까?"

규하는 빙긋 웃었다.

"내 감정의 쓰레기통이 될 준비. 왜, 그런 날 있잖아. 인생 좆같은 날. 내가 오늘 그런 날이거든."

역시 그냥 가는 게 나았다고, 렉스는 생각했다.

"그래서 그 새끼가 아가리 털린 것 같은 소리를 지껄이기 시작하는데 내가 진짜 야마가 돌아서……."

더 문제는, 규하의 말을 들어주고 싶어도 들어줄 수가 없다는 데 있었다. 말의 반이 욕이었다. 그녀의 상사로 짐작되는 중년 남성의 편협함과 변태성에 대한 분노는 무시무시했다. 꽤 심도 깊은 토론까지도 가능한 렉스의 한국어 실력에 이 정도로 회의감을 들게 하기도 쉽지 않을 것이다.

"아, 살 것 같네."

마침내 전부 쏟아냈는지 규하는 등받이에 몸을 기댔다. 그리고 이미 다섯 개째인 맥주 캔을 한 손으로 우그러뜨렸다.

물론 그것들을 사다 나른 사람은 렉스였다. 하나가 비었다 싶으면 규하는 어김없이 그를 보았기 때문이다. 세 번째쯤에서는 무시도 해 봤지만 그러면 꼭 마른 급수기의 꼭지를 핥는 강아지처럼 텅 빈 맥주 캔을 핥아대기에 렉스는 어쩐지 동물을 학대하는 기분이 들어버렸다. 그래서 그 이후부터는 그냥 포기했다.

그런데 한참 들려오는 소리가 없어서 렉스는 돌아보았다. 규하는 등받이에 몸을 기대고 고개를 완전히 뒤로 젖힌 상태로 잠들어 있었다. 의자 뒤로 긴 머리카락이 밤에 보는 버드나무처럼 음산하게 늘어져 있었다.

"설마 잠든 겁니까?"

렉스는 의미가 없다는 걸 알면서도 물어보았고, 역시 돌아오는 대답은 없었다. 살짝 벌린 규하의 입술 사이로 규칙적인 숨이 새어 나왔다.

렉스는 기가 막혀 규하를 보았다. 그런데 쳐다보고 있으려니…….

'확실히 닮은 것 같았군.'

일란성 쌍둥이니까 그럴 수밖에 없겠지만 느낌이 천지 차이인 걸 보면 이 정도로 닮아 보이는 게 신기한 일이었다. 강연하는 임무에 나갈 때를 제외하면 대체로 나무늘보 같은 느낌이라면 이쪽은 여러모로 표범 같은 느낌이었다. 표정이나 말투, 눈빛까지.

갑자기 규하가 눈을 떴다.

"내가 전설의 말술 강규하거든?"

그러고는 끈을 매달아 당기는 것처럼 상체를 일으키더니 묻지도 않은 말을 하기 시작했다.

"술 궤짝으로 마신다 하는 남자 동기들이 싹 죽었을 때도 멀쩡했던 사람이야, 내가. 오늘 한 끼도 못 먹어서 좀 어지러운 것뿐이야. 이 험난한 세상에 내 몸은 내가 지켜야지."

그리고 규하는 양 팔걸이를 짚고 일어나다가 다시 앉았다. 무슨 생각이 난 것 같았다.

"쓰레기통."

렉스는 이해하지 못한 표정을 지었다. 갑자기 웬 쓰레기통…….

"말 들어줘서 고마워. 이건 약소하지만 보답이야."

규하는 팔목에 찬 걸 풀었다. 술기운에 마비된 손가락이 말을 잘 듣지 않는지 잡아 뜯듯이.

"됐……."

"받아둬, 받아둬."

규하는 거절하려는 렉스의 손에 막무가내로 쥐어주고, 꼭 손까지 닫아주었다.

"이래 봬도 비싼 거거든."

규하가 일어나다가 비틀거렸다. 렉스는 바로 팔을 잡아 부축했다.

"갈 수 있겠습니까?"

규하는 피식 웃었다.

"남자라 이거야? 말라 보이는데 힘세네."

규하는 렉스의 손에서 팔을 빼내더니, 앉아 있느라 구겨진 자신의 정장을 탁 당겨 폈다.

"당연하지. 내가 남자 동기들 다 택시 태워 보내고 새벽에 혼자 집까지 두 시간 동안 걸어간 강규하야."

규하가 걸어가는 모습을 렉스는 잠깐 지켜보았다. 취한 것 같지만 제대로 걷고 있고 집도 근처 같으니 어떻게든 찾아갈 것이다. 그런데 규하가 몸을 돌려 다시 와서는 말했다.

"쓰레기통."

렉스는 주변을 둘러보았다. 그리고 규하를 보고, 미간을 찌푸렸다.

"저한테 하는 말이었습니까?"

"이 근처에 살아?"

역시 그녀는 본인이 하고 싶은 말만 했다. 어쨌든 렉스는 대답했다.

"아뇨."

"잘됐네. 다시 보지 말자. 왜냐면, 너무 많은 걸 말했거든. 쪽팔리니까 깔끔하게 각자 인생 살자고."

그렇게 말하지 않아도, 애초에 둘은 관계라고 할 만한 게 없는 사이였다. 굳이 따지자면 규하는 렉스의 파트로네스가 혈연관계도 없으면서 딸이라고 주장하는 여성의 가족 정도였다. 그러니까 둘이 다시 볼 걱정 따위 하지 않아도— 하고 렉스가 생각하고 있을 때였다. 규하는 척 손을 들어 보이고 몸을 돌렸다.

"그럼 간다. 배웅은 됐어."

그러고 가는 등에서 왠지 같은 처지의 동료들과 술 한잔 걸치고 쓸쓸하게 귀가하는 기러기 아빠의 냄새가 났다. 렉스는 길게 숨을 내쉬었다. 그게 어쩐지 한숨 같기도 한 건, 착각이 아니었을 것이다.

"예전에 봤을 땐 저런 성격인 줄 몰랐는데."

자동문이 밀려나고, 연하는 어두운 내부로 들어섰다.

[다녀오셨습니까? 상사님.]

불이 켜지면서 천장에서 나직한 여자 목소리가 흘러나왔다. 연하는 그녀의 방 AI에게 인사했다.

"응, 안녕."

MCTC는 민간군사기업만큼이나 대원들 복지에 신경 쓰는 편이었고, 따라서 BNQ[6]도 쾌적한 편이었다. 요즘엔 어디나 기본이긴 하지만 AI도 장착되어 있고 연하의 방도 원룸이다 뿐이지 어지간한 민간 아파트 못지않았다.

"TV 좀 틀어줘."

[네, 알겠습니다.]

연하가 침대에 앉으며 말하자 AI가 대답하고 한쪽 벽에 TV 화면이 떴다. 연하는 별 의미 없는 광고 같은 것들을 한참 멍하니 보다가 중얼거렸다.

"마른 것 같았어, 규하."

일이 힘든 걸까. 하긴, 그렇게 쉴 새 없이 일만 하니까…….

마침 옆에 있는 거울에 시선이 멈추었다. 하얀 얼굴, 붉은 입술, 까만 눈동자. 묘하게 비현실적인 느낌이 더해진 것 빼고, 그녀는 열아홉 살 그날에서 단 하루도 더 늙지 않았다. 누가 봐도 지금 규하와는 헷갈리지 않으리라.

연하는 침대에 드러누워 중얼거렸다.

"늙어서도 같은 얼굴이겠거니 했는데."

자주 규하와 그런 농담을 하고는 했다. 나중에 우리 남편들은 우리를 구별할 수 있을까? 규하는 대체로 이렇게 대답했다. 구별하지 못하면 맞아야지. 그러면 연하는 난감해하며 말할 수밖에 없었다. 네가 자꾸 그러니까 애들이 무서워하지. 물론 규하는 코웃음을 쳤다. 넌 그러니까

6) 독신자 부사관 숙소, Bachelor Non-commissioned officer Quarters

그것들이 자꾸 덤비지. 그러고는 규하는 한심하다는 얼굴로 덧붙였다. 넌 맨날 맹한 얼굴로 뭘 해달라고 하면 해주고 달라 하면 주니까. 정신 차려, 이 똥 멍청아. 너 때문에 내가 늙는다.

어째 끝은 늘 잔소리였던 것 같지만……. 그러고 보니 규하도 그렇고 도영도 그렇고, 자신은 주로 주변 사람들한테 잔소리를 듣는 편인 것 같았다.

'나도 이제 애가 아닌데.'

천장에 달린 형광등 빛이 눈부셨다. 연하는 장난하듯 손가락을 왔다 갔다 움직였다. 그런데 손가락 사이로 빛이 눈을 찌르는 순간—

불빛이 눈꺼풀 사이를 파고들었다. 연하는 눈을 떴다. 아무것도 보이지 않았다. 가장 먼저 인식한 것은 냄새였다. 지독하고 매캐한…… 집 한 채가 통째로 불타오르는 것 같은, 유독성이 이글거리는 냄새. 그리고 귀에 이명이 울렸다. 슴벅거리는 시야에 다시 빛이 지나갔다.

강연하.

연하는 어지러운 머리를 들었다. 눈앞에서 규하가 외치고 있었다.

강연하, 일어나!

규하가 비추고 있는 핸드폰 플래시가 눈부셨다.

규하야.

연하는 귀에 이명이 짙어서 자신이 말하는 것 같지가 않았다.

괜찮아? 안 다쳤어?

연하는 고개를 끄덕였다. 그렇게 묻는 규하야말로 엉망이었다. 다친 것 같진 않았지만 얼굴에 그을음이 잔뜩 묻어 있고 머리는 산발이었다.

규하가 무어라 말하며 뒤를 보았다. 명료해진 시야에 보이는 광경은 말 그대로 지옥도였다. 비틀어져 넘어진 열차 내부에 여기저기 튕겨 나간 사람들이 울음과 비명을 터뜨렸다. 어두운 곳에 불꽃이 튀었다. 분명히 마지막으로 밖을 봤을 때는 낮이었는데 그새 한밤이 되어버린 것 같았다. 천장과 벽은 알루미늄 호일처럼 우그러졌고, 전선과 파이프들이 살을 꿰뚫은 뼈처럼 튀어나와 있었다.

내 말 들었어?

규하는 겨우 참고 있는 울음을 터뜨릴 것처럼 말했다.

엄마랑 아빠가 안 보여.

연하는 아수라장을 돌아보았다.

'대체 무슨 일이—'

그들은 열차를 타고 부산에 사는 작은아버지 댁에 가는 길이었다. 어머니는 그들 자매에게 먹이기 위한 음식을 산다고 식당 칸에 갔고, 아버지는 막 화장실을 간 참이었다. 그리고 남은 둘은 작은아버지 가족에 대해 이야기하고 있었다. 그런데 갑자기 세상이 뒤집힌다고 느꼈고, 눈을 뜨니 이렇게 되어 있었다.

"학생들. 어서 나가."

한 남자 승객이 피가 흐르는 이마를 붙잡고 지나가며 말했다. 그제야 연하는 귀에 이명이 걷혀서 소리가 제대로 들리기 시작했다. 의식이 있는 사람들은 하나둘 서로 의지해서 탈출하고 있었다.

규하가 연하를 일으켜 주었다.

"일단 나가자. 밖에 나가면 엄마, 아빠랑 만날 수 있을 거야."

연하는 발목을 삐었는지 조금 아파 절뚝거리며 일어났다.

"괜찮아?"

규하가 물었다.

"응."

연하는 고개를 끄덕였다. 규하가 손을 내밀었다. 연하는 그 손을 잡았다. 그때 신음소리가 들려왔다. 연하가 돌아보자 저편에 이상한 각도로 돌아간 의자에 걸쳐져 있는 아주머니가 고통스럽게 몸을 뒤채고 있었다.

"괜찮으세요?"

연하와 규하는 누가 먼저랄 것도 없이 다가가 불렀다. 아주머니는 힘겹게 눈을 뜨고 웅얼거렸다.

"아파……."

"밖으로 나가야 해요. 일어나실 수 있겠어요?"

둘은 아주머니가 일어날 수 있도록 도와주고 그녀를 부축해 나가기 시작했다. 그러다가 연하는 저 멀리 의자 사이로 늘어진 손을 보고 멈칫했다.

"먼저 나가."

연하가 아주머니를 넘기고 돌아가려고 하자 규하가 바로 그녀의 손목을 잡았다.

"곧 구조대가 올 거야. 우리가 함부로 건드리면 안 돼."

현실적인 말이긴 했지만 연하는 주저했다.

"하지만……."

규하는 연하와 입씨름을 하는 게 의미가 없다는 걸 알았는지 아주머니에게 혼자 나가실 수 있냐고 물어보았다. 그리고 아주머니를 혼자 보내고, 먼저 의자 사이에 쓰러져 있는 사람에게로 뛰어갔다. 연하도 얼른 규하를 따랐다.

"괜찮으세요? 일어……."

연하는 묻다가 흠칫했다. 왜냐하면 의자 사이의 남자는 이미 죽어 있었기 때문이다. 아무 힘 없이 활짝 열린 동공이 둘을 비추었다. 하지만 처음 마주한 죽음에 전율하고 있을 새가 없었다.

끼긱. 이번에 가장 먼저 인식한 것은 소리였다. 멀리서 들려오는 비명소리. 사람들이 달리는 소리……. 그리고 종이가 찢어지는 것 같은, 신경에 거슬리는 날카로운 소리. 끼이익. 인간의 귀에 허용된 소리의 스펙트럼을 벗어나는 파열음이 지진의 전조 증상처럼 울려왔다.

이어서 비틀려 넘어진 열차가 쩍, 소리를 내며 열렸다. 요나를 삼킨 고래의 입이 갈라지듯이. 한꺼번에 밀려드는 바깥 공기가 흡사 폭풍 같았다.

갈라진 열차 사이로 한 사람이 서 있었다. 거의 은발처럼 보이는 금발에 이글거리는 붉은 눈동자—

"흐, 흡혈귀다! 달아나!"

사람들이 비명을 내지르며 달아나기 시작했다. 아비규환. 그 단어로밖에 상황을 설명할 수 없었다. 하지만 도망가는 사람들은 본 체도 하지 않고, 옅은 금발을 지닌 흡혈귀가 옆으로 비켜나자 그 뒤에서 검은 머리를 가진 한 청년이 앞으로 나섰다. 마치 노예가 터주는 길을 나서는 주인 같은 태도로.

"흡혈귀……?"

연하 옆에서 규하가 긴장한 듯 중얼거렸다.

연하는 그때까지 흡혈귀를 직접 본 적이 없었다. 뉴스나 신문에서 접했어도, 실은 존재한다고 밝혀진 전설 속의 괴물 같은 건 유령처럼 막연한 개념에 가까웠다. 봤다는 사람은 많지만 도저히 실존한다고 믿을 수 없는.

그런데 청년을 보는 순간에 알 수 있었다. 흡혈귀라고.

연하는 긴장했다. 아니, 긴장이라는 표현이 맞을지, 머리가 아득해질 정도로 무서웠다. 그래서 자기도 모르게 규하를 꽉 잡았다. 그 작은 손짓이 시선을 끈 것처럼, 청년은 그들을 돌아보았다. 섬뜩하게 붉은 눈으로.

연하는 나중에야 알았지만 그는 오로지 인류의 말살을 목표로 하는 비인간 테러리스트 조직 SN의 리더로 알려진 자였다. 원래 이름도, 정확한 나이도, 인간이었을 때 어떤 인물이었는지조차 불명으로, 마치 실체가 없는 유령처럼 소재지 실마리가 전혀 잡히지 않는 인류의 악적.

코드네임 'ANTIAIRCRAFT.' 지상에서 공중의 목표물을 치는, '대공(對空).'

"쌍둥이군."

두 사람을 보던 대공은 그 평범한 사실이 뜻밖인 것처럼 말했다.

그때 규하가 조용히, 옆에 떨어져 있는 의자 팔걸이를 집었다. 무기로 쓰려는 것처럼. 연하는 깜짝 놀랐다.

규하는 새벽에 집에 도둑이 들었을 때도 아빠보다 먼저 야구방망이를 잡은 사람이었다. 그리고 그걸 휘둘러서 도둑을 전치 2주로 실려 나가게 만들어서 아빠는 운동을 해서 그런가 애가 공격적이라고 농담했지만 분명히 인간이 아닌 '무언가' 앞에서도 주눅이 들지 않을 줄은 몰랐다.

대공은 피식 웃었다. 규하가 하는 양이 같잖기도, 대견하기도 하다는 듯.

"녀석을 찾아야 합니다."

대공 뒤에서 은발에 가까운 금발을 가진 흡혈귀가 말했다. 역시 연하는 후에 알았지만 그는 대공의 유일한 클리엔테스인 마르코프였다.

대공은 불쾌한 듯이 마르코프를 보았다. 그가 이래라저래라 하는 것이 불쾌한 듯 보였다.

"알아."

마르코프도 대공이 불쾌해한다고 느꼈는지 한 걸음 물러났다. 그러자 대공은 만족한 듯 연하와 규하 쪽으로 걸음을 디뎠다.

"다가오지 마!"

규하는 의자 팔걸이를 방망이처럼 움켜쥐며 일갈했다. 대공은 휘파람을 내불었다.

"백마 탄 공주님이군. 반하겠어."

그가 너무 인간같이 말해서 연하는 놀랐다. 흡혈귀는 어떨 거라고 특별히 생각해 본 적은 없었지만 그래도 저렇게 인간 같을 줄은…….

"다가오지 말라고 했잖아!"

규하가 일갈했지만 대공은 귓등으로도 듣는 기색이 아니었다. 마침내 그가 정해둔 선을 넘어오자 규하는 의자 팔걸이를 휘둘렀다. 하지만 대공은 피하지도 방어하지도 않았다.

아니, 그렇다고 생각했는데 어느새 마르코프가 대공을 보호하듯 팔로 팔걸이를 막고 있었다. 연하는 눈을 크게 떴다. 분명히 멀리 있었는데.

대공은 픽 웃었다.

"우리는 총탄도 맨 몸으로 막아낸다고, 뉴스에서 보지 못했어?"

마르코프가 규하에게서 의자 팔걸이를 뺏어 한 손으로 우그러뜨렸다. 팔걸이는 수수깡처럼 두 조각 나서 떨어졌다. 규하는 창백해져 주춤 물러났다. 마르코프는 그녀의 멱살을 잡아 가볍게 들어 올렸다.

"그만두……!"

연하가 다급히 외쳤지만 마르코프는 규하를 옆으로 집어 던졌다. 규하는 열차 옆 벽에 부딪치고 의자 위를 굴러 바닥에 떨어졌다. 그런데 웃는 소리가 나서, 연하는 깜짝 놀라 돌아보았다. 대공은 정말로 즐거워하는 얼굴이었다.

"성격이 좀 있네."

대공이 규하 쪽으로 가려 했다. 연하는 두 번 생각하지 않았다. 바닥을 짚고 일어났다. 달려 나가, 대공의 손목을 잡았다.

"그만둬."

대공은 제 손목을 잡고 있는, 떨리는 손을 보았다. 그러더니 오히려 연하를 잡고 끌어당겼다.

연하는 강한 힘에 빨려들 듯이 끌려가 대공을 마주 보게 되었다. 붉은 눈 깊은 곳을 들여다보게 된 연하는 그가 보기보다 어리지 않을 수도 있다고 생각했다. 흡혈귀들이 오래 산다는 사실을 알고 있어서가 아니었다. 청년의 눈에는 깊고 탁한 호수 속에서 꿈틀거리는 불길한 그림자 같은 것이 살고 있었다.

"네 쌍둥이 대신 죽을 수 있겠느냐?"

이상한 말투도 그렇고, 갑작스러운 질문을 연하는 이해하지 못했다.

"그게 무슨……."

대공은 연하의 볼을 후려쳤다. 열차를 찢어발기던 힘을 보면 그대로 머리가 날아갔어도 이상하지 않은데 나름대로 힘을 조절한 건지 고개만 옆으로 돌아갔다. 하지만 처음으로 누군가에게 이렇게 볼이 터지도록 얻어맞은 연하는 눈이 크게 흔들렸다. 그녀가 전혀 모르는, 어둡고 폭력적인 세계가 벽을 찢고 들어오는 느낌이었다. 눈물이 차오르고, 몸이 떨려왔다.

대공은 거의 옆으로 넘어간 연하를 힘들이지 않고 당겨 일으키고 다시 물었다.
"죽을 수 있겠느냐?"
연하는 입을 열었다. 하지만 차마 소리가 나오지 않자 대공은 다시 손을 들었다.
"물었잖아?"
맞는다— 연하는 움츠렸다. 그런데 대공은 순간 손을 돌려 날아오는 무언가를 잡았다. 물병이었다.
저편에 규하가 몸이 제대로 펴지지 않는지 구부정한 자세로 서 있었다.
"더러운 손 치워, 개새끼야."
일부러 도발이라도 하는 것 같은 행동에 연하는 너무 놀랐다.
"규하야. 그러지…… 그러지 마."
하지만 규하는 개의치 않고 대공에게 외쳤다.
"강연하 건들지 마!"
대공은 연하를 돌아보고 입매를 늘어뜨린, 조금 섬뜩한 미소를 지었다.
"만약 죽을 수 있다고 한다면, 네 쌍둥이는 살려주겠다고 약속하마."
갑자기 바람 소리가 났다. 하지만 연하가 반추해 보면 그건 실제로 들은 소리가 아니라, 뒤이어 일어난 일들을 보고 나중에 덧입힌 것 같았다. 그만큼 순간이었고, 오히려 본능적으로 몸을 낮춘 규하가 엄청난 반사 신경을 가진 것이었다. 규하가 몸을 낮추자마자 거대한 검이 조금 전까지 그녀의 머리가 있던 자리를 지나갔다.
검이 앞에 있는 의자를 후려쳤다. 의자는 잘린다기보다 폭발하듯이 터져 나가고, 잔해가 사방으로 흩날렸다. 연하는 비명조차 지르지 못했다.
어느새 규하 앞에 비인간적인 거구를 가진 흡혈귀가 나타나 있었다.

그는 거의 그녀만 한 대검을 들고 있었다.

규하 역시 놀랐는지 어떤 상황에도 포기하지 않는 욕마저 내뱉지 못하고 숨만 몰아쉬었다. 거구의 흡혈귀는 두꺼운 손으로 그녀의 목을 잡아 들어 올렸다.

"놔! 이 개새……."

규하가 온갖 욕설을 토해내며 팔을 휘두르고 걷어차도 거구의 흡혈귀는 꿈쩍도 하지 않았다.

"놔, 놔줘. 제발……."

연하는 떨면서 대공에게 애원했다. 대공은 빙긋이 웃었다.

"그럼 대답하면 돼."

연하가 당장 입을 열자 대공이 손가락을 들어 말을 막았다.

"하지만 신중하게 대답해. 꼭 진심이어야 하니까."

대공의 태도는 연신 즐겁고 경쾌했지만 연하는 그가 진심이라는 걸 알 수 있었다.

규하는 아는 모든 욕을 토하며 거구의 흡혈귀에게 발길질을 하고 있었지만 점차 힘이 빠지는지 동작이 느려져 갔다. 숨을 쉴 수 없어 얼굴도 푸릇하게 질려갔다.

"나는……. 난……."

연하는 흘러 나가는 목소리가 떨려왔다.

왜 이렇게 돼버렸는지 알 수가 없었다. 그들은 친척 집에 가고 있었을 뿐이었는데. 날씨는 좋았고, 아무것도 잘못될 기미가 없는 평범한 날이었다.

도저히 청년이 뭘 원해서 이러는지도 알 수 없었다. 하지만 꼭 대답해야 한다면. 그래야 한 사람이라도 여기서 살아나갈 수 있다면…….

가쁜 숨이 새었다. 눈물이 흘러내렸다. 하지만 연하는 말했다.

"죽을 수 있어."

대공이 픽 웃어, 연하는 잔뜩 긴장한 몸에 힘을 조금 풀었다. 그러자 대공이 웃는 얼굴 그대로 중얼거렸다.

"그럼 죽어."

연하는 숨을 멈추었다. 아니, 멈춰졌던가.

하지만 보기보다 아프진 않았다. 너무 순식간이었고, 믿기지 않았기 때문이다. 손이 배를 뚫고 들어온 모양새가.

어느새 뒤에 와 있는 마르코프가 연하의 배를 뚫은 손을 단번에 잡아 뽑았다. 연하는 그때의 고통은 다시 생각하고 싶지 않았다. 세상에 그런 고통이 존재할 수 있는지 미처 알지 못했다.

그런데 규하가 울부짖었다. 아무리 발버둥을 쳐도 흡혈귀에게서 벗어날 수 없자 새끼를 잃은 어미처럼 괴성을 질렀다. 연하는 그 소리가 더 아팠던 것 같았다.

대공이 무너지는 연하를 받아 안았다. 그녀의 입 밖으로 쿨럭이며 역류한 액체가 앞섶을 적셨다.

"쉿, 괜찮아. 금방 끝날 거야."

대공은 아이를 어르듯 속삭였다. 그제야 거구의 흡혈귀가 손을 열고 규하를 놓았다.

"콜록, 콜록!"

규하는 바닥에 떨어져 정신없이 기침을 토해냈다. 그러면서도 계속 일어나려 했지만 흐려지는 의식을 붙잡을 수 없는지 갓 태어난 송아지처럼 미끄러져 넘어졌다.

거구의 흡혈귀는 대공을 보았다. 그의 명령을 기다리는 것처럼.

"죽여."

대공은 말했다. 연하는 발작적으로 입을 열었다. 피와 울음이 뒤섞인 덩어리가 질척이며 굴러 떨어졌다.

"살려…… 살려준……."

대공은 빙긋이 웃었다.
"난 너 같은 것들이 제일 짜증 나거든. 지킬 힘도 없으면서 어쭙잖은 영웅 흉내라니. 마음만으로는 충분하지 않아, 이 친구야. 이게 만용을 부린 대가라는 거야."
대공은 연하에게 고개를 가까이 하고 속삭였다.
"아프지? 과연 지금 물어봤어도 네 쌍둥이를 살린다고 대답했을까?"
연하는 입을 열었지만, 대답할 수 없었다. 목소리가 나가지 않았다. 대공은 피로 흥건한 손으로 그녀의 볼을 쓰다듬었다. 마치 원시 부족이 피로 얼굴에 주술을 그려 넣듯이…….
"하지만 무서워하지 마. 어쨌든 남을 위해 희생했으니 천국에서는 높은 자리에 앉지 않겠어?"
그때 거구의 흡혈귀가 규하를 향해 검을 들었다.
'안 돼.'
연하는 외쳤지만, 아무 소리가 나가지 않았다.
규하는 늘어진 채 움직이지 못했다. 눈앞이 흐려서 무슨 일이 일어나고 있는지도 제대로 알지 못하는 것 같았다. 이번에야말로 피할 길이 없었다.
검이 하강하기 시작했다. 그때 규하를 구할 수만 있다면 연하는 스스로 제단에 올라 제 목을 갈라 번제라도 올렸을 것이다. 하지만 아무것도 할 수가 없었다, 죽어가는 것밖에는. 연하는 그게 정말 무서운 것이라는 사실을 깨달았다.
'그만둬.'
혈관이 터질 듯이 붉어진 옆얼굴을 타고 눈물이 흘러내렸다.
그 순간 폭풍이 터졌다. 두꺼운 이불을 쓴 것처럼 감각이 무뎌진 피부에도 바람이 느껴졌다. 기울어 있는 연하의 시야에, 규하를 덮치는 검을 막아선 검은 그림자가 비쳤다. 그림자도 검을 들고 있는 것 같았다.

얼핏 금빛…….

하지만 시야도, 소리도 너무 멀었다. 구멍 난 제 배에서 흘러 나가는 생명력이 손에 잡힐 것 같았다.

죽는 건 온몸이 돌처럼 굳는 느낌이라고, 연하는 망연히 생각했다. 그때 얼굴에 밝은 빛이 쏟아져, 연하는 마지막 힘을 끌어 모아 시선을 돌렸다. 그녀의 위로 검은 그림자가 서 있었다. 얼굴은 보이지 않았다. 빛이 지나가는 방향에 따라 얼핏 모습이 보이는 것 같았지만, 결국엔 빛이 너무 강해져 아무것도 알 수 없었다.

하지만 거대하고, 압도적이었다. 마치 장엄한 폭포나 수평선 너머까지 이어지는 드넓은 들판을 마주한 기분이 들었다.

연하는 피에 젖은 입을 열었다. 불가항력적인 자연의 힘 앞에 기도밖에 할 수 없는 옛날 사람처럼.

"구해…… 주세요……."

눈꺼풀이 내려가고, 더 이상 아무것도 느껴지지 않았다. 그게 마지막이었다.

옛 생각에서 깨어나자, 여전히 손가락 사이로 형광등 빛이 부서지고 있었다. 연하는 상체를 일으켜 앉았다. 방은 서늘하고 조용하게 가라앉아 있었다.

다시는 뜨지 못할 줄 알았던 눈을 떴을 때, 바깥세상 일은 거의 정리가 되어 있었다. 그때 온 것이 바로 MCTC였다. 덕분에 규하는 무사히 구출되었고, 연하는 병원으로 이송되었다. 이미 감염된 상태로.

"부상이 너무 심해서 살아날 가능성이 없었기 때문에 불가피한 '의료행위'였습니다."

병실에서 깨어난 연하를 찾아온 MCTC의 대변인은 그렇게 설명했다.

그리고 대변인은 곤란해하는 건지 쓰게 웃는 건지 아니면 둘 다인지 알 수 없는 웃음을 짓고는 덧붙였다.

"저희도 정말 감염을 이기실 거라고는 믿지 않았습니다만."

그러더니 대변인은 갑자기 악수를 청했다. 연하는 무슨 의미인지 알 수 없어 그가 내민 손을 쳐다보기만 했다. 그러자 대변인은 말했다.

"이 '의료 행위'로 살아나신 분이 정말 손에 꼽아서 말입니다. 어쩐지 당신과 악수하면 행운이 있을 것 같군요. 행운의 부적인 토끼 발 같은 거죠."

그럼에도 연하는 잘 이해되지 않았다. 사실 어떤 것도. 감염이니 기증이니 설명을 듣긴 했지만 그냥 소설을 읽은 것 같은 현실감밖에 느껴지지 않았다.

"그럼 절 감염시킨 사람은……."

다만 연하도 한 가지는 이해했다. 그녀를 감염시킨 뱀파이어가 있다는 것. 아마 마지막에 빛 너머로 보았던 그림자…….

하지만 대변인은 미안해하는 것 같은 미소를 짓고 말했다.

"기증자께서는 익명으로 남길 원하셨습니다."

연하는 베개를 끌어다가 베고 천장을 보았다. 가끔 자신을 감염시킨 그, 혹은 그녀에 대해 생각했다. 생각한다고 해서 뭘 알 수 있는 건 아니었지만 때로 궁금해지는 것만은 어쩔 수 없었기 때문이다. 간이나 심장을 기증해 준 도너가 궁금하듯이.

그 사람에 대해 특별한 감정이 있어서는 아니었다. 어차피 과거에도 현재에도 모르는 사람일 뿐이니까. 이건 오히려 자신의 기원을 궁금해하는 본질적인 호기심으로, '우리는 어디서 왔는가'라는 문제에 천착하는 인간과 다르지 않은 태도였다. 자신의 혈관에 흐르는 피, 의식의 심연, 그 너머에 있는 하나의 근원…….

하지만 손을 뻗으면 잡힐 것만 같은 그것은 쏟아지는 빛 가운데 황금빛 형체로 이내 멀어져 버렸다. 아무리 의식을 집중해 보아도 모습을 드러내지 않는 것이다.

'뭐, 애초에 없었던 거라 아쉬울 일도 없지만.'

연하는 그대로 천장을 본 채로 말했다.

"3번 파일의 1번 영상을 틀어줘."

AI는 대답했다.

[3번 파일의 1번 영상을 재생합니다.]

이어서 천장에 화면이 뜨고, 대공이 나타났다.

[깨어난 걸 축하해.]

"그리고 이것……."

대변인은 침대 아래서 무언가를 들어 올렸다.

"보여 드릴까 고민했습니다만, 감춰서 될 일은 아닌 것 같아서."

그가 들어 올린 것은 새빨간 장미가 가득한 꽃바구니였다. 연하는 순간 가슴이 섬뜩해졌다. 낭자하던 핏물이 떠올라서.

대변인은 덧붙였다.

"그리고 영상을 보냈습니다."

누가?

연하가 되묻기 전에, 모니터에 영상이 떴다. 연하는 반사적으로 시선을 돌렸다. 영상에 떠 있는 건 그 청년이었다. 그들을 공격했던.

대변인이 설명해 준 바에 의하면 그는 자신이 실제로 만났다는 게 거짓말 같을 만큼 비현실적인 존재였다. 흡혈귀. 정확한 규모조차 알 수 없는 테러리스트 네트워크의 수괴. 이번 열차 테러로만 이백 명 이상의 사상자를 낸 테러리스트. 인간을 없애고 자기들만의 세상을 만들려고 하는 극우 뱀파이어들의 우상.

그런 존재가 자신에게 영상을 보냈다는 사실 자체를 믿을 수 없어 막연히 보고만 있는데, 영상 속에서 대공이 말했다.
[깨어난 걸 축하해. 정말 감염을 이길 거라고는 생각하지 않았는데, 좀 놀랐어. 정말 이렇게 살고도 세상엔 예측하지 못할 일들이 가득하다니까.]
그렇게 말할 때 대공은 정말 즐거워 보였다. 게다가 하얀 셔츠를 입은 평범한 차림을 하고 평범한 사무실용 탁자에 앉아 있어서, 정말 그가 그런 잔인한 일들을 한 사람이라는 게 믿기지 않을 정도였다.
대공은 조금 웃고 말했다.
[본론만 이야기하지. 되살아났다고 신나서 네 쌍둥이를 만나러 가지 않는 편이 좋을 거야. 네가 살아 있다는 사실을 알리는 순간 내가 네 쌍둥이를 무슨 수를 써서라도 죽이고 말 거니까.]
연하는 순간 그 말을 이해하지 못했다. 자신이 규하를 만나는 게 왜 그에게 문제가 되는지 도무지 알 수 없었기 때문이다.
[왜냐고?]
대공은 영상 속에서 연하의 마음을 읽은 것처럼 말했다. 그리고 일견 다정해 보이기까지 하는 미소를 지었다.
[테러리스트한테 뭘 기대해?]
그리고 영상은 끝났다. 한참 침묵이 흘렀다. 대변인은 조용히 말했다.
"선택은…… 연하 양의 몫입니다."
그 말을 듣자 뭘 모르는 연하도 기가 막혔다. 선택이라고? 그녀가 뭘 선택할 수 있단 말인가? 지금은 격퇴되었지만 한때 IS가 우습게 느껴지는 초인적 테러리스트 네트워크가 규하를 노리도록 내버려 두는 것? 어떤 나라의 정규군도 소재지를 파악하지 못한 테러리스트의 리더를 잡는 것?
그때는 선택할 수 없는 것을 선택하라고 하는 대변인이 미웠다. 하지만 연하는 결국 선택할 수밖에 없었다, 규하에게 죽은 사람으로서 살아가는 것을.

처음에는 힘들었지만, 곧 괜찮아졌다. 규하가 괜찮았으니까. 한동안은 집 밖에도 나가지 못했지만 이윽고 다시 살아야 한다고 결심한 것처럼 학교도 다니고, 정부가 지원하는 테러 피해자 상담 모임에도 참석하고, 서류를 싸안고 지원금도 받으러 다녔으니까. 그래서 연하도 살았다. 그녀가 할 수 있는 일을 하면서.

연하는 일어나 침대 테이블 서랍에서 빛바랜 사진 한 장을 꺼냈다. 사진은 모서리가 다 닳고 헤졌지만 그 속에 웃고 있는 그녀는 마치 어제 찍은 것 같았다. 그 곁에 어린 규하가 웃고 있었다. 그들은 구별하기 힘들 정도로 얼굴이 비슷해 보였고, 둘 다 교복을 입고 있었다. 결국 연하는 같이 졸업하지 못한 고등학교의.

그랬다. 어제 국장에게 말한 대로 연하는 장교가 되어 군대를 지휘하는 일 같은 건 하고 싶지 않았다. 군인이 된 이유는 단 하나, 지켜야 할 사람이 있기 때문이었다. 어찌 되었건 그녀는 삶으로 돌아왔고, 그것만이 중요했다.

문이 열리고 렉스는 사무실 안으로 들어갔다. 이반은 그가 나갈 때와 비슷한 모습으로 책상에 앉아 있었다. 렉스는 물었다.

"퇴근하지 않으셨습니까?"

"할 거야."

이반은 말하고는 일어났다. 그사이에 렉스는 자동으로 문이 열리는 사무실 옷장에서 코트를 꺼내 이반에게 건네주었다. 이반은 코트를 건네받아 입으면서 물었다.

"어때?"

렉스는 살짝 고개를 저었다.

"기억하지 못하는 것 같았습니다."

규하는 렉스를 알아보지 못하는 것 같았다. 물론 그때 그 자체가 지금과 많이 다른 상태이긴 했다. 머리도 짧았고 전투복을 입고 있었다, 그녀를 공격하는 검을 막아섰을 때는.

아마 규하가 기절하기 직전이었기 때문이리라. 괜찮은지 돌아봤을 때 눈이 마주쳤다고 생각했는데 그녀는 그때 이미 의식을 잃은 것 같았다.

그때 규하를 공격한 거구의 뱀파이어는 '글래디에이터'라고 불리는, 실제 고대 로마 검투사 출신의 악명 높은 SN 대원이었다. 사실 하룻밤 식사로 인간 열을 해치우는 녀석에게 목을 졸리고 그때까지 의식을 붙잡고 있었던 게 오히려 대단한 일이었다.

자신의 거대한 글라디우스를 막아낸 렉스를 보고 글래디에이터는 지옥의 불이 타오르는 듯한 눈을 빛내며 으르렁거렸다. 사람보다 짐승에 가까운 녀석이었다.

열차는 오로지 강연하가 누운 자리만 제외하고 사방으로 훤히 열려 있었다. 그리고 그 머리맡에 이반이 서 있었다. 주변에는 기묘한 정적이 감돌았다. 휘광 같은 햇빛이 피 웅덩이에 누워 죽어가는 소녀를 비추었다. 여린 생명의 모래시계가 다 끝나가는데도 이반은 특별히 급한 것 같지 않았다. 하긴, 그럴 이유가 없었다. 그때까지만 해도 그는 아이가 그대로 죽는 게 최선이라고 생각하고 있었을 테니까. 한눈에도 아이는 살 가능성이 없었기 때문이다. 감염은 어차피 죽을 아이의 고통을 더 연장할 뿐이었다.

"강 상사한테 이렇게 신경을 쓰시는 이유가 있습니까?"

렉스는 물었다.

"처음에는 강 상사를 감염시키는 것조차 내켜 하지 않으시지 않았습니까?"

사실 연하를 감염시켰을 뿐, 이반은 정체조차 밝히지 않고 떠나 버렸다. 그리고 12년이 지났다. 그런데 이제 와서 이렇게 직접 나설 정도로 관심을 가지는 이유가 뭔지 렉스는 알 수가 없었다.

이반은 조금 웃고 대답했다.

"생각보다 귀여운 아이잖아."

"그것뿐입니까?"

이반은 언뜻 짓궂은 얼굴이 되었다.

"질투해? 내가 너무 연하한테만 신경 써서?"

렉스는 상대가 이반이 아니었다면 무안해질 정도로 무표정하게 대답했다.

"궁금할 뿐입니다. 이제 와서 이러시는 이유가. 따지고 보면 강 상사가 자기 쌍둥이를 만나지 못하고 있는 이유도 이바노프 씨 때문 아닙니까?"

이반은 '아' 소리를 내었다.

"그건 인정할 수 없는데. 책임 전가를 해도 너무 심한 것 아냐?"

"대공이 설치고 다니도록 두시니까요."

"테러리스트를 잡는 건 MCTC가 할 일일 텐데."

"이제는 몸집이 너무 불어났죠."

대공은 원래 뱀파이어 사회에서 그렇게 눈에 띄는 인물이 아니었다. 오히려 좀 남다른 구석이 있는 아웃사이더에 가까웠지만 어느 날 그들만의 유토피아를 건설하고자 하는 뱀파이어 무리를 이끌고 빛 아래로 나온 그는 현재, 이 지구상에서 가장 위험한 인물 중 하나가 되어 있었다.

"대공이라……."

이반은 창밖을 보며 중얼거리더니 말했다.

"그러고 보면 유럽 중심인 군사위원회에서 정한 코드네임이라서 그런지 다른 언어에서 어감까지는 고려하지 못한 모양이군."

렉스도 알 만했던 것이, 한국어로 얄궂은 동음이의어가 있기 때문이었다. 하지만 렉스는 어쩌면 어울리는 이름일지도 모른다고 생각했다.

악의 대공(Grand duke).

그날 대공이 연하를 죽인 이유는 그냥 거기 있었기 때문이다. 당시 대공은 그가 원하는 어떤 정보를 가지고 있는 사람을 쫓고 있었고, 그 자를 찾기 위해서는 수백 명이 타고 있는 열차를 뒤집는 것쯤은 손바닥을 뒤집는 것보다도 아무 일이 아니었다. 강 자매는 우연히 그 열차에 타고 있었다. 그리고 우연히 대공의 눈에 띄었다. 그게 전부였다.

보통 때였다면 연하는 SN의 피해자로 사망자 명단에 올라갔을 테지만 그녀는 예상치 못하게 감염을 이겨냈다. 그리고 12년이 지나 운이 나빴던 건지 좋았던 건지 알 수 없는 열아홉 살 소녀는 뱀파이어라는 특이점을 지닌 서른한 살의 대테러부대 전투원이 되었다. 렉스는 가끔 이런 운명의 장난은 신의 작품인지, 단순히 우연의 연쇄 작용인지 궁금했다.

"가지."

이반은 말하고 사무실을 나섰다. 렉스는 뒤를 따랐다.

그래서 결국 왜 연하에게 신경을 쓴다는 건지 듣지 못했지만, 다시 물어봐도 대답은 듣기 어려울 것 같았다.

4

LUA X

주스 팩에 꽂힌 빨대를 통해 무색의 액체가 올라갔다.

빨대를 물고 있는 연하는 키오스크 패널에 떠 있는, 초록색 얼굴을 한 괴물 남자가 나온 포스터를 보고 있었다. 그리고 천천히 고개를 옆으로 젖혀, 포스터 아래쪽에 세로로 쓰여 있는 글자를 읽어보았다.

-프랑켄슈타인, 1931년 작 복원

"규하가 좋아하겠다."

연하는 중얼거리고 몸을 돌렸다. 청사는 조용했다. 식사 시간이 아니어서 텅 비어 있는 식당에 갔다가, 헬스장 유리문 너머로 대원들이 운동하는 모습을 보고, 직원용 극장에 와서 상영 시간표를 살폈지만 별로 흥미로운 영화가 없었다. 그래서 하릴없이 돌아다니는데 갑자기 지나가는 길목에 자판기가 눈에 띄었다.

연하는 자신이 들고 있는 루챠챠를 내려다보았다. 그때 멀리에서, 뒤돌아 있는 그녀를 발견한 시선이 있었다.

이반은 따르는 사람들에게 먼저 가라고 손짓하고 다가왔다. 그런데 연하가 갑자기 몸을 숙였다. 그녀가 사라진 자리, 자판기 유리에 의아해하는 이반이 비쳤다.

연하는 바닥에 머리카락이 끌리는지도 모르고 음료수가 나오는 입구를 들춰보았다. 이반은 그녀를 흥미롭게 내려다보았다. 이건 또 무슨 행동일까 싶었다. 하여간 다음에 어떤 행동을 할지 예측되지 않는 면이 있었다.

"있을 리 없나……."

연하는 자판기 입구를 들여다보며 중얼거렸다. 그때 그녀가 들고 있는 물건이 이반의 눈에 띄었다. 이반은 그것으로 손을 뻗었다.

"어……."

연하는 누군가가 제 손에 있는 루챠챠를 가져갔다고 깨닫고 몸을 들었다. 머리와 등이 무언가에 부딪쳤다. 뒤에 커다란 게 있었다. 하지만 살의를 가진 공격이 아니면 원래 반응이 느린 편이라 그녀는 '뭐지?'라고 생각한 다음에야 고개를 돌렸다.

반가움이랄지, 그리움이랄지, 연하 스스로도 이해할 수 없는 감정이 밀려왔다. 이반은 그녀를 보면서 루챠챠를 마시고 있었다. 오늘도 반듯하게 넥타이를 맨 와이셔츠 차림이었는데 아동적인 색깔의 팩 주스를 마시고 있는데도 섹시하다는 느낌을 줄 수 있다니 참 신기한 사람이었다.

그런데 이반이 갑자기 인상을 썼다. 그가 인상을 쓰는 모습은 처음 보는 것 같았다.

"이거였군요. 루챠챠?"

이반은 주스 이름을 읽을 때 코웃음을 감추지 않았다.

"이런 부스러기를……."

말하면서 연하를 본 이반은 멈칫했다. 그리고 주변을 둘러보았다. 그새 무슨 일이라도 났나 싶어서.

"무슨 일……."

연하는 보는 쪽이 미안해질 정도로 슬퍼하는 표정이었던 것이다.

이반에게서 다시 주스 팩을 건네받은 연하는 바로 알았다. 이건 반 모금도 남지 않은 무게라는 걸. 가슴이 덜컥했지만, 어른이니까. 도영의 말대로 고작 주스 하나에 일희일비하지 말아야 하는 서른한 살이니까…….

"아껴 마시고 있었는데……."

그럼에도 서글퍼지는 목소리만은 어쩔 수가 없었다. 이반은 연하 뒤에 있는 자판기로 시선을 던졌다.

"설마 이게 있을 것 같아서 들여다본 거였습니까?"

국장이 본의는 아니었을 거라고 믿으면서도, 연하는 살짝 노려보게 되는 시선만은 어쩔 수 없었다.

"당연히 없다는 건 알죠. 그냥 심심해서 들여다본 거예요."

이반은 제 턱을 쓰다듬었다. 조금 당혹스러운 것 같았다.

"국장님."

그때 뒤에서 국장의 전속부관인 이 대위가 말했다.

"추경 예산위원회가 도착했습니다."

"곧 가죠."

이반은 대답하고 연하를 돌아보았다.

"미안하군요. 그렇게 좋아하는 줄 몰랐습니다. 설탕이 많이 들어서 좋지 않을 텐데……. 나중에 관사로 오세요. 이런 건 비교도 되지 않을 정도로 맛있는 걸 줄 테니까요."

연하는 귀가 번쩍 뜨였다.

"정말요?"

"네."

이반은 웃었다. 꼭 반색하는 모습이 귀엽다고 말하는 것 같아서 너무 티 나게 좋아했나 싶었지만 연하는 역시 주스 하나에 연연해하지 않는 훌륭한 어른은 되고 싶지 않았다. 도영은 가끔 이럴 때 보면 너 어디 좀 모자란 애 같다고 기막혀했지만.

이반이 기다리고 있는 이 대위와 렉스 쪽으로 가자 세 사람은 같이 멀어졌다. 그러다가 렉스가 갑자기 뭔가를 본 것처럼 돌아보는 것을, 연하는 이미 등을 돌렸기 때문에 알지 못했다.

연하는 신이 나서 가다가 무의식중에 고개를 들었는데 앞에 렉스가 서 있었다. 연하는 눈을 깜빡였다.

'어라. 전혀 기척을 못 느꼈는데.'

"그거."

렉스는 연하의 아래쪽을 가리켰다. 연하는 따라서 시선을 내렸다가 다시 그를 보았다.

"제 바지요? 산 곳 알려 드려요?"

"아뇨. 그 팔찌 말입니다."

렉스는 웃지도 않고 말했다. 연하는 색색의 실 팔찌를 차고 있는 제 팔을 들었다.

"아, 이거요? 브라질의 미산가 팔찌예요, 소원을 이뤄준다는."

"직접 만든 겁니까?"

"네."

"그렇군요."

그러더니 렉스는 몸을 돌려서 갔다. 연하는 고개를 갸웃했다.

'싱거운 사람이네.'

이반은 복도 끝에서 렉스를 기다리다가 다가오는 그를 보고 뭐라고 물었다. 렉스는 별것 아니라고 대답하는 것 같았다. 이반은 뜻밖이라는 표정이었으나 더 물을 생각은 없는지 몸을 돌렸다. 그렇게 세 남자는 모퉁이 너머로 사라졌다.

연하도 가보기 위해서 몸을 돌렸다가, 부국장 일행과 마주쳤다. 연하는 바로 거수경례하고 옆으로 비켜섰다. 일국의 왕처럼 사람들을 거느리고 걸어오던 부국장은 뒷짐을 진 채, 평소처럼 트레이닝복 차림인 연하를 위아래로 훑었다. 못마땅하기 그지없는 눈빛이었다.

"자네는 복장이 그게 뭔가? 여기가 놀이터로 보이나?"

연하는 대답하지 않았다. 어떤 식으로 대답하든 부국장에게서 좋은 말을 듣기 힘들다는 사실을 오래전에 깨달았기 때문이다. 그러자 부국장의 눈에 흉포한 기름기 같은 빛이 번들거렸다.

"지금 내 말을 무시하는……!"

"부국장님."

부국장이 내뱉으려는 찰나, 뒤따르는 사람 중 누군가가 나직이 부르며 말렸다. 새 국장을 의식한 것이리라. 부국장은 혀를 내찼다.

"흡혈귀 주제에 인간인 체하는 꼴이라니. 루아스? 그딴 말장난으로 피에 굶주린 본성이 숨겨질까."

부국장은 욕설을 내뱉듯 말하고는 지나갔다. 부국장 일행이 지나간 자리, 연하는 고개를 들었다. 아무 일도 없었던 것 같은 표정이었다.

'맛있는 거라니, 뭘까?'

연하는 태연하게 생각하며 가던 길을 갔다.

반면, 예산위원회가 열리는 회의실을 향해 모퉁이를 돌아간 부국장은 국장과 정통으로 마주쳤다. 부국장은 분명히 누가 봐도 흠칫했으면서 전혀 그런 적 없다는 듯 사람 좋은 미소를 지었다.

"국장님."

왜인지 국장은 팔짱을 끼고 벽에 비스듬하게 기대 있었다. 전속부관인 이 대위는 복도 가운데 서서 기다리고 있었다. 절대 말로 할 순 없지만 꼭 불순한 의도를 가진 불량배 무리 같았다.

국장은 팔짱을 풀고 제대로 섰다.

"부국장님."

부국장은 국장이 다가오는 모습을 불안한 눈으로 지켜보았다. 잘생기고 근사한, 하지만 위험한 짐승이 어슬렁대며 다가오는 것 같았다. 그런데 어째서 제 일행은 주춤거리며 물러나는 것인지.

국장은 크게 별다를 것 없는 어조로 물었다.

"저에 대해 좀 아십니까?"

"예? 물론……"

얼떨결에 대답하긴 했지만 아는 게 있을 리 없었다. 안 그래도 부국장은 당연히 제게 떨어질 거라 생각한 국장직을 꿰찬 이 흡혈귀에 대해 휴민트를 총동원해 알아보았지만, MCTC의 창립자이자 초대 사무총장의 라인이라는 것 외에는 아무것도 알 수 없었다. 제노아틱스의 주주라는 소문이 있었으나 그건 사실이 아닌 것 같았다. 아니, 애초에 제노아틱스의 주주가 이런 일을 할 리 없잖은가?

그렇잖아도 작년에 초대 사무총장이 사망하고 그 라인은 대부분 좌천되거나 축출되었다. 이자가 마지막 끈을 붙잡고 있는 모양으로, 어차피 오래가지 못할 터였다. 그래서 특별히 신경 쓰지 않으려 했는데…….

"제가 소박하게 중앙루아스권위원회의 비상임이사를 맡고 있습니다."

국장이 말해, 부국장은 짐짓 미소를 지었다.

"아, 그러시군요. 훌륭한 일을……."

"그런데 이 위원회 일이라는 게 참 애매해서 좀 곤란한 점이 있더군요."

국장은 정말 곤란해하는 얼굴이었다. 그 진심 어린 표정이 천박한 출세욕 외에는 없는 빈 대롱 같은 부국장의 가슴에도 와 닿았다. 그런데 왠지 둘의 거리가 가까운 것 같아 부국장은 주춤 물러났다. 어느새 뒤가 벽이라는 걸 깨닫는 순간, 국장이 그의 옆에 턱 손을 짚었다. 토끼 같은 아내와 두 딸이 있는 충실한 가장으로서 절대 다른 의미는 없었지만 부국장은 눈에 띄게 움찔했다.

"위원회에서 우리를 친근한 존재로 선전하다 보니, 때로 사람들이 잊더군요."

국장은 살짝 머리가 까지고 있는 중년 남자를 상대로 하기에는 참으로 뭣한 자세를 취하고 있다는 데에도 개의치 않고 나직이 말했다.

"무얼…… 말입니까?"

부국장은 국장의 차분한 박력에 압도되어 얼결에 물었다. 가까이서 보니 붉은 눈동자는 더욱 짐승 같았다. 쳐다보는 사이에 동공이 서서히 좁아졌다. 그건 문틈이었다. 들여다보아서는 안 될 문틈.

"우리가 포식자라는 사실을 말이죠."

정수리에 피뢰침을 때려 박은 것처럼 소름이 전신을 내달렸다. 부국장은 그대로 죽어버린 것처럼 꼼짝도 하지 않았다. 국장은 퇴로를 차단하던 손을 거두면서 말하고 걸어갔다.

"양들과 함께 살아가기 위해 사냥을 그만뒀다고 해서, 들판의 초목 같은 것으로 보시면 곤란합니다."

순간 부국장은 현기증이 나는 것처럼 비틀거렸다.

"부, 부국장님!"

"부국장님!"

그제야 일행이 소란스럽게 부르며 부국장을 부축했다. 이 대위는 이반을 따라가며 그 소란을 한 번 흘긋 보고 말했다. 오히려 저런 인간을 상대한 게 놀랍다는 투로.

"그냥 둬도 별일은 하지 못할 악졸입니다만."

"압니다."

이반은 차갑게 말하고 앞서갔다.

"하이마 오메가를 의무대 보급 물품에서 제외하신다고요?"

공보관 이 중령은 자신이 잘못 들었나 의심하듯 되물었다. 몇몇 사람들이 서로 시선을 교환했다. 왜 국장이 그런 것까지 신경 쓰는지 의아해하는 눈치였다. 하지만 회의실 가운데 자리에 앉은 이반은 무표정한 얼굴이었다.

"저는 정확히 '하이마 오메가를 비롯한 여러 의약품'이라는 표현을 썼습니다만. 아무튼 말씀을 하셔서 말이지만 그 약품의 안정성 문제는 꾸준히 제기되어 온 걸로 알고 있습니다."

공보관 이 중령은 패드로 서류를 뒤적거렸다. '하이마 오메가를 비롯한 여러 의약품'의 리스트를 찾는 것 같았다. 그리고 찾았는지 훑어보고는 말했다.

"하지만 말씀하신 것들은 이미 연방 FDA(식품의약국)에서 승인한 의약품들입니다. 문제 될 것이……."

이반은 그의 말을 자르고 말했다.

"제약사에서 제출한 서류에 의거해서 말이죠. 애초에 우스운 일 아닙니까? 제약사가 제출한 서류에만 의거해서 약을 판단한다는 건."

"하지만 그건 합법적인 절차……."

이반은 무표정하게 이 중령을 보았다.

"중령님께서는 제노아틱스 대변인 같으시군요."

이 중령은 입을 다물었다. 이반은 다시 말했다.

"그들이 합의한 절차까지는 제 알 바 아니지만 저로서는 논란이 있는 약품들을 중요한 임무를 수행해야 하는 대원들에게 제공할 수 없군요. 이 건에 대해서는 더 이야기하지 않겠습니다."

더는 반문을 허락하지 않겠다는 태도여서 아무도 더 말하지 못했다. 주제는 다음 안건으로 넘어갔다.

평소와 달리 국장에게서 멀찍이 앉아 있는 부국장은 생각했다.

'확실히 제노아틱스 주주라는 말은 사실이 아닌 것 같군.'

주주가 회사의 이득에 정면으로 배치되는 일을 할 리 없으니까.

MCTC는 군대면서도 비인간적인 존재에 의한 테러가 만연해 있는 근래에는 불가피하게 반쯤 경찰의 역할도 겸하고 있었다. 총사령부 직속 기동부대가 옛날 대테러부대의 역할을 담당한다면, 대도시의 상설지부는 재량권이 좀 더 넓은 경찰기동대 역할을 했다. 따라서 상설지부의 국장은 해당 도시에서 상당한 유력 인사였고, 그가 내리는 결정은 영향력이 클 수밖에 없었다.

"모두 수고하셨습니다."

회의가 끝나자 국장은 회의실을 나섰다. 부국장은 그 뒷모습을 보며 문득 생각했다.

'그런데 애초에 왜 국장이 제노아틱스 주주라는 소문이 돌기 시작한 거지?'

사무실로 들어가는데 전화가 울렸다. 이반이 전화를 받자마자 상대는 다짜고짜 물었다.

[만나셨어요?]

"셀레나."

역시 셀레나는 이반이 말하길 기다리지 않았다.

[어때요? 기억하세요?]

"전혀."

안 그래도 연하는 그를 만나도 딱히 떠오르는 게 없는 것 같았다.

굳이 연하가 그때를 기억하길 바라는 건 아니었다. 여러모로. 그런데 사람 마음이 참 희한한 부분이 있어서, 자신을 어제 처음 본 사람처럼 보는 눈을 보면 묘하게…… 섭섭하달까.

한동안 이반은 자신이 느끼는 게 어떤 감정인지 스스로도 정의할 수 없었는데, 가만히 생각해 보니 그런 것 같았다. 하지만 그가 자신을 감염시킨 사람이라고 생각지도 못하는 백지 같은 얼굴을 보면 그렇다고 말해봤자 무슨 소용이 있겠나 싶어졌다. 아마 이야기해도 연하는 '아, 그래요?' 정도의 반응밖에 하지 않을 것 같았다.

하긴, 어느 날 생면부지의 남자가 나타나서 네 파트로네스라고 해 봤자, 그리 큰 감흥이 있을 리 없을 것이다. 관계라는 건 결국 신뢰인 법이니까.

이반은 갑자기 회의에 들어가기 전에 있었던 일이 생각났다.

[왜 그러세요?]

자기도 모르게 실소를 지었는지 셀레나가 물었다. 이반은 회의록을 다시 보면서 부국장과 있었던 일을 이야기해 주었다.

"그런 인간조차 그 아이를 무시하는 건 기분이 나쁘더군."

정말 기분이 나쁜 점은, 다른 건 다 떼놓고 생각해도 연하는 군인으로서도 나무랄 데가 없다는 점이었다. 근무 태도도 훌륭했고, 업무 능력도 탁월했다. 그리고 때로 쌍둥이 자매를 보러 가는 것 외에 문제가 될 만한 사생활이랄 것도 없었다. 사고로 뱀파이어가 되기 전엔 평생 생각해 본 적도 없을 일을 묵묵히 해내고 있는 아이를 고작 종 같은 걸로 차별…….

거기까지 생각하는데 셀레나가 웃었다.

[저희가 아는 이바노프 씨 맞으세요?]

이반은 한쪽 눈썹을 추켜들었다.

"날 어떻게 생각했는데?"

[세상에 환멸을 느끼고 냉소적이 된 헤라클레스요.]

"왜 헤라클레스야?"

[반신이잖아요.]

"난 신이 아닌데."

[저희한텐 신이시죠.]

이반은 펜을 내려놓고 의자 등받이에 등을 기대었다.

"뭐 부탁할 거 있어?"

[아뇨. 또 다 싫다고 버리고 사라지실까 봐서요. 아부 좀 떨어두려고요.]

이반은 희미하게 웃었다.

"부탁한 일은 어떻게 됐어?"

안 그래도 비행기를 타고 오는 길에 전화로 부탁한 일은 어떻게 됐나 궁금해 물었다. 하지만 셀레나는 한숨을 내쉬었다.

[아직요. 이상하게 흔적이 드러나지 않네요. 슈퍼마켓 CCTV에 찍힌 마지막 모습만 아니었으면 신원 미상의 시신으로 죽었다고 생각할 수라도 있겠는데……. 아무튼 정보망을 총동원하고 있어요.]

어차피 금방 찾을 수 있을 거라고는 생각하지 않았다.

"그래. 계속 부탁해."

[네. 몸조심하세요. 같이 계신 분께 안부 전해주시고요.]

이반은 눈썹을 추켜들었다.

"네 파트로네스잖아. 왜 나한테?"

[두 분 사이가 하도 어색해서 대화 좀 하시라고요.]

이반은 의자를 돌려 창밖을 보았다.

"바빠, 그 녀석."

[뭐 하신다고요?]

"글쎄, 무슨 생각인지."

셀레나는 잠깐 말없이 있다가 말했다.

[지금 제가 한 질문에 대답하신 거 아니죠?]

이반은 웃고는 말했다.

"그럼 수고해."

그리고 이반은 전화를 끊었다. 그런데 문득 한쪽에 틀어져 있는, 음소거 된 TV 화면이 시선을 끌었다. 많은 사람들이 오가는 국제 행사장을 비추는 화면에 낯익은 인물이 눈에 띄었다. 막 통화를 끝낸 것 같은 그 인물은 제게 말을 거는 행사 관계자를 돌아보고 무어라 대답했다.

이반은 피식 웃었다.

"수고하는군."

TV 화면 너머 카메라 앞에 서 있는 기자가 말했다.

[오늘 행사장에는 최고경영자 셀레나 추가 참석하여…….]

규하는 모기가 목표를 노리듯 팩의 좁은 입구에 정확하게 빨대를 꽂고, 깊게 빨아들였다.

"선생님, 술 마시지 말아주세요."

아이들이 낸 과제를 정리하던 반장 윤재가 뒤에서 말했다. 규하는 돌아보지도 않고 말했다.

"나 퇴근했어."

"아직 학교에 계시잖아요. 교감 선생님이 보면 뭐라고 한다고요."

규하는 청 테이프를 두른 소주 팩을 흔들었다.

"그래서 가렸잖아."

윤재는 지지 않고 말했다.

"냄새가 나잖아요."

"교감 입 냄새가 더 날걸."

그러면서 규하는 몸을 돌렸다. 교실을 나서자 윤재가 과제를 들고 뒤따라왔다. 아이들이 빠져나가고 난 방과 후 학교는 한산했다.

"하여간 술이 원수야."

규하가 투덜거리자 윤재는 그녀가 들고 있는 소주 팩을 묘한 눈길로 보았다.

"지금도 마시고 계신 분이 말씀하시니 참으로 설득력 있네요."

"마시지 않을 수가 없으니 말이지. 이번에는 밴드를 풀어줘어."

어차피 디바이스에 있는 개인 정보는 암호화되어 저장되고 원거리로도 폐기되니까 상관없지만 술만 마시면 왜 이렇게 남에게 뭘 퍼주지 못해 안달인지 알 수 없었다. 이 정도면 누가 띠가 뭐냐고 물으면 '술만 마시면 마더 테레사'라고 대답해야 할 지경이었다.

그때 규하는 제 손목 밴드가 반응이 없는 걸 발견하고 혀를 내찼다.

"근데 이건 왜 또 멈췄어?"

윤재가 어리둥절해하며 말했다.

"밴드라면 그거요?"

그 말에, 규하는 제 손목에 뻔히 채워져 있는 밴드를 보았다.

"응? 어라……? 있네?"

규하는 뒷머리를 긁적였다.

아침에 눈을 뜨니 욕실이었다. 시간은 8시. 정신없이 씻고 으아아 뛰쳐나왔고, 하루 종일 자신의 코가 어디 붙어 있는지도 모를 정도로 바빴기에 손목 따위에 신경 쓸 겨를이 없었다. 물론 몇 번이고 손목을 봤지만 거기에 뭐가 있는지 인식할 정신도 없었던 것이다. 그러고 보니 버스를 탈 때도 손목 밴드로 찍기는 했다.

"분명히 풀어줬다고 생각했는데……."

규하는 의아해 중얼거리다가, 갑자기 뭔가가 머리를 탁 치는 것 같았다.

"잠깐. 그럼 그건?"

"그거요?"

윤재가 물었지만 규하는 대답할 새도 없이 바로 교무실로 달려갔다. 그리고 제 책상의 서랍을 뒤지기 시작했다. 서랍 구석까지 싹 쓸어내고, 어지러운 핸드백을 아예 뒤집어서 물건들을 훑었다. 하지만 없었다.

"아, 이런……."

규하는 욕을 할 정신도 없는 것 같았다. 한순간에 눈이 풀리는 것 같더니, 갑자기 교무실을 뛰쳐나갔다.

"선생님!"

마침 교무실에 도착한 윤재가 놀라 불렀지만 규하는 대답하지 않았다. 그저 그야말로 엄청난 속도로 사라졌다.

렉스는 자신의 손을 내려다보았다. 작은 지퍼 백에 들어 있는 너덜너덜한 실 팔찌는 알록달록한 색감이 꼭 다섯 살 아이가 장난감 구슬을 꿰어 만든 팔찌 같았다. 안 그래도 강규하의 캐릭터와는 맞지 않는다고 생각했는데…….

연하가 팔에 차고 있는 낡은 실 팔찌는 이것과 색만 다른 똑같은 디자인이었다. 그걸 본 순간 렉스는 깨달을 수밖에 없었다. 규하가 제게 준 팔찌가 그녀에게는 상당히 중요한 물건일 거라고. 밴드를 풀어주려다가 착각해서 팔찌를 준 것 같았다. 제법 술이 된 상태였으니까.

그래서, 이렇게 찾아올 수밖에 없었다. 하지만 연하와 관련되어 있는 그로서는 최대한 규하와 접촉하지 않는 게 좋으니 학교 경비에게 맡겨 놓는 쪽이 좋을 것 같았다.

그런데 그때 뒤쪽에서 굉장히 다급한 발소리가 들려서 돌아보자 규하가 이쪽으로 달려오고 있었다. 그러다가 규하는 뜻하지 않게 렉스를 발견하고 멈칫했다.

"쓰레기통."

지나가던 사람들이 렉스를 흘긋거렸다. 그제야 규하는 오해를 살 수 있는 명칭이라고 깨달은 모양이었다.

"아, 미안. 나도 모르게. 그러고 보니 이름이……."

취하기 전에 들었던 것 같은데 이미 그때부터 일회용 만남이라고 생각했기 때문에 듣는 순간 잊어버렸다. 희미한 느낌에는…….

"뭔가 이리 와, 라고 말하고 싶은 이름이었는데."

"렉스입니다."

"맞다. 렉스, 이리 와. 이 리듬이었지. 그런데 여긴 어떻게……."

렉스는 몸을 돌리고 왔던 방향으로 걷기 시작했다.

"저, 잠깐!"

규하가 외쳤지만 렉스는 강아지 따위 되고 싶지 않았으므로 그 말에 따라 멈추는 일은 하지 않았다. 그녀는 급히 쫓아왔다.

"그러고 보니 혹시 낡은 실 팔찌 못 봤어? 막 보풀 다 일어나서 거지 같은……."

자매의 유품을 두고 거지 같은, 이 뭡니까. 그렇게 말할 뻔했다. 렉스가 멈칫하자 규하는 긍정의 의미로 해석했는지 얼굴이 밝아졌다.

"봤구나, 그렇지?"

"제게 주신 거 아니었습니까?"

규하는 손을 모으고 하늘에다가 '하느님, 부처님, 알라, 감사합니다. 이제 술 먹지 않을게요.' 라며 기도했다. 그러고는 제 손목 밴드를 가리키고 말했다.

"이거. 이거 주려다가 취해서 실수한 거야. 그거 별거 아냐. 딱 봐도 낡았고 거지 같잖아."

협상가로서의 자질은 없는지, 아니면 그만큼 간절해서인지 그쪽이 아쉬운 입장이라는 사실을 숨길 생각도 없어 보였다. 규하는 거의 애원했다.

"그거 돌려주면 안 될까? 이거 줄게. 응?"

"좋습니다."

렉스는 선뜻 동의했다.

"으……응? 이거 빨간색인데? 그리고 고장 났는데……."

정말 달라고 할 줄은 몰랐는지 규하는 어물거렸다. 렉스도 무슨 억하 심정이었는지는 모르겠지만 필요도 없는 물건을 달라고 해 버렸다. 하지만 무를 마음은 없었다.

"마음에 드는군요."

"그럼…… 그래. 맞바꾸자."

규하는 손목 밴드를 풀어서 건넸다. 렉스는 주머니에서 비닐째 팔찌를 꺼내주었다. 그리고 규하가 팔찌를 끌어안고 각종 신에게 감사 인사를 하는 동안 밴드를 손목에 찼다. 빨간색이지만 개의치 않았다.

규하는 막상 팔찌를 되찾고 나자 미련이 남는지 렉스가 찬 밴드를 보다가 뭔가 깨달은 얼굴이 되었다.

"근데 나 일하는 데는 어떻게 알았어?"

"특이한 이름이어서 인터넷에 바로 나오더군요."

사실이었다. 규하가 어디에서 일하는지는 알고 있었지만 확실히 하기 위해 인터넷에 검색해 보았더니 학교 홈페이지에 그녀에 관한 정보가 떴다.

"내 이름은 어떻게 알고?"

규하는, 바람직하다 할 만한 태도지만, 경계심을 풀지 않았다.

"내가 전설의 말술 강규하야, 새벽에 두 시간 동안 걸어간 강규하야……."

간밤의 말들을 렉스가 무표정으로 리플레이하기 시작하자 규하는 손을 들었다.

"거기까지. 하여간 이놈의 주둥아리가 방정이야."

그러고는 규하는 렉스를 지나쳐 걷기 시작했다. 끝인가, 하고 생각한 렉스는 몸을 돌려 가려고 했다. 그런데 규하가 뒤에서 물었다.

"어디 가?"

렉스는 생각했다. 지부로 돌아간다고 할 수는 없고, 보통 한국어에서 이럴 때 쓰는 표현이…….

"집에 갑니다."

"밥 먹으러 안 가?"

렉스는 이건 또 무슨 소리인가 싶었다. 그런 생각이 표정에 드러났는지 규하는 눈썹을 추켜들었다.

"내 물건 찾아주려고 일부러 와준 사람 그냥 돌려보낼 정도로 정 없는 사람은 아닌데, 나. 그렇게 마귀할멈처럼 보여?"

어쩐지 자주 듣는 말인 모양이었다.

"다시 보지 말자고……."

렉스는 얼결에 말했다.

"취해서 주절주절 늘어놓은 게 쪽팔려서 한 말을 담아놓기는."

규하는 말하고 몇 걸음 더 가더니 찡그리고 돌아보았다.

"빨리 와."

어쩐지 그 말이 '이리 와.'로 들렸다면 피해망상일 것이다.

"역시 고치는 건 무리겠지."

규하는 끊어진 팔찌를 보며 한숨을 내쉬었다. 두 사람은 인근 식당에 마주 앉아 있는 상태였다. 렉스는 수저통의 뚜껑을 닫으면서 말했다.

"그 정도로 소중한 물건이라면 좀 더 조심하는 편이 좋지 않았습니까?"

규하는 눈썹을 추켜들었다.

"뭐야, 그 여자친구가 바라지도 않은 해결책을 내놓고 괜히 구박만 당하는 남자친구 같은 말은? 원래는 하고 다니지도 않아. 끊어질까 봐 걱정돼서. 그런데 어제는 너무 일진이 사나워서……."

규하는 입을 다물었다. 행운의 힘을 얻으려고 했다—고는, 너무 순정만화 주인공 같아서 차마 제 입으로 할 수가 없었다.

"이런 걸 고쳐 주는 사람도 있나."

자못 속상해 팔찌를 보며 중얼거리자 렉스는 흘긋 팔찌를 봤다가 말했다.

"오래돼 보이는군요."

"응. 내 쌍둥이 유품이거든."

규하가 너무 심상하게 말해서, 오히려 렉스가 입을 다물었다. 강연하 이야기를 이렇게 쉽게 할 줄은 몰랐기 때문이다. 들려오는 말이 없자 규하는 눈을 들었다.

"부모님은 언제 오시냐고 물어봤다가 조실부모했다는 대답을 들은 친구 같은 얼굴이네. 못 할 이야기 한 것처럼 의기소침하지 말라고."

"의기소침하지 않았습니다. 그냥, 너무 아무렇지 않게 이야기하기에."

규하는 어깨를 으쓱이고 팔찌를 잘 갈무리해서 넣었다.

"누가 죽었다는 이야기를 꼭 사연 있어 보이는 쓸쓸한 미소를 지으면서 해야 하는 건 아니잖아. 요즘 같은 세상에 사연 하나 없는 사람이 어디 있다고."

얼마 전, 렉스는 열차 테러 이후 규하가 목격자로서 경찰 조사를 받은 녹화 화면을 보았다. 여기저기 치료받은 모습으로 테이블 건너편에 앉은 어린 규하는 심한 히스테리를 일으켰다. 울부짖고, 소리치고, 호흡곤란 증상까지 보여서 경찰 조사는 수없이 중단되었다.

"연하는 죽지 않았어요! 연하가 죽을 리 없어요. 거짓말하지 말아요!"

규하는 마치 인간이 내뿜을 수 있는 모든 격정을 방출시키는 것같이 계속해 소리치다가 눈을 까뒤집으면서 기절했다. 그러자 의사가 달려 들어오면서 화면은 끝났다.

이런 차분함을 얻기까지 규하가 겪어야 했던 시간이 어떤 것이었을지 렉스는 짐작되지 않았다.

"그럼 물어봐도 됩니까?"

렉스가 묻자 규하는 어깨를 으쓱였다.

"아니, 가정사를 나누기엔 좀 이르지. 우리 겨우 어제 만났잖아."

렉스는 미간을 좁혔다. 어쩌라는 건지, 종잡을 수 없는 여자였다.

그때 규하가 그가 실내에서도 고집하고 있는 선글라스를 가리키고 물었다.

"근데 그건 안 벗어? 혹시 얼굴에 그려놓은 건 아니지?"

"쓰고 있는 게 편합니다."

"그러고 보니 그건 절대 벗으려 하질 않네. 수상한데?"

렉스는 입을 다물었다. 역시 선글라스를 벗으려고 하지 않는 건 수상해 보일 것이다. 내키진 않았지만……. 그는 어쩔 수 없이 선글라스를 벗었다. 규하는 다시 잔에 물을 따르다가 무심결에 그를 보고, 굳었다.

금세 잔을 채운 물이 밖으로 흘러넘쳤다. 규하는 깜짝 놀라 정신을 차렸다.

"으츠츠."

규하는 렉스가 뽑아 건네준 휴지로 물을 닦으며 말했다.

"내가 누구 얼굴 보고 놀라는 사람이 아닌데 이번엔 좀 놀랐다."

혹시 티가 나는 걸까 싶어 렉스는 긴장했다. 하지만 규하는 특별히 경계하는 얼굴은 아니었다. 그냥 신기하다는 듯이 그를 뜯어보며 말했다.

"이렇게 그려놓은 것 같은 금발에 푸른 눈은 간만에 보네."

대원들이 나갈 때 종종 쓰는 걸 봤지만 렉스가 직접 컬러 렌즈를 껴보기는 처음이었다. 발전한 기술 덕에 본인 눈동자처럼 자연스러운 컬러 렌즈 너머로 보는 거울은, 이상한 느낌이었다. 다시 푸른 눈동자로 세상을 보는 날이 올 줄은 몰랐기 때문이다.

어쨌든 물건을 돌려주러 오면서 쓸데없이 경계심을 일으키지 않으려 했을 뿐, 특별히 규하를 속이려는 의도는 없었다. 아마도.

그때 식당 직원이 국밥을 내왔다.

"식사 나왔습니다."

규하는 수저통으로 손을 뻗었다. 그런데 수저가 이미 앞에 가지런히 놓여 있었다. 그러고 보니……. 규하는 그대로 수저를 보면서 물었다.

"혹시 어린 동생 있어?"

"아뇨."

렉스는 갑작스러운 질문이 의아한 눈치였다. 규하는 그를 보았다.

"아니면 거동이 불편한 부모님이라든가?"

렉스는 잠깐 규하를 마주 보았다.

"비슷한 분은 있었습니다."

"아, 정말? 그냥 물어본 건데. 그래서 남을 잘 챙기는구나."

렉스는 그제야 자신이 의식하지 못하는 사이에 수저나 휴지, 잔 같은 걸 챙겨놨다는 사실을 깨달았다. 이반은 자신이 노인네처럼 보이냐고 싫어하기 때문에 오래전에 사라진 버릇인 줄 알았는데 갑자기 나와 버렸다.

"하지만 사지 멀쩡한 날 너무 살뜰히 보살펴 줄 필요는 없는데."

규하는 국에 밥을 말면서 말했다.

"예. 실례했습니다."

"뭐, 실례했을 것까진 없고. 거참 예의 바른 청년이네."

얼굴을 보고 그를 동생으로—사실 그녀와 그리 차이 나 보이지 않는데도— 판단한 모양이었다. 렉스는 뭐라고 말하고 싶었지만 그렇다고 실제 나이를 밝힐 수도 없었다.

"안 먹어?"

규하가 꼭 뺏어먹을 것처럼 물어, 렉스는 한숨을 삼키고 숟가락을 들었다.
"먹습니다."

두 사람은 식사를 끝내고 식당을 나왔다. 렉스는 인사했다.
"잘 먹었습니다."
"그러게. 생각보다 엄청 잘 먹어서 깜짝 놀랐네."
규하는 렉스가 신속하고도 정갈하게 국밥 두 그릇을 뚝딱 해치우는 모습을 보고 박수를 다 쳤다. 왠지 한 그릇 더 먹을 수 있는데 예의상 참은 것 같았다. 요즘 외국인이 국밥을 먹는 모습이 낯설 건 없지만 동화 속의 왕자님 같은 남자와 국밥의 조합은 확실히 묘했다.
"참, 번호가 뭐야?"
규하가 물어, 렉스는 의아한 얼굴이 되었다.
"무슨 번호 말입니까?"
"내가 뭐 주민번호를 묻겠어? 당연히 전화번호지."
"제 전화번호를 왜……."
규하는 팔짱을 끼고 삐딱하게 섰다.
"같이 술 마셨고, 밥도 먹었고, 이만하면 이제 우리 진짜 친구 아냐?"
렉스는 말문이 막혔다. 친구라니……. 난생처음 타인이 그를 칭하는 호칭이었다. 형제님이나 클리엔테스, 부하나 상사인 적은 있었지만 누군가의 친구였던 적은 없었다. 물론 이렇게 살고 친구 하나 정도는 괜찮을지도 모른다. 그런데 그 상대가 왜 하필 강규하인지, 렉스는 고약한 농담 같다는 생각이 들었다.
강규하는 SN의 리더가 직접 조건부 암살을 예고한 타깃으로서 MCTC의 관찰 대상 목록에 올라가 있었다. 사실 그로서는 이렇게 접촉하는 게 허가되지 않는 상대였다. 설사 그게 아니더라도 쌍둥이 자매인 연하조차 만나지 못하고 있는 상황에서 그가 멋대로 접촉하다가 SN을 자극하거나 연하에 대한 정보가 흘러 나갔다가는 위험했다.

"고향으로 돌아가게 됐습니다."

렉스는 말했다. 하지만 역시 타이밍이 너무 교묘하다 싶었는지 규하는 눈썹을 추켜들었다.

"고향이 어디인데?"

"헝가리입니다."

정확하게는 지금 헝가리인 곳이라고 해야겠지만.

"그리고 이거 돌려 드리겠습니다."

렉스는 밴드를 풀어 건넸다. 규하의 미간에 주름이 더 깊어졌다.

"괜찮아. 이미 준 거잖아. 기념으로라도……."

"아뇨. 제 것이 아닌 건 탐하지 않습니다."

아마 생각보다 더 단호한 어조였는지 규하는 잠깐 렉스를 보다가 밴드를 받았다.

렉스는 작별 인사 같은 걸 해야 할까 생각했다. 하지만 둘은 애초에 만날 일조차 없었다. 12년 전에도 그들은 만나지 않았다. 렉스는 명령에 따라 구조에 나섰을 뿐이고, 규하는 그가 현장에 있었다는 사실조차 기억하지 못했다. 그러니 작별 인사 자체가 성립되지 않는 관계였다.

"그럼."

마주 보고 있는 네 발 중 운동화를 신은 발이 돌아섰다. 그리고 주저하지 않는 걸음으로 곧장 나아갔다. 구두를 신은 발은 한동안 자리에 머물러 있었다.

그런데 예민한 청력에 바람을 타고 중얼거림이 들려왔다.

"귀여웠는데."

귀여…….

렉스가 저도 모르게 놀라서 돌아보자 규하는 이미 몸을 돌린 상태였다. 하지만 마지막 툴툴거림은 역시 들을 수 있었다.

"하여간 남자 복 없기는."

샤워를 하고 나온 연하는 냉장고를 열었다. 대기만 하다가 끝난 오늘처럼 냉장고의 내용물도 단조롭기 그지없었다. 루차차도 하나밖에 없었다. 설탕 함량이 높아서, 돼지 루아스가 될 셈이냐며 리웨이가 많이 먹지 못하게 하기 때문이었다. 연하가 루아스는 살이 찌지 않는다고 항변해 보았지만 도영이 옆에서 물도 네가 루차차 마시듯이 마시면 살찐다고 거드는 바람에 다 망해 버렸다.

냉장고 안에서 산신령이 금 루차차와 은 루차차를 들고 나타날 것도 아닌데 연하는 미련을 버리지 못하고 쳐다보다가, 팩 하나를 꺼내 소파에 앉았다. 그리고 뉴스를 보면서 마시기 시작했다. 하지만 먹다가 영 입맛이 당기지 않아 내려놓고 몸을 길게 뻗어 테이블에 올려둔 노래방용 대용량 과자 봉지를 끌고 왔다.

막 과자 봉지를 열었을 때였다.

"이런 건 비교도 되지 않을 정도로 맛있는 걸 줄 테니까요."

국장이 한 말이 생각나 연하는 제 방문을 보았다.

'그렇다고 오늘 바로 찾아가면 속 보이려나.'

잠깐 그런 생각이 들긴 했지만 먼저 준다고 한 사람은 국장이었으니까…….

연하는 과자 봉지를 닫지도 않고 바로 일어나 운동화를 꿰어 신고는 방을 나섰다. 뒤로 자동 미닫이문이 닫혔다. 그런데 얼마 지나지 않아 다시 문이 열렸다. 연하는 신발을 벗어던지고 들어와서 온갖 과자류가 빼곡한 찬장을 열었다.

연하는 과자들을 보면서 고민하다가 개중 하나를 집었다.

"아냐. 그래도 이 정도는 가져가야지."

그러고는 원래 집으려던 것 옆에 있는, 제법 고급스러운 과자 상자를 꺼냈다. 먹지 않고 아껴뒀던 거지만 저번에도 방문하면서-정신을 잃었기 때문에 본의는 아니었지만- 아무것도 챙겨가지 못했으니 이 정도는 선물해야 할 것 같았다.

연하는 가벼운 발걸음으로 다시 방을 나섰다.

하지만 국장은 아직 관사에 돌아오지 않은 것 같았다. 유리 너머 깜깜한 관사를 보면서 연하는 기운이 빠졌다. 아직도 일하고 있는 걸까?

연하는 과자를 든 손으로 뒷짐을 지고 조금 기다렸다. 하지만 국장은 커녕 아무도 오는 기색이 없었다. 도영이 곰이라고 타박하는 거에 비해 추진력 하나는 좋은 그녀는 쉽게 발을 돌릴 수 없어서, 문 옆에 붙어 있는 인식 패널 앞에서 괜히 기웃거렸다. 그때였다.

-APPROVED(승인)

패널에 글자가 뜨고 삐 소리가 나며 문이 밀려났다. 전혀 기대하지 않았던 연하는 깜짝 놀랐다. 그래서 뻥 뚫린 구름다리를 한참 보다가, 조심스럽게 발을 들여놓았다. 문은 다시 뒤에서 닫혔다.

'내 아이디를 등록해 놓은 거야?'

일개 대원이 국장의 관사에 마음대로 들락거릴 수 있다는 이야기는 들어본 적이 없는데……. 어쨌든 열린 문이 있으니 지나갈 뿐이었다.

안쪽에 있는 또 다른 복도를 지나 현관으로 들어가자 내부는 어둡고 조용했다. 그래도 남의 집이라 조심하며 들어섰다. 그러자 사람을 인식한 천장의 조명이 달려가듯 순서대로 켜지고, 모던하고 톤이 낮은 공간이 모습을 드러냈다. 연하는 과자 상자를 피난민의 봇짐처럼 옆구리에 끼고 집을 둘러보았다. 저번에 왔을 때와 비교해서 달라진 건 없어 보였다.

거실 소파에 앉아 아무것도 하지 않고 있으려니 탁자에 놓인 책이 눈에 띄었다. 국장 같은 남자는 무슨 책을 읽나 궁금해서 들고 제목을 읽어보았다.

"이종의 기원과 역사."

국장이 여기 앉아서 이 책을 읽는 모습을 상상해 보았다. 좀 너무…….

"있어 보이네."

연하는 그가 어떤 내용을 읽나 보려고 책갈피가 끼워진 페이지로 넘어갔다.

-하지만 과연 루아스는 무엇인가?

그런데 펼치자마자 그 문장이 눈 안으로 뛰어들었다. 연하는 미간을 찌푸렸다. 책의 표지 안쪽을 보자 어디서나 볼 수 있을 것 같은 평범한 백인 중년 여성 사진이 있고, 아래에 이름과 소개 몇 줄이 적혀 있었다.

"마리에테 블란두스……."

스웨덴 스톡홀름 태생, 진화생물학 및 식물유전공학 박사.

이런 약력을 가진 사람이 어떤 책을 썼을지 감도 잡히지 않았지만 어쨌든 연하는 국장이 읽고 있는 페이지로 돌아갔다.

-루아. LUA. '마지막 공통 조상(The Last Universal Ancestor)'을 의미하는 약어이다.

옛 지구에는 생물체가 지금처럼 다양하게 분화하기 전 수십 억 년에 걸쳐 모든 동식물의 공통조상이 살았다. 찰스 다윈도 그의 명저 "종의 기원"에서

"그러므로 나는 지구상에 살았던 모든 유기체들이 같은 원시 형태에서 비롯되었을 거라고 짐작한다."[7]고 밝혔다. 그러므로 우리 인류는 거슬러 올라가면 오늘 아침 식탁에 올라온 고등어와도 같은 조상을 두었다고 할 수 있을 것이다.

연하는 눈썹을 추켜들었다.

'내가 고등어랑 형제라고?'

하지만 그게 중요한 이야기는 아닌 것 같아서 계속 읽어 내려갔다.

하지만 공통 조상 '루아'를 끝으로 생물들은 각자의 길을 걷기 시작했다. 동물과 식물로, 그리고 동물은 포유류와 조류, 파충류, 양서류, 어류로. 인류와 루아스도 마찬가지였다. 공통 조상 루아 이후 루아스, 즉 LUA X가 등장했다. 무엇이 루아를 루아스로 변형시켰는지 알 수 없기 때문에 루아에 미지수 X를 붙여 LUA X라고 부른다. 그러므로 흔히 통용되는 대로 '루아스(Luax)'가 복수형 Luas로 알려진 것은 잘못이다.

"정말? 나도 루아스가 복수형인 줄 알았는데……."

연하는 중얼거리며 책에서 눈을 떼지 않은 채 자연스럽게 소파에 다리를 올렸다.

-그러나 루아스는 언제나 우리 곁에 있었다. 드라큘라, 뱀파이어, 흡혈귀, '병을 옮기는 자' 노스페라투, 언데드, 강시, 보로라카스, 스트리고이……. 그 외에도 수많은 이름으로. 따지고 보면 이 인간의 피를 마시는 전설적 존재만큼 오랜 세월에 걸쳐 상상력을 자극해 왔던 것도 없다. 하지만 루아스는 과연 무

7) "Therefore I should infer from analogy that probably all the organic beings which have ever lived on this earth have descended from some one primordial form, into which life was first breathed." Darwin, C.(1859), *The Origin of Species by Means of Natural Selection*, John Murray, p. 490

엇인가?

어느 순간 현관문이 열리는 소리가 울렸지만 집중한 연하는 듣지 못했다.

이반은 불이 켜진 관사를 의아하게 보았다. 그리고 거실 소파의 팔걸이에 걸쳐진 두 발을 발견했다. 누구의 것인지는 한눈에 알아보았다.

연하를 부르려고 다가간 이반은 멈칫했다. 연하는 엎드려 누워 책을 읽고 있었다. 주변에는 빈 과자 봉지들이 늘어져 있고, 검어서 더 티가 잘 나는 가죽 소파에는 과자 부스러기가 여기저기 떨어져 있었다. 과자를 어떻게 먹었는지 짧은 트레이닝 바지를 입은 허벅지에도.

이반은 미간을 찌푸렸다.

'이런 부주의한…….'

그리고 그제야 자신이 딸이라고 부르는 여성의 허벅지를 너무 뚫어지게 보고 있다는 사실을 깨달았다.

그때 여전히 이반이 왔음을 깨닫지 못하고 있는 연하가 머리맡에 있는 과자 상자를 손으로 더듬었다. 하지만 더 이상 잡히는 게 없자 놀란 듯 일어나 앉아 중얼거렸다.

"어, 다 먹었어? 안 되는데……."

"왜 안 됩니까?"

갑자기 목소리가 들려 연하는 깜짝 놀라 돌아보았다. 그리고 이반을 발견하고 관등성명이라도 외칠 것처럼 벌떡 일어났다. 텅 빈 과자 상자를 뒤로 감추면서.

"어, 언제……."

말하다가 주변에 너저분한 과자 봉지와 부스러기를 발견하고는, 연하는 흘긋 이반을 보았다가 맨발로 열심히 끌어 모았다. 물론 그게 제대로 될 리 없었지만 고군분투하는 그녀의 발가락이 귀여웠다. 그리고 이반은 그걸 귀엽다고 생각하는 자신이 더 놀라웠다.

"언제 오셨어요?"

연하는 어물거리며 물었다.

"방금 왔는데, 왜 다 먹으면 안 됩니까?"

"그게……."

이반은 정말로 궁금했기에 대답을 기다렸다. 연하는 그가 포기하지 않을 거라 깨달았는지 한숨처럼 말했다.

"사실 국장님 드리려고 가지고 온 건데……. 하나만 먹으려다가 저도 모르게 다 먹어버려서요. 그게, 정말 하나만 먹으려고 했는데. 아무튼 그만큼 맛있는 거라는 증거……."

연하는 자신이 횡설수설한다고 생각했는지 찡그린 채 말을 멈추었다.

'웃으면 안 된다.'

이반은 무표정한 얼굴로 생각했다. 이 아이는 자기 나름대로 진지한 순간이니까.

그때 연하가 읽고 있던 책에 이반의 시선이 멈추었다. 연하는 볼을 긁적였다.

"이건 올려져 있어서……. 읽어도 괜찮은 거였는지 모르겠네요."

이반이 책을 들어 올리자 과자 부스러기가 우수수 떨어졌다. 연하는 민망한 얼굴이 되었다. 이반은 피식 웃으며 과자 부스러기를 털고 그녀에게 책을 건네주었다.

"물론이죠. 오히려 블란두스 박사의 책은 루아스로서 꼭 한번 읽어볼 가치가 있으니까."

연하는 책을 받아 들었다.

"사실 책이 어려워서 무슨 소리인지는 잘 모르겠어요."

그러더니 갑자기 얼굴이 밝아졌다.

"아, 루아스가 루아 엑스라는 건 알게 됐어요. 저도 루아스가 s를 붙여서 복수형인 줄 알았거든요."

이반은 잠깐 연하를 보았다.

"난독증은 다 고쳐졌군요."

연하는 깜짝 놀랐다.

"그걸 어떻게 아세요?"

충격 때문이었는지 연하는 루아스가 되고 한동안 어떤 글자도 읽을 수가 없었다. 그래서 도리어 토할 때까지 글자만 노려본 끝에, 겨우 난독증을 고칠 수 있었다.

"강 상사에 대한 건 전부 압니다."

물론 국장이니까 대원의 정보에 접근할 수 있었을 것이다. 하지만 연하는 뭔가 쑥스러워져 웅얼거렸다.

"전 국장님 성함밖에 모르는 것 같은데……."

이반은 갑자기 자신이 나이가 들지 않는다는 사실이 아쉬워졌다. 노인이 되었다면 손녀를 대하듯이 이 아이를 마음껏 쓰다듬어 줄 수 있었을 테니까. 딱히 남의 시선을 신경 쓰는 건 아니었지만 둘 다 젊은 모습으로는 꽤 부적절해 보일 수 있다는 사실 정도는 인식하고 있었다.

"읽고 있어요."

이반은 말하고 계단으로 갔다.

"국장님."

연하가 불러 이반은 돌아보았다. 연하는 조금 주저하다가 말했다.

"말씀, 놓으셔도 돼요."

이반은 희미하게 웃었다.

"그래."

그리고 이반은 2층으로 올라갔다. 연하는 당장 몸을 낮춰 과자 봉지와 부스러기를 줍기 시작했다. 책에 정신이 팔려 제 방에 있을 때처럼 행동해 버리고 말았다.

그런데 부스러기는 카펫과 소파의 틈 사이에 끼어 잘 빠지지 않았다. 아무래도 청소기가 필요할 것 같았다. 보통 먼지나 부스러기가 떨어지면 AI가 자동으로 청소기를 돌리는 법인데 어째 조용했다. 그래서 아무리 둘러봐도 자동은커녕 일반 수동 청소기도 보이지 않았다.

연하는 2층에서 나는 소리에 귀를 기울였다. 어렴풋이 물소리가 들려왔다. 세면대의 물소리였다. 샤워를 하는 것 같진 않았다. 그래도 그냥 기다릴까 싶었지만 모델하우스 같은 곳이라 부스러기들이 유난히 두드러져 보였다.

결국 연하는 2층으로 올라갔다. 복도 끝에 있는 방문의 틈으로 불이 새어 나왔다.

"국장님."

연하가 막 문고리를 잡으려는데, 올라오는 소리를 들었는지 먼저 문이 열리고 이반이 빛을 등지고 나타났다. 그늘에 잠겨 채도가 낮은 붉은 눈동자가 조용히 그녀를 보았다.

"무슨 일?"

연하는 뒤늦게 정신을 차렸다. 왜 자꾸 이 남자를 멍하게 쳐다보게 되는지 알 수 없었다.

"AI가 꺼져 있는 것 같아서요."

"아아……."

이반은 천장을 보았다.

"꺼놨어."

"왜요?"

"오히려 불편해서."

그리고 난감한 듯 웃으며 덧붙였다.

"옛날 사람이라 그런지."

은둔자 이반……. 연하는 국장의 별명이 생각났다. 얼마나 옛날이냐고 물어보려는데 그가 먼저 물었다.

"켜줄까?"

"아뇨. 그냥 수동 청소기만 있으면 될 것 같은데……. 부스러기만 청소하면 되니까요."

"휴대용이라면 드레스룸 어디에서 본 것 같은데."

"제가 가져갈게요. 씻으세요."

"그래."

이반을 따라 안으로 들어가자 집처럼 톤이 낮고 깔끔한 침실이 보였다.

"드레스룸은 저쪽이야."

이반은 말하고 안쪽에 있는 욕실로 들어갔다. 문 너머로 사라지는 등을 보고, 연하는 드레스룸으로 들어갔다. 정리된 공간에서 포근한 냄새가 났다. 옷들이 종류별로 줄지어 걸려 있고, 아래쪽에 윤이 나는 구두들이 놓여 있었다.

'남자 느낌이네.'

아무래도 남자가 압도적으로 많은 직군이어서 남자 느낌이야 종류별로 지겹도록 받지만 이런 화이트칼라 같은 느낌은 오히려 낯설었다. 팀원들끼리도 '우리 같은 육체노동자가 또 어디 있냐.'라고 말할 정도니까.

하지만 옷장에 생각보다 물건이 많은 편은 아니었다. 꼭 비즈니스 출장 온 사람의 호텔 옷장 같은 느낌이었다.

"아, 청소기."

연하는 넋을 놓고 구경하다가 여기 들어온 목적을 상기했다.

"청소기, 청소기……."

한편 욕실 안에 있는 이반은 아무래도 자신이 찾아주는 게 좋겠다는 생각이 들었다. 연하가 계속 헤매고 있는 것 같았기 때문이다. 그래서 그는 다시 밖으로 나갔다.

"찾았어?"
"네, 여기 어디……."
"내가 꺼내줄게."
마침 연하가 서 있는 자리 어디서 본 것 같아 이반은 다가갔다. 그리고 몸을 숙이고 들여다보는데 연하가 옆에서 우물거렸다.
"죄송해요. 자꾸 번거롭게 해드리는 것 같아서……."
"괜찮아. 너라면."
"왜요?"
연하는 갑자기 물었다.
"고작 며칠 전에 처음 봤는데……. 저한테 왜 이렇게 잘해주세요?"
이반은 잠깐 자신의 행동들을 되짚어보았다.
"글쎄, 평범하지 않았나."
물론 그마저도 특이한 일이기는 했지만 연하는 그 사실을 모를 테니 말이다.
"전혀요."
평범한 배려라는 게 존재하지 않은 세상에서 온 듯이 단호함이 서린 눈동자였다. 어째서 이 아이가 이런 눈을 하는지— 이반은 짧지만 강한 분노를 느꼈다.
물론 이반도 연하가 인간이었을 때처럼 평범하게 살 수 있을 거라는 기대는 하지 않았다. 어차피 그건 불가능한 이야기였으니. 하지만 차라리 죽음이 자비로운 고통의 양막을 뚫고 삶으로 돌아온 그의 사도를 인간들 사이에 살도록 내버려 뒀을 때는, 기대한 것이 아예 없었다고는 할 수 없었다.
'수중 동물.'
확실히 도영 드페르가 한 말은 의미가 있었다. 한순간에 육상 동물에서 수중 동물이 된 것 같은 엄청난 변화를 겪는 열아홉 살짜리 소녀에게 이반은 자신이 도움 될 것 같지 않았다. 그는 이미 너무 오래 수중 동물로 살았고, 땅을 걷는 법이 희미했기 때문이다. 그리고 한 번 실패했으니까.

"사실 널 본 적 있어."

이반은 말했다.

"네? 언제요?"

생각지도 못한 이야기였는지 연하는 깜짝 놀랐다.

"작년 10월에."

"작년 10월이라면……. 아."

언제였는지 깨달은 모양이었다.

장례식은 런던 교외의 우울한 잿빛 하늘 아래에서 열렸다. 대장으로 예편한 영국 서민원[8] 의원, SIS[9]의 전 국장, MCTC의 설립자이자 초대 사무총장, '예레반의 영웅' 라디프 페인의 장례식치고 지나칠 만큼 소박한 규모였다. 그것이 고인의 뜻이었다. 그리고 고인이 미리 작성해 둔, 장례식에 참석 가능한 인명부에 연하가 있었던 모양이다.

하지만 군 관련자만 해도 고위급들이 기라성 같은 자리여서 부사관에 불과한 연하는 거의 이목을 끌지 않았다. 그녀는 직접 손질한 것 같은 단정한 정복을 입고 내내 구석자리에 서 있을 뿐이었다.

피 웅덩이에 잠겨 죽어가던 소녀는 파란 윤기가 흐르는 눈으로 비석을 응시하고 있었다.

사실 이반은 페인이 연하를 장례식에 부를 거라고는 예상하지 못했다. 그래서 그때 그는 그녀를 만날 준비가 되어 있지 않았지만, 어쩐지 바라고 말았다. 연하를 발견한 순간 눈앞을 오가는 검은 형체 이상의 의미를 갖지 못하는 사람들 사이로 그를 마주 보길. 우울감에 어두워진

8) 영국 하원, House of Commons of the United Kingdom

9) 영국의 비밀정보부, 통칭 MI-6, Secret Intelligence Service

눈에 빛이 번지기를…….

이반은 눈앞에 있는 연하를 보고 말했다.

"주변을 한 번도 둘러보지 않더구나."

"페인 총장님은 제가 루아스가 되고 처음 만난 분이었거든요."

사고를 당한 후 막 깨어난 연하에게 온 MCTC의 대변인이 바로 그였다. 당시 그는 총장직에서 물러난 지 꽤 된 상태였기 때문에 대변인의 자격으로 그녀를 찾아온 것이었다. 그리고 페인은 그녀가 루아스로서, 군인으로서 잘 적응할 수 있도록 물심양면으로 도와주었다. 연하는 만약 제게 파트로네스가 있었다면 그 같은 느낌일 거라고 생각하고는 했다.

"항상 친절하게 대해주셨어요. 바쁘셔서 자주 뵙지는 못했지만 늘 메일로 안부도 물어주셨고……."

연하는 모아 쥔 손에 힘을 주었다.

"테러 같은 걸로 돌아가실 분이 아니었는데."

페인 총장은 췌장암 말기였다. 그런데 병상에서 일어날 수조차 없는 늙은이를, SN은 굳이 노력과 인력을 써가며 암살한 것이다. 페인 총장이 얼마나 그들에게 눈엣가시였는지 생각하면 무리도 아니지만 무차별적인 테러를 일삼는 SN으로서도 과한 느낌이 있었다.

하지만 총장도 어느 정도 예감하고 있었던 모양이다. 병실에 미리 설치해 놓은 폭탄을 터뜨려 SN 간부를 포함한 대원 셋을 저승길에 데려갔다. 과연 전쟁 당시 뱀파이어의 아지트로 오인받아 대규모 폭격이 예정된 예레반에 도리어 부대를 끌고 들어가 폭격을 막아낸 담력이었다.

"미안합니다. 당신에게 너무 큰 짐을 지워서."

마지막으로 병문안을 갔을 때 총장은 연하에게 말했다. 손등을 덮은 그의 손이 따듯했다. 처음 루아스로 눈뜬 그녀의 손을 잡았을 때처럼……. 연하는 그때가 그를 만나는 게 마지막이 될 거라고는 미처 예상하지 못했다.

잃는다는 것이 새삼 고통스러워, 연하는 일부러 더 밝게 말했다.

"하지만 거기 국장님이 계신 줄은 몰랐어요."

아마 이래저래 엇갈려 보지 못했을 터. 만일 국장을 보았다면 기억하지 못할 리가 없었다. 어떻게 이런 사람을…….

"있었어."

이반은 말했다.

널 보고 있었어.

그녀를 똑바로 보는 눈동자가 그렇게 이야기하는 것 같았다. 연하는 입을 열었다가 다시 다물었다. 이런 눈빛 앞에서는 도저히 어떻게 반응해야 할지 알 수 없었기 때문이다.

이런 평범한 반응도 귀여워서, 이반은 그렇게 생각하는 자신이 낯설었다. 연하는 아직 인간의 향기를 풍겼다. 생명력, 감정, 그런 것들을. 손을 대면 사랑스러운 색채가 묻어날 것 같았다.

사실 이반은 페인이 연하를 장례식에 부른 이유를 알고 있었다. 그에게 이 아이를 보라고 이야기한 것이다. 그가 포기한 클리엔테스가 이렇게 잘 자랐다고.

"그래서."

이반은 갑자기 말했다.

"아버지의 마음으로 하는 말인데, 밖에 다닐 때 그런 바지는 안 입는 게 좋지 않을까."

자신이 이런 소리를 하게 되는 날이 오리라고는 생각지도 못했지만 요즘 같은 시대에 유적에서 일어난 사람처럼 고리타분한 소리를 한다고 생각할지라도 현대에도 남자가 남자인 한, 그는 기필코 이 말을 해야 했다. 그러나 연하는 전혀 이해하지 못한 얼굴이었다.

"제 바지가 왜요?"

"바지보다 속옷 같아서."

"이게 왜 속옷이에요?"

연하에게는 말을 곧이곧대로 듣는 장점이랄까 단점이랄까 아무튼 그런 귀여운 점이 있었는데, 더구나 그다지 생각하지 않고 행동하는 편 같았다. 그러니까 연하는 바지를 속옷에 빗댄 비유를 이해하지 못했고, '속옷은 이렇게 생기지 않았다.'라는 사실을 증명하겠다는 외골수적인 생각밖에 하지 않았던 것 같다.

"속옷은 이거……."

속옷을 보여주려고 바지를 끌어 올리려는 손을, 이반은 당장 붙잡았다.

"그런 건 보여주지 않아도 돼."

말하고 보니 아닌 것 같아 이반은 다시 말했다.

"아니, 보여주지 마."

다만 필요 이상으로 화내고 말았다는 건, 연하의 놀란 눈을 보고 알았다.

연하는 천천히 고개를 끄덕였고 이반은 낭패감을 느끼면서 그녀의 손을 놓았다. 그런데 막 떠나는 손을, 연하가 도로 잡고 말했다.

"근데 왜 자꾸 아버지라고 하세요?"

이반은 물끄러미 연하를 보았다.

"너만 한 딸이 몇 명은 더 있어도 이상한 나이는 아닌데."

"그래도 제 아버지는 아니잖아요."

샤워를 했는지 연하의 피부에서 싱그러운 향이 났다. 아까부터 맡기는 했지만 이런 거리에, 이런 공간에서는 머리가 어지러울 정도였다.

직접 마주하기 전까지는 이반도 알지 못했던 부분인데, 외모는 어리지만 연하의 눈빛은 전혀 아이 같지 않았다. 생각해 보면 이 안에 있는 것은 서른하나의 성인 여성인 것이다.

이반은 연하에게서 시선을 떼지 않고 물었다.

"내가 아버지라면 싫을 것 같아?"

"어쨌든 아니니까."

그러면서 연하는 살짝 눈을 흘겼다.

"국장님 같은 아버지가 어디 있어요?"

이반은 피식 웃었다.

"내가 어떤데?"

그의 얼굴, 그의 눈동자……. 무엇 하나 섹시하지 않다고 느껴지지 않는 부분이 없었다. 낮은 목소리도, 윤기가 도는 눈동자도, 벌어진 옷깃 사이 굵은 울대도.

연하는 어쩐지 둘의 거리가 더 가까워진 것 같다고 생각했다. 아까까진 국장의 뒤로 천장의 조명이 보였는데 지금은 그에게 가려져 있었다. 둘 사이에 안전지대가 사라질수록 연하는 아무 생각도 나지 않았다. 그의 그늘에 잠겨 숨이 가빠지는 기분이었다.

"어떤데?"

연하가 대답하지 않자 이반이 다시 물었다. 연하는 입을 열었다.

"섹시해요."

'어, 나 또 뭔가 필터 없이 말하지 않았나.'

말하고 바로 생각하는데, 생각지도 못한 말이었는지 이반이 놀랐다.

"뭐?"

연하는 빠르게 눈을 굴렸다.

"……애 아빠라기엔?"

이반은 묘한 표정이었다. 연하는 그가 말하기 전에 꾸벅 고개를 숙여 사과했다.

"죄송합니다. 국장님께 드릴 말은 아니었네요."

"아니……."

말하면서 무의식중에 아래쪽을 본 이반이 허리를 숙여 휴대용 청소기를 들어 올렸다.

"여기 있네."

이반은 연하에게 청소기를 건네주었다.

"내려가 있어. 옷 좀 갈아입고 갈게."

"네."

연하는 청소기를 받아서 조금 다급히 방을 나섰다. 이반은 팔짱을 끼고 입가를 손으로 짚었다.

'저런 성격이었는지는 미처 몰랐군.'

서류 너머 연하는 조용한 성격이었다. 루아스라는 사실 외에 눈에 띄는 점은 없었다. 직장에서도 평범했고, 생활도 평범했다. 그래서 약간은 이 모든 상황에 위압되어 있는 것처럼 느껴질 때도 있었는데 지금 보니 그건 아닌 것 같았다. 직접 마주하자 역시 보고서만으로는 알 수 없었던 생동감이 총천연색으로 와 닿았다.

이반은 웃으며 손을 내렸다.

'하지만 안 되지.'

여자는 많지만, 딸은 하나니까. 그리고 반쯤 화석이 되어버린 몸에 성욕은 더 이상 우선순위가 아니었다. 예전에는 그런 소모적인 것이 쾌감으로 느껴졌다는 게 우스울 정도였다.

그런데 드레스룸을 나서는 길에 붙박이 거울이 눈에 띄었다.

"아직 쓸 만은 한가 보군."

이반은 심상하게 말하고 드레스룸을 나섰다. 한편 1층으로 내려온 연하는 청소기를 내려놓고 작동시켰다. 그리고 바람을 뿜으며 움직이기 시작하는 청소기를 멍하니 지켜보았다.

'뭐였지.'

방금 무슨 일인가 있었던 것 같은데 무슨 일이었던 건지 알 수 없었다. 그냥 왠지 몸이 노곤하고…… 오금이 저린 느낌.

오금을 긁고 있는데 청력이 좋은 귀에 얼핏 서랍을 여닫는 소리가 났다. 드르륵. 탁. 연하는 갑자기 귀에 온 정신이 집중되면서, 국장이 옷을 갈아입는 모습을 상상하고 말았다. 상체뿐이라도 벗은 모습을 알고 있어서 상상은 더욱 생생했다.

연하는 고개를 저었다. 반 벗은 남자의 몸쯤이야 지겹게 보는 것이었다. 도영만 해도 어지간한 속옷 모델 뺨치는 수준이라 새로울 것도 없는…….

'그래도 꽤 볼만했지.'

연하는 반사적으로 생각했다.

사실 루아스가 기초대사량이 인간과 비교할 수 없게 좋아서 그렇지 관리를 하지 않으면 몸이 망가지는 건 다르지 않았다. 동물원에서 편하게 산 치타가 주는 족족 받아먹다가 돼지가 되듯이 말이다. 워낙 기본이 탄탄해서 오래 걸릴 뿐이지 결국 생물의 기본 원리에서는 벗어날 수 없었다.

문득 정신이 들었을 때, 공간은 조용했다. 연하는 시간이 가는 줄도 모르고 사춘기 소녀 같은 망상에 사로잡혀 있었다. 사춘기 소녀가 이렇게 진한 상상까지 하는지는 모르겠지만.

'기척.'

연하는 불현듯 깨달았다. 낯선 기척은 바로 뒤에 서 있었다. 너무 넋을 놓고 있었다.

허리 안쪽에 꽂아놓은 글록의 손잡이를 잡아 뽑는 순간이었다. 연하는 소파 뒤에 서 있는 남자의 멱살을 휘감아 당기는 동시에 그대로 남자를 등받이에 엎어 팔로 고정시켰다. 눈 깜빡할 사이였다.

연하는 남자의 관자놀이에 총구를 밀어붙였다.

"누구야."

중년 남자는 아무리 봐도 낯선 얼굴이었다. 잘 모르는 행정 직원이라고 해도 혼자 국장 관사에 들어올 수 있을 리 없었다. 즉, 수상한 남자.

"대공의 개야? 어떻게 여기까지 들어왔지?"

거칠게 물었지만 남자는 눈이 튀어나오도록 크게 뜨고 있을 뿐이었다. 연하는 이를 갈았다.

"대공의 개냐고 묻잖아!"

"재단사입니다."

대답한 사람은 남자가 아니었다. 어느새 남자 뒤에 서 있는, 낮에 본 복장에 캡 모자를 쓰고 있는 렉스가 대답한 것이었다. 연하는 얼떨떨했다.

"재단사…… 요?"

재단사, 라고 해도 재단사가 왜 여기 있는지 상관관계를 잘 알 수 없었다. 아니, 그전에 요즘 재단사라는 직업을 가진 사람이 있었던가.

그때 편한 옷으로 갈아입은 이반이 2층에서 내려오다가 그 풍경을 보고 멈칫했다.

"재단사님?"

"네에……."

중년 남자는 목이 졸려 겨우 대답했다. 연하는 눈을 깜빡이고 재단사를 보았다. 그는 고통스러워하는 얼굴이었다.

"대공의 개가 아니, 세요?"

연하는 문밖에서 슬그머니 방 안을 들여다보았다. 방 안에서는 재단사가 국장의 치수를 재고 있었다. 국장은 내일 다시 오거나 다른 사람을 보내도 괜찮다고 말했지만 재단사는 할 일은 하겠다며 줄자를 꺼내

든 진정한 프로였다.

"살의를 가진 기척이 아니라는 걸 알지 않았습니까?"

문 안쪽에 서 있는 렉스가 연하를 보고 물었다.

"잠깐 딴 생각을 하느라……."

무슨 생각을 하고 있었기에 그런 걸 헷갈리느냐는 표정에 연하는 뒷말이 흐려졌다. 물론 렉스는 견고한 무표정이었기 때문에 제 피해망상일 가능성이 컸다.

연하는 웅얼거렸다.

"아무튼 취임식을 하신다고요……."

국장 관사와 재단사의 관계는 그렇게 밝혀졌다. 이반이 정복을 가져오지 않아 치수를 재기 위해 마침 재단사를 부른 날이었다는 것이다. 그런데 자신이 미리 와 있었던 것이고.

렉스는 절절매는 연하를 지켜보다가 말했다.

"대공을 꽤나 미워하는 것 같군요."

멈칫하고 렉스를 돌아보는 까만 눈동자가 전혀 다른 분위기를 풍겼다. 마치 그 이름이 내부의 어떤 스위치를 켜듯.

연하는 어두운 눈으로 말했다.

"절 죽인 존재니까요."

렉스는 그녀를 보다가 물었다.

"기억이 납니까?"

그때 죽어가던 소녀와 지금 그녀는 많이 달라 보였다. 외모는 영원히 그 순간을 박제해 놓았으나 무지의 껍질을 벗은 눈빛은 맑았다.

"하나도 잊지 않았어요. 웃는 모양새까지도."

이제는 흔적도 남아 있지 않지만 연하는 배를 짚었다. 무의식중인 것 같았다. 렉스는 단지 그녀가 어디까지 기억하나 궁금했을 뿐인데 아픈 기억을 떠올리게 만들었다고 생각하는지 재단사를 넘어 이쪽을 보는 눈빛이 살벌했다. 지금까지 어떻게 떼어놓고 살았는지 신기할 지경이었다.

"다 끝났습니다."

그때 안에서 재단사가 말했다. 바로 반응해서 돌아보는 연하는, 강아지를 연상시켰다.

"수고하셨습니다."

재단사는 짐을 챙기기 시작했다. 그때만을 기다린 연하는 당장 들어가 손을 내밀었다.

"제가 들어드릴게요."

"아뇨, 괜찮……."

"제가 들어드리겠습니다!"

재단사는 허허 웃고는 두 번 사양하지 않았다. 그에 연하가 더 쩔쩔매며 나가는 뒷모습을, 이반은 피식 웃으면서 보았다.

"그럼 다시 연락드리겠습니다."

입구에서 재단사는 짐을 받아 들고 이반에게 말했다.

"정말 정말 정말……."

이반 옆에 서 있는 연하는 말하면서 점점 몸이 낮아지더니 거의 절을 했다.

"죄송합니다."

재단사는 허허 웃었다.

"아니, 그러지 않으셔도 되는데……. 말도 없이 뒤에 가서 선 제 잘못도 있으니까요."

이반은 웃으며 재단사에게 말했다.

"조심히 가십시오."

렉스가 바깥쪽으로 손짓했다.

"밖까지 모셔다드리겠습니다."

렉스와 재단사가 나가고 나서야 연하는 일어났다.

"괜찮으시겠죠?"

"정말 다쳤으면 이미 병원에 갔을 거야."

이반이 그렇게 말해도 연하는 못내 걱정스러운 얼굴로 몸을 돌리지 못했다. 이반은 그런 연하를 빤히 보면서 말했다.

"정말 착하게 컸구나."

갑자기 연하는 얼굴이 뚱해졌다.

"또 아버지 같은 말."

이반은 물끄러미 연하를 보았다. 이 녀석 지금 은근슬쩍 반말하지 않았나. 그런데 연하가 갑자기 무슨 생각이 났는지 우물쭈물 말했다.

"근데 비교도 되지 않게 맛있는 걸 준다고……."

이반은 '아아' 소리를 내었다.

"그것 때문에 왔구나. 좀 섭섭해지려고 하는데."

"네? 아니, 그게…… 그럼 뭐 때문에 와요?"

"글쎄."

연하는 이반이 웃는 게 정말로 이해되지 않는 표정이었다. 이런 걸 보면 아직 어린 것 같기도 한데 말이다.

"이리 와."

이반은 말하고 부엌으로 갔다. 연하는 그를 따라갔다. 이반은 불 위에 프라이팬을 올려놓고 냉장고 아래쪽 서랍을 열었다. 연하는 순간 배양균 보관 냉장고인 줄 알았다. 푸른 불빛 아래 무언가 서류들처럼 가지런하게 꽂혀 있어서. 하지만 이반이 거기서 꺼낸 것은 진공포장 된 스테이크용 고기였다.

"혹시 그거 고기예요?"

연하는 조금 주저하며 물었다. 인간이었을 때부터 고기는 잘 먹지 않았기 때문이다. 채식주의자의 '주의'를 고수할 정도로 신념이나 믿음이 있었다기보다는 그냥 고기의 맛 자체를 좋아하지 않았다. 그런 그녀가 뱀파이어가 되었다는 게 인생사의 아이러니한 점이지만 다행히 뱀파이어도 채식 비슷한 걸 하고 살 수 있는 세상이니까.

어쨌든 이반으로서는 생각해서 초대한 걸 텐데 차마 고기를 잘 먹지 않는다고 말할 수 없어서, 연하는 최대한 당황한 티를 내지 않으려고 노력했다.

그런데 이반이 대답했다.

"아니."

'아무래도 고기처럼 보이는데.'

연하는 생각했지만 아니라는데 그렇다고 우길 수도 없어서 지켜보는 사이, 이반은 고기를, 아니, 고기처럼 보이는 시뻘건 덩어리를 포장에서 꺼내 달궈진 팬에 올렸다.

고기 굽는 냄새가 퍼졌다. 연하는 자기도 모르게 입맛을 다시는 자신을 발견하고 놀랐다. 뱀파이어라고 육식성은 아니기 때문에 불가피한 욕구만 제외하고 딱히 식성이 바뀌었다고 느낀 적은 없었다. 인간이었다면 집 기둥을 골백번 뽑을 것처럼 먹어대는 것만 제외하고. 그런데 왠지 익숙한 냄새가 미각을 자극했다.

요리를 완성한 이반은 플레이팅까지 마친 접시를 앞에 내려놓았다. 연하는 마음 같아서는 한입에 집어 먹을 수 있을 것 같았지만, 문명인이니까. 그가 냅킨 위에 놓아준 칼과 포크로 잘라 조심히 한 입 먹었다. 그리고 연하는 놀란 눈으로 접시를 내려다보았다.

"맛있…… 설마 이거 '꽃'이에요?"

막 인터폰을 누르려는데 인기척을 감지한 자동문이 저절로 열렸다.

"강 상사."

방은 비어 있었다. 도영은 인상을 썼다. 문단속을 꼭 하라고 신신당부했는데 또 이렇게 열어놓고. 하여간 외모 때문만이 아니라, 이렇게 헐렁

한 녀석을 도저히 연상이라고 생각할 수가 없었다.
"어디 간 거야?"
방은 깔끔했지만 침구는 자고 일어났던 모양 그대로 어지러웠다. 방이 이 정도로 깔끔한 것도 방 상태를 자동으로 인지하고 청소기를 가동하는 AI 덕분이지, 현대인이 아니었다면 돼지우리나 다름없는 곳에서 살았을 것이다.
그때 뒤로 다시 문이 열렸다.
"강 상사, 너……."
도영은 잔소리를 장전하고 돌아봤는데, 들어온 사람은 리웨이였다. 리웨이도 의외라는 듯이 도영을 보았다.
"소령님 여기서 뭐 하세요?"
"대위님이야말로……. 아, 배달이요?"
도영은 리웨이가 끌고 온 반자동 카트 위에 올려진, 전문적으로 밀봉된 상자를 보고 말했다. 리웨이는 고개를 내저었다.
"배신자 뭐가 예쁘다고 여기까지 친히 갖다 주는지 모르겠네요."
말은 그렇게 해도 아마 리웨이 나름대로 화해의 제스처이리라.
안 그래도 도영도 얼마 전에 의무대에서 있었던 이야기를 들었다. 사실 그도 국장의 행동 자체는 백 번 잘했다고 생각했다. 리웨이는 별 뜻은 없었겠지만 루아스 대원들에 대한 무차별적인 생체 정보 수집은 문제가 되고 있던 차였으니까. 단지 국장이 그랬다고 하니 왠지 묘하게…….
'국장이면 국장답게 지부의 대사나 처리할 것이지, 시간도 많아.'
생각하는데 탁자 위에 있는 대용량 과자 봉지에 시선이 닿았다. 도영은 기가 막혀 봉지를 한 번 들었다가 툭 내려놓았다.
"이 녀석 또 이렇게 과자를 먹어대고. 하여간 애라니까요, 애."
리웨이는 냉장고 쪽으로 가면서 대답했다.
"활동하는 데 엄청나게 많은 에너지를 필요로 하는 몸뚱이니까요. 먹을 수 있는 거라면 다 먹는 게 좋죠."

루아스에게 있어 피는 고양이에게 꼭 필요한 영양소인 타우린 같은 존재지만 다른 음식 역시 섭취해야 했다. 사실 열량 측면에서 피는 상당히 곤궁해서, 피만 마시고 살 수 있다면 그게 오히려 마법 같은 일이었다.

"아무리 먹어도 충분히 채워지진 않을 테지만요."

리웨이가 덧붙이며 박스 뚜껑을 열자 투명한 팩들이 열 맞춰 가지런히 누워 있었다. 도영은 사과주스 같은 액체가 찰랑거리는 팩 하나를 집어 들고 말했다.

"이게 아니면 말이죠. 아무리 생각해도 신기하단 말이죠. 꽃의 추출물이 피를 대체하다니."

"모기는 원래 흡혈하는 생물이 아니거든요."

카트가 자동으로 박스를 냉장고에 넣는 모습을 보며 리웨이는 무심히 말했다.

"대중적인 인식과 다르게 실은 피보다 식물성 수액을 주식으로 하죠. 흡혈하는 건 영양이 필요한 산란기의 암컷뿐이고. 그 사실에 착안해서, 어떤 박사는 어쩌면 우리가 흡혈귀라고 부르는 존재가 피 대신 음용할 수 있는 식물이 있을지도 모른다는 가설을 세웠죠."

리웨이는 어깨를 으쓱였다.

"아이디어는 그럴듯했지만 가망은 없는 이야기였죠. 그런 신기한 식물이 있다면 아직 발견되지 않고 있었겠어요?"

"하지만 발견됐죠."

도영이 말하자 리웨이는 돌아보았다.

"맞아요. 아직 인간의 발길이 닿지 않은 오지를 찾아 안데스로 간 박사가 떨어진 크레바스[10]에서."

---

10) 빙하의 표면에 생긴 깊은 균열. 국립국어원 표준국어대사전

이반은 희미하게 웃었다.

"맞아."

이게 꽃이라니…….

연하는 놀란 얼굴을 감추지 못했다.

인간과 루아스 사이의 전쟁은 채 일 년을 끌지 않았지만 파괴적이었다. 루아스는 소수였으나 강한 육체 능력이 있었고, 인간은 다수였고 최첨단 무기로 무장하고 있었기 때문이다. 그런데 돌파구가 보이지 않는 전쟁의 흐름을 단번에 바꾸어 버리는 일이 일어났다. 블란두스라는 스웨덴의 식물유전공학자가 안데스에서 미지의 붉은 꽃을 발견했던 것이다.

안 그래도 어디서 들은 이름이다 싶었더니, 아까 읽은 책의 저자인 그 블란두스가 맞았다. 마리에테 블란두스 박사. 이반이 왔을 때 연하는 마침 박사가 꽃을 발견했을 당시의 기록을 읽고 있는 참이었다.

-구사일생으로 구출되어 지상으로 돌아온 나는 현지의 병원에 입원했다. 때는 여름이었고, 눈이 녹아 곳곳에 물웅덩이가 고인 안데스의 자연에는 산란기를 맞은 각종 생물들이 우글거렸다. 밤 내내 모기들이 날아드는 소리를 들은 나는 내일 잔뜩 물려 있을 것을 걱정하며 잠들었다.

그런데 일어나 보니, 전혀 물리지 않은 것이다. 모기들은 모두 머리맡에 두고 잔 꽃에 몰려들어 있었다. 그건 섬뜩한 광경이었다. 마치 붉게 타오르는 태양을 향해 몸을 던져 경배하는 원주민들을 보는 것 같았다.

연구소로 돌아가 분석한 결과, 꽃은 엽록소의 포르피린 고리에 원래 들어 있어야 할 마그네슘 원자 대신 철이 들어 있었다. 마치 인간처럼. 그래서 꽃잎이 핏빛을 띤 것이다.

그때 나는 본능적으로 알았다, 내 가설이 틀리지 않았음을. 뱀파이어의 만나(manna)[11]는 존재했다.

“서양에서는 만나, 여기서는 서천 꽃밭에서 온 꽃이라고 하기도 한다지.”

이반은 흥미롭다는 듯 말했다.

“네. 박사가 떨어진 동굴이 이승과 저승을 잇는 동굴이었을 거라고.”

연하는 대답하고 어깨를 으쓱였다.

“이런저런 이야기 중 하나지만요.”

하지만 꽃은 자연 상태에서는 피만큼 충분한 영양분이 되지 않았다. 그래서 이 꽃의 주요 성분이자 인간 혈액의 헤모글로빈을 대체하는 ‘쿨리시다이닌’을 정제하여 유기 합성한 것이 바로 제약회사 제노아틱스가 개발한 하이마였다.

“물론 ‘꽃’이 완전히 새로운 건 아니었다죠?”

연하는 고기, 아니, 고기처럼 보이는 것을 찍어 먹으며 말했다. 그러자 이반이 이어 말했다.

“옛날부터 루아스 사회에서는 알음알음 알려져 있었지. 급할 때 피 대신 먹을 수 있는 꽃이 있다고.”

하지만 일단 강을 타고 내려오거나 우연히 발견된 군락 몇 개를 제외하면 원산지를 알지 못했고, 무엇보다 흡혈귀들은 이 꽃을 대량화하는 방법을 알지도, 필요를 느끼지도 못했다. 먹잇감은 주변에 얼마든지 있었으니까. 따라서 꽃은 아는 사람은 알고 모르는 사람은 모르는 팁 같은 것으로만 전해져 오다가, 인간의 기술을 만나면서 새로운 분수령을 이룬 것이다.

“그런데 하이마라는 단어 자체가 피라는 뜻이라서 그런지 아직 우리

11) 이스라엘 민족이 모세의 인도로 이집트에서 탈출하여 가나안 땅으로 가던 도중, 광야에서 먹을 음식과 마실 물이 없어 방황하고 있을 때에 여호와가 하늘에서 날마다 내려 주었다고 하는 기적의 음식. 국립국어원 표준국어대사전

가 피를 마신다고 생각하는 사람도 있더라고요."

연하는 조금 억울하단 듯이 말했다.

즉, 하이마는 '피'라는 이름이 붙었지만 실제로는 식물성 식품인 것이다.

그렇게 뱀파이어들은 인간의 피에 기생하며 살아온 기나긴 역사에 처음으로, 흡혈 생물로서의 악명을 벗을 수 있었다. 또한 모든 뱀파이어가 인류의 적은 아님을 주장하는 소수 평화파의 목소리가 힘을 얻는 순간이었다.

이반은 조금 웃고 말했다.

"이건 고기 형태로 만든 거야."

괜히 학명으로 호모 비벤스, '마시는 사람'이라고 하는 게 아니듯 루아스들이 섭취하는 기본 형태는 액체였다. 하지만 재단사가 직접 만드는 맞춤옷처럼 아무리 더는 불필요해도 인간이 향유하고 싶어 하는 것이 있듯이 루아스도 마찬가지였다.

"이런 게 있었구나……."

연하는 감탄해 중얼거렸다. 이쪽이 평소 먹는 것보다 맛이나 향미도 더 풍부했다. 마트에서 파는 공산품 초콜릿과 스위스 수제 초콜릿이 차이 나는 것처럼.

"맛있어요."

"먹어본 적 없어?"

이반이 물어, 연하는 조금 생각하다가 대답했다.

"음, 다른 제품으로 만든 거라면 루챠챠 정도……."

이반은 순간 뭔가 하다가 그 웃긴 이름의 주스라는 걸 깨달았다.

'그러고 보니 셀레나가 군것질거리와 접목한 것들이 의외로 수익을 낸다고 한 적이 있었지.'

이반은 연하를 보았다.

'여기까지 영향을 미칠 줄은 몰랐지만.'
이반은 생각하고 말했다.
"불량 식품을 좋아하는구나."
"그래서 소령님이 맨날 열아홉에서 자라지 않는다고 구박해요."
"구박한다고?"
"네. 느려 터졌다고 곰이라 하고……."
이반은 '흠' 소리를 내었다.
"루아스가 듣기 쉬운 말은 아닌데."
"제가 인간이었을 때 느린 편이었거든요. 밥도 가장 늦게까지 먹었고. 그런데 뱀파이어가 됐으니 아이러니한 일이죠."
이반은 연하를 보다가 새삼 깨달았다는 듯이 말했다.
"넌 아직 인간이었을 때 기억이 선명하겠구나."
따지고 보면 연하가 뱀파이어로 산 기간은 고작 12년……. 아직 인생의 반 이상은 인간이었던 것이다.
"국장님은요?"
연하가 물어 이반은 조금 웃었다.
"글쎄, 같은 사람이긴 했는지."
연하는 포크를 물고 이반을 빤히 보았다. 그가 시선으로 쳐다보는 이유를 묻자 포크를 빼고 말했다.
"국장님은 인간 같으세요."
"내가?"
이반은 아주 뜻밖인 이야기를 들은 얼굴이었다. 연하는 고개를 끄덕였다.
"루아스들은 뭐랄까, 표정이 좀 없는 편이잖아요. 렉스 씨도 좀 그렇고……."
저 녀석은 인간일 때부터 그랬을 테지만……. 뭐, 지금 중요한 이야기는 아니니까. 이반은 조금 웃고 말했다.
"아마 다들 별로 새로울 일이 없어서 그럴 거야."
"국장님은 그렇지 않으세요?"
이반은 웃는 얼굴을 풀지 않았다.
"난……."
그의 내부는 오래전에 텅 비어버렸다. 이제는 하늘의 별을 보며 감상에 젖는 일도, 지평선 너머에 무엇이 있을지 궁금해하는 일도 없어졌다. 만약 금은보화에 대한 전설을 듣고 그라는 무덤을 파낸 도굴꾼이 있다면 먼지만 굴러다니는 텅 빈 속을 보고 실망을 금치 못할 것이다. 이제 그는 그저 습관의 무덤이라고 할 만한 존재였다.
하지만 나쁜 기분은 아니었다. 누군가가 그에게 인간성이란 것이 남아 있다고 봐주는 기분이.
그때 연하는 옆을 보았다가 눈을 깜빡였다. 복도에 웬 못 보던 석상이 서 있는가 싶었더니, 렉스였던 것이다.
"언제 오셨어요?"
연하가 얼떨떨하게 묻자 이반은 렉스를 돌아보았다.
"아까부터 저기 서 있었는데."
연하는 미간을 좁혔다. 전혀 몰랐다는 얼굴이었다. 워낙 기척을 지우는 데 탁월한 녀석이다 보니 아직 어린 뱀파이어로서는 눈치채지 못할 수 있는데 자존심이 상하는 모양…… 하고 이반이 생각하는데 연하가 말했다.
"식사하셨어요?"
렉스는 복도를 돌아보았다. 아무도 오는 이가 없었다. 그제야 자신에게 하는 말인 걸 깨달았다. 동시에 이반도 의외의 것을 깨달았다.
'그렇군. 보통은 그런 걸 먼저 묻기 마련이겠지.'
어느새 그런 상식적인 것이 더 낯설어져 버렸다.

"괜찮습니다."

렉스가 무심하게 대답했지만 연하는 좁힌 미간을 펴지 않았다. 그리고 접시를 보았다가, 렉스를 보았다가, 다시 접시를 보았다가……. 이반은 묘한 웃음을 지으며 일어나면서 연하의 옆자리로 고갯짓했다.

"앉아."

그나마 두 번 말하게 만들지 않는 게 장점인 렉스는 바로 자리에 앉았다. 이반은 다시 불 위에 프라이팬을 얹었다. 그사이에 연하가 렉스에게 말을 걸었다.

"재단사님은 잘 가셨어요?"

"네."

렉스가 단답으로 대답하고 정적이 감돌자 연하는 눈을 굴리더니 다시 심기일전하고 물었다.

"고기 좋아하세요?"

"아뇨."

또 그렇게 대답하고 말 줄은 몰랐는지 연하는 '아…….' 소리를 냈다. 렉스가 자신에게도 만만치 않은 상대임을 깨달은 것 같았다. 이반은 렉스를 상대로 괜한 노력이라고 말해주고 싶었는데 연하가 진지하기 이를 데 없는 얼굴로 이랬다.

"지구 환경에 좋은 선택이네요. 저희가 고기까지 좋아했으면 어떻게 됐겠어요?"

"네?"

렉스는 황당하다는 얼굴을 감추지 못했다. 이반은 참을 새도 없이 큭 웃었다. 그 모습에 렉스는 놀란 듯이 이반을 돌아보았고, 연하는 그가 왜 웃는지 이해하지 못하는 얼굴이었다.

이내 이반은 렉스의 앞에 접시를 내려놓았다. 연하는 알 길이 없겠지만 이반이 렉스에게 처음으로 요리라는 것을 해준 순간이었다. 그를 감염시키고 떠난 이래. 애초에 이반은 클리엔테스라는 것을 키울 생각 따위 없었던 탓이다.

어쩌다 보니 셋이나 생겨 버렸지만.

이반은 제 앞에 나란히 앉아 있는 두 사람을 보았다. 렉스는 이 상황이 낯설어서 앞에 놓인 음식이 살아 있는 낙지라도 되는 양 쳐다보고 있을 따름이었다. 연하는 옆에서 렉스가 먹나 먹지 않나 감시라도 하듯 보고 있었다.

"안 드세요?"

연하가 묻자 렉스는 그제야 포크를 들었다.

"먹습니다."

어쩐지 이 자매는 자신에게 뭔가 먹이려고 하는 것 같다고 생각하며, 렉스는 음식을 먹었다. 맛있었다.

"애초에."

탁. 리웨이는 냉장고 서랍을 닫았다.

"모기가 박멸해야 할 대상으로 여겨지는 이유도, 흡혈 행위 자체보다 말라리아나 뇌염 같은 위험한 병을 옮기기 때문이니까요. 인간을 물지 않고 꽃의 꿀로만 살아가는 모기라면 굳이 박멸해야 할 필요가 없죠. 어쨌든 모기도 생태계 균형에 일익을 담당하는 존재니까요."

리웨이는 몸을 돌리고 쓰게 웃었다.

"사실 모기가 사라지면 그 천적에게는 얼마나 신나는 세상이 되겠어요?"

그때였다.

삐잉. 삐잉. 삐잉.

경고가 터졌다. 리웨이는 흠칫 천장을 보고, 도영은 두말할 것도 없이 바로 뛰쳐나갔다.

경고음에 연하는 당장 포크를 내려놓고 달려 나갔다.

"가볼게요!"

이반은 순식간에 모퉁이 너머로 사라지는 연하의 뒷모습을 보며 말했다.

"렉스."

"가고 있습니다."

렉스도 이미 일어나고 있었다. 두 사람이 바람처럼 사라지고 난 자리, 이반은 남아 있는 세 사람분의 식기를 보았다. 쓴웃음이 올라왔다.

"다시 이런 가족 놀이는 하지 않으려고 했는데."

5

사냥개

“너 인마, 어디 있다가 이제 와!”

이미 격납고 앞에 나와 있는 KAI-10 수리온 헬기 앞에서 도영이 소리쳤다. 공기를 찢으며 돌아가는 로터 블레이드 소리에 흡수되어 들리지 않았으나 알 수 있었다. 버럭거리는 입모양, 손가락질하는 제스처, 표정 같은 것으로.

연하는 격납고를 가로질러 달려갔다. 팀은 이미 모두 헬기에 탑승해 있었다. 늦어서 미안하다는 제스처를 취하며 들어가 자리에 앉았다.

“너 어디 있었어? 아무리 찾아도 없던…….”

막 맞은편에 앉은 도영이 물었지만 연하는 양팔을 교차해 티셔츠부터 벗어 올렸다. 도영은 바로 고개를 돌리며 소리쳤다.

“아, 이 자식이. 훌렁훌렁 벗지 말라고 했잖아!”

직업 특성상 급하게 출동하게 되면 그도 가면서 갈아입는 경우가 태반이었지만 이 녀석은 너무 아무 신호도 주지 않았다.

대원들이 낄낄거렸다.

"우리 소령님 막 불끈불끈하십니까?"
도영은 기가 막혔다.
"제가 어제 태어난 줄 아십니까? 이런 유아 체형 따위……."
"그래, 소령님 완전 나이스 바디 취향이더구먼."
"안 그런 남자가 있습니까? 소령님은 또 그런 애들만 꼬이는 거고요."
팀원들은 하나 물었다 싶은지 고등학생들처럼 왁자지껄했다.
"왜요, 그래도 우리 상사님 제법……."
오랜 시간 함께해 온 팀원들이기 때문에 악의는 없었을 것이다. 하지만 그들의 시선이 몸에 밀착하는 기능성 상의로 갈아입은 연하의 가슴에 닿은 순간, 도영은 더 기가 막혔다.
"여러분."
그제야 대원들은 정신을 차리고 헛기침을 삼키며 시선을 돌렸다. 하여간 남자들이란. 오랫동안 함께한 팀원들이라도 이렇게 본성이 튀어나올 때가 있었다.
그런데 탈 사람들이 다 탔는데도 헬기가 떠오르지 않아, 도영은 조종사 소위를 보았다.
"출발 안 하십니까?"
소위는 돌아보고 대답했다.
"더 온다고 하는데요?"
"누가요? 대루아스 작전에 우리 말고……."
그때 입구에 인기척이 나타나 도영은 고개를 돌렸다. 그리고 의아한 얼굴이 되었다.
막 머리를 묶은 연하는 날아오는 물건을 감지하고 받아 들었다. 스포츠 가방이었다. 그리고 연하는 건너편 자리에 앉는 렉스를 발견했다.
"당신, 국장님 경호 아니었습니까?"
도영이 렉스에게 물으면서 연하에게 대답하라는 듯이 눈짓했다. 하지만 연하는 맹한 얼굴로 이럴 따름이었다.

"나도 국장님 경호원인 줄 알았는데."

"지금은 맞습니다."

렉스가 대답했다. 지금은? 도영이 물으려는데 렉스가 먼저 연하에게 말했다.

"입으세요."

그 말에 연하가 가방을 열어보자 익숙한 것들이 딸려 나왔다.

"방탄복이잖아요?"

"오늘부로 모든 대원은 방탄복을 입지 않고 작전에 들어가면 징계입니다. 국장님 직속 명령입니다."

렉스가 말해, 연하는 미간을 좁혔다. 아무리 요즘 방탄복이 옛날보다 경량이라지만 그래도 방탄복은 방탄복이었다.

연하는 렉스를 위아래로 훑었다.

"불편한데……. 그쪽은 안 입었잖아요?"

렉스는 아까 복장 그대로였다.

"전 견학이니까요."

도영은 눈썹을 추켜들었다.

"그런 걸 들고 말이죠."

렉스는 캐주얼한 복장에 어울리지 않게 박물관에서나 볼 것 같은 장검을 들고 있었다. 칼집은 둔탁한 검은색에 아무 장식이 없는 단순한 것이었지만 쓸 줄 모르는 사람이 널렁 들고 다닐 만한 물건은 아니었다.

렉스는 무심히 대답했다.

"호신용입니다."

무시무시해 보이긴 해도 전쟁에서 검이 사라진 세월을 고려하면 실제로 호신용으로 의미가 있을까 싶었다. 하지만 도영은 더 말하지 않았다. 드디어 수리온이 상승하기 시작했다.

도영은 연하에게 말했다.

"아무튼, 어서 입어. 안 그래도 너 맨날 가벼운 복장으로 덜렁덜렁 나갔다가……."

도영은 멈칫했다.

'이 녀석을 신경 쓰는군, 국장.'

이제는 단순한 감이 아니라 확신이었다. 그 정도 되는 남자가 이런 섹시한 구석이라고는 없는 곰에게 이성적인 관심을 가지게 됐을 것 같진 않은데…….

그때 연하가 다시 옷을 갈아입기 시작했다. 역시 이성들 앞이라는 의식 따위는 1그램도 없이 운동복 바지를 훌렁 벗기에 도영은 혀를 내차고 고개를 돌렸다. 렉스는 이미 창밖을 보고 있었다.

창 너머 불빛이 타오르는 서울의 야경이 빠르게 가까워지고 있었다.

"ETA[12] 30초 전."

건물이 가까워졌다. 연하는 활짝 열린 문가에 서서 건물을 훑었다. 건물은 현지 경찰이 폴리스 라인을 치고 출입을 통제 중이었다. 테러리스트들이 인질을 붙잡고 점거한 내부는 일단 조용해 보였다.

"헬멧 써."

뒤에서 도영이 말했다. 연하는 품에 안고 있는 헬멧을 썼다.

수리온은 거센 바람을 일으키며 건물 옥상 위에 멈추었다. 도영을 포함한 대원들이 먼저 호버링(공중 정지 비행)하고 있는 헬기에서 패스트로핑[13] 해서 옥상에 차례대로 내려섰다.

"갑니다."

마지막으로 연하는 로프 없이 훌쩍 뛰어내렸다. 가볍게 옥상에 착지

12) 도착 예정 시간, Estimated Time of Arrival

13) 헬기에서 줄을 타고 내려오는 것

하자 선두에 있는 도영이 손짓했다.

헬기는 다시 상승했다. 렉스는 헬기 창 너머로 팀이 옥상 문을 통해 줄지어 들어가는 모습을 지켜보았다.

"승냥이 셋, 내부 진입."

유리문 너머로 텅 비어 있는 회의실이 나타났다. 아무도 없어 보였다. 도영은 신중하게 기다렸다가 신호를 보냈다. 그러자 건너편에 있는 대원이 먼저 내부로 들어갔다. 팀은 뒤이어 오는 아군을 위해 이미 클리어링 된 곳이라는 표시로 적외선 케미라이트를 구석에 던지고 다시 움직였다.[14]

복도는 고요했다. 대원들은 중장비를 갖춘 덩치들이 움직이는 것치고 거의 발소리를 내지 않았다.

연하는 글로벌 금융 센터의 깨끗한 유리 창문 너머 건너편 건물에서 반짝이는 빛을 보았다. 금세 사라졌지만 저격수 옆에서 상황을 살피는 감적수의 망원경에 스친 불빛이라는 사실을 알 수 있었다.

"전방에 타깃!"

그때 한 중사가 외쳤다. 대원들은 당장 총구를 겨누었다. 복도 끝에 낯선 인영이 서 있었다. 캐주얼한 차림을 한 남자는 이를 드러내고 달려오기 시작했다.

"발포!"

총구들이 불을 뿜었다.

"피해!"

도영이 외쳤다. 다른 수를 쓰기 힘든 좁은 공간인 데다가 대원들이 따라가기엔 루아스의 속도가 너무 빨랐다. 루아스가 지나가는 길에 다 썰려 나가지 않도록 피하라고 외친 게 거의 유일한 대응 방법이었다.

14) 마크 오언, 케빈 모러, 「노 이지 데이(NO EASY DAY)」, 이동훈, 길찾기(2013). p.223

다들 젖 먹던 힘까지 다해 몸을 낮추고, 매뉴얼대로 연하만이 남아서 계속 발포했다. 적의 움직임을 따라갈 수 있는 동체 시력을 지닌 유일한 인물이기 때문이었다.

텅. 슬라이드가 밀려나면서 탄창이 비었음을 알렸다. 연하는 총을 내던지는 동시에 두 번째 총을 꺼내 발포하기 시작했다. 눈은 깜빡이지도 않고 목표물을 좇았다.

터엉. 두 번째도 내던졌다. 그리고 세 번째, 네 번째……. 루아스가 흐르는 물처럼 벽을 타고 옆을 지나가려고 했다. 뒤를 공격할 속셈이리라. 연하는 당장 총을 전부 내던지고, 그의 발목을 붙잡았다. 적은 움찔했다. 연하는 그대로 적을 휘둘러 벽에 처박았다.

쿵. 충격에 온 건물이 진동했다. 하지만 연하는 멈추지 않았다. 루아스를 다시 휘둘러 창문 밖으로 던져 버렸다. 그와 함께 유리가 산산이 터져 나갔다.

도영은 구멍이 뻥 뚫린 벽으로 불어드는 바람을 맞으며 저도 모르게 중얼거렸다.

"무식한 것……."

볼 때마다 신기하지만 도대체 꽃을 먹고 산다고는 볼 수 없는 파워였다.

도영과 대원들은 일어나서 다시 진영을 정비했다. 그때였다. 갑자기 도영이 움찔하더니 외쳤다.

"여덟!"

연하는 되묻지 않았다. 당장 유리창을 돌아보았다. 밖으로 떨어진 줄 알았던 루아스가 튀어 올라와 그녀를 붙잡았다. 그리고 연하를 주축 삼아 한 바퀴 돌았다. 그대로 그녀를 안고 바깥으로 몸을 던졌다.

후우우우우.

연하는 머리부터 떨어지기 시작했다. 건물 외부 유리에 거꾸로 빛나는 도시가 비쳤다. 마치 수면을 향해 떨어지는 것 같았다.

연하가 건물 외벽에 양팔과 양다리를 박아 넣자 전면 유리창들이 모조리 깨져 나가며 굉음을 퍼뜨렸다. 그런데 가까스로 멈추고 보니, 유리창 너머에 비명을 지르며 혼비백산하는 사람들이 있었다. 인간, 민간인들로 보였다.

"아래층에 사람들이 있습니다."

연하는 무전 너머로 말하고 대답은 듣지 않았다. 그녀의 발목을 붙잡고 있는 루아스가 빌딩을 박찼다. 그리고 그 반동으로 중력을 거스르는 포물선을 그리며 연하의 머리 위 빌딩 벽에 착지했다. 찰나, 땅바닥에서 있는 것 같은 두 사람의 발밑으로 빛을 반사한 유리 표면에 윤기가 지나갔다.

적이 조금 더 빨랐다. 중력과 무게, 힘을 더한 파워로 연하를 찍어 눌렀다. 아슬아슬하게 그 발을 붙잡을 수 있었지만 연하는 적과 함께 떨어지기 시작했다.

쿠우우웅. 운석이 추락한 것 같은 굉음이 울렸다.

문짝이 폭발하듯이 열렸다. 그리고 외계인으로 보일 만큼 신식으로 중무장한 대원들이 들이닥쳤다. 사람들은 비명을 질렀다. 대원들은 어두운 방을 샅샅이 훑어 인질범이 없다는 사실을 확인했다.

"A-1 클리어."

도영이 말하자 동시에 헬멧에 부착된 HMD[15]를 통해 다른 방으로 돌입한 팀들에게서도 메시지가 들어왔다.

[A-2 클리어.]

[A-3 클리어.]

대원들은 빠르게 손짓을 주고받고 인질들을 밖으로 데리고 나가기 시

15) 헬멧장착시현기, Helmet Mounted Display

작했다. 하나, 둘, 셋, 넷……. 어둠 속에 한 덩어리 같이 뭉쳐 있던 인질들이 실타래 풀린 실처럼 밖으로 연결되었다. 그런데 갑자기 대원 하나가 한 인질을 막아서며 말했다.

"잠깐."

"네?"

이 금융센터에서 일하는 직원으로 보이는, 정장을 입은 젊은 여자는 경기를 일으킬 만큼 놀랐다. 대원은 위아래로 여자를 훑어보고, 바깥으로 고갯짓했다.

"나가세요."

여자는 안도하고 다른 사람들을 따라 밖으로 나섰다.

철컥.

그 순간 복도에 남아 있는 대원들이 동시에 그녀를 향해 총구를 겨누었다. 저 멀리 나머지 대원들이 인질들을 데리고 빠르게 대피하고 있었다.

한 대원이 코웃음을 치며 말했다.

"누굴 바보로 아나."

그러고는 눈을 크게 뜬 여자를 향해 바로 방아쇠를 당겼다. 브리칭(통로 개척)용 산탄을 정면으로 맞은 여자는 엄청난 소리를 내며 뒤로 날아갔다. 그리고 철근이 떨어진 것 같은 묵직한 소리를 내며 바닥을 굴렀다.

대원들은 순식간에 방 안으로 들어가 여자를 반원형으로 포위했다. 여자는 곰도 맞으면 맥을 못 추는 산탄을 맞고도 벌떡 일어났지만, 자신을 똑바로 향하고 있는 많은 총구를 보고는 일어나던 자세 그대로 멈칫했다. 아무리 루아스라고 해도 총알을 이 거리에서 벌집이 되도록 맞고는 이 방을 제 발로 걸어 나갈 수 없기 때문이다. 그리고 굳이 돌아보지 않아도 뒷머리가 서늘했다. 창밖에서 뒤통수를 노리고 있는 비정한 시선을 느낄 수 있었다.

도영은 코웃음을 치고 말했다.

"이름이 없는 것들은 아무리 인간인 척해도 냄새가 나거든."

도영이 손짓하자 한 대원이 허리춤에서 로프를 꺼내 여자에게 던졌다. 신소재의 전자 로프가 빛을 내며 다리를 휘감자 여자는 중심을 잃고 바닥에 무릎을 찧으며 넘어졌다.

대원들은 총구를 내리지 않고 다가가 여자를 포박했다. 그러자 여자가 쓰고 있는 가발이 스륵 흘러내렸다. 그리고 총에 맞아 찢겨 나간 옷에서 가슴 패드가 떨어져 굴렀다. 그걸 보고 한 대원이 기가 막힌다는 듯이 말했다.

"어이구, 정체를 숨기려고 여장까지 하셨어."

사실 그래서 연하를 떨어뜨렸던 것이다. 연하가 있다면 바로 제 정체를 알아봤을 테니까. 하지만 인간과 다른 맥박이나 땅을 밟을 때 더 무거운 소리가 나는 걸 알아채지 못해도, 이제는 인간 대원들도 하도 루아스를 보다 보니 식스센스 같은 것이 열린 느낌이었다. 특히 SN의 경우에는, 무어라 말로 설명할 수 없는 그들만의 느낌이 있었다.

SN 대원은 눈빛이 달라졌다. 동그랗고 까만 머루 같은 순진한 눈동자가 거의 붉은빛을 발할 것 같은 살기를 띠더니, 이를 드러내고 쇳소리로 울부짖기 시작했다.

"멍청한 것들! 우리가 하는 일은 모두 자연 선택 과정이야! 선택받은 개체는 어떻게든 살아남게 되어 있어!"

바로 이런 느낌이었다. 사이비 종교에 빠진 사람 같은.

대원들은 절레절레 고개를 내젓고 말았다.

"하여간 광신도들이란."

연하는 파손된 헬멧을 벗어던졌다.

사방을 덮은 잔해가 조금씩 가라앉았다. 그 너머에서 부스러기를 떨치며 일어나는 인영이 비쳤다. 상대 또한 추락으로 인한 부상은 크게 입지 않은 것 같았다.

적이 사슬을 꺼내 들었다. 탁, 탁탁, 타다다다……. 적은 소리를 내며 끝에 쇠구슬이 달린 사슬을 돌리기 시작했다. 연하는 어느 쪽에서 공격이 날아올지 몰라 경계를 늦추지 않았다. 눈도 깜빡이지 않고 적의 움직임을 읽었다. 그리고 번뜩 고개를 들었다.

'위!'

사슬은 저공비행하고 있던 헬리콥터의 랜딩기어를 덮쳐 들어 휘감았다. 적이 줄을 끌어당기자 헬리콥터는 바다 속에서 발목을 잡아당기는 문어 괴물의 다리에 휘감긴 조난자처럼 허우적거리다가 마침내 기력이 다한 듯이 가라앉기 시작했다.

[수리온 찰리 다운, 수리온 찰리 다운. 탈출한다.]

뒤에는 아직 현장을 벗어나지 못한 인질들을 태운 버스가 있었다. 경찰들이 미친 듯이 소리치며 달리기 시작했다. 온갖 소음이 섞여 현장은 아수라장이었다.

군용 헬기가 너무 크고 무거워서 연하는 자신의 힘으로도 받아낼 수 있을지 확신이 서지 않았다. 이러나저러나 받아내야만 한다는 사실이 달라지진 않았지만.

연하는 다리에 힘을 주고 자세를 잡았다.

렉스는 모든 게 미니어처처럼 보이는 상공에서 지상을 내려다보았다.

'파워는 좋은데…….'

연하도 이바노프의 피를 받은 이상 힘만으로는 대적할 상대가 별로 없을 것이다. 하지만 정제하지 않고 원석 그대로 내버려 둔 힘은 오히려 처치가 힘들다는 느낌이었다.

'파워만 좋군.'

렉스는 운석이 빗겨 떨어진 것처럼 가운데가 모조리 파여 있는 건물을 보며 생각했다. 그때, 무전기를 타고 목소리가 들려왔다.

[렉스. 내 눈엔 네가 보이지 않는데.]

과보호를 할 거라고, 페인 총장이 그랬던가.

"사랑스러운 아가씨한테 녹지 않을 남자는 없거든요."

그러면서 총장은 병상에 누워 창백한 얼굴로도 짓궂게 웃었다. 과연 혜안이 있는 사람이었다.

"잠깐 실력을 봤습니다."

렉스는 말하고 안전벨트를 풀고 일어났다. 그리고 열려 있는 문 앞에 서서 조종사 소위에게 말했다.

"머리 위로 가주십시오."

"바로 머리 위는 위험합니다."

소위는 흘긋 렉스를 보고 대답했다. 별로 그를 신뢰하지 않는 시선이었다.

"고도를 낮추실 필요는 없습니다."

렉스는 지상에서 시선을 떼지 않고 말했다. 어떡해야 하나 고민하는 소위의 헤드셋 너머로 어떤 명령이 들려온 모양이었다. 소위는 어쩔 수 없다는 듯이 헬기의 방향을 틀었다.

헬기가 점차 목표물에 가까워지자 렉스는 마스크를 썼다. 이미 반쯤 바깥으로 내놓은 발아래로 지상은 그야말로 아비규환이었다.

렉스는 다리에 가볍게 반동을 주어, 그대로 뛰어내렸다. 소위는 눈을 크게 떴다.

"잠깐! 강 상사도 이 높이에서는 못 뛰……!"

소위가 경악해 외치는 소리는 렉스가 낙하하는 속도를 따라오지 못하고 허공으로 녹아들었다.

후우우우우. 지상은 순식간에 가까워지기 시작했다.

삐빅. 무전이 들어온다는 전기 신호가 울리고, 목소리가 들려왔다.

[비켜서십시오.]

'머리 위에 무언가—'

연하가 생각하며 위를 올려다보려는 순간, 앞에 렉스가 내려섰다.

하얗게 공기를 찢으며 내려선 압력이 실제로 눈에 보여, 마치 발사된 미사일이 터지지 않고 땅에 내려앉은 것 같았다. 하지만 연하는 그렇다고 생각할 겨를도 없었다. 그나마 루아스의 동체 시력을 가지고 있었기 때문에 눈으로 따라갈 수 있었을 뿐이다. 렉스가 내려선 땅이 불가능한 곡선으로 휘는 것, 그가 발을 뒤로 밀며 자세를 잡는 것, 그리고 발도가 되는 순간 파랗게 빛나는 검 같은 것을—

아, 발작하듯 펄럭이는 촌스러운 남방도.

렉스가 단번에 엄청난 높이를 도약한 찰나였다. 후웅. 공기의 폭풍이 일었다. 그리고 헬기와 적을 동시에 가르는 은빛의 직선.

모든 것이 멈춘 것 같은 순간, 허공에 떠 있는 렉스가 아무것도 밟지 않고 그대로 몸을 틀었다. 그리고 포물선을 그리며 훌쩍 내려섰다. 물론 그건 느낌이었고, 뒤로 수십 미터를 더 밀려나서야 멈추었다.

렉스가 블랙홀이 되어 빨아들였던 바람이 풀려난 듯 다시 불기 시작했다.

"허……."

연하는 얼떨떨한 얼굴이었다. 렉스는 날아가지 않게 모자를 짚고 있는 손을 떼고 고개를 들었다. 여전히, 무표정이었다.

저 멀리 건물의 창 너머에 있는 도영은 입을 떡 벌렸다.

"씨……."

옆에 있는 한 중사는 미처 욕을 끝맺지도 못하고 기막혀 하며 도영을 돌아보았다.

"우리가 저런 것들이랑 전쟁을 했다는 말입니까?"

도영은 겨우 목소리를 되찾았다.

"아무리 루아스라 해도 과하잖아요, 저건. 오버 파워도 정도가 있……."

[우와! 진짜 멋있었어요!]

갑자기 무전에서 탄성이 터졌다. 그 소리가 어찌나 컸는지 귓구멍도 근육질로 싸여 있을 것 같은 대원들이 모두 눈을 찡그렸다. 저 아래 연하가 제 운동화 밑창을 내려다보는 렉스에게 달려가고 있었다. 대원들은 시선을 교환했다.

"우리 상사님 저렇게 신난 건 처음 봅니다?"

꼭 슈퍼맨을 실제로 본 꼬마 아이처럼—

"가만. 렉스?"

도영은 갑자기 왠지 모르게 낯설지 않은 이름을 되뇌었다.

"렉스, 알렉스……."

무언가가 머리를 딱 쳤다.

"설마 알렉스 야크트훈트……?"

한 중사가 놀란 눈으로 돌아보았다.

"네? 알렉스 야크트훈트라면……."

"중앙근위사단장?"

지퍼를 푸른 방탄복 사이로 땀에 젖은 티셔츠를 입고 있는 연하는 의아한 표정이었다. 그 앞에는 전투복을 상의만 벗은 도영이 팔짱을 끼고 서 있었다.

"그래. 알렉스 야크트훈트 소장. 정말 몰랐어?"

"몰랐는데."

연하는 대답했다. 도영은 미간을 찌푸렸다.

"알렉스 야크트훈트가 누군지는 알아?"

연하는 고개를 내저었다. 예상은 했지만 도영은 기가 막혔다.

"야, 아무리 그래도 네가 알렉스 야크트훈트를 모르면 되냐?"

"왜?"

연하는 정말 몰라서 묻는 것 같았다. 도영은 한숨을 내쉬었다. 잠깐 잊고 있었다. 자신이 강연하를 곰이라고 부르는 이유를. 루아스가 된 이래 서울 지부에 예속되어 생의 전부를, MCTC 세계에서 보면 귀퉁이의 작은 점 같은 곳에서 보냈으니 이해되지 않는 바는 아니지만, 그래도 12년이었다. 아예 귀를 닫아놓고 살았지 않고서야 알렉스 야크트훈트조차 모를 수가 없었다.

도영은 말했다.

"중앙근위사단 제1예거 연대를 창설한 루아스잖아. 말 그대로 예거[16], SN 잡는 지옥의 사냥꾼들 말이야."

"아, 예거."

연하도 예거는 들어봤다. SN도 예거가 떴다고 하면 초비상이라고 했던가. 일단 예거를 마주치고 살아 돌아간 SN은 없다는 것 같았다.

옆에서 뒷정리를 하던 한 중사가 끼어들었다.

"예거 연대라면 루아스 중에서도 짬이 다 찬 정예만 들어갈 수 있는 MCTC의 꽃 아닙니까."

다른 대원도 끼어들었다.

"딱히 연대 의식도 없고 제 욕구만 뚜렷해서 처치 곤란인 루아스들을 그나마 공존 가능한 상태로 만든 것도 알렉스 야크트훈트라고 하던데요. 오히려 지금 예거 연대라고 하면 충성심이 교황의 스위스 용병대 못지않아서 인간들도 존경한다던가……."

---

16) 사냥꾼. 독일어.

도영이 덧붙였다.

"아홉이나 되는 클리엔테스가 있는 것도 그렇고, 별명이 휘하에 열두 기사를 거느렸다던 게르만의 전설적인 왕 '디트리히 폰 베른'이라지?"

연하는 기지로 돌아오자마자 렉스가 사라진 방향을 돌아보았다.

"렉스 씨가?"

도영은 한숨을 삼켰다.

"그래. 누가 상상이나 했겠어. 우리가 맨날 지나다니는 길에 서 있는 게 야크트훈트 소장일 거라고."

루아스에도 유명인이 있다면 알렉스 야크트훈트는 확실히 그중 하나였다. MCTC는 대테러부대라서 얼굴이나 신변이 외부에 노출되지 않으니까 대중에 알려져 있지 않을 뿐이었다. 중앙근위사단장쯤 되면 단순한 군인을 넘어서기 때문에 예외로 봐야 할지도 모르나, 알렉스 야크트훈트는 타고난 군인이어서 대외적인 일은 좋아하지 않는다는 것 같았다. 결과론적인 판단일지도 모르지만 '렉스'라고 불렀던 남자를 생각해 보면 납득이 됐다.

알렉스 야크트훈트는 아홉 클리엔테스를 데리고 일찍이 종전 협정에 사인함으로써 종전 협정의 가치에 힘을 실어주었다. '어…… 야크트훈트가 사인했다면야.' 했던 루아스들도 적지 않았다고 한다.

힘이 있음에도 평화주의자에, 과묵하고, 신념을 가진 채 묵묵히 제 일을 하는 내추럴 본 군인을 도영은 상상해 왔다. 또 소장의 별명 때문에 디트리히 왕이 그랬다는 것처럼 거구의 덩치일 줄 알았는데…….

'존경했었는데.'

어쩌면 팬이었다고도 할 수 있을 것이다. 야크트훈트 소장을 향한 팬심에 유일한 걸림돌은 종적인 거부감이었는데 그것도 연하 덕분에 깨어진 이후로는 마음 놓고 롤모델이라고까지 이야기하고 다녔다.

"하지만 정말 소장이 확실한 겁니까?"

다른 대원이 묻자 한 중사가 말했다.

"아까 싸우는 모습을 보고도 그런 질문이 나와?"

그때였다. 대원들이 한 목소리로 인사해, 천장이 높은 격납고가 우렁차게 울렸다. 국장이 격납고로 들어오고 있었다. 도영 일행도 바로 돌아보고 자세를 잡았다.

"모두 수고했습니다."

국장은 도열하고 선 대원들 한 명, 한 명과 악수를 나누었다. 그 뒤에는 여전히 렉스가 그림자처럼 따르고 있었다. 대원들 사이에 소리 없는 술렁임이 번졌다. 그리고 개중에 용기 있는 혹은 고문관스러운 호기심을 참지 못하는 한 대원이 앞을 지나가는 렉스에게 물었다.

"혹시 야크트훈트 소장님이십니까?"

렉스는 별로 고민하지 않고 대답했다.

"네."

군대에 대해 조금이라도 아는 사람이라면 투 스타가 온다는 이야기만 들려도 부대에 어떤 일이 벌어지는지 알 것이다. 그런데 중앙사단의 투 스타가 난데없이 눈앞에 뚝 떨어진 것이다. 모두 숨 쉬는 법도 잊어버린 것 같았다.

렉스는 덧붙였다.

"하지만 지금은 개인 경호 자격으로 방문한 거니 신경 쓸 필요 없습니다."

이건 투 스타가 투잡을 뛴답시고 민간 경호 회사의 경호원으로 나타난 격이었다. 물론 평범한 군대였다면 있을 수조차 없는 일이지만 이곳은 비상식과 불가능이 판을 치는, 인류의 다정한 친구 MCTC가 아닌가.

그렇다고는 해도 너무 엄청나서 대응할 기력까지 앗아가는 상황에 모두 넋을 놓고 있는 가운데, 유일하게 눈을 빛내는 인물이 있었으니—

연하는 아이돌을 만난 소녀 팬처럼 렉스를 보느라 국장과 악수도 하는 둥 마는 둥이었다. 렉스는 흘긋 이반을 보았지만 그는 웃는 얼굴을 풀지 않았다.

렉스도 티를 내진 않았지만 당황스러웠다. 이 얼굴이 자신을 영웅처럼 보는 게 이상했다. 차라리 '쓰레기통'이라고 부르는 쪽이…….

마침 이반이 몸을 돌려 가기에 렉스는 뒤를 따랐다. 그 뒤로, 좌중 누군가가 작은 목소리로 말했다.

"근데 소장이 경호하는 우리 국장의 정체는 대체 뭐야?"

그 질문에 대답할 수 있는 이가 있을 리 만무했다.

격납고를 나서면서 렉스는 이반의 등을 보았다. 그조차도 이반 이바노프를 안다고 말할 수는 없을 것이다.

신은 이런 존재일 거라고 생각했다. 모세 앞에 떨기나무에 붙은 불로 화한 자, 마호메트에게 빛나는 가브리엘을 보낸 자, 욥에게 폭풍 속에서 이야기한 자, 삼만이 넘는 얼굴을 가진 자……. 모든 일을 할 수 있음에도 아무것도 하지 않는 면에서도 이반 이바노프는 신적이었다.

갑자기 그가 렉스를 돌아보았다.

"거의 영웅으로 등극하셨군."

전에 없이 못마땅한 표정이었다. 렉스는 눈을 깜빡였다. 그의 파트로네스가 이런 표정을 짓는 건 처음 보는 것 같았다.

이반은 무언가 단단히 뒤틀린 투로 말했다.

"난 그렇게 화려하게 기술을 선보이라고 한 적은 없는 것 같은데. 다치지 않도록 서포트해 주라고 했지."

"녀석들이 너무 약했습니다."

렉스는 있는 사실 그대로 대답했고, 이반은 코웃음을 쳤다.

"아무렴. 알렉스 야크트훈트인데."

그러더니 이반은 렉스를 위아래로 훑었다.

"사람들이 그건 아나 모르겠군. 네 성, 예전에 누가 이바노프의 사냥

개라고 조롱조로 부른 걸 그대로 성으로 삼은 거라고. 처음에 그렇게 부른 녀석이 독일계였지."

귀족으로 태어나지 않은 렉스에게 성이란 게 있을 리 없었다. 그래서 누구든지 성씀은 가지고 있는 현대로 넘어오면서 하나 정하라는 말을 들었을 때 그냥 생각나는 걸 말했다. 하지만 그때도 이반은 너답다는 듯이 고개를 한 번 젓고 말 뿐이었다. 그런데 왜 이제 와서 이런 이야기를 하는지 렉스는 이해할 수 없었다.

이반은 렉스가 혼란스러워하고 있을 뿐이란 걸 깨닫고 기가 막혔다.

'이런 녀석을 데리고 무슨 이야기를 한다고.'

하지만 이런 꿔다놓은 자루 같은 녀석에게 그렇게 눈을 빛내다니.

이반은 기분이 나빴다. 아아, 이건 분명히 기분이 나쁜 일이었다. 연하가 그는 본 체도 하지 않는데, 만약 그가 조금만 더 본능에 충실했다면—

평생 생각해 본 적 없는 무언가를 생각할 뻔했던 이반은 멈칫했다. 이반이 한참 동안 아무 반응이 없자 렉스는 이상하게 그를 보았다. 이반은 손을 내젓고 사무실로 들어갔다. 렉스도 뒤따랐다. 그리고 화제를 바꾸는 게 좋을 것 같아 말했다.

"대공이 움직인 것 같군요."

"그랬겠지."

이반이 대답하면서 책상에 손을 짚자 모니터에 그림이 떴다. 중세 시대의 종교화처럼 황금색 배경에, 고대 이집트와 같은 방식으로 인물을 그린 그림이었다. 가운데 신관의 복장을 하고 수염을 기른 남자가 두 손을 한쪽으로 들고 서 있고, 그림 오른쪽 구석에는 여섯 날개가 달린, 얼굴만 있는 천사가 그의 귓가에 계시를 내리고 있었다.

시지고스. 고대 마니교의 창시자인 마니에게 계시를 내렸다는, 그가 자신의 수호신이자 쌍둥이, 또는 짝이라고 불렀다는 영적인 존재.

“아마 경고한 거겠지. 자신을 잊지 말라고.”

자신, 대공은 아직 연하가 자기 쌍둥이를 만나러 가면 그 쌍둥이를 죽이고 말겠다고 한 약속을 기억하고 있다고.

그림을 응시하는 붉은 눈이 차가웠다.

태양빛은 쨍했고, 물은 투명하고 잔잔했다. 푸른 하늘에 붉게 박힌 점 같은 해가 검은 선글라스 표면에 비쳤다. 입에서 절로 낮은 허밍이 새었다.

“오셨습니다.”

야외 수영장 밖에서 마르코프가 말했다. 거의 무인도처럼 거대한 섬 모양의 튜브에 누워 있는 대공은 선글라스를 밀어 올렸다. 해처럼 밝은 붉은 눈동자가 드러났다.

“벌써? 하여간 이런 소식은 빨리 전해진단 말이지.”

대공은 선글라스를 내려놓고 물속으로 뛰어들어 헤엄쳐 왔다. 그러자 마르코프는 물을 떨어뜨리며 오는 그에게 타월을 둘러주었다.

대공은 젖은 머리를 쓸어 올렸다. 그야말로 천사가 강림했다고밖에 볼 수 없는 눈부신 미모였다. 겉으로만 봐서는 누구도 이, 빈 소년 합창단원이 자란 것 같은 청년이 히틀러, 빈 라덴, IS의 지도자 아부 바크르 알바그다디에 이은 인류의 악적으로 평가받는 SN의 리더라고 생각할 수 없을 것이다.

“어디 있어?”

대공이 묻자 마르코프는 살짝 묵례하고 대답했다.

“안에서 기다리고 계십니다.”

실감 나는 사자 조각상 두 개가 지키는 대문을 지나가자 베르사유에 못지않은 저택이 펼쳐졌다. 금과 붉은 벨벳으로 장식된 내부에는 높은 창문들이 사방으로 열려 있었다. 그 가운데 뒤돌아 서 있는 여자가 입고 있는 흰 세미 정장이 어딘지 웨딩드레스 같았다. 얼룩 한 점 없이 깨끗하고, 흰 물처럼 서늘한 느낌을 주었다.

옷자락 사이로 크리스털이 박힌 샌들 하이힐이 반짝였다. 생김새도 높이도 흡사 칼 같은 신발이었다. 대공 그로서는 이름도 알지 못하는, 신을 목적도 아닌 신발을 제작하는 요상한 디자이너가 만든 것일 터였다.

"시몬."

대공이 부르자 그녀가 돌아보았다. 검은 군용 마스크를 쓰고 있었다.

대공은 젖은 그대로 소파에 앉았다. 시몬의 붉은 시선이 잠깐 그를 응시했다. 어지간한 고급 앞에서는 눈도 깜짝 않는 그녀가 그러는 것만 봐도 이 소파가 얼마짜리인지 감이 왔다. 하지만 그가 알 바는 아니었고, 시몬도 그걸 알아서 그에 대해서는 별말하지 않고 말했다.

"팀을 보내기 전에 제게 말씀해 주셨다면 좋았을 텐데요."

대공은 마르코프가 건네주는 팩을 받으며 어깨를 으쓱였다.

"미안하군. 하지만 네 녀석, 연락하기가 힘들어서. 요즘 특히."

시몬은 다른 말을 했다.

"소득은 있으셨나요?"

"그렇진 않을 거야. 건물 하나 더 폭파한다고 해 봤자 나한테 뭔 이득이 있겠어?"

"그럼 어째서?"

시몬은 조용히 물었다. 탓하려는 어조는 아니었다. 대공은 빙긋이 웃었다.

"한동안 너무 조용히 있었던 것 같아서. 어떤 관계든 적당한 긴장감은 필요하잖아?"

"하지만 대원 하나가 붙잡혔습니다."

"괜찮아. 아무것도 불지 않을 테니까."

그러고는 대공은 난색 어린 웃음을 지었다.

“하여간 광신도들은 피곤하다니까.”

그 광신도들의 덕을 톡톡히 보고 있는 사람이 하기에는 적절하지 않은 말이었지만 시몬은 역시 별말하지 않았다. 그저 대공이 빨대로 마시는 팩을 보고 있었다. 따라서 대공도 자신이 들고 있는 팩으로 시선을 돌렸다.

“아, 이거? 이건 정말 좋은 거 같아. 굳이 사냥 다니지 않아도 되고. 솔직히 남의 피를 빨아먹고 사는 거 기생충 같아서 구미에 맞지 않았거든. 덕분에 이제야 문명인이 된 것 같아.”

“저희에겐 현 인류를 먹잇감으로 삼을 자격이 있습니다만.”

장황하게 말은 한다만 본인도 그다지 열의를 가진 어조는 아니었다. 저쪽도 흡혈 같은 몰상식한 행위를 그다지 즐기지 않는다는 것 정도는 알고 있으니까.

대공은 소파의 등받이에 팔을 걸쳤다.

“말이 나왔으니 말인데 정말 SN이 최선이야? 좀 괜찮은 이름 좀 붙여서 뿌리지 그랬어. SN은 꼭 무슨 아이돌 회사 같잖아. 테러리스트가 아니라.”

시몬은 대공을 보았다.

“그렇지 않아도, 당신이 멋대로 페인 총장을 죽인 덕분에 이바노프가 움직였습니다.”

대공은 고개를 젖혀 만화경을 빛에 비춰보는 아이처럼 팩을 빛에 비추며 말했다.

“그러게. 아닌 척해도 그 노인네를 꽤 아꼈던 모양이야. 어지간해서는 움직일 녀석이 아닌데.”

대공은 갑자기 고개를 원위치 했다.

“내가 이야기한 적 있던가? 이바노프 녀석이 하도 날 유령 취급해서 좀 골이 나더라고. 그래서 녀석이 은둔하던 곳 있잖아. 거기다가 기껏 공수한 MOAB[17]을 던졌는데 그냥 무시하고 이사 가더라니까?"

얼간이라고 생각할 게 뻔했으니까. 시몬은 생각하고 대답했다.

"인명 피해가 없어서일 겁니다."

대공은 픽 웃었다.

"또 시작이군. 위대한 이반 이바노프, 멋진 이반 이바노프, 쩌는 이반 이바노프……. 참 충성심도 깊어."

웃는 눈이 차가웠다.

"네 파트로네스라도 되는 것처럼 말이야."

시몬의 눈엔 별다른 감정이 떠오르지 않았다. 다만 속으로 생각할 뿐이었다. 천박한 녀석 같으니.

대공은 어깨를 으쓱이고 팩에 연결되어 있는 빨대를 빨았다.

"하여간 일이 꼬였어. 내가 죽인 그 아이가 하필 이바노프의 클리엔테스가 될 줄이야. 정말 감염을 이길 줄은 몰랐지."

시몬은 이바노프의 세 번째 클리엔테스가 된 한국인 여자를 떠올렸다. 그렇게나 사진을 들여다봤지만 인상은 흐릿하여 잘 기억나지 않았다. 정확히는 기억하고 싶지 않은 거겠지만.

무엇보다 알 수 있었다. 대공이 말을 돌리고 있다고.

그가 멋대로 행동하는 게 하루 이틀 일은 아니지만 확실히 페인 총장 일은 과했다. 시간이 알아서 해결해 줄 노인네를 처리하려다 간부를 포함한 대원을 셋이나 잃었으니까. 뿐만 아니라, 세간의 일에는 신경을 끄고 사는 이바노프의 시선을 끄는 바람에 일이 더 복잡해졌다.

"신이 보우해 줬다는 걸까?"

대공이 중얼거렸다. 시몬은 그가 갑자기 일어나 홀딱 벗기라도 한 것처럼 돌아보았다.

"신 같은 걸 믿으시나요?"

17) 공중 폭발 대형 폭탄, Massive Ordnance Air Blast

"언제나 믿었지. 난 신심이 깊거든."

대공은 넉살 좋게 성호까지 그었다. 보는 사람으로서는 모독하려는 건가 싶을 뿐이었지만.

시몬은 손목 밴드로 시간을 확인했다.

"약속이 있어서 가보겠습니다."

시몬은 말하고 돌아섰다. 별 소득이 없을 줄은 알았지만 괜히 온 것 같진 않았다. 적어도 대공이 뭔가 숨기고 있다는 것만은 알게 됐으니까.

"시몬."

갑자기 대공이 불렀다. 시몬은 무감동한 붉은 눈으로 돌아보았다. 널찍한 소파에 앉은 약관의 청년은 수렴청정을 맡겨야 하는 소년 왕처럼 푸릇하고 앳돼 보였다. 하지만 전신으로 내뿜는 거만한 공기만큼은 자신이 왕이라는 의식을 뼛속까지 가지고 있는 것처럼 보였다.

대공은 말했다.

"내가 이 테러리스트 우두머리 역할을 받아들인 건 네가 가말을 찾아주겠다고 약속했기 때문이야. 기간을 명시적으로 밝힌 건 아니었지만 이제 슬슬 악당 두목 역할이 좀 지겨워지려고 해."

강 자매를 처음 만난 날도 대공은 제 쌍둥이를 쫓고 있었다. 정확하게는, 제 쌍둥이를 찾을 수 있는 정보를 가진 정보원을. 하지만 대공이 변덕을 부려 강 자매 쪽에서 시간을 끄는 동안 이바노프가 개입했고, 그날 이후로 그 정보원은 흔적도 찾을 수 없었다. 아마 MCTC 쪽에서 데려가 증인 보호 프로그램에 넣은 것 같았다.

일이 복잡해진 건 다 제 변덕 때문이었으니, 대공도 그 성격에 맞지 않게 많이 참아주고 있는 중이었다.

하여간 자신이 제 쌍둥이를 찾아 오랫동안 헤매고 다녔기 때문인지 쌍둥이만 보면 괴롭히지 않고서는 견디지 못하는 심보는 계속 일을 그르치게 만들었다. 오죽하면 대공이 하도 쌍둥이만 보면 씨를 말려서 인간들 사이에 '뱀파이어는 쌍둥이를 불길하게 여긴다.'는 미신까지 퍼질 정도였다.

"알고 있습니다. 곧 원하시는 대로 될 겁니다."

시몬이 말하자 대공은 빙긋이 웃었다.

"그래. 믿어. 넌 내 클리엔테스나 다름없으니까."

시몬은 가슴 깊은 수원지에서 솟아나는 경멸감을 억누르고 말했다.

"찾아오는 일은 최대한 삼가겠습니다. 꼬리가 밟힐 수도 있으니까요."

"그래, 그러도록 해."

밖으로 나온 시몬은 헬기장에 대기하고 있는 헬기에 올랐다. 그리고 마스크를 벗고 핸드백에서 거울을 꺼냈다. 매끄러운 표면에 비친 입술은 붉은 립스틱을 바르고 있었다. 칼로 그은 듯 번짐 하나 없었다.

헬기는 도시를 가로질러 날아갔다. 그리고 현대 문명의 업적을 새긴 불망비처럼 우뚝 서 있는 마천루 옥상 헬기장에 내렸다.

철컹. 문이 열리고, 헬기장에 양복을 입은 남자들이 그녀를 기다리고 있었다.

"오셨습니까?"

시몬은 바닥에 하이힐을 딛고 내려섰다. 그리고 헬기장을 가로질러 가 엘리베이터에 올라탔다. 엘리베이터는 하나의 인체 같은 건물을 타고 내려가는 알약처럼 매끄럽게 미끄러졌다.

띵— 엘리베이터가 멈추고, 하이힐과 구둣발들이 일사불란하게 복도를 가로질렀다. 그리고 양쪽으로 열리는 문 너머로 들어섰다. 안에는 중세 영주들이 앉는 것 같은 기다란 탁자가 있고, 도시를 배경으로 고급스러운 옷차림을 한 사람들이 줄지어 앉아 있었다. 남자, 여자, 모두 자신감이 넘치는 당당한 얼굴이었다.

시몬은 중앙 자리로 나아갔다. 그리고 핸드백을 내려놓고, 유리 탁자에 손을 짚고 말했다.

"기다리시게 해서 죄송합니다."

모두가 시몬을 주목했다. 그 시선에 그녀는 뱃속에서부터 올라오는 환희를 느끼며, 미소 지었다.

"그러면 시작해 볼까요. 제노아틱스 주주 여러분."

"진짜 대단했다니까, 렉스 씨."

하루가 지났는데도 여전히 설렘이 가시지 않은 연하를 보며 리웨이는 기가 막힌다는 표정을 감추지 않았다.

"대체 몇 번째 이야기하는 거야?"

연하는 거의 벅찬 것 같은 표정으로 말했다.

"하지만 그렇게 싸우는 건 처음 봤어."

그제야 리웨이는 의자를 돌려 앉았다.

"뭐, 나도 영상 봤는데 대단하긴 하더라. 거의 탈 지구생명체 급이던데."

"그 검이 뭐 특별한 건 줄 알았는데 말이죠."

의무대 소파에 다리를 길게 뻗고 앉아 있는 도영이 덧붙였다. 리웨이는 어깨를 으쓱이고 말했다.

"요즘 같은 시대에 검으로 싸운다는 것 자체가 아무나 할 수 있는 일은 아니죠. 그 남자는 차라리 탱크보다 효과적인 것 같았지만요. 그런데 그 얼굴로 야크트훈트 소장이라니, 너무 깨는 거 아니에요?"

도영은 미리 뒤에 손을 깍지 낀 그대로 천장을 보고 중얼거렸다.

"그럼 대체 국장은 뭐라는 건지."

"소장의 파트로네스 아니에요?"

리웨이가 불쑥 말하자 도영은 그녀가 생각지도 못한 이야기를 한 것처럼 돌아보았다.

"소장의 파트로네스가 누군데요?"

"전들……. 그러고 보니 파트로네스가 있었나? 소장이 그쪽 클랜의 리더 아니었어요?"
"저도 그런 줄 알았는데요."
"그나저나 소장, 클리엔테스가 아홉이나 된다던데 꽤나 다산이네요."
도영은 눈썹을 치켜들었다.
"다산이란 표현이 여기에 괜찮은 겁니까?"
"결국 많이 생산했다는 의미잖아요."
점점 산으로 가는 둘의 이야기를 들으면서 연하는 생각했다.
파트로네스……. 이야기는 많이 들었지만 파트로네스가 있는 게 어떤 느낌인지 실감은 되지 않았다. 또 다른 가족 느낌일까? 국장과 렉스는 그다지 친한 것 같진 않았지만 그래도 서로 신뢰하고 있다는 느낌이었다. 친해 보이지 않는 건, 뭐, 사내애들은 원래 다 그러지 않나.
"그래서 ISLE이……."
연하는 생각에서 깨어났다. 어느새 도영과 리웨이는 다른 이야기를 하고 있는 것 같았다.
"무슨 이야기 하는 중이야?"
연하가 묻자 리웨이는 그녀가 들고 있는 것을 가리켰다.
"그거."
"이거?"
연하는 팩을 들었다.
"하이마?"
리웨이는 눈썹을 추켜들었다.
"꼭 저러더라. 그게 왜 하이마야?"
"아아……. 그냥 버릇이 돼서. 하이마가 아니라 플로스."
이걸 언급한 적 있는지 모르겠다. 제노아틱스는 하이마를 개발해 공전의 히트를 쳤지만 얼마 지나지 않아 하이마 2세대가 나타났다. 바로 인도의 제약회사 가넥시가 내놓은 '플로스(Flos)'였다.

연하는 말이 나온 김에 물었다.

"안 그래도 늘 궁금했는데 2세대가 가능해? 특허권이라든가 문제가 있지 않아?"

"꽃은 천연 성분이어서 특허권을 등록할 수 없거든."

리웨이는 자주 같은 질문을 들었던 것처럼 대답했다. 하지만 어깨를 으쓱이고는 이어 말했다.

"뭐, 이론적으로는 그렇지만 물론 제노아틱스는 가넥시를 크고 아름답게 고소했지. 어쨌든 제노아틱스가 자랑하는 건 쿨리시다이닌에 대한 추출과 유기 합성 기술이니까."

그건 알고 있기 때문에 연하는 고개를 끄덕였다. 그러자 리웨이는 덧붙였다.

"하지만 가넥시는 인도 법인이니까."

도영이 끼어들었다.

"인도는 공익을 위해서 의약품에 대한 특허권을 인정하지 않는다는 거 말이죠?"

리웨이는 고개를 끄덕였다.

"괜히 복제 약이 쏟아져 나와도 노바티스나 화이자 같은 전통적인 대형 제약사들도 인도에서만큼은 특허권을 주장하지 못하고 두 손 들고 물러난 게 아니죠."

리웨이는 갑자기 패드를 들고 뭔가 찾으면서 말을 이었다.

"아무튼 그래서 가넥시는 제노아틱스가 뭐라고 짖든 크게 개의치 않는 태도였어요. 하지만 제노아틱스도 사실 2세대가 등장한 것까지는 큰 문제가 아니었을 거예요. 하이마는 인지도적인 면에서 압도적이니까. 강상사도 아직 플로스를 하이마라고 부를 정도잖아요. 다만 문제는……."

도영이 이어 말했다.

"우리 MCTC가 제노아틱스와 재계약하지 않고 가넥시와 새로 계약한 거겠죠."

이 이야기는 연하도 잘 알고 있었다. 아무래도 자신이 소속된 MCTC와 관련된 이야기니까.

"맞아요. 후발주자가 더 안정적이라는 이유로."

리웨이가 대답하며 패드를 누르자 벽 패널에 글자가 떴다.

-ISLE

"그리고 더 문제는 가넥시가 이 'ISLE' 그룹 산하라는 거였겠죠."

리웨이는 화면에 뜬, 연하도 익히 알고 있는 ISLE 그룹의 로고를 가리켰다. 로고는 항공기 모양으로 바뀌었다.

"ISLE은 항공기에 들어가는 전자 제품이나 레이더를 만드는 회사라서 록펠러나 보잉만큼 민간에는 잘 알려져 있지 않았죠."

정식 이름은 International Sky League Enterprise, 약자로 ISLE이어서 '아일'이라고 발음했다. 그런데 하필 섬(Isle)이라니, 꽤 시적인 이름이라고 연하는 자주 생각했다.

"웃기지 않아요? 항공 쪽 회사가 갑자기 제약회사를 인수하다니."

리웨이는 코웃음을 쳤다.

"그런데 평범한 항공 부품 회사라고 알고 있었던 이 ISLE이 뱀파이어가 공론화되자마자 발 빠르게 관련 사업들을 전방위적으로 시작했던 거죠. 마치 이런 날을 준비라도 해왔던 것처럼. ISLE이 준비해 왔던 거에 비하면 제노아틱스가 하이마를 개발한 건 어린애 장난처럼 보일 정도랄까……."

리웨이는 어깨를 으쓱이고 덧붙였다.

"인간이었다면 몇 대는 내려왔을 기간 동안 회사를 운영해 온 CEO

가 뱀파이어였으니까 가능한 이야기였겠죠."

"그런데 지금 ISLE 이야기가 왜 나왔어?"

연하는 궁금해 물었다. 그러자 리웨이는 자기가 애초에 이 이야기를 왜 꺼냈는지 깨달은 듯 '아' 소리를 냈다.

"아는지 모르겠지만 이 ISLE의 CEO가 엄청 파워풀한 미인인데, 셀레나 추라고, 목격된 적이 있거든. 야크트훈트 소장이랑 둘이 있는 모습이."

연하는 눈을 깜빡였다.

"둘이?"

리웨이는 고개를 끄덕였다.

"단둘이. 호텔에서."

리웨이가 다시 패드를 만지자 패널에 기사가 떴다. 기사에는 아주 멀리서 줌을 당겨서 찍은 흐릿한 사진이 붙어 있었다. 호텔 복도에 두 사람이 서 있었는데 긴 금발을 한 가닥으로 묶은 남자는 뒤돌아 서 있어서 얼굴을 볼 수 없었다. 하지만 몸의 실루엣도 그렇고 정황상 렉스가 확실한 것 같았다. 그 옆에 서 있는 여자는 목까지 올라오는 검은 원피스에 하이힐을 신었고, 검고 긴 머리에 웨이브를 넣은 헤어스타일이었다. 옆모습만 봐도 상당한 미인이라는 사실을 알 수 있었다. 동양인, 성으로 보아 중국계인 것 같았다.

리웨이는 사진을 보면서 말했다.

"소장에 대한 소문은 잘 알고 있었지만 설마 야크트훈트 소장이 그 남자일 줄은 몰랐지."

연하는 사진에서 시선을 떼고 물었다.

"그러면 둘이 사귀는 거야?"

"그거야 모르지. 어른들의 사정이 있겠지."

그러고는 리웨이는 덧붙였다.

"아무튼 보통 이 셀레나 추가 ISLE을 설립했다고 생각하지만 설립자는 따로 있어. '요하네스 아달스테인손'이라는 사람이지."

요하네스 아달…… 뭐? 꽤나 혀가 뻑적지근해지는 이름이라고 연하가 생각하는 동안 리웨이는 계속 말했다.

"막 사업이 본궤도로 들어서던 시기에 경영권을 승계하고 물러나서 이름 외에는 거의 알려진 정보가 없지만……."

삐빅. 삐빅. 갑자기 연하의 손목 밴드에서 소리가 났다. 연하는 밴드를 내려다보고 일어났다.

"대기 해제다. 가볼게."

기다렸다는 듯이 도영도 소파 팔걸이에 걸친 발을 내리고 일어났다. 그 모습을 보고 리웨이는 찡그리고 웃었다.

"소령님은 뭐 강연하 껌딱지예요? 소령님은 대기 해제도 아닐 텐데."

도영은 기가 막힌다는 얼굴이었다.

"저도 일 있어서 가는 거거든요. 만년 대기조인 얘가 바쁘겠습니까, 지휘관인 제가 바쁘겠습니까?"

"어련하시겠어."

리웨이는 짓궂게 말했다. 도영은 더 말할 가치도 느끼지 못하는지 눈알을 굴리고 연하와 함께 의무대를 나섰다. 둘이 나가자 리웨이는 패드로 시선을 돌렸다.

"요하네스라……."

영어로 하면 존.

"러시아어로는 이반이지."

리웨이는 중얼거렸다.

도영은 복도를 걸어가며 툴툴거렸다.

"네 꽁무니나 쫓아다닌다는 오해라니. 대체 내 억울함은 어디다 토로

해야 하냐?"

뭔가 대답하려던 연하는 복도 모퉁이를 돌아오는 익숙한 사람을 발견하고 알은체했다.

"어, 렉스…… 아니, 소장님."

다가온 렉스는 말했다.

"본래대로 부르셔도 됩니다. 어쨌든 지금은."

도영이 보기에 렉스는 오늘도 도무지 '알렉스 야크트훈트' 같아 보이지 않는 차림이었다. 그러고 보면 첫날 제복을 입은 모습은 그럴듯했는데 차라리 제복을 입어줬으면 하는 바람이었다.

도영은 기사에서 본 셀레나 추를 떠올렸다. 아름다운 만큼 위협적인 맹수과의 미인과 소장은 그다지 매치가 되지 않았지만 의외로 그런 쪽 취향인 모양이었다. 있잖은가, 무서운 누나들.

"안녕하세요."

연하는 거수경례 대신 가지런히 손을 모으고 허리를 숙여 렉스에게 인사했다. 렉스도 묵례로 대답했다. 생긴 건 완전히 서양인인데 어딘지 동양적인 태도가 있는 사람이었다.

"국장님은요?"

연하는 렉스 뒤를 흘긋 보고 물었다. 렉스는 변화 없는 표정으로 대답했다.

"일이 있으셔서."

그러자 연하는 '아…….' 소리를 냈다. 도영은 기가 막혔다. 이 자식은 왜 섭섭해하는 거야?

연하는 렉스가 선글라스를 쓰고 있는 걸 보고 물었다.

"그런데 어디 가세요?"

"예, 잠깐."

무심히 대답은 하지만 렉스는 연하가 살갑게 말을 붙이는 게 어색한 모양이었다. 도영도 연하가 이렇게 적극적으로 누군가와 대화하려 하는 모습을 처음 보는 것 같았다. 그러고 보면 경계심이 1그램도 없는 녀석이었다. 다만 상대가 자신을 경계한다는 걸 알기에 먼저 다가가지 않을 뿐이었다.

그런데 연하는 곧 무언가 결심한 것 같은 얼굴로 렉스를 보았다.

"렉스 씨."

"네."

렉스가 대답하자 연하는 결연하기 그지없게 물었다.

"혹시 저한테 싸우는 법을 알려주실 수 있으세요?"

"정신이 갇혀 있는 인간의 한계를 뛰어넘으면 됩니다."

렉스는 주저 않고 대답했다. 생각보다 너무 주저하지 않아서, 연하는 순간 이해하지 못했다.

"네?"

"뱀파이어의 육체는 생각보다 많은 일을 할 수 있습니다. 하지만 다들 원래는 인간이었기 때문에, 정신이 그 한계를 쉽게 넘지 못할 뿐이죠."

"제가 인간이라는 걸 잊어야 한다는 말인가요?"

연하는 미간을 좁히고 물었다. 그녀를 보는 렉스의 붉은 눈동자는 진지했다.

"아뇨. '인간이었으니까 이만큼밖에 될 수 없다'는 생각을 버려야 한다는 의미입니다."

연하는 이해해 보려고 노력하다가 물었다.

"렉스 씨는 그런 생각을 어떻게 버리셨는데요?"

"버리지 않았습니다. 애초에 그런 생각을 가지지 않았으니까요. 전 신의 아들이었으니까요."

헐, 재수……. 도영은 반사적으로 생각했다. 아무리 알렉스 야크트훈트라지만 이런 자신감이라니.

그런데 연하가 진지하게 묻는다는 말이 이랬다.

"현역이지 않으세요?"

렉스는 드물게도 할 말을 잃은 얼굴이었다.

"좀 더 비유적인 말이었습니다만……."

도영은 큭 웃어버리고 말았다. 두 사람이 돌아보자 도영은 손을 들었다.

"아, 실례. 아무튼 곰한테는 안 된다니까요."

"그게 무슨 말이야?"

연하가 물어 도영은 대답했다.

"네가 이겼다는 말이다."

그런데 연하가 또 이러는 것이다.

"내가 뭘 이겨?"

도영은 '아, 이 새끼가.' 말하듯이 연하를 보았다. 그럼에도 연하는 이해하지 못하는 표정이었고, 렉스는 도영을 보고 말했다.

"가시죠."

연하는 도영을 의외라는 듯이 보았다.

"정말 일 있는 거였어?"

"죽을래?"

도영은 휘휘 손을 내젓고는 렉스를 따라갔다.

"하여간 꼬맹이는 가서 과자나 사먹어."

"또 오빠인 척은."

연하가 중얼거리자 도영이 모퉁이를 돌아가기 전에 말했다.

"야, 루아스가 아니어도 그 정도 소리는 다 들리거든?"

사실 들으라고 한 말이었지만 어쨌든 연하도 가볼 곳이 있으므로 돌아섰다.

"오셨습니까?"
헬기장에 오르자 대기하고 있는 대원 둘이 인사했다. 그들처럼 사복 차림이었다. 렉스는 이반을 돌아보았다. 그는 헬기장 가장자리에 등을 돌리고 서 있었다. 높은 고도에 바람이 불어와 이반의 코트 자락을 흩날렸다.
지평선까지 내뻗은 회색 도시를 내려다보고 있는 뒷모습이 마치 도시의 지배자 같았다. 어쨌든 전부 버리고 떠나기 전까지, 그리 틀린 이야기는 아니었을 것이다.
ISLE은 그들이 함께 쌓아올린 꿈이었다. 처음이자 마지막으로 이바노프 클랜이 모두 모여 살았던 시절, 인간이 하늘을 나는 불가능한 꿈처럼 불가능한 꿈을 꾸었던 그 시절…….
하지만 세상사에 환멸을 느낀 렉스의 파트로네스는 모든 걸 버리고 떠났고, 대신 셀레나가 백방으로 뛰어다니며 노력하지 않았더라면 ISLE은 그대로 공중분해되었을 것이다.

"이바노프 씨는 돌아오실 거예요."
어느 날 셀레나는 말했다. 철인 10종 경기 정도는 거뜬히 치를 수 있는 체력을 가졌는데도 눈 밑이 거무스름했다.
"어떻게 확신하죠?"
반면 렉스는 이반이 돌아올 거라는 전망에 대해 지극히 회의적이었다. 수년간 그의 파트로네스를 봤다는 자는 없었다. 하지만 셀레나는 피곤해 보이는 얼굴로 웃었다.
"별은 아직 빛나고 있으니까요."

그때 이반이 뒤를 돌아보았다. 렉스 옆에 서 있는 도영은 얼핏 미간을 찌푸렸다. 넥타이를 하지 않은 정장에 코트를 걸친 차림으로 다가오는 국장이 푸른 눈이었기 때문이다. 붉은 눈은 쓸데없이 시선을 끄니까 루아스들이 밖에 나갈 땐 종종 컬러 렌즈를 쓴다는 걸 알았지만, 이쪽의 경우에는…….

"붉은 눈이 아니어도 그다지 인간처럼 보이지 않으시는군요."

도영이 무심히 말하자 이반이 그를 보았다.

"상사를 존경할 줄 모르는군."

도영은 별로 흔들리지 않고 대답했다.

"계급은 계급일 뿐이죠."

계급이 부하들의 존경과 신뢰를 보증해 주지 않는다는 의미였다. 참으로 군인다운 태도이긴 하지만 렉스의 눈에는 이 애송이가 내일의 태양을 보고 싶지 않은 걸로밖에 보이지 않았다. 그런데 뜻밖에도 이반은 희미하게 웃었다.

"그러고 보니 자네 아버님도 군인이셨지. GIGN[18]?"

"네."

도영은 무뚝뚝하게 대답했다. 그게 다였다. 하지만 이반은 별로 무안해하지 않고 헬기에 올랐다.

"가지."

도영은 한 번 주변을 둘러보고 헬기에 올랐다.

H 마크가 그려진 헬기장에 내리자 군인들이 기다리고 있었다. 개중 선두에 있는, 오십대쯤 되어 보이는 남자가 자신을 중령이라고 소개하면서 거수경례했다. 이반은 말했다.

"이반 이바노프입니다."

---

18) 프랑스 국가 헌병대 소속 대테러부대, Groupe d'Intervention de la Gendarmerie Nationale

"서울 지부 최초 루아스 국장님이시라고요. 뵙게 돼서 영광입니다."

중령은 말하고 이반 뒤를 따라 헬기에서 내리는, 도영을 포함한 대원 셋을 보았다. 옷차림은 다양했지만 모두 신분 노출에 민감한 대테러부 대원이라서 마스크를 쓰고 있었다. 중령은 그들에게서 시선을 거두고 이반을 보고 손짓했다.

"가시겠습니까?"

중령은 바로 앞에 있는 가건물로 그들을 안내했다. 엘리베이터를 타고 아래로 내려가자 건물은 텅 빈 것처럼 아무도 없는 느낌이 났다. 을씨년스럽기까지 한 복도에 그들의 발소리만이 울려 퍼졌다.

어느 지점이 다다르자 뒤따라오던 대원 하나는 멈춰 서서 보초를 서듯 그들이 온 방향을 보았다. 그리고 나머지 대원은 중령이 멈춰 선 문보다 더 앞으로 가서 다른 대원처럼 복도를 보고 섰다.

중령은 문 옆에 있는 패널에 손목 밴드를 찍고 지문을 인식시켰다.

"여기입니다."

이반이 먼저 안으로 들어가고 다음으로 중령과 도영이 따랐다. 안쪽은 어두웠고, 한쪽 벽면이 전부 유리였다. 그 너머를 지켜보고 있던, 군복을 입은 남자 둘이 이반을 보고 거수경례했다.

유리 너머에는 테이블이 있고, 등을 구부정하게 구부린 왜소한 남자가 앉아 있었다. 일전에 금융 센터에서 붙잡은 SN 대원이었다.

[그 금융 센터에서 뭘 하고 있었던 겁니까?]

대원 건너편에 앉은, 심문 중인 군검사가 묻는 목소리가 스피커를 통해 흘러나왔다.

[미래를 준비하고 있었습니다.]

SN 대원은 차분하게 대답했다. 언뜻 보면 그때 그 난리를 피우던 사람이라고는 보이지 않을 정도였다.

군검사는 한숨을 내쉬고 테이블을 짚었다. 그러자 테이블에 사진이 떴다.

[지하에 깔아놓은 C-4[19] 100kg로 건물을 날리려던 게 말이죠.]

SN 대원은 또렷한 눈으로 군검사를 쳐다보았다.

[당신들은 이해하지 못하고 있습니다. 우리는 이 세계의 세포 자살 같은 겁니다. 필요 없어진 세포들이 죽어야만, 전체가 정화되는 겁니다.]

[필요 없어진 세포란 인간들입니까?]

군검사는 물었다. SN 대원은 살짝 고개를 끄덕였다.

[개중에서 진화에 유리한 개체는 어떻게든 살아남게 되어 있습니다. 자연은 가장 비정하고 객관적인 판단 기계니까요.]

군검사는 흥미롭다는 눈을 했다.

[그러니까 루아스들은 진화에 유리한 개체다?]

[그렇습니다.]

SN 대원이 그 이야기에 즐거움을 느끼는 것처럼 살짝 미소까지 띠고 말하자 군검사는 말 한번 잘했다는 듯이 말했다.

[그렇다면 당신들 같은 육체 능력이 없는 우리 인간들은 그냥 둬도 언젠가 자연에서 도태되지 않겠습니까? 굳이 비용과 노력을 들여서 이렇게 열심히 뛰어다니는 이유가 뭡니까?]

[인간은 인간들끼리 전쟁을 하죠. 그러고 나면 필연적으로 인구가 조절되죠. 마치 자연이 인간을 도구로 삼는 것처럼 말이죠. 우리는 자연의 일부입니다. 야생에서 동물들이 사냥해서 개체수를 조절하듯이, 우리도 우리의 DNA에 각인된 일을 할 뿐이죠. 예전에는 피를 마시기 위해 인간을 죽였지만 이제는 굳이 피를 마실 필요는 없으니까 간단하게 폭탄을 사용해서 우리 일을 하는 겁니다.]

이반은 중령에게 물었다.

"SN의 내부 사정에 대해 알고 있는 건 없습니까?"

19) 군용 플라스틱 폭약, Composition-4 Explosives

중령은 고개를 저었다.

"국장님께서 직접 내려오시기까지 했지만 단순한 장기짝인 것 같습니다."

"제가 좀 봐도 되겠습니까?"

이반이 묻자 중령은 의외라는 얼굴을 숨기지 않았다.

"국장님께서 직접이요?"

"네."

"원하신다면 상관은 없습니다만."

이반은 안으로 들어갔다. 문이 열리는 기척에 돌아본 SN 대원은 움찔하는 기색이었다.

군검사가 일어나 이반에게 자신이 앉았던 자리를 손짓하고 밖으로 나왔다. 이반은 군검사가 앉았던 자리에 앉았다.

한동안은 가만히 SN 대원을 쳐다보기만 했다. 그러자 어째서인지 SN 대원은 땀을 흘리기 시작했다.

이내 이반은 물었다.

[당신이 SN에서 하는 일은 뭡니까?]

SN 대원은 심문실의 내부 온도가 올라간 것처럼 땀을 흘리며 더듬거렸다.

[저는…… 아무것도…… 모릅니다.]

[당신이 아는 것만 말하면 됩니다.]

[저는…… 그 센터를 폭파하라는 이야기만 들었습니다. 죄송합니다.]

밖으로 나와 있는 군검사가 기가 막힌다는 듯이 말했다.

"지금 죄송하다고 한 겁니까, 저 녀석? 저한테는 그렇게 뻗대놓고?"

도영은 유리 너머를 보며 중얼거렸다.

"동물들에겐 알파와 오메가가 있죠."

그러고는 중령에게 손을 들어 보이고 말했다.

"그렇다고 루아스가 동물이란 의미는 아닙니다."
"괜찮습니다."
중령은 대답하고, 붉은 눈으로 유리 너머를 돌아보았다.
"아니라고 할 수도 없으니까요."
유리 너머에 국장은 의자 등받이에 등을 대고 무심히 앉아 있었고, SN 대원은 혼이 나는 아이처럼 고개를 조아리고 있었다.
더 질문해 보아도 SN 대원이 정말 뭘 더 아는 것 같지 않자 이반은 밖으로 나왔다.
"새로운 정보가 나온다면 연락 주십시오."
"물론입니다."
중령은 말하고 헬기장에 대기하고 있는 헬기까지 일행을 배웅했다.
"살펴 가시길 바랍니다."
이반 일행은 헬기에 올랐다. 거의 부대에 도착할 때쯤, 조종사 중위가 말했다.
"긴급 착륙 허가를 받은 인근 병원의 닥터 헬기가 환자를 이송 중이라고 합니다. 한 바퀴 돌까요?"
이반은 대답했다.
"다른 헬기장에 내려도 괜찮습니다."
그래서 다른 헬기장에 내리자 미리 연락을 받은 국장의 전용차가 헬기장 바깥에 대기하고 있었다.
대원들이 먼저 헬기에서 내려 주변을 둘러보고, 마지막으로 이반이 내렸다. 그가 차가운 공기를 가르며 앞을 지나가자 도영은 갑자기 물었다.
"절 데려오신 이유가 뭡니까?"
국장에 대한 경호 업무라고는 하지만 사실 렉스만으로도 경호원은 차고 넘친다는 걸 도영도 알았고, 그가 그걸 안다는 걸 국장도 알았을 것이다.

이반은 도영을 돌아보았다.
“소령은 키가 컸군.”
그리고 뜬금없는 말을 했다.
도영은 눈을 깜빡였다. 그게 무슨……. 그런데 컸다, 고?
“뒤늦게 좀 컸습니다.”
도영은 일단 대답했지만 석연치 않아 떨떠름하게 물었다.
“절 알고 있으셨습니까?”
“소령이 나에 대해 아는 만큼은.”
“무슨…….”
이반은 얼핏 웃고 말했다.
“저번에 통화한 파리 지부 정보국 소속 니콜라 로랑 중위, 어려서부터 친구였지?”
도영은 속으로 욕을 삼켰다. 분명히 암호화된 라인이었는데.
그동안 이반은 계속 말했다.
“소꿉친구면 소령의 가족을 잘 알 테고……. 로랑 중위가 MCTC에 입대한 것도 자네 삼촌과 관련 있겠군.”
도영은 이반을 힘 있게 바라보았다가, 한숨을 내쉬었다.
“예의상으로라도 에둘러 말씀하시지 않는군요.”
“그렇게 예의를 챙기는 사람이 내 뒷조사부터 할 것 같진 않은데.”
아무래도 말로는 이길 수 없을 것 같아서, 도영은 오히려 이반을 똑바로 보았다.
“그날 삼촌과 함께 있었던 사람이 니콜라였습니다.”
그날— 통째로 소각로에 집어넣은 것처럼 타오르는 집과 울부짖으며 발작하는 자신, 모든 게 꿈같고 거짓말 같았던 그날.
“흡혈귀들이 제 삼촌을 죽인 날.”
이 년 전 서울 지부로 전출 온 도영이 루아스인 연하에게 선입견을 가지지 않았던 이유는, 둘 다 흡혈귀에게 소중한 것을 잃었다는 공통점이 있었기 때문이다. 그는 가족을, 연하는 목숨을.

"남을 구한 의인의 죽음을 지켜본 사람은 죽어서 적어도 제7품 권천사에 봉해진다는군. 로랑 중위에게 천사가 될 거라고 전해줘."

그런데 이반이 또 뜬금없는 소리를 했다. 도영은 미간을 찌푸렸다.

"천사 같은 소리 한다고 페라르동[20]으로 아플 때까지 처맞을걸요. 염소같이 공격적인 녀석이거든요."

뭐가 우스웠는지 이반은 나직이 웃었다. 하여간 도영은 국장이 못마땅했다. 쓸데없이 멋진 남자의 느낌을 풍기는 점부터.

"그런데 천사 같은 걸 믿으십니까?"

도영은 물었다. 산타클로스가 있다고 주장하는 친구를 놀리는 것 같은 투였다. 하지만 이반은 태연했다.

"뱀파이어가 존재하는 세상이니까."

그렇게 대답해 버리면 할 말이 없었다. 도영은 한숨을 내쉬고 말했다.

"오해하시면 안 될 건, 저희 삼촌은 의인이 아니었습니다."

솔직히 삼촌을 사랑하는 건 둘째치고, 줄리앙 삼촌은 인격적으로 문제가 많았다. 물론 악인은 아니었지만 학대받으며 자란 고양이보다도 예민하고 날카로운 성격에, 프랑스인 특유의 비꼬는 말투로 무장한 독설 폭격기에, 온갖 포비아와 알러지의 전시장이라 할 만했다. 서양 예술사 교수였던 그가 울려 보낸 학생만 해도 대강당을 채울 것이다.

반면 도영의 아버지 엘리오는 그야말로 건상한 정신과 육체, 눈부신 애국심을 가진 군인이었다. 꼭 닮은 얼굴만 아니었다면 사람들은 줄리앙과 엘리오 두 사람이 쌍둥이 형제라는 사실을 믿지 못할 정도였다.

그들의 집을 습격한 흡혈귀들이 미처 계산하지 못한 것은, 아버지 엘리오가 GIGN의 베테랑 군인이라는 점이었다. 아니, 알고 있었어도 그

20) 몽펠리에의 전통 염소 치즈. 매우 부드럽다.

래봤자 인간이 뭘 할 수 있겠냐고 생각했겠지만 아버지 엘리오는 필사의 항전으로 흡혈귀 두 마리를 집채 통구이로 만들어 버렸다.

하늘 높이 솟구치는 불길은 그들의 보금자리를 맹렬하게 집어삼켰다. 니콜라를 구하려다 죽은 줄리앙 삼촌의 시신과 함께.

도영은 겨울 공기 속에 헐벗은 나무에 의미 없는 시선을 맞추고 중얼거렸다.

"이상한 일이죠. 삼촌은 그렇게 니콜라를 싫어했는데."

애초에 줄리앙 삼촌이 가족이 아닌 누군가에게 '친절'이나 '배려' 같은 인간적인 면모를 보여줄 리 만무했던 데다가, 특히 삼촌은 식자로서 상식이 부족한 친구들을 좀 많이 멸시했는데, 하필 도영의 절친이 글자라고는 간판의 글씨도 읽기 싫어하는 녀석이었던 것이다. 여담이지만 그런 녀석이 육사를 나와 지금은 정보국에서 일한다니 정말 인간 승리의 드라마가 따로 없지 않은가?

어쨌든 삼촌이 그 성격에 여자라고 만날 수 있을 리 없어서, 그는 사십 줄의 나이에도 형제의 가족, 즉 도영의 가족과 함께 살았다. 그리고 그날은 어머니가 일이 늦게 끝나는 날이어서 집에 남자 셋뿐이었다.

아버지 엘리오가 장을 보러 가자고 해, 도영은 오랜만에 집에 있는 아버지와 시간을 보내는 것이 즐거워 따라나섰다. 니콜라가 놀러 오기로 했는데 그만 깜빡하고. 하지만 그건 니콜라가 삼촌을 역병보다 무서워한다는 사실을 제외하면 그리 큰 문제는 아니었다.

할 일이 있어 집에 남은 줄리앙 삼촌은 벨소리에 나와보았다가 니콜라를 보았고, 들어오라든가 가란 말도 없이 그냥 들어가 버렸다. 니콜라는 쭈뼛거리며 따라 들어갔다. 줄리앙 삼촌은 부엌 테이블로 돌아갔다. 얼핏 보이는 삼촌의 예리한 옆모습, 노트북, 테이블 위에 어지러운 서류 같은 것들이 기억난다고 말했다, 나중에 니콜라는.

니콜라는 세상 불편하게 거실에 앉아 기다렸다. 그러다가 그냥 가버릴까 생각했을 때쯤, 문이 열렸다.

"왔……."

반색하며 돌아봤는데, 들어온 것은 젊은 남자 둘이었다. 어린 니콜라도 본능적으로 이상하다고 느꼈다. 그건 문의 잠금 장치가 소리도 없이 부서져 있었다는 사실 때문만이 아니라 남자들이 아주 아름답고, 차가웠기 때문이다. 비인간적으로 느껴질 만큼.

소리를 듣고 나온 줄리앙 삼촌도 그렇게 생각했던 모양이다. 남자들을 보고 바로 뒷걸음질 쳐 부엌으로 달아났다.

'저 개새끼.'

니콜라는 정말 그렇게 생각했다고 한다.

남자 하나가 니콜라에게 손을 뻗었다. 니콜라는 그냥 얼어 있었다. 사실 아이큐가 약간 모자란 초등학생이 그런 상황에 할 수 있는 건 없었다.

그런데 그때였다. 부엌문에 줄리앙 삼촌이 다시 나타났다. 사냥용 샷건을 들고.

삼촌은 조금도 주저하지 않고 샷건을 쐈다. 정확하게 남자의 어깨를 쏜 사격 실력에 놀라기도 전이었다. 입구에 서 있는 두 번째 남자를 향해 방아쇠를 당겼다.

잠깐 현실로 돌아온 도영은 이반을 보았다. 왜 자신이 이런 이야기를 국장에게 하고 있는지 알 수 없었으나 이반은 진지한 태도로 듣고 있었다. 그래서 도영은 어쩐지 이야기를 그만두기도 애매해져서 계속 말했다.

"나중에야 어머니에게 들은 이야기지만 삼촌은 오래전부터 이상한 예감에 시달려 왔다더군요."

"이상한 예감?"

이반은 조용히 되물었다. 도영은 고개를 끄덕였다.

"자신이 비명횡사할 거라는 예감이요. 그것도 어떤 악의에 희생돼서 말이죠. 어쩌면 뱀파이어들은 쌍둥이를 불길하게 여겨 쌍둥이만 보면 공격한다는 이야기를 들어서 그런 거였는지도 모르겠지만요. 그건 삼촌의 편집증적인 부분을 자극하기에 딱 좋은 이야기였거든요."

물론 주변인들은 심각하게 받아들이지 않고 우울증 증상이라며 삼촌에게 심리 치료를 받도록 권했다. 하지만 도영의 아버지는 삼촌에게 그럼 사격 연습을 해 보는 건 어떠냐고 제안했다.

"쉽게 당하진 않는다는 걸 보여주라고."

아마 삼촌은 아버지의 그런 면을 사랑했을 것이다. 그 모습을 보고 어머니는 가지가지 한다며 한숨을 내쉬었으나 삼촌이 사격 연습을 하면서부터는 진정이 되는 것 같기에 그냥 내버려 두었다. 참고로 삼촌은 까다롭고 예민했을 뿐 진짜 우울증 환자는 아니었고, 그의 부모님은 그걸 잘 알고 있었다. 그러니까 우울증 환자에게 무기를 쥐어주는 위험한 행동을 한 건 아니었다.

그래도 삼촌은 몸을 쓰는 일과는 거리가 있어서 금세 그만둘 거라고 생각했는데, 몇 달 후에는 실력이 무섭게 좋아져서 놀랐던 기억이 있다고, 어머니가 말한 적이 있었다.

"하지만 그래봤자 인간이었으니까요."

도영은 이반을 보고 우울하게 말했다.

모든 일이 너무 빨리 일어나서 니콜라도 전부 제대로 기억하진 못했다. 삼촌이 총을 쏜 직후 두 번째 남자가 사라졌고, 산탄은 문에 가 박혔다. 두 번째 남자는 삼촌 옆에 나타났다. 삼촌은 순간적으로 흠칫 총구를 돌렸다.

총성이 울렸다.

니콜라는 자신이 비명을 질렀는지 지르지 않았는지 기억나지 않는다고 했다. 삼촌이 무너지는 모습이 슬로우 모션처럼 보였다. 두 번째 남자는 여전히 무표정한 얼굴로 연기가 올라오는 산탄총을 쥐고 있었다.

삼촌은 반동을 일으킬 정도로 바닥에 세게 넘어졌다. 그의 몸 아래로 카펫에 핏물이 스멀거리며 퍼져 나갔다. 그리고 삼촌은 쓰러진 그대로 드러누워 똑바로 니콜라를 보았다.

"'꺼져.'였어."

나중에 니콜라는 울음을 참느라 벌겋게 부어오른 눈으로 말했다.

"너희 삼촌이 나한테 마지막으로 한 말."

그 시점에 도영과 아버지 엘리오는 집으로 돌아왔다. 집 안에서 총성을 들은 아버지는 당장 뛰어 들어가며 그에게 기다리라고 신신당부했다. 도영은 불안해하며 기다렸다. 그런데 갑자기 뒷문으로 니콜라가 뛰쳐나왔고, 엉엉 울면서 알아듣지 못할 말들을 늘어놓기 시작했다.

"이, 이상한 사람들……. 삼촌이…… 초, 총……. 꺼지라고……."

그때 신고를 받았는지 국가 헌병대[21]가 도착했다. 남색 유니폼을 입은 헌병들 몇이 그들을 좀 떨어진 곳으로 대피시키고, 나머지 헌병들이 총을 꺼내 들며 문으로 다가갔다.

그 순간이었다. 집에서 폭발이 일었다. 가스가 터진 것처럼.

---

21) 프랑스 일부 지역에서는 국가 헌병대가 경찰 역할을 대신 한다.

도영은 타오르는 집을 보았다. 믿을 수가 없었다. 아버지와 삼촌을 부르짖으며 얼마나 울었는지, 헌병들이 갑자기 소리치며 집 뒤쪽으로 달려가기 시작했다.

"생존자가 있다!"

도영도 정신없이 달려갔다. 아버지는 아직 살아 있다고 믿기 힘든 모습으로 정원에 쓰러져 있었다. 폭발 직전에 몸을 날려 탈출한 것 같았다. 그날 이후 아버지가 다시 두 다리로 서는 일은 없었고, 그토록 자랑스러워하던 GIGN에서도 의병제대해야 했다. 하지만 그런 건 중요하지 않았다.

아버지는 울고 있었다. 무언가 말로 형용할 수 없는 소리를 내며.

아버지는 낮이었고 삼촌은 밤이었다. 아버지가 제우스라면 삼촌은 하데스였다. 둘은 극명한 대척점에 서 있었지만 둘이서 하나였다. 도대체 둘이 어떻게 쌍둥이냐고 이해하지 못하는 사람들도 그 사실을 의심하진 않았다.

언젠가 아버지는 말했다.

"줄리앙에겐 주변의 모든 것들이 너무 예민하게 와 닿는 거야. 사람들이 싸우는 소리, 노숙자들이 기침하는 소리……. 주인이 걷어찬 옆집 강아지가 낑낑거리는 소리마저도. 심지어 짓밟히는 풀에조차 줄리앙은 고통스러워해. 그런 게 예술적인 기질이라는 거겠지."

아버지는 삼촌을 있는 그대로 사랑했다. 반면 삼촌은 아버지를 이해하지 못했다. 그는 자주 도영에게 말하고는 했다.

"일면식도 없는 남을 지키기 위해 자진해서 위험에 뛰어드는 군인 따위를 하다니, 네 아버지는 정말 제정신이 아냐."

하지만 자신을 있는 그대로 이해하고 받아들여 주는 사람을, 삼촌도 같은 방식으로 사랑하지 않을 수 없었을 것이다. 그런 자신의 형제가 지키려 하는 것을 지키지 않을 수 없었을 것이다.

그래서 삼촌은 니콜라를 구했을 거라고, 도영은 생각했다.

도영은 이반을 보았다. 하얗게 바란 공기 속에, 그는 비인간적으로 보였다. 원래도 그런 사람이지만 유난히 옷을 입고 있는 대리석상 같았다. 하얗고 우아하며 늠름했다. 마치 신이 이런 피조물이 죽어서 썩어버리는 걸 아까워해 영원한 재료로 다시 빚어놓은 것처럼.

도영은 말했다.

"강 상사가 바라는 건 규하 누나가 죽는 날까지 평범하고 안전한 삶을 사는 거죠."

그건 무엇에도 특별한 욕심이 없는 연하가 가진 유일한 욕망이었다. 죽은 사람으로서 사는 것조차 기꺼이 받아들일 정도로.

"지금 강 상사는 제 일만으로도 머리가 터질 지경입니다. 지난 12년간 SN은 규하 누나를 건들이지 않았지만 앞으로도 그러리란 보장은 없으니까요."

이 정도면 알아들었을 거라고 생각했다. 뭐 한번 어떻게 해볼 속셈으로 우리 애한테 집적거리면 죽는다, 라는 말을.

"국장님께서 강 상사한테 신경 쓰시는 이유는 뭡니까?"

도영은 안 그래도 물어보고 싶었던 것을 물어보았다. 이반은 별 기색 없이 대답했다.

"개인적으로 페인 총장과 친분이 있어서. 부탁을 받았거든."

'신경 쓰고 있다는 점은 부정하지 않는군.'

도영은 생각했다.

도영은 개인적으로 페인 전 총장을 만나본 적은 없었다. 하지만 총장이 마치 인류애가 집약된 것처럼 훌륭한 인물이었다는 사실은 알았다. 그는 처음으로 뱀파이어에게 손을 내민 인간이었다. 처음에는 MCTC 같은, 인간과 뱀파이어가 공존한 조직을 만들려는 그를 다들 미친 사람 취급했지만, MCTC가 있었기에 SN을 압도할 수 있게 된 지금으로서는 아무도 처음에 누가, 왜 MCTC의 설립을 반대했는지 기억하지 못했다.

그 결과가 이것이었다. 뱀파이어에게 가족을 잃은 도영과 뱀파이어인 국장이 같이 서 있는 모습.

도영도 처음에는 가치관에 혼란을 느낄 정도로 받아들이기 힘든 상황이었지만, 평화의 상징으로 꽃을 들고 온 이 뱀파이어들을 누군가는 받아들였고 누군가는 받아들이지 않았다.

"삼촌에 대한 복수를 하고 싶다는 생각은 하지 않았나?"

마침 이반이 물었다. 도영은 기다렸다는 듯이 대답했다.

"하고 싶었습니다. 하지만 다행히 제겐 판단력이라는 게 있어서요. 제가 때려잡아야 하는 건 SN이지, 뱀파이어 자체가 아니니까요. 사실 강상사 같은 뱀파이어를 보면 제가 그렇게 생각하고 싶지 않아도 김이 빠진다고 할까요. 그런 얼빠진 녀석을 보면 뱀파이어라고 미워할 마음조차 생기지 않거든요."

뱀파이어, 그것도 보기 힘든 여자 뱀파이어가 있는 팀에 배정될 거라는 이야기를 들었을 때는 마음이 심란해졌지만 연하를 소개받은 순간 도영은 깨달았다. 아, 이 녀석은 바보구나, 하고. 연하는 맹한 얼굴로, 새로 온 중대장인 그에게 이렇게 말했던 것이다.

"눈이 사탕 같…… 아, 김 중령님이 이런 말은 하지 말라고 했지."

그때 이반이 타고 갈 차의 운전기사가 차 문을 열어주었다. 이반은 그쪽을 한 번 봤다가 다시 도영을 보고 물었다.

"아버님은 건강하시나?"

도영은 국장이 자신의 아버지에 대해 묻는 게 의외였지만 대답했다.

"펄펄 나시죠. 패럴림픽도 출전하실 정도니까요."

이반은 조금 웃었다. 인간들은 참으로 살기를 포기하지 않았다.

"그런데 정말 절 데려오신 이유가 뭡니까?"

도영이 묻자, 차에 타려던 이반이 돌아보고 말했다.

"소령과 친해지고 싶었다고 해두지."

"네?"

도영은 눈을 살짝 크게 뜨며 놀랐다. 하지만 이반은 묘하게 웃고는 차에 올랐다. 이어서 내내 말없이 뒤따라오던 렉스까지 차에 타자 운전기사는 차 문을 닫고 운전석으로 돌아갔다. 그제야 도영은 정신을 차리고 거수경례했다.

"들어가십시오."

차가 출발했다. 그리고 차가 가는 뒷모습을 보고 있자니 도영은 기가 찼다. 친해지고 싶었다니…….

"여기가 고등학교냐?"

도영은 투덜거렸다. 하여간 제 주변에 있는 흡혈귀들은 어째 다 이렇게 미워할 기운조차 나지 않게 하는지 알 수 없었다.

교실은 아이들이 왁자지껄 떠드는 소리로 시끄러웠다. 영화 스크린처럼 한눈에 들어오는 복도 모퉁이를 돌아 규하가 나타났다. 그러자 복도에서 떠들고 있는 아이들이 소리치며 교실로 달려 들어갔다.

"마귀할멈 온다!"

아이들은 정신없이 자리를 찾았다. 규하가 문을 열고 들어갔다. 깐깐

한 시선이 교실을 훑는 동안 묘한 긴장감이 감돌았다. 그러다가 규하는 중간의 비어 있는 자리에 시선을 멈추더니 인상을 쓰고 물었다.

"박가연이 어디 있어?"

"안 나왔어요."

아이들이 한 목소리로 대답하자 규하는 바로 험악한 얼굴이 되었다.

"또? 이런 간나 ㅅ……."

"선생님 또 욕하신다."

"시옷에서 멈췄다. 교감한테 이르기만 해 봐, 아주."

아이들이 우우우 야유했다. 연하는 희미하게 웃었다. 아이들은 천진하고 밝았다.

"시끄러. 책 펴."

규하가 교탁 앞에 서면서 말하자 이내 교실은 조용해지고, 규하가 수업하는 소리가 울려 퍼지기 시작했다. 연하는 학교 건너편 건물 옥상의 난간에 팔꿈치를 댄 팔로 턱을 괴고 그 모습을 지켜보았다. 규하는 이제 수업하는 게 숨 쉬는 것만큼이나 익숙해 보였다. 연하는 새삼스러워져 중얼거렸다.

"선생님 같은 거 되고 싶어 하지 않았으면서."

규하는 참다 못해 욕지거리를 토해냈다.

"아, 이런 간나 새끼."

이마에 송골송골한 땀을 닦으며 허리를 펴자 까마득히 높은 달동네의 정경이 눈에 들어왔다.

"욕을 안 하려고 해도 안 할 수가 없잖아. 높이 살긴 왜 이렇게 높이 살아? 고소공포증 돋으려고 하네."

규하는 욕쟁이 할머니처럼 끊임없이 투덜거리며 언덕을 올랐다. 그리고 계단 끝까지 올라가 철문을 두드렸다. 대답이 없었다. 몇 번 더 두드리자 남자의 시끄러운 고함이 들렸다. 잠시 후에 한 소녀가 조심스레 문을 열고 나왔다.

"누구……."

소녀는 벽을 짚고 숨을 고르는 규하를 보자마자 얼굴이 밝아졌다.

"선생님!"

"야, 박가연 이 계집애야. 왜 또 학교는 안 왔어? 꼭 날 이 미친 듯이 높은 데까지 오게 해야겠어?"

가연은 규하의 속사포 같은 질타에 슬그머니 기가 죽었다.

"아버지가 가지 말라고……."

"이런 미친년이 또 왔어! 당장 안 꺼져!"

그때 한 남자가 마당으로 뛰어 내려왔다. 맨발에 며칠은 갈아입지 않은 것 같은 티셔츠, 추리닝바지 차림이었다. 제법 몸집이 있어서 위압적임에도 불구하고 규하는 태연히 안으로 들어갔다.

"애 학교는 왜 안 보내요?"

"내 딸년인데 내 마음이지! 꺼지라니까!"

가연의 아버지 석주는 청각에 문제라도 있는 사람처럼 목청껏 고함을 질러댔다. 규하는 위압된 것처럼 주춤 고개를 물렸다.

"어후, 냄새. 또 술을 얼마나 마신 거예요? 같은 주당으로서 저희 매너 좀 지켜요. 마셔도 깔끔하고 담백하게."

"우라질 년이 육갑을 하네!"

석주가 그러거나 말거나 규하는 집을 훑어보았나. 역시 엉망이었다. 여기저기 치워보려는 노력의 흔적은 보이지만 고사리 손으로 치워봤자 얼마나 깨끗하겠는가.

규하는 석주를 지나 집 쪽으로 갔다.

"어딜 들어가!"

석주가 외치며 규하를 붙잡으려는 순간, 그녀는 재빨리 몸을 뺐다.

그러자 이미 만취한 그는 균형을 잡지 못하고 자기 혼자 넘어져서는 악다구니를 써댔다.

"이년이 사람을 치네!"

"내가 언제요?"

규하는 기가 막혀 말했다. 그러자 석주는 벌떡 일어나더니 그녀를 때릴 듯이 번쩍 손을 치켜들었다. 하지만 규하는 눈 하나 깜빡하지 않았다. 오히려 똑바로 쳐다봐서, 묘한 기백에 눌린 석주가 움찔하며 멈추었다. 규하는 그대로 말했다.

"쳐요. 저번에는 가연이가 하도 부탁해서 합의해 줬는데 이번에야말로 당신 큰집 보내고 가연이 새 인생 살게 하려니까. 요즘 아동 복지 센터 잘 돼 있어요. 좋은 집에다가 입양까지 일사천리로 보내줄걸요."

가연이 살며시 규하의 소매 끝을 잡았다.

"선생님……."

규하는 찡그린 웃음을 짓고 말았다.

"알았다, 계집애야. 하여간 자기 아빠라고 끔찍하게 생각한다니까. 내가 네 아빠 한 대 치면 꺼지라고 말할 기세다?"

가연은 당치도 않다는 듯 고개를 저었다.

"에이, 그건 아니에요. 저도 사람인데 선생님이 더 좋죠."

석주는 발끈했다.

"뭐, 이……!"

규하는 상대하기 귀찮다는 듯 손을 내젓고 부엌으로 갔다. 밖에서 우당탕탕 깨지는 소리가 났지만 따라오지는 않았다. 경험을 통해 규하에게는 통하지 않는다는 걸 알고 있기 때문이리라.

"밥은 먹었어?"

규하는 따라 들어온 가연에게 물었다.

"네. 라면하고 밥 남은 거 하고……."

"네 아버지한테는 김치찌개 끓여다 바치고?"

싱크대에 남은 설거지거리를 보고 말하자 가연은 입을 다물었다. 규하는 고개를 내저었다.

"어떤 의미로 대단하다. 요즘 같은 시대에도 이런 집이 있다니. 인간은 참 쉽게 변하지 않아."

규하가 겉옷을 벗어 방 안에 던지고 팔을 걷어붙이자 가연은 우물거렸다.

"선생님, 그러지 않으셔도 되는데……."

"이 꼬락서니를 해놓고 참으로 그러지 않으셔도 되겠다."

규하는 말하고 부엌부터 청소하기 시작했다. 가연도 만류해 봤자 소용없다는 걸 알고 있는 터, 바로 규하를 돕기 시작했다. 설거지를 끝내고 한참 바닥을 쓸고 있는데 규하 옆에서 쓰레받기를 들고 있는 가연이 슬그머니 물었다.

"선생님은 어떻게 저희 아버지가 무섭지 않아요?"

"저게 무섭냐? 소리만 시끄럽지. 안 그래도 고막 터지겠다."

규하는 코웃음 치며 말했다. 하지만 가연은 시무룩한 얼굴이 되었다.

"저번에 아버지가 정말 선생님 죽이는 줄 알았단 말이에요……."

볼 한 대 맞고 멱살이 잡혀 탈탈 털린 것뿐인데 어린 눈에는 심각하게 비쳤나 보다. 하긴, 긴 머리카락이 막 휘날리는 게 극적인 효과를 줬을 법도 했다. 규하는 말했다.

"진짜 무서운 건 저런 게 아니거든."

"그럼 뭐가 진짜 무서운 건데요?"

소중한 사람이 눈앞에서 죽어가는데 아무것도 할 수 없는 거.

하지만 애에게 그 정도 말은 가릴 줄 알았으므로, 규하는 가연의 이마를 툭 치고 말했다.

"나다, 인마. 들어는 봤냐? 인천의 피바다 강규하라고."

그러고는 규하는 걸레를 들고 밖으로 나가 대청마루를 닦기 시작했다. 놀랍지만 아직도 대청마루가 있는 집이 있었다.

대청마루 끝에 앉아 담배를 피우는 석주는 아주 못마땅한 눈으로 규하를 보았지만 특별히 무슨 말을 하지는 않았다. 거의 대청마루를 다 닦았을 쯤, 규하는 걸레를 집어 던지고 주저앉았다.

"아, 미친. 관절이 파괴되어 버릴 것 같아."

같이 걸레질을 하던 가연이 키득거렸다.

"선생님, 또 오버하신다."

"너도 내 나이 돼봐라, 이게 오버 같은지."

"선생님이 얼마나 젊고 예쁘신데요."

규하는 옆에 있는 유리에 자신을 비춰보았다.

"하긴, 내가 아직 좀 쓸 만해. 그치?"

"저도 선생님 같은 선생님이 되고 싶어요."

가연은 웃으며 말했다. 하지만 규하는 손을 내저었다.

"아서라. 나 같은 선생은 본받을 게 못 돼. 너희들 말대로 주정뱅이, 마귀할멈, 욕쟁이, 임용고시에 인성 검사가 있었으면 절대 교사 따위 되지 못했을 성격 파탄자 아니냐?"

가연은 정곡을 찔린 사람처럼 고개를 움츠렸다.

"그걸 어떻게 아시는……."

석주가 코웃음을 쳤다.

"알긴 아네."

그 말은 깨끗하게 무시하고 규하는 가연에게 말했다.

"내 귀는 장식이겠냐. 다 들린다, 이놈들아. 정말 교사의 권위가 땅에 떨어진 세상이라니까."

"네년이 그 따위로 행동하는데 참도 존경받겠다, 쌍것."

석주가 또 말했지만 규하는 신경 쓰지 않았다.

"사실 난 선생 같은 거 하고 싶지 않았어. 선생은 내 쌍둥이가 하고 싶어 했지."

굽힌 무릎에 기댄 팔로 턱을 괸 규하는 마당 쪽을 보고 이어 말했다.

"너희들 뒤치다꺼리하느라 데이트도 제대로 못 하는 이런 팍팍한 삶이 뭐가 좋다고 그렇게 노래를 불렀는지 모르겠다. 뭐, 잘하기야 했겠지만. 너희들하고 정신 연령이 비슷했을 테니까."

가연은 의외라고 생각했다. 말은 평소처럼 거칠게 하지만 제 쌍둥이 이야기를 하는 규하는 오히려 즐겁고 편해 보였기 때문이다. 가연은 궁금해져 물었다.

"그래요? 선생님 쌍둥이는 지금 뭐 하시는데요?"

"뭐 하긴, 죽었겠지."

규하와 가연은 멈칫하고, 등 돌리고 앉은 남자를 보았다. 습, 담배를 빨아들인 석주는 두 사람이 쳐다보는 시선을 느끼고 같잖다는 표정을 지었다.

"말하는 꼴이 딱 죽은 년 대하는 말투구만."

"오, 아버지 예리할 때가 다 있네?"

규하는 진심으로 감탄했다. 석주는 바로 '미친…….' 하고 말하는 입 모양이었다. 그러자 가연은 어색하게 웃고 변명처럼 말했다.

"저희 아버지 경찰이었잖아요."

규하는 고개를 주억였다.

"그러게 썩어도 준치라더니."

석주는 담배를 한 번 더 빨아들이고 물었다.

"어쩌다 죽었어?"

"흡혈귀한테요."

다시 담배를 입가로 가져가던 손이 멈칫했다. 규하는 피식 웃었다.

"자기만 흡혈귀한테 가족을 잃은 줄 알고 세상에서 제일 불행한 사람처럼 굴다가 나도 그렇다니까 여태까지 했던 행동들에 대한 후회의 쓰나미가 밀려오고 스스로가 바보 같고 그렇죠? 그래 보이는 표정인데."

"뭐, 이……! 쌍년이! 당장 꺼져!"

석주는 당장 목청을 높였다. 규하는 무릎을 짚고 일어났다.

"안 그래도 가렵니다. 나도 퇴근 좀 합시다. 이렇게 개인의 삶이 없어서야, 원."

"누가 너더러 오래! 미친년!"

"내 얼굴 보기 싫으면 가연이를 학교에 보내요. 아니면……."

구두를 신고 내려온 규하는 척 엄지손가락을 치켜세웠다.

"I'll be back. 이거 알라나? 고전 영화에 나오는 장면인데."

온갖 욕설을 내뱉는 제 아버지를 피해 내려온 가연이 규하를 밖까지 배웅했다. 규하는 대문을 나와 말했다.

"그럼 선생님 간다."

가연은 우물쭈물하더니 물었다.

"형제분 이야기 사실이에요?"

규하는 피식 웃고 물었다.

"왜? 내가 너희 아버지 개과천선 시키려고 지어낸 이야기 같아서?"

가연은 작게 고개를 끄덕였다. 규하는 제 턱을 짚고 고개를 갸웃했다.

"참 희한하단 말이야. 다들 왜 이렇게 날 인간쓰레기로 알지? 멀쩡히 살아 있는 가족을 팔아먹을 정도는 아닌데."

"너무 아무렇지 않게 이야기하니까……."

"일부러 계속 이야기하는 거야. 가뜩이나 어릴 때 죽어서 점점 시간 내서 기억해 주는 사람도 없을 텐데 내가 이야기하지 않으면 정말 죽은 존재가 돼버릴 것 같아서."

신이 있다면 절대 죽게 내버려 두지 않을 녀석인데.

슬슬 해가 지려고 하는 지평선을 바라보며 규하는 생각했다. 그러다가 덩달아 숙연해진 가연을 보고 웃었다.

"그럼 간다. 내일 보자."

"안녕히 가세요."

가연은 규하가 내려가는 모습을 보다가 집으로 들어갔다. 그리고 아직 담배를 피우고 있는 아버지 옆에 앉았다. 오랫동안 제 발끝만 보고 있는데 갑자기 그가 쯧 혀를 내차고 말했다.

"학교 가라. 저 망할 년 꼴 보기 싫으니까."

규하는 계단을 내려오며 주머니에 손을 넣었다가 무의식중에 손에 잡힌 것을 꺼냈다. 그리고 끊어진 실 팔찌를 보고 한숨을 쉬었다.

'이걸 어떻게 고치나…….'

하여간 술이 원수였다.

그때 버스 정거장 부스 뒤에 앉아 고개를 숙이고 있는 걸인이 눈에 띄었다.

누군가가 규하 옆을 지나갔다. 치맛자락을 팔랑이며 가뿐히…….

단정한 교복을 입은 어린 연하는 걸인을 보더니 가방에서 지갑을 꺼내 만 원을 바구니에 넣었다. 하지만 인사하는 걸인을 보고 고민하더니, 지갑에 들어 있는 돈을 모두 꺼내 건넸다. 갑자기 반대편에서 달려온, 같은 교복을 입은 규하가 무어라 소리치며 다시 돈을 집어넣으려 했다. 그러자 연하는 그녀의 손을 붙잡고 단호하게 고개를 내저었다. 규하는 진뜩 인상을 썼지만 결국 멋대로 하라는 듯 손을 놓았다.

이내 둘의 환영이 사라진 자리, 걸인은 여전히 버스 정거장 뒤에 앉아 있었다. 규하는 걸인에게 다가가 무릎을 접고 앉아, 그가 옆에 놓아둔 둥그런 패널에 손목 밴드를 찍었다. 삑, 소리가 나면서 만 원이 전송되었다.

걸인은 꾸벅 고개를 숙여 인사했다.

"감사합니다."

"미안해요. 연하였다면 더 줬을 텐데, 요즘 돈 나가는 데가 많아서."

규하가 말하자 걸인은 당연히 무슨 소리인지 알아듣지 못해 어리둥절해했다.

"네?"

규하는 조금 기운 없이 웃고는 일어나서 막 도착한 버스에 올라탔다. 버스가 떠난 자리, 연하가 나타났다.

규하는 오늘도 안녕해 보였다. 여전히 힘이 넘쳤고 입은 거칠었다. 참 사람이 저렇게 한결같을 수 있을까 싶을 정도로.

연하는 피식 웃었다.

'그래서 다행이지만.'

연하는 이제 거의 보이지 않는 버스를 응시했다.

'그렇지? 괜찮은 거지?'

그러다가 연하는 자신을 쳐다보고 있는 걸인을 보았다. 걸인은 어서 적선하지 않고 뭐 하냐는 듯한 표정이었다. 연하는 그를 물끄러미 보며 말했다.

"진짜 걸인도 아닌 분이 왜 구걸을 하세요?"

"네? 뭐……?"

걸인은 깜짝 놀라 자기도 뭐라고 해야 하는 줄 모르는 것 같았다. 연하는 말하고 돌아섰다.

"구걸하시는 분치고 너무 이것저것 잘 드신 냄새가 나잖아요. 만 원은 그냥 드릴 테니 그러지 마세요."

그녀도 옛날처럼 마냥 호구는 아니었다.

차로 돌아가는 내내 이반은 바깥을 보는 채로 말이 없었다. 밖에서 넘어온 네온 조명의 무지개 빛깔이 반듯한 옆모습을 훑고 지나갔다. 렉스도 방해하지 않고 침묵을 지켰다.

거의 청사 근처에 왔을 때쯤이었다. 이반은 창밖에서 무언가를 발견한 것처럼 고개를 들었다. 렉스도 시선을 돌려보았다. 밖에 연하가 걸어가고 있었다. 후드를 쓰고 있었지만 몸태라든가 걸음걸이를 보고 알 수 있었다.

"잠깐."

이반은 운전기사에게 손짓했다. 차가 멈추었다. 그리고 문이 열리자 어떤 말을 한 것도 아닌데 렉스가 내렸다.

연하는 갑자기 옆에 와 서는 차를 의아하게 봤다가, 차에서 내려 옆으로 비켜서는 렉스를 보았다.

"어……."

막 알은체를 하려는데 차창이 내려갔다. 연하는 반사적으로 그쪽을 보고 말했다.

"국장님."

"타. 데려다줄게."

이반은 말했다. 사실 청사가 머지않았지만 연하는 사양하지 않았다.

"감사합니다."

연하가 차에 오르자 렉스는 타지 않았는데 문이 닫혔다. 연하는 차창 너머로 멀어지는 그를 의아하게 보았다.

"렉스 씨는……."

"괜찮아."

이반이 대답했다. 연하는 렉스를 태우고 가지 않아도 괜찮다는 건지 내버려 둬도 괜찮다는 건지 알 수 없었지만, 물을 틈은 없었다.

"어디 다녀와?"

연하가 다녀올 데라면 뻔했지만 이반은 물었다. 연하는 후드 모자를 벗으며 대답했다.

"네. 규하한테요."

"금방 왔네."

"너무 오래 근처를 맴돌면 안 될 것 같아서요. 근데 국장님께서는……."

연하는 왠지 모르게, 후드 모자를 벗느라 헝클어진 제 머리를 슬그머니 매만졌다. 푹신한 가죽 좌석에 긴 다리를 꼬고 앉은 남자는 드러난 발목에 양말까지 고급스러워 보였기 때문이다.

이반은 연하가 왜 그러는지 의아한 눈치였지만 조금 웃고 말했다.

"옆에 열어볼래?"

"옆에요?"

연하는 차 문을 보았다. 하지만 뭘 말하는지 알 수 없었다.

"거길 눌러봐."

이반이 말하는 대로 연하는 옆을 짚고 눌렀다. 하지만 아무 반응이 없어서 몇 번 더 꾹꾹 눌렀다.

"좀 더 옆에……. 아니, 여기."

이반이 안 되겠다 싶었는지 연하 옆으로 옮겨와 팔을 뻗었다. 졸지에 그와 문 사이에 갇히게 된 연하는 모든 움직임을 멈추었다. 아마 숨마저도.

이반이 연하가 누르던 바로 옆을 누르자 뚜껑이 양옆으로 밀려나면서 미니 냉장고 같은 공간이 나타났다. 그러자 그는 미니 냉장고에서 꺼낸 무언가를 손에 쥐어주었다. 연하는 반사적으로 받아 들고 내려다보았다.

"어. 루챠챠."

이 알록달록한 주스는 멀리서도 알아볼 수 있었다. 이반은 당부했다.

"건강에 좋지 않으니까 가끔씩만 먹어. 알겠지?"

"네. 감사합니다."

연하는 바로 기분이 좋아져서 씩씩하게 대답했다. 이반은 손녀에게 사탕이니 초콜릿이니 하는 걸 쥐어주는 노인이 된 기분이었지만 좋아하는 얼굴을 보니 그걸로 됐다 싶었다. 그런데 연하가 바로 주스를 마시지 않고 허벅지에 내려놓은 두 손으로 잡고 있기에 물었다.

"먹지 않아?"

연하는 루차차를 한 번 보고 그를 보고 웃었다.

"아까워서요."

그렇게 좋을까 싶어 이반은 조금 난감한 웃음을 지었다.

"많이 있어."

"그래도 국장님께서 일부러 챙겨주신 거잖아요. 그냥 마셔 버리기는 아까워요."

이반은 연하에게서 시선을 떼지 않았다.

어쨌든 연하는 그의 것이었다. 이런 세상에도 루아스 사회에는 아직 제대로 된 법이 없었다. 그들 측에서 어느 정도 틀을 잡긴 했으나 여전히 고대로부터 쌓여온 불문율, 관습, 조리가 지배하는 사회였다. 특히 파트로네스와 클리엔테스 사이에 관여하는 일은 금기에 가까웠다. 그래서 한때 파트로네스에 의한 클리엔테스 학대 문제가 불거지기도 했지만 오래 사는 뱀파이어 특성상 파트로네스 층이 쉽게 물갈이되지 않기 때문에 여전히 쉬쉬하는 분위기였다.

그러니까 이 아이를 그의 것으로 삼아도, 설사 한 번 농락하고 버린다 하더라도 문제 될 것이 없었다. 그가 그걸 원하기만 한다면.

"소장이 싸우는 모습이 꽤 인상 깊었던 모양이더구나."

이반이 갑자기 말하자 연하는 이해되지 않는 얼굴이었다.

"네?"

"나는 쳐다보지도 않던데."

말하고 보니 그때 기분이 생생해서 이반은 심술궂은 말투가 나오고 말았다. 하지만 연하는 예상과 달리 그다지 당황하지 않았다. 오히려 차분한 눈으로 그를 보고 말했다.

"봤어요."

그날 렉스를 본 건, 서커스를 보고 난 아이 같은 것이었다. 잠깐 시선을 뺏기긴 했을지언정 지속되는 게 아니었다. 그때 연하의 시선은 어느새 돌아서서 가는 국장을 좇고 있었다. 귀, 어깨, 등, 허리, 다리, 그리고 손까지……. 그가 더 이상 보이지 않게 되었을 때도 눈을 돌리지 않았다.

정작 말하고 보니 쑥스러워진 듯 연하는 작게 덧붙였다.

"계속."

약간 물기 어린 검은 눈동자가 신뢰와 애정, 경외로 젖어 있었다.

갑자기 이반이 손을 들어 볼을 감싸 연하는 움찔했다. 그는 귀밑으로 연결되는 턱을 엄지손가락으로 훑었다.

"상처가 났네."

연하는 보이지 않는 제 턱을 눈짓했다.

"아, 어제 유리 파편에 긁혔어요."

"치료받지 않았어?"

"생채기인데요, 뭐."

역시 연하는 대수롭지 않게 말했다. 이반은 잠깐 그녀를 보았다.

"낫게 해줄까?"

연하는 놀라는 눈치였다.

"그런 것도 가능해요?"

"응."

갑자기 이반이 다가왔다. 위험할 정도로 가까이. 순간 차분한 눈이 깊이 들여다보였다. 뜬금없지만 연하는 생각했다.

'원래 푸른 눈이 아니었을까?'

너무 잘 어울리니까.

그런데 푸른 눈 너머에 무언가가 중첩되어 있었다. 컬러 렌즈 너머 가까이 들여다보아야만 보이는 본래 눈일 수도 있고, 아니면—

시선을 빼앗겨 쳐다보는 사이, 이반이 눈을 내리깔았다. 그리고 그가 측면으로 고개를 기울이자 숨결이 목에서 느껴졌다. 연하가 정신을 차린 건 그 순간이었다. 깜짝 놀라 반사적으로 몸을 아래쪽으로 쑥 빼고는 놀란 토끼 눈을 하고 이반을 보았다.

"국장님, 설마 낫게 해준다는 게……."

"생채기는 침 바르면 낫는 거 아냐?"

그런 이야기를 하면서 이반은 전혀 웃지 않았다. 오히려 진지한 얼굴이었다.

"아니, 그게……."

연하는 당황해 우물거렸다. 그러면서 괜히 시선을 돌렸다가 제 몸 옆을 짚고 있는 이반의 손을 발견했다. 그러고 보니 몸을 아래쪽으로 빼는 바람에 연하는 거의 드러누운 자세를 하고 있었는데, 그녀의 팔을 잡고 있는 이반이 딸려오면서 좌석에 손을 짚어서 반쯤 비스듬해진 상태였다.

그제야 연하는 둘이 하고 있는 자세가 인식되었다. 맞닿은 허벅지도.

"소홀히 했다고 화나신…… 거예요?"

얼마 전에도 연하 자신이 몸을 함부로 다루는 것 같자 그가 썩 유쾌해하지 않았던 기억이 났다.

이반은 대답하지 않았지만 바로 맞혔다고 알 수 있었다.

"죄송해요."

연하가 기가 죽은 듯이 사과하자 이반은 손을 떼고 몸을 일으켰다.

"추행으로 신고당해도 할 말은 없겠구나."

연하도 몸을 일으켜 앉고는 작게 중얼거렸다.

"안 해요."

두 사람은 한동안 말이 없었다. 연하는 바닥만 보고, 이반은 묵묵히 앉아 있었지만 무어라 설명할 수 없는 기류가 흘렀다.

연하는 이런 공기를 무어라 불러야 할지 알 수 없었다. 이제는 오히려 여자가 더 낯설어질 정도로 주변에 남자들밖에 없는 환경에서 지내왔지만 어떤 남자와도 이런 공기를 느껴본 적은 없었다.

그때 차가 멈추었다. 얼마 오지도 않은 것 같은데 어느새 청사 정문이었다. 문이 열려, 연하는 내리기 전에 말했다.

"태워주셔서 감사합니다."

"들어가."

이반은 별다른 기색이 없는 얼굴로 말했다. 연하는 거수경례하고 차에서 내렸다. 그런데 왠지 모르게 차에서 얼른 내리고 싶기도, 전혀 내리고 싶지 않기도 해서 기분이 이상했다.

연하를 내려주고 다시 출발한 차는 얼마 가지 않아 멈추었다. 그리고 차 문이 열리자 밖에 렉스가 서 있었다. 이반은 그를 한 번 보았을 뿐 별말 없이 차에서 내렸다. 거리에 늘어선 주황빛 가로등들에 하나둘 불이 들어오고 있었다. 늦은 오후와 저녁 그 경계 어딘가의 시간이었다.

"네가 물었지."

걸어가던 이반은 갑자기 말했다. 그를 뒤따르던 렉스는 고개를 들었다. 이반은 돌아보지 않고 덧붙였다.

"왜 연하한테 신경을 쓰느냐고."

"구해…… 주세요."

가슴이 뚫린 아이는 물씬 한 피 웅덩이에 누워 거의 목소리도 내지 못했다. 어리고, 가련했다. 하지만 아이는 자신을 살려달라고 하지 않았다.

"구해주세요. 규하……."

죽음이라는 광폭한 존재 앞에 헐벗겨진 아이가 내뿜는 이타적인 광

휘는 과연 눈부셨다. 하지만 그뿐이었다. 오랜 세월 지층이 쌓여 단단해질 대로 단단해진 심장의 껍질은 뚫지 못했다. 그가 얼마나 많은 죽음을 보았을 것 같은가? 대체로 평범하거나 나쁜 죽음이었지만 개중에는 오랫동안 회자될 만큼 의롭고 좋은 죽음도 많았다.

이미 자신은 틀렸음을 깨달은 아이가 형제라도 살리려고 하는 마음은 기특하지만 특별히 인상에 남을 만한 것은 아니었다. 거기까지였다면.

이반은 렉스를 보았다. 렉스는 평소 같은 얼굴이었지만 어둑한 빛 아래 좀 더 비장해 보였다.

"영웅의 조건에 대해서 생각해 본 적 있나?"

"영웅의 조건…… 말입니까?"

렉스는 이반이 그런 이야기를 할 거라고 예상하지 못했는지 천천히 되물었다. 이반은 어슴푸레한 가로등을 올려다보았다.

"아이는 영문도 모르고 살해당했고, 인간이 아닌 존재로서 되살아났지. 아니, 되살림을 당했다는 쪽이 맞겠지."

아무도 연하의 동의 따위 구하지 않았으니까. 하지만 그녀는 누구도 탓하지 않았다. 바보같이 순진해서, 아무것도 몰라서, 새파랗게 어려서……. 처음에는 이반도 그렇게 생각했다.

"하지만 단 한 번도 자신의 눈앞에 있는 것에서 시선을 돌리지 않았어, 저 아이는."

그것이 온몸에 사제 폭탄을 두른 폭탄 자살 테러범이든, 진압 방패 너머 구름떼처럼 밀려드는 반 뱀파이어 시위대든, 상관과 동료들의 경멸이든, 심지어 난독증이든.

파란 윤기가 흐르는 것 같은 명징한 눈은 알고 있었다, 자신의 주변에 일고 있는 폭풍우를.

연하를 다시 만났을 때 이반은 그것을 확신했다. 저 눈은 아무것도 모르는 어린아이의 것이 아니라고.

이반은 말했다.

"인생은 애초에 비극일 수밖에 없지만, 그런 인생의 본질을 깨닫고 수용하는 데는 영웅적인 용기가 필요하지. 한 마디 불평도 없이 폭풍우 같은 인생을 묵묵히 살아가는 저 아이를 보고 있으면 인간 정신의 위대함이 뭔지 알 것 같거든."

그럼에도 처음부터 연하를 포기한 이유는 그가 그녀에게 해줄 게 없기 때문이었다. 파트로네스와 클리엔테스라고 부르지만, 사실 그건 인간으로서의 버릇을 버리지 못한 가족 놀이에 가까웠다. 냉정하게 말해서 비상용 피 보관용 통 이상의 의미는 없었다.

아버지라고 주장해도 진짜 아버지가 될 수 없고, 그렇다고 다른 무언가가 되어줄 수 있는 것도 아니었다.

'연인이라면…….'

이반은 입가에 절로 자조적인 웃음이 스쳤다. 그런 것은 믿을 수 없었다. 그는 누구보다 사랑의 존재를 믿었으나 여자와 남자 사이의 사랑에는 회의적이었다. 그건 오늘 아침 자른 사과보다도 변하기 쉬우며, 뇌를 재구성하는 것처럼 파괴적이었다.

특히 사랑이란 것이 그의 두 번째 클리엔테스, '다정한 필립'에게 무슨 짓을 저질렀는지 생각하면.

6
롯의 아내

검은 새틴 구두가 화려한 러그에 발을 디뎠다. 그러자 황금빛으로 장식된 로비에 서 있는 웨이터가 우아한 미소를 지었다.

"어서 오십시오."

웨이터는 하얀 장갑을 낀 손으로 안쪽을 가리켰다.

"테이블로 안내해 드리겠습니다. 기다리고 계십니다."

로비를 지나 테이블 사이로 걸어가자, 붉은 드레스를 입은 굴곡진 몸에 어김없이 남자 손님들의 시선이 멈추었다. 세월의 흐름이 느껴지지 않는 몸은 꽉 조여놓은 나사처럼 팽팽한 긴장감을 내뿜었다.

레스토랑 천장에는 다비드의 '사비나 여인들의 중재'의 신박하고도 장엄한 순간이 묘사되어 있었고, 새하얀 보가 덮인 테이블에는 금 촛대와 은 식기가 샹들리에 빛 아래 반짝거렸다.

웨이터는 레스토랑의 한가운데 자리로 그녀를 안내했다. 그리고 자리에 앉아 있는 남자에게 정중하게 말했다.

"드무스티에 씨께서 도착하셨습니다."

테이블에 앉아 있는 사람은 매끈한 몸에 정확하게 맞춘 고급 양복을 입은 미남이었다. 순수한 아리안 혈통이란 게 실존한다면 그 화신 같은 남자였다.

하인리히 푸거-들뢰크. 중세까지 거슬러 올라가는 유서 깊은 금융가 푸거 가의 방계인 푸거-들뢰크 가의 상속인으로, 이제 겨우 서른 후반이지만 제노아틱스뿐만 아니라 여러 기업체의 주주였다. 간단히 말해, 이 세계 부의 가운데 토막에 있는 남자였다.

하인리히는 일어나 시몬을 맞았다.

"오셨습니까?"

하인리히는 테이블을 돌아와 의자를 빼주었다. 시몬은 창문 너머 빛나는 에펠탑을 한 번 보고 의자에 앉았다.

"죄송해요. 제가 좀 늦었나요?"

"딱 적당한 만큼 늦으셨죠."

그들이 대화하고 있는 사이 웨이터가 시몬의 잔에 샴페인을 따라주었다. 투명한 잔 안에 기포가 끓어올랐다.

"푸거-들뢰크 씨 아닙니까?"

그때 목소리가 들려왔다. 한 중년 사내가 하인리히를 반갑게 아는 체했다. 하인리히는 일어나 중년 사내와 악수했다.

"간만에 뵙습니다."

"이거, 이런 곳에서 뵙는군요."

사내는 하인리히와 반가운 지인처럼 웃으며 대화하다가 기다리고 있는 시몬을 발견했다. 하인리히가 그녀에게 사내를 소개했다.

"MCTC 서울의 부국장님입니다."

시몬은 완벽한 네일아트가 된 손을 사내에게 내밀었다.

"제노아틱스의 총괄 홍보 매니저 시몬 드무스티에라고 합니다."

"당신은……."

부국장은 시몬의 붉은 눈, 일반적인 여자보다 큰 키, 자신만만하게 내민 손을 보았다.

"뱀파이어군요."

그러면서 부국장은 하인리히를 보았다. 어떻게 뱀파이어와 함께 있을 수 있냐는 듯이.

그때 시몬은 부국장에게서 어떤 냄새를 맡았다. 아주 미세하지만 결코 잊을 수 없는, 땅을 닮은 냄새.

시몬은 엉거주춤 올라와 있는 부국장의 손을 잡았다. 부국장은 흠칫했지만 손을 빼내지 못했다. 시몬은 손에 조금 힘을 주며 나직이 말했다.

"언제든 연락 주십시오, 부국장님."

부국장은 왠지 모르게 섬뜩해진 얼굴이었다. 하지만 체면이 있어 차마 티내지 못하고 고개를 끄덕였다.

"그러죠."

부국장이 가고 나서 둘은 자리에 앉았다. 하인리히는 손가락으로 가볍게 턱을 괴고 말했다.

"자격이 있는 자는 아닙니다만."

시몬은 희미하게 웃었다.

"판단은 제 몫이 아니니까요."

"읏, 하아……."

어두운 호텔 방 안, 신음소리가 울렸다. 값비싸 보이는 카펫에는 옷가지가 늘어져 있었다. 어두운 정장 사이로 피가 흐른 것 같은 붉은 원피스가 유난히 눈에 띄었다. 그 옆에 검은 새틴 하이힐이 널브러져 있고, 속옷가지들이 이어지는 끝에 침대가 거칠게 울었다.

두 인영은 한 덩어리처럼 뭉쳐 있었다. 남자를 올라탄 여체가 들썩였다. 남자는 신음을 터뜨렸다. 황홀경에 젖어 있었지만 언뜻 고통스러워하는 것 같기도 했다.

순간 시몬은 수면을 뚫고 솟구치듯 고개를 들었다. 입가가 온통 붉었다. 흥건한 핏줄기가 턱을 타고 풍만한 가슴으로 흘러내렸다. 드라큘라의 신부 같은 섬뜩한 모습이었다.

시몬은 침대에서 내려와 욕실로 사라졌다. 한동안 물소리가 나더니 피를 모두 닦아낸 깔끔해진 모습으로 돌아왔다. 하인리히는 아직 숨을 몰아쉬며 침대에 한쪽 다리를 세우고 늘어져 있었다. 그는 알몸인 채로 소파에 앉는 시몬을 흘긋 보고 말했다.

"오늘은 좀 양이 많았군요."

시몬은 옆 테이블에 놓인 담배를 들며 대답했다.

"죄송합니다. 쉽게 조절이 되는 게 아니라서 말이죠."

부국장에게서 맡은 냄새가 그녀를 흥분시켰다. 그저 스쳐 지나갔을 뿐일 텐데도 부국장에게 남아 있던 그의 냄새. 이바노프의 냄새.

시몬은 담배에 불을 붙이고 하인리히를 보았다.

"잠자리에서 피를 빨리고 싶어 하다니, 당신도 정상은 아니군요."

하인리히는 가운을 끌어다 입고 일어났다. 그리고 거울을 보고 목덜미에 남은 자국을 확인하며 말했다.

"정말 죽을 걱정 없이 죽음을 경험하기란 쉬운 일이 아니니까요."

시몬은 하인리히를 보며 담배를 깊이 빨아들였다. 그는 담배와 마약은 일절 하지 않았고 술은 딱 기분이 좋을 정도로만, 그럴 분위기일 때 마리화나만 가끔 피웠다. 흥청망청 인생과 몸을 낭비하는 퇴폐한 귀족들은 옛말이었다. 이 시대의 귀족들이 자신의 몸을 대하는 방식은, 그들이 부를 쌓는 방법만큼이나 세련되고 교묘해졌다.

교묘한 만큼 약간 변태스럽긴 하지만 이 정도는 맞춰주기 어렵지 않았다. 어쨌든 그의 위치를 생각하면 그럴 만한 가치는 있으니까.

시몬은 담배를 대리석 재떨이에 내려놓고 하인리히에게 다가가 손을 내밀었다. 그는 소독과 치료를 동시에 해주는 드레싱 밴드를 건네주었다. 시몬은 밴드를 뜯어 그의 목덜미에 남은 흡혈 흔적 위로 붙여주고 자리로 돌아왔다.

"아내분이 자국을 보면 곤란하지 않으시겠어요?"

하인리히는 거의 유쾌한 웃음을 지었다.

"그럴 일이 있으면 다행이겠군요."

그러고는 하인리히는 물을 한 잔 따라 맞은편 소파에 앉았다. 그리고 물을 한 모금 마시고 소파 등받이에 등을 기대더니 물었다.

"이반 이바노프가 누구죠?"

다시 담배를 입가로 가져가던 손이 멈칫했다. 하지만 곧 언제 그랬느냐는 듯이 태연하게 담배를 입에 물고, 시몬은 대답했다.

"MCTC 서울에 새로 부임한 국장입니다."

"그런 걸 묻는 게 아니라는 거, 잘 알 텐데요."

여전히 웃는 얼굴이었지만 시몬을 보는 푸른 눈이 차가웠다. 시몬은 담배를 빨아들였다.

어디서 들었는지 모르겠지만 이 남자에게 섣부른 거짓말은 위험했다. 다 알면서도 묻거나, 지금은 몰라도 조만간 알게 될 테니.

"ISLE을 아실 겁니다."

시몬은 담배 연기를 내쉬고 말했다. 하인리히는 눈썹을 추켜들었다.

"여기서 그 이름을 들을 줄은 놀랐군요."

"ISLE을 모르는 사람은 없겠지만 ISLE이 MCTC 루아스 섹션의 실제 소유주라는 사실을 아는 사람은 많지 않죠."

하인리히는 한참 그녀를 쳐다볼 뿐이었다.

"어떻게 반응해야 할지 모르는 이야기를 하시는군요."

"MCTC는 NATO 같은 다국적 연합군이죠. 특히 루아스 섹션은 어느 정부의 것도 아니에요. 아니, 인류의 것조차 아니죠. 그럴 이유가 있겠어요?"

시몬은 오만하고 완고해 보였다. 마치 인간을 대하는 뱀파이어들의 태도를 상징하듯.

"인류는 ISLE과 계약을 맺을 수 있었던 것뿐이에요. 평화의 조건으로 군사력을 제공받기로."

시몬은 어깨를 으쓱였다.

"민간에서는 뱀파이어의 식량 문제가 해결됐기 때문에 평화가 찾아왔다고, 꽤 낭만적인 이야기를 하죠. 저희 제노아틱스로서는 고마운 이야기지만요."

그러고는 테이블에 놓인 화분에 깔려 있는 유리구슬 하나를 들어, 구슬을 만지작거리면서 말을 이었다.

"하지만 사실은 양측 모두 전쟁을 계속할 여력이 없었다는 쪽이 맞죠. 둘 다 살기 위해서는 공존이 필수적이었고, 위쪽에서는 이미 종전 분위기가 돌고 있었죠. 그때 SIS(영국의 비밀정보부)의 국장이었던 라디프 페인이 무슨 수를 썼는지 ISLE과의 계약서를 들고 왔고, 대테러부대 MCTC가 발족했죠. 흔히 MCTC의 토대라고 불리는 SIS."

시몬은 유리구슬을 엄지와 검지로 집어 들었다. 조명 빛을 비춘 유리구슬이 서늘하게 빛났다.

"하지만 중요한 퍼즐은 ISLE이죠. 이반 이바노프의."

하인리히는 시몬을 잠깐 보다가 말했다.

"ISLE의 최고 경영자는 다른 사람인 걸로 아는데요."

시몬은 짧게 웃었다.

"셀레나 추를 말하는 건가요? 혹시 알렉스 야크트훈트라는 이름은 아시나요?"

하인리히는 말이 없었다. 머릿속에 들어 있는 방대한 인맥 지도를 훑고 있으리라. 이내 말했다.

“아쉽게도 들어본 적 없군요.”

“MCTC의 중앙근위사단장입니다. 조용한 성격이라 잘 나서지 않기 때문에 들어보시지 못했을 법합니다. 셀레나 추는 알렉스 야크트훈트의 첫 번째 클리엔테스죠. 그리고 알렉스 야크트훈트는……. 더 말하는 건 시간 낭비죠. 아시겠죠? 피라미드 끝에 누가 있는지?”

파트로네스와 클리엔테스 관계는 옛날 귀족가문의 족보처럼 어디에 성문화되어 있는 것이 아니었다. 오히려 상류 루아스 사회의 기본 소양처럼 일정한 서클 안에서 구전으로 전해졌다. 따라서 ‘족보’를 안다는 것은 상당히 고급 교양이었다. 옛날 그녀였다면 알 수도 없었던.

시몬은 말했다.

“이반 이바노프는 지금은 ISLE의 운영에 참여하지 않고 주식도 일절 가지고 있지 않죠. 하지만 그들의 유대 관계로 봤을 때 진짜 주인이 누구인지는 명확하죠.”

“하지만 이해되지 않는군요.”

하인리히는 손가락으로 볼을 괴고 말했다.

“그런 연대가 가능했다면 왜 일찍 무언가 하지 않았는지.”

“예컨대?”

시몬은 눈을 가느다랗게 뜨고 물었다. 하인리히는 생각해 보는 눈치였다.

“글쎄요. 세계 정복 같은?”

뭐, 그가 흡혈귀였어도 요즘 같은 세상에 그런 세련되지 않은 일을 하진 않았겠지만 말이다.

“뱀파이어는 위험하지만 태만한 짐승이니까요.”

시몬은 단언했다.

“영원히 사는 데다가 인간은 상대도 되지 않는 육체 능력……. 당장 무언가를 해야겠다는 간절함이란 있을 수 없죠. '꽃'을 활용할 생각을 하지 못한 것도 그런 특징의 일환이라고 할 수 있죠."

"처음에 블란두스 박사의 연구소를 지원한 건 ISLE이 아니었나요?"

하인리히는 시몬을 빤히 보며 말했고, 시몬은 가볍게 웃었다.

"물론이죠. 동행한 ISLE의 조사단이 아니었다면 블란두스 박사는 그 거대한 균열에서 빠져나오지도 못했을걸요."

"덕분에 박사는 살아 돌아와 꽃에서 쿨리시다이닌을 정제해 내는 데 성공했고……."

하인리히는 조금 말을 끌더니 눈을 들어 시몬을 보았다.

"우리 제노아틱스는 그 기술을 샀죠."

직후 박사는 '꽃' 같은, 뱀파이어를 모독하는 물건을 평화의 토대라고 말하는 건방진 인간을 단죄하고자 한 뱀파이어 그룹의 테러로 사망……. 그리고 그 테러리스트 그룹에 은밀하게 흘러 들어간 거대 제약기업의 자본. 박사의 죽음에 대한 의혹이 일자 때마침 다른 정치적 이슈를 터뜨려 호도해 버린 정계. 뭐, 그런 흔한 이야기였다. 그리고 남은 것은 가장 먼저 하이마를 상용화해 기업계의 슈퍼스타가 된 제노아틱스였다.

"모두 애초에 ISLE에서 꽃에 관련된 연구 자료를 빼내온 누군가 덕분이었죠."

하인리히는 빙긋이 웃고는 덧붙였다.

"당신, 애나 로스."

시몬은 한참 그를 보았다.

"다 알면서 떠보시다니, 그리 매너 있는 행동은 아니었군요."

하인리히는 어깨를 으쓱였다.

"인정합니다. 하지만 당신이 진실을 이야기할지 알아야 했거든요. 어쨌든 당신은 저희 형제단을 만드신 분이고, 또 집사 역할을 맡고 계시니까요."

"진실을 알고 싶으신가요?"

시몬은 담배를 눌러 끄고 창가에 섰다. 창밖의 불빛이 그녀의 몸을 황금빛으로 훑었다. 금으로 빚은 것 같은 여인이 몹시 견고해 보여, 남자는 성욕이 일었다. 그래서 여자 뒤로 다가가 벌거벗은 어깨를 쓸었다.

시몬은 창에서 시선을 떼지 않고 말하기 시작했다.

"제 전 남편 필립 로스는 석탄 공장에서 일하는 평범한 노동자였죠."

산업혁명을 거치고 절정기에 이른 영국, 공장들이 뿜어낸 연기로 하늘마저 검게 물든 맨체스터의 외곽……. 이제는 기억도 흐릿한 그곳에서 그녀는 살았다. 눈부신 기술 발전이 전 영국을 밝히더라도 손바닥만 한 그녀의 신혼집은 밝혀주지 못하는 흐릿한 어둠 속에서.

"어느 날 필립의 귀가가 늦어지더군요. 필립은 그대로 일주일간 행방불명이었어요. 그런데 일주일이 넘어가던 밤에 갑자기 나타났죠."

애나는 며칠째 제대로 자지 못해 초췌한 몰골이었다.

"필립, 대체 어디에……."

애나는 피곤한 눈을 꾹 내리감으며 중얼거렸다. 필립은 일주일째 행방불명이었다. 공장, 술집, 시신 안치소, 심지어 필립이 그럴 리 없다는 걸 알면서도 매음굴까지 찾아보았지만 그를 봤다는 사람도 찾을 수 없었다.

그날도 화장대에 앉아 걱정과 불안이 휘몰아치는 불면의 밤을 기다리고 있었다. 끼익. 그런데 갑자기 나무문이 열리는 소리가 났다. 애나는 흠칫 고개를 들었다.

그들의 허름한 단칸방으로 필립이 들어오고 있었다. 마치 그날 아침에 나갔다가 공장에서 퇴근하고 오듯이 태연하게. 애나는 벌떡 일어났다.

"필립, 대체 어디 있다가……!"

응어리진 모든 감정이 쏟아져 나오려는 찰나였다.

"애나."

필립이 다가와 숄을 걸친 애나의 어깨를 잡았다. 필립은 항상 다정했지만 그때의 부드러움은 이루 말할 데 없었다. 그런데 애나는 마치 어두운 정원에 늘어진 차가운 나뭇가지가 어깨에 닿은 것처럼 소름이 끼쳤다. 아마 그녀를 응시하는 눈빛 때문이었을 것이다. 꼭 허물을 벗은 뱀 같은…….

선뜻 뭐라 할 수 없는 이질감이 있었다.

부드러운 갈색 머리와 다정한 녹색 눈동자를 지닌 외모는 필립이 가진 유일한 장점이었지만 그건 오히려 보기에 편하다는 느낌이었지 이런 차갑고 냉정한 느낌은 아니었다. 어쩐지 키도 커진 것 같았다. 아니, 분명히 커졌다.

"소개해 줄 분이 있어. 내 목숨을 구해주신 분이야."

그렇게 말하면서 필립은 문을 돌아보았다. 애나는 아무것도 이해되지 않았다.

"목숨을……?"

나중에 알게 됐지만 필립은 일주일 전 귀가하는 길에 강도를 만났다. 허둥지둥 지갑을 꺼내주려 했는데 하필 그날따라 지갑을 공장에 두고 온 것이다. 화가 난 강도는 그를 찔렀고, 필립은 어두운 뒷골목이라 발견하는 사람이 없어 과다출혈로 죽었다. 그의 삶만큼 보잘 것 없는 죽음이었다.

그런데 우연히 그 자리를 지나가는 비인간적인 존재가 있었던 것이다.

끼익. 나무 바닥이 울고, 누군가가 집으로 들어왔다. 애나는 시선을 돌렸다. 글쎄, 뭐라 해야 할까……. 그건 단순히 사람이라기보다 인간의 형태를 한 신비의 코덱스, 여태 존재하는 줄도 몰랐던 세계와의 접촉이었다.

지금 생각해도 무지렁이에 불과한 공장 노동자 필립 로스 따위를 이바노프가 선택할 이유는 없었다. 특히 클리엔테스를 만들지 않기로 유명한 그라면.

이바노프가 발견했을 때 낭자한 핏물에 잠긴 필립은 거의 숨이 끊어진 상태였다. 하지만 필립은 계속해서 읊조리고 있었다.

"애나……."

애초에 이바노프를 뒷골목까지 이끈 것도 그 끊이지 않는 읊조림이었다고 했다. 필립은 앞에 누군가가 있다고 생각되자 손을 뻗어 그의 구두를 잡았다. 그리고 삶에 대한 강렬한 열망을 담은 목소리로, 거의 숨이 끊어진 사람답지 않게 똑바로 올려다보며 말했다.

"아내가 절 기다립니다."

필립이 다른 존재가 되어 살아 돌아온 날, 자신을 '이바노프'라고 소개한 남자는 두 사람을 국외의 어떤 섬으로 데려갔다. 그때만 해도 뱀파이어는 전설에나 등장하는 존재로서 숨어 살아야 할 때였기 때문이다. 대항해시대 이후 뱃길이 열렸다 해도 서민들이 바다를 건너는 일은 쉽지 않았으므로, 그들이 근거지로 육지와 격리된 섬을 택했던 건 어찌 보면 자연스러운 일이었다.

그 섬은 단순히 '아일'이라고 불렸다. 내지에만 있다 보면 섬이라는 걸 까먹을 정도로 큰 곳이었고, 바닷가가 내려다보이는 곳에 잘 관리된 중세식 성이 고즈넉이 서 있었다. 그들은 그곳에서 살았다. 마치 동화 속에 나오는 왕자, 공주처럼.

'한동안 꿈을 꾸는 거라고 생각했지.'

시몬은 아직도 처음 도개교를 통해 웅장한 성문으로 들어갈 때 느꼈던 위압감, 설렘, 머리가 아찔해지는 환희를 기억했다.

그날 이후 애나 로스의 삶은 변했다. 육지에 나갔을 때 언행을 조심해야 한다는 사소한 불편을 제외하면 내일 먹을 빵을 걱정하던 삶이 너무 달라져서 눈앞이 어지러울 정도였다. 무엇보다 그곳에서 만나는 사람들은 모두가 친절했고, 그들 부부를 존경심을 가지고 대했다. 특히 필립의 지위는 압도적이었다.

"어쨌든 촌수로는 높다고 해야 하나, 삼촌뻘이란 느낌이니까요."

셀레나는 그렇게 말했다. 셀레나는 아일의 모든 것을 관리하는 수장에 가까운 존재였다. 모두 셀레나에게 물어보았고, 셀레나가 모든 걸 결정했다. 하지만 진짜는, 모두가 바라보는 정점은…….

신록이 우거진 정원에 이바노프는 앉아 있었다. 면바지에 셔츠를 입은 가벼운 차림이었다. 그의 무릎에 놓인 책에 햇빛이 쏟아졌다. 페이지를 넘기는 큰 손에 뼈가 불거졌다. 한참을 넋 놓고 바라보다 용기 내어 부르면, 그녀를 보고 웃었다.

이바노프는 무자비한 지배자가 아니었다. 오히려 때로는 경계가 뚜렷하지 않을 정도로 격의를 따지지 않고, 유쾌한 구석마저 있었다. 왕의 위엄이란 굳이 강요할 필요가 없다는 것처럼.

넋을 놓고 그를 바라본 적이 몇 번이었던가.

볼이 붉어지는 설렘은 온몸이 끓는 열병이 된 지 이미 오래였다. 부덕한 여자라고 손가락질할지 모른다. 아내를 향한 사랑으로 죽음에서조차 돌아온 남편을 두고 다른 남자를 담은 비정한 심장이라고 비난할 것이다. 하지만 그녀는 오히려 그렇게 말하는 자들을 진정한 열망을 모르는 불쌍한 영혼이라고 부를 것이다.

이바노프가 집으로 들어오는 순간 그녀는 알았다. 그가 바로 제 영혼의 사랑, 심장의 주인이자 육체의 연인임을.

"왔어요? 앉아요."

셀레나가 말했다.

각자 하루를 보낸 사람들이 저녁 식사를 위해 식당에 모여들고 있었다. 성은 매우 커서 평소에는 거의 부딪치지 않고 개인 생활을 할 수 있었지만 이바노프 가는 적어도 일주일에 두세 번은 함께 저녁을 먹었다. 애나와 필립도 막 식당에 도착한 참이었다.

"알렉스 씨."

필립이 발견하고 부르자 미리 와 서류 같은 것을 보고 있던 알렉스가 고개를 들었다. 사실 동화 속 왕자님 이미지에 가장 부합하는 것은 어깨까지 내려오는 눈부신 금발을 가볍게 묶은 알렉스였다. 서늘한 냉기가 느껴지는 아름다운 얼굴은 거의 웃는 법이 없었지만 그는 예의가 바르고 몸가짐이 차분했다.

영국에서는 얼마 전 발매된 '드라큘라'라는 소설이 대성공을 거두는 바람에 드라큘라라는 이름으로 유명해졌지만 이바노프 가 사람들은 애나가 흔히 생각하던 전설 속 괴물과는 다른 점이 많았다. 사실 늙지 않고 피를 마셔야 한다는 점 외에는 다른 생물에 가까웠다. 일단 성물을 끌어안고 자도 아무렇지 않다는 것부터.

"다녀오셨습니까?"

필립은 의자에 앉으며 알렉스에게 물었다.

"응."

알렉스는 섬 바깥일을 담당하기 때문에 육지에 나가는 일이 많았다. 섬에 필요한 모든 물건을 배로 실어 보내거나, 때로는 갈 곳 없는 사람들을 데려오고는 했다. 그런 사람들은 대체로 이 섬의 주민이 되었다. 그래서 이 섬에는 생각보다 그녀를 포함한 인간들이 많이 살았다. 성 아래에 거의 마을 하나를 이룰 정도로.

"특별한 일은 없었습니까?"

필립이 묻자 알렉스는 말했다.

"안 그래도 얼마 전에 바다 건너에서 재미있는 일이 있었더군. 날 수 있는 동력 장치를 만들어서 사람이 하늘을 날았다나 봐."

그 말에 필립은 놀라움을 감추지 않았다.

"설마요. 그런 일이 가능합니까?"

"드라큘라도 실존하는데 하늘이라고 날 수 없을까요?"

다른 쪽에 앉아 있는 셀레나가 짓궂게 말했다.

"아, 그것도 그렇군요."

필립은 너털웃음을 지었다.

'저렇게 웃지 좀 말지.'

애나는 속으로 거의 진저리를 치며 생각했다. 하지만 알렉스는 필립을 다정한 눈으로 보았다. 필립에게는 이 얼음 조각 같은 왕자님마저 녹이는 이상한 능력이 있는 것 같았다. 아니면 제 클리엔테스 형제가 무작정 예쁜 것인지. 파트로네스, 클리엔테스 관계를 가져 본 적 없는 애나로서는 이해할 수 없는 유대감 같은 게 있는지도 몰랐다.

그때였다. 공기의 질이 변했다고 느꼈다. 애나는 긴장했다. 땅을 닮은 냄새가 물씬 밀려오고, 뒤로 거대한 존재감이 지나갔다. 그리고 그녀 외에는 아무도 신경 쓰지 않는 가운데 자리에 앉았다.

이바노프는 사람들이 자신을 신경 쓰건 말건 개의치 않는 것 같았다. 그녀는 고개도 쉽게 돌려볼 수 없을 만큼 긴장하고 있는데, 그는 가만히 사람들 대화를 듣고 있다가 어느새 자연스럽게 섞여들었다. 그러면 사람들은 그가 아주 오래전부터 거기 있었던 것처럼 자연스럽게 대화했다.

"애나."

애나는 흠칫 정신을 차렸다. 필립이 그녀를 보고 있었다.

"괜찮아?"

필립 너머로 이바노프도 이쪽을 보고 있었다.

"그러고 보니 몸이 좋지 않다고 했죠."

잊고 있었던 것처럼 알렉스가 말했다. 그들은 병에 걸리지 않으니까.

"괜찮습니까?"

"괜찮아요."

애나는 다급히 손을 저었다. 안 그래도 필립도 몇 년 전부터 알렉스를 도와 육지 일을 하기 시작했는데 오늘은 그녀가 미열이 있어서 섬에 남았다. 애나는 괜찮다고 만류했지만 필립은 결국 그녀 곁에 남았다.

"이것 좀 먹어봐."

필립은 늘 그렇듯 애나를 챙겼다. 다들 그런 필립이 익숙한 얼굴이었지만 그녀는 부끄러웠다.

"필립."

애나는 그러지 말라는 듯 힘주어 불렀다.

"왜, 이거 좋아하지 않아?"

셀레나가 그런 둘을 보다가 미소를 지었다.

"정말 필립 씨 같은 뱀파이어는 본 적이 없다니까요."

필립은 여전히 신실한 남편이었고 애나를 깊이 사랑했다. 오히려 전보다도 더.

"필립에겐 되살아나야 한다는 동기 자체가 애나였으니까."

이바노프가 말했다. 그런 필립을 자랑스러워하는 목소리는 그가 아들 같은 이를 배신하는 일은 없으리란 사실을 더욱 확실히 해주었다. 물론 그전에도 제 사랑이 이루어지리란 전망이 있는 건 아니었지만, 애나는 또 절망했다.

이바노프는 처음 만났을 때와 똑같았다. 셀레나도, 알렉스도, 필립도. 하지만 필립의 어린 아내로 불렸던 애나는 이제 삼십대가 되었다.

'조만간 나만 이 자리에 없겠지.'

저녁 식탁을 둘러보았을 때 애나는 그 잔혹한 진실을 온몸을 떨며 깨닫고 말았다.

내일이 되면 그녀는 하루 더 늙을 것이다. 모레가 되면 이틀 더. 그리고 그 끝에는 죽음이 기다렸다. 항상 지척에 서서 그녀를 조롱하고 있는 듯한 죽음이.

'시간이 없다.'

그때만큼 어떤 명제를 확실히 깨달은 적도 없었다.

"안 돼. 감염을 이길 가능성은 희박해."

필립은 그녀를 감염시키는 일을 거절했다. 울고, 애원하고, 화내고, 몸으로 유혹하고, 몇 년간 꾸준히 동정심에 호소해도 그 사안에 관해서만은 확고했다.

"내가 죽으면 그 모습으로 다른 여자와 살 속셈이지? 내가 빨리 죽었으면 좋겠지?"

결국 초조함을 이기지 못해 히스테리를 부렸을 때, 필립은 날이 갈수록 우아함까지 더해져 귀공자 같은 얼굴로 눈물을 흘렸다.

"만약 네가 감염을 이기지 못하고 죽으면? 그럼 내가 널 죽인 거나 다름없어. 내가 그런 일을 할 수 있을 리 없잖아."

"하지만 내가 이대로 늙어 죽으면……."

"난 널 따라갈 거야. 영원한 삶 같은 건 필요 없어."

필립은 그렇게 말하며 애나를 끌어안았다. 애나는 도저히 이해할 수 없었다.

대체 왜? 생각할 정도로 필립은 그녀를 사랑했다. 그녀는 평범한 인간이었다. 어리고 상냥했지만 그건 평생을 성실하게 살아도 더 나아질 전망이 없는 인간 필립 로스의 아내일 때 가치가 있는 요소에 불과했다. 심지어 그녀는 더 이상 어리지도 않았다.

그래서 애나는 필립을 증오하기 시작했다. 그는 모든 것이 찬란하고 영원한 다이아몬드의 세계에 살면서 자신은 이 낡고 헤지는 넝마 같은 세계에 버려두었다.

'이대로 시들어 죽어버리라고.'

더 이상 필립이 말하는 사랑을 믿을 수 없었다. 감당하지 못할 정도로 낭만주의자인 그는, 영원히 젊고 아름다운 몸이 되어서도 늙어가는 아내를 사랑한다는 내러티브가 마음에 들었을 뿐이었다. 그렇지 않고서야 그녀와 함께 영원히 살 방법을 강구하지 않고 그런 변명이나 하고 있을 리 없었다.

애나는 손톱을 깨물었다. 어쨌든 필립은 자의로는 그녀를 감염시키지 않을 것이다. 그러니 감염시키게 만들어야 했다.

'하지만 어떻게?'

부엌의 칼꽂이에 꽂혀 있는 칼에 시선이 멈추었다. 칼을 잡는 데 주저하지 않았다. 찌르는 순간 아플까 봐 고민한 정도였다. 감염을 이기지 못하면 어쩌나 걱정하지 않았냐고? 애나는 누가 그렇게 묻기라도 한 것처럼 코웃음을 쳤다.

설마, 그럴 리가. 필립의 사랑이 감염을 이기게 만들었다면 그녀의 사랑이 감염을 이기지 못할 리 없었다.

"애나!"

필립이 울부짖었다.

"살려…… 살……."

더 길게 말하고 싶었지만 애나는 목소리가 나오지 않았다. 실수로 폐를 찔렀는지 입 밖으로 피가 솟구쳤다. 고통은 생각보다 심했다. 애나는 자신이 죽는다는 걸 실감했다. 그냥 그게 끝이었다. 툭, 하고 끈이 끊어지는 것 같은 게 죽음이었다.

어느 순간, 그녀는 어둠 속에서 눈을 떴다. 처음으로 인식한 것은 단 한 번도 느껴본 적 없는 압도적인 허기였다. 뱃속의 굶주린 야수가 영혼까지 갉아먹는 것 같았다. 그제야 왜 필립이 그녀를 한사코 뱀파이어로 만들기 거부했는지 깨달았다. 이건 괴물의 식욕이었다.

시끄러운 소리가 났다.

애나는 전율하며 깨어났다. 모든 것이 붉거나 어두웠다. 마치 색이 반전된 사진 같았다. 주변으로 검고 기름진 웅덩이가 스멀거리며 퍼져 나갔다. 그리고 우두커니 서 있는 구둣발 아래로 스며들었다.

얼어붙어 애나를, 정확히는 그녀 아래 늘어진 필립을 보는 붉은 눈이 있었다.

"이바……."

애나는 당황해 일어났다. 게걸스럽게 식사하는 장면을 들킨 숙녀처럼. 그리고 이반이 다가오는 만큼 물러났다.

철퍽. 애나의 맨발에 액체가 밟혔다.

이반은 목이 난자당해 열려 있는 필립 곁에 한쪽 무릎을 꿇고 앉았다. 깔끔한 바지에 검은 핏물이 스몄다.

"필립."

애나는 이반의 목소리가 떨리는 건 그때 처음 들었다.

"이바…… ㄴ……."

아직 살아 있었는지 필립은 말과 함께 핏물을 토해냈다.

"의사를 불러와!"

알렉스가 문가를 돌아보고 소리쳤다. 그제야 애나는 알렉스도 있었다는 걸 깨달았다. 사람들이 부산하게 뛰어가고 달려오는 소리가 났다.

그리고 누군가가 부서뜨릴 듯이 응급 상자를 내려놓았다.

이반은 와이셔츠를 걷은 자신의 팔에 튜브를 연결했다. 그사이에 사람들은 거즈를 몽땅 풀어 필립의 목을 지혈했다. 하지만 애나는 앞에서 펼쳐지는 격렬한 현장이 전혀 현실처럼 느껴지지 않았다. 감각이 설정값이 변경된 기계처럼 널뛰었기 때문이다. 오감의 거리감이 초점을 맞추지 못하고 자꾸만 달라졌다.

필립!

피를 너무 많이 잃었어요. 돌이킬 수 있는 한계를 넘었어요.

필립, 필립!

피를 더 가져와!

정신을 놓지 마. 필립!

목소리들이 애나의 머릿속을 쾅쾅 울려왔다.

"필립!"

갑자기 현실감이 돌아왔다. 필립이 피에 물든 손으로 이반의 팔을 잡고 있었다.

"애나를, 용서…… ㅎ, 세…… 단지……."

필립의 손에 균열이 갔다. 아니, 괴사하는 혈관을 따라 빠르게 검어지는 부분이 균열처럼 보이는 것이었다. 균열은 옷 아래에서 기어 나와 목을 타고 순식간에 얼굴을 뒤덮었다. 이내 필립의 눈에는 공허한 웅시밖에 남지 않았다.

마지막 숨이 사라졌다는 것을 깨달은 손들이 하나둘 필립을 떠났다. 하지만 이반은 끝까지 필립의 손을 잡고 있었다. 아주 오랫동안. 흘러내린 머리카락 때문에 애나는 그의 얼굴이 제대로 보이지 않았다.

"이바노프 씨."

애나는 떨리는 목소리로 그를 불렀다.

'나를 봐주세요. 나, 이렇게 감염을 이겼어요. 오로지 당신만을 위해서…….'

당장에라도 말하고 싶었지만, 말이 나오지 않았다. 이반은 필립의 목과 무릎 아래로 팔을 넣어 안아 들었다. 마치 빈 대롱을 들어 올리는 것 같았다.

이반은 애나를 돌아보지 않고 방을 나섰다. 그의 팔 아래로 툭, 필립의 손이 떨어졌다. 온통 금이 간 필립은 마치 아이가 부주의하게 가지고 놀다가 바닥에 떨어뜨린 도자기 인형 같았다.

동이 터오는 문가에 그림자가 나타났다. 애나는 멍하니 침대에 앉아 있다가 급히 일어났다. 셀레나가 서 있었다. 눈가가 붉었다.

"사고였어요."

애나는 발작적으로 말했다. 피가 말라붙어 온몸에 금이 간 곳마다 뻑뻑했다. 하지만 아무도 그녀를 신경 쓰지 않았고 뭘 해야 할지도 알 수 없었기 때문에 샤워조차 하지 못하고 있었다.

"절대 이렇게 될 줄은……."

"닥쳐."

셀레나가 내뱉은 거친 말에, 애나는 움찔했다.

"감염을 이겨낸 건 인정해 줄게."

셀레나는 더 이상 그녀에게 정중하게 말하지 않았다. 늘 '아가씨'라고 부르면서 다정하게 대해주었는데.

"하지만 너 스스로를 속일 수 있어도 난 속지 않아. 넌 필립이 방해된 거야. 눈을 뜨기도 전에 필립을 죽여야겠다고 마음먹었겠지. 그리고 본능대로 행동한 거야. 필립은 차마 널 공격하지 못했고."

맹렬한 악의까지 느껴지는 말에 애나는 떨고 말았다. 그녀가 여태 살면서 겪은 최대의 악의라고는 집세를 내지 못했을 때 집주인의 가시 돋친 말투 정도였다. 하지만 이건…….

"필립은."

셀레나는 무언가를 겨우 삼켜 넘기는 것 같았다.

"필립은 우리도 그렇게 괴물은 아닐 거라고 생각할 수 있게 해준 아이였어. 그래서 모두 필립을 높이 평가했지. 넌 그 아이를 낮잡아봤을 뿐이지만. 정말, 표정을 어찌나 숨기지 못하던지."

모두 알고 있었다……. 애나는 손이 떨려왔다. 철저하게 상냥한 아내 역할을 연기했다고, 아무도 자신의 본심은 모른다고 생각했는데.

그때에야 애나는 필립이 진정으로 찬란하고 영원한 다이아몬드 세계에서 살게 되었다고 깨달았다. 그가 이 헤지고 넝마 같은 세계에 떨어지는 일은 다신 없을 것이다.

"하지만 널 보니 알겠어. 우리는 정말로 괴물이구나."

셀레나는 이글거리는 눈으로 말했다. 그건 증오로 불타는 것 같기도, 왈칵 울어버릴 것 같기도 한 눈이었다.

셀레나가 돌아서는 모습을 본 애나는 저도 모르게 말을 꺼냈다.

"이바노프 씨는……."

셀레나는 멈칫하더니 질렸다는 시선을 던졌다.

"이바노프 씨가 널 죽이지 않는 건 필립이 용서해 달라고 부탁했기 때문이야. 그 아이의 선의를 우리가 망칠 수 없으니까. 단지 그뿐이야."

셀레나는 이를 갈았다.

"꺼져 버려."

"하지만 그게 자만이었죠."

시몬은 도시에서 시선을 돌리지 않고 말했다. 유리에 비치는, 그녀의 어깨에 얹어진 남자의 손은 멈춰 있었다.

"저 하나 따위 세상 어디에 있든지 언제든 단죄할 수 있다고 생각했겠죠."

시몬은 훗 웃었다.

"물론 그게 틀렸다는 말은 아니지만요."

셀레나가 사라지고 애나는 혼자 남겨졌다. 웅성이며 주변을 맴도는 인기척도 점차 사라졌다. 그러는 와중에도 애나는 계속해서 망연히 서 있다가, 어느 순간 꾹 주먹을 움켜쥐었다. 그리고 돌아섰다.

그 길로 숲으로 향했다. 아일 가운데엔 애초에 생겨난 모습 그대로 인간의 손이 닿지 않은 빽빽한 숲이 있었는데 그 안에는 아카이브가 숨겨져 있었다. 어지간한 사람도 모르는 아카이브였지만 그녀는 알고 있었다. 필립의 아내였으니까. 물론 그곳에 무엇이 있는지는 몰랐다. 얼마 전 하늘을 나는 동력 장치에서 비전을 발견하고 사업을 시작한 이바노프 남자들이 주목하는 어떤 일에 관련된 자료가 있다는 것만 알았다.

"언젠가는 인간과 우리가 공존하는 세상이 올 거야."

이바노프 남자들은 모여 앉아 자주 그렇게 이야기했다. 애나가 듣기에는 허무맹랑한 이야기일 뿐이었지만 그녀는 감히 남자들이 하는 이야기에 끼어들지 않고 차를 마시며 조신하게 앉아 있었다.

"그때가 되면 꽃은 분명히 쓸모가 있을 거야."

이바노프는 말했다.

이바노프 가가 혈액을 섭취하는 방법은 크게 두 가지였다. 동물의 피를 마시거나, '꽃'을 먹거나. 동물의 피는 역하다는 단점이 있었고, 꽃은 대량 생산이 불가능했다. 그래서 이 두 가지마저 힘들면 섬에 사는 인간 주민들의 도움을 받았다. 물론 그건 정말 최후의 수단이었다. 오갈 곳 없는 그들을 받아준 이바노프 가를 위해 주민들은 그 정도는 선뜻 나섰지만 이바노프 가는 그 방법은 최대한 자제했다. 공존하기 위해선 주민들에게 언제고 먹잇감이 될 수 있다는 생각을 심어줘선 안 되기 때문이라고 했다.

'왜 그냥 피를 마시지 않는 거지.'

애나는 자주 생각했다. 그녀는 포식자로서 자신들이 가진 권리를 누리지 않는 세 남자가 답답할 때가 있었다. 파트로네스와 클리엔테스는 혈연관계가 아니라지만 세 남자를 보면 어딘지 비슷한 사람들끼리 맺어지는 것 같았다.

"하지만 문제는 꽃은 충분한 영양분이 되지 않는다는 겁니다. 꽃만 먹어서는 금방 아사할 테죠."

알렉스가 말했다. 이바노프도 동의하는지 잠깐 말이 없었지만 곧 고개를 들고 조용한 그러나 확신에 찬 눈으로 말했다.

"해결 방법은 있을 거야."

끼이익. 애나는 은행 금고 같은 철제 손잡이를 온 힘을 다해 돌렸다. 기백 키로는 족히 나갈 것 같은 철제 손잡이는 특별한 방범 장치가 없어도 어지간한 뱀파이어도 돌릴 수 없을 것 같았지만 그녀는 돌려내고 있었다.

쿵. 애나는 역시 기중기쯤은 있어야 열 수 있는 문을 밀어내고 들어섰다. 그리고 숨을 몰아쉬며 사방을 둘러보았다.

아카이브는 천장이 높은 초기 방공호 같은 형태였다. 생각보다 넓은 공간이었고, 안쪽으로 이어지는 길이 있었다. 하지만 예상과 달리 박물관에나 있어야 할 것 같은 유물과 보물들이 빼곡히 채워져 있거나 하진 않았다.

이바노프는 그런 것에 탐을 내지 않았다. 그가 살아오면서 조금만 탐을 냈어도 대영박물관도 초라해 보일 컬렉션을 가질 수 있었을 텐데, 무슨 디오게네스처럼 물질적인 것을 탐내거나 모으거나 하는 법은 없었다. 책을 제외하면. 그것도 당대에는 어디에나 있는 평범한 책이었다가 시간이 지나면서 특별한 유물이 된 경우지만, 덕분에 마치 고대에 화재로 소실된 알렉산드리아 대도서관이 현신한 것 같은 도서관이 아카이브 안에 존재했다.

"어디, 어디에……."

애나는 정신없이 자료가 있는 섹션을 뒤지기 시작했다. 자료들을 모조리 책장에서 우르르 쏟아내 대충 손에 잡히는 대로 모두 배낭에 집어넣었다. 그때 디지털 저장 매체가 있었다면 좀 더 많은 자료를 들고 나올 수 있었을 테지만 당시에는 그게 최선이었다.

애나는 주변을 둘러보고, 구석에 놓여 있는 커다란 통을 가져와 붓기 시작했다. 코를 찌르는 기름 냄새가 났다.

막 기름통을 젖은 책 더미 위로 던졌을 때였다.

'기척.'

열어놓고 온 입구 쪽에서 소란스러운 소리가 났다. 애나는 다급하게 성냥을 꺼내 불을 붙였다. 인이 타는 냄새가 콧속을 자극했다. 일렁이는 불속에 무표정한 제 얼굴이 비치는 것 같았다.

그녀는 스스로가 재앙이 된 기분이었다. 아직 존재했다면 인류를 더 일찍 진일보시켰을 지식을 담은 알렉산드리아 대도서관에 내린 대재앙 같은.

탁 털어낸 성냥이 책 더미에 떨어진 순간이었다. 마치 폭발하는 것처럼 불길이 치솟았다. 사나운 야수를 풀어놓은 듯이 날뛰는 불길을 뒤로 하고, 애나는 안쪽으로 달려갔다.

"안쪽이다!"

뒤를 쫓아오는 소리가 들렸다.

애나는 정신없이 숲을 달렸다. 숲 너머 아침이 오고 있어 나무들 사이로 햇빛이 언뜻언뜻 비쳤다.

현재 MCTC 중앙근위사단 제1예거 연대의 전신은 뱀파이어들로 구성된 아일의 보안관 팀 '하운드'였다. 옛날 마을 경찰과 비슷한 존재로, 아일의 이런저런 교통정리를 담당하고 있었지만 아일은 워낙 평화로운 곳이었으므로 거의 유명무실했다. 그들이 움직이는 모습을 보는 건 애나도 그때가 처음이었다.

그녀를 붙잡기 위해. 어제까지만 해도 이바노프 가의 일원이었던 그녀를 마치 숲의 짐승처럼.

사살할 의도는 없어 보였지만, 애나는 불안한 시선으로 나무들 사이로 스치는 그림자를 보았다. 갑자기 바람이 일고, 앞에 그림자가 나타났다. 애나는 깜짝 놀라 멈춰 섰다.

"마담 로스."

오가며 얼굴을 본 적 있는 한 하운드가 서 있었다. 그의 뒤로 바닷물에 씻긴 듯이 하얀 태양이 사방으로 광선을 뿜으며 태어나고 있었다. 하운드가 손을 내밀었다.

"가방을 이리 주시죠."

애나는 주춤 물러섰다. 그녀의 뜻이 분명해 보였는지 하운드는 한숨을 내쉬었다.

"이러지 마십시오."

숲에서 다른 하운드들이 걸어 나와 주변을 둘러쌌다. 일단 눈에 보이는 건 네 명으로, 생각보다 숫자가 많지 않았다. 넷 정도면 충분하다고 생각한 것처럼.

그때였다. 바람이 일면서, 누군가가 홱 스쳐 지나가는 충격에 애나는 날아가 바닥에 나뒹굴었다.

하운드들과 누군가가 얽히고설켰다. 미사일이라도 떨어뜨린 것처럼 땅이 파이고, 나무가 날아갔다. 애나는 무슨 일이 일어나고 있는지 몰라 넘어진 채로 망연히 쳐다보고 있을 뿐이었다. 빛 같은 움직임들을 자기도 모르게 따라가는 동체 시력 때문에 미친 듯이 움직이는 눈이 터질 것 같았다.

마침내 주변이 조용해졌을 때, 웬 뱀파이어들이 하운드들을 제압하고 있었다. 모두 처음 보는 자들이었고, 거의 남자였지만 아주 간간이 여자도 섞여 있었다.

"너희들은 뭐냐!"

한 하운드가 날카롭게 외쳤다. 침입자 중 하나가 차갑게 웃었다.

"우리가 누군지 알고 있잖아."

침입자는 말하고 그야말로 거대한 클레이모어를 치켜들었다. 클레이모어는 정확하게 하운드의 목을 내려쳤다. 날아간 목에서 솟구친 피가 애나를 덮쳐 왔다.

평소라면 정신을 놓고 비명을 질렀을 것이다. 하지만 역겨운 붉은 액체가 전혀 역겹게 느껴지지 않아서, 그제야 애나는 자신이 무엇이 되었는지 실감했다.

그런데 피와 흙으로 엉망이 된 그녀를 내려다보는 뱀파이어들 사이로 한 꼬마가 걸어 나왔다. 눈이 부실 만큼 아름다웠지만 꼬마는 꼬마였다. 스물 초반쯤 되었을까 한.

그는 세상 무엇도 올려다보지 않는 오만한 눈빛으로 애나를 내려다보며 말했다.

"평민 아내가 왕자를 죽이고 직접 이바노프 가의 공주가 되었군."

대공은 빙긋이 웃었다.

"대단한 걸. 좀 감탄했어."

시몬은 유리에 비친 자신을 보았다. 그녀의 외모는 그 운명의 날에 멈춰 있었다. 정확하게 서른다섯.

그녀는 열여섯에 필립과 결혼했고, 열여덟에 아일로 갔다. 그리고 서른다섯에 뱀파이어가 되었다. 그 순간부터 주름 하나 늘지 않았지만, 느낌은 천지 차이였다. 유리에 비친 얼굴은 애나 로스가 아니었다.

부드러운 금발에 연한 푸른 눈동자를 한 애나 로스는 늘 화장기가 없는 수수한 얼굴을 하고 있었다. 때로 필립이 비싼 화장품 같은 걸 선물하고는 했지만 써본 적도 없고 어떻게 사용해야 하는지도 몰랐다. 그리고 날이 갈수록 볼륨감을 더해가는 몸매를 감추는 낙낙한 원피스 따위를 입고 다녔다. 상냥하고 순진한 아내답게.

'늘 뭐가 그렇게 부끄럽고, 수줍었는지.'

어쩌면 참한 아내의 가면을 벗는 순간 내부에 끓어오르는 열망이 터져 나올까 두려워했던 건지도 몰랐다. 어느 날 밤 참지 못하고 열망하는 남자의 방으로 뛰어들까 봐. 그리고 터질 듯이 익은 몸을 드러내고 애원할까 봐.

'물론 지금이라면 오히려 당당하게 방문을 열고 들어섰겠지만.'

애나는 정체 모를 뱀파이어들을 따라 아일을 떠났다. 별다른 수가 없었기 때문이다. 그리고 감염을 갓 겪은 여파와 피로감 때문이었는지 며칠간 죽은 듯이 자다가 깨어났고, 그새 대공은 그녀가 아일의 아카이브에서 훔쳐 온 자료를 읽고는 말했다.

"이바노프. 재미있는 상상을 하는군. 피 대신 꽃을 먹는다라? 흥미롭긴 하지만……."

대공은 자료를 흔들면서 말했다.

"이 꽃에 대해선 들어본 적 있어. 안 그래도 최초의 흡혈귀들은 모기처럼 열매나 꽃의 수액 같은 걸 먹었다지? 하지만 점차 피를 마시게 된 이유가 뭔데? 몸집이 커져서 식물성 영양분으로 충분하지 않게 됐으니까 그런 거 아냐."

대공은 코웃음을 쳤다.

"그런데 이제 와서 꽃으로 뭘 하겠다고? 꽃은 충분한 영양분이 되지 않아."

과거를 잘 알진 몰라도, 미래를 읽는 능력은 없는 모양이었다. 그때 대공은 이렇게까지 과학이 발전한 세상을 상상하지도 못하는 것 같았다. 이해 못 하는 바는 아니었다. 사실 유연한 사고가 가능한 흡혈귀는 많지 않았다. 오래 산 만큼 옛날에 형성된 의식 구조가 견고하기 때문이었다.

"하여간 세상일엔 관심이 없는 주제에 묘한 일엔 관심을 보인단 말이야. 그 녀석은 대체 뭘 하고 싶은 거야?"

대공은 중얼거리고 자료를 던져 버렸다. 애나는 그것을 말없이 주워 들었다.

"그땐 저로서도 그 자료들에 어떤 의미가 있는지 정확히 알 순 없었죠."

시몬은 말했다.

"하지만 당장은 아니더라도 곧 쓸모가 있을 거라고 생각했습니다."

이바노프가 그렇게 관심을 보이는 일이었으니까. 그리고 그녀는 틀리지 않았다.

"시간이 흐르고, 우리는 블란두스 박사가 진행하는 연구에 대해 알게 됐죠."

어느 날 밤, SN은 블란두스 박사의 자택을 습격했다. 그리고 박사의 일가족을 모두 살해하고 집에 불을 놓았다. SN의 소행이라는 것을 숨기지도 않았다. 박사가 꽃 같은 것으로 뱀파이어를 모독했다고 명분을 붙였지만, 사실 필요한 건 최신 연구 자료와 블란두스 박사의 목숨뿐이었다. 위대한 건축물의 비밀이 새어 나갈까 봐 그것을 지은 노예들을 같이 묻어버리는 것처럼.

"그리고 제노아틱스는 발 빠르게 하이마를 개발했죠."

그러고는 안정성 따위는 개나 준 상태로 FDA(식품의약국)에 승인을 밀어붙여 먼저 세상에 내놓았다. 형제단 단원이었던 당시 FDA 국장에겐 따로 로비할 필요도 없었다. 그는 하이마 승인 요청 자료를 옆으로 치워놓고는, 국장 임기가 끝난 후 제노아틱스의 자문역으로 받아달라고 했을 뿐이다.

시몬은 묘하게 웃었다.

"FDA 국장도 하이마가 세상에 나오는 순간 어떤 반향을 일으킬지 정확히 내다본 거죠."

세상은 우스울 정도로 손쉽게 그녀의 발치에 굴러 떨어졌다. 이렇게 쉬운 거였다는 게 믿어지지 않을 정도였다. 다만 문제는, 역시 ISLE이었다.

"박사가 죽었지만 ISLE은 당황하지 않았습니다. 박사의 유지를 이은 연구팀이 모든 절차를 밟아 개발한 플로스는 하이마에 비해 질적으로 월등할 수밖에 없었죠."

시몬은 솔직히 인정했다.

"조금만 아는 사람이라면 MCTC가 하이마 대신 플로스를 선택한 이유를 전혀 의심하지 않을 겁니다. 특허권 분쟁에서 자유롭기 위해서 인도 법인의 제약회사를 인수하는 꼼수는 썼지만요."

ISLE가 원한 건 돈 따위가 아니었다. 세계의 프레임을 바꾸는 것이었다. 흡혈귀라 불리는 그들이 피를 마시지 않고서도 살 수 있다는 점을 보여주는 것. 인간과 충분히 공존할 수 있다는 사실을 증명해 보이는 것.

그러기 위해서 필요한 건 질적으로 뛰어난 대체식량이었다. 그러니

플로스가 등장하자마자 하이마의 시장 점유율이 곤두박질치는 일은 당연했다. 하이마는 그럴 듯한 모조품에 불과했으니까.

"하지만 하이마 사업은 선수를 선점한 것만으로도 충분하니까요."

시몬은 돌아보았다.

"이제, 진정한 '사업'에 착수해야 할 때죠."

하인리히는 말문이 막힌 얼굴이었다. 시몬은 무심히 물었다.

"왜 그런 얼굴이시죠?"

하인리히는 물끄러미 시몬을 보았다.

"뜻밖이군요. 이렇게 가감 없이 이야기해 주실 줄은."

시몬은 어깨를 으쓱였다.

"저희 관계는 신뢰가 생명이니까요. 물론 인간이었을 당시 제가 자랑스러운 건 아닙니다. 그건…… 천박한 감정이었죠."

시몬은 인상을 찌푸렸다. 생각만 해도 혐오감이 이는 듯.

"우리는 이를테면 물입니다, 종지에서 큰 그릇으로 옮겨 담아진. 그만큼 외연이 확장돼서, 종지로서 가졌던 감정이나 가치관 같은 건 존재한 적이나 있을까 싶을 만큼 희석될 수밖에 없죠."

평범한 고등학생이었던 강연하가 대테러부대의 전투원으로서 버틸 수 있었던 이유도 비슷했을 것이다. 몸이 바뀌면 정신은 따라 바뀔 수밖에 없으니까. 흔히 건강한 정신은 건강한 몸에서 나온다고 하듯이, 더 많은 일을 할 수 있는 몸은 정신의 한계마저도 확장시켜 주는 법이었다.

물론, 어떤 방향으로 어디까지 갈지는 오롯이 본인의 몫이었다.

시몬은 불타는 도시를 비춘 창에 손을 댔다. 도시는 마치 제 손에 잡힐 것만 같았다.

"애나 로스는 전근대에 살았던 가난한 가정의 둘째 딸이었죠. 시대와 환경이 부여한 한계를 넘지 못했기 때문에 끝까지 사랑 타령 같은 걸 했겠죠. 결과적으로 그 덕분에 뱀파이어가 되긴 했지만 별로 다시 생각하고 싶진 않군요."

시몬은 돌아보고 빙긋이 웃었다.

"당신들이 벗고 나오고 싶은 것도 그런 것 아닌가요?"

하인리히는 미소로 화답하며 다가왔다. 시몬은 그의 목에 팔을 감았다.

그녀는 추하고 더러운 인간성을 벗고 완벽해졌다. 이제 그녀에게 남은 건 영원하고 아름다운 것들뿐이었다. 젊음, 아름다움, 부, 명예, 그리고…….

시몬은 하인리히를 보았다. 상류층의 화신 같은 남자. 젊고, 건강하고, 잘생기고, 부자에, 성격까지 나쁘지 않은, 어떤 여자라도 꿈꾸는 로맨스소설 속 남자주인공 같은 남자.

시몬은 미소를 지었다.

'하지만 이건 아냐.'

시몬은 하인리히에게 키스하며 생각했다.

'고작 이런 걸로는 안 돼.'

그녀에게 어울리는 건, 한때 세상을 가졌던 남자— 이반 이바노프니까.

이반은 소파에 깊이 등을 묻고 앉았다. 옆에 다가온 렉스가 물었다.

"마실 것 좀 드릴까요?"

"됐어. 네가 그런 것까지 할 필요 없어."

이반이 말하고 돌아보았지만 렉스는 이미 보이지 않았다. 부엌에서 소리가 들리는 걸 보니 뭔가를 따르고 있는 것 같았다. 렉스는 곧 부엌에서 나와 잔을 건네주었다. 이반은 마뜩찮게 잔을 받았다.

"너도 참 내 말을 안 듣지. 인간사에 관여하지 않는 편이 좋을 거라고 기껏 충고해 줘도 무시로 일관하고."
"무시하지 않았습니다. 결과적으로 무시한 것처럼 됐을 뿐입니다."
"그게 그거야."
이반은 말하고 잔을 기울여 마셨다. 그러다가 뭔가 깨달은 것처럼 잔을 보고는 말했다.
"이건 쓸데없이 크리스털이군. 예산도 적은 지부에서 이런 걸 구비할 돈은 있었나 봐."
렉스는 이반을 보았다.
"정말 국장 같으시군요."
"나름 즐기고 있어. 하루하루 성실히 일해서 돈을 버는 건 오랜만에 느끼는 즐거움이랄까."
이반은 잔을 내려놓았다. 테이블에 잔이 부딪치는 소리가 달칵 울렸다.
필립과 애나는 가난하지만 행복한 부부였다. 필립은 자기가 별 볼 것 없는 인간이었을 때 믿고 따라준 애나를 깊이 사랑했다. 애나로서는 필립이 자신을 사랑하는 이유를 이해할 수 없었는지도 모르겠지만 필립은 그냥 그런 사람이었다. 주어진 자리에서 최선을 다하고, 그렇게 얻게 된 것을 소중히 여기는. 이반은 그게 필립의 위대한 점이라고 생각했다. 그런 일관성은 어지간한 성자가 아니고서야 발휘하기 힘드니까.
반면 애나는 발톱을 감춘 짐승이었다. 아마 인간으로 살았다면 평생 그 발톱이 발현되는 일은 없었을 것이다. 자신의 안에 숨은 날카로운 끝을 느끼지만 사회, 법, 도덕이 부여한 틀을 감히 벗고 나오지 못하는 수많은 인간들 중 하나로 삶을 마쳤을 것이다.
다만 인간 처녀 애나는 제법 명석한 편이었고, 자신이 처한 상황에서 최선의 선택은 필립 로스라고 알았다. 하지만 상황이 바뀌었다. 그렇다면 새 술은 새 부대에—

상념에 잠겨 이반은 중얼거렸다.

"계기만 없었다면 두 사람은 가난하지만 행복한 부부로 끝났겠지."

비록 그것이 뿌리부터 거짓이었어도 평생 드러나지 않았다면 적어도 필립에겐 진실이었을 것이다. 두 사람은 손을 맞잡고 길거리를 걷는 노부부가 되었을 터.

"아뇨."

렉스가 갑자기 말했다.

"필립은 그날 뒷골목에서 죽었겠죠. 저도, 강 상사도. 그 일은 이바노프 씨의 잘못이 아닙니다."

이반은 놀랐다고 해야 할지, 이 녀석 나름대로 위로라고 하는 모양이었다. 이반은 조금 웃었다.

"알아. 하지만 난 운이 나쁜 편이니까."

렉스는 대답하지 않았다. 이미 인간이었을 때 모든 걸 가지고 태어난 그의 파트로네스가 운이 나쁜 편이라고 한다면……. 하지만 사소한 부분까지 따지면 그 좋은 운들이 모두 이후에 온 나쁜 운들에 상쇄된 느낌이 있긴 했다.

이반은 어둠 저편을 심각한 눈으로 보았다.

"연하까지 내 불운에 휩쓸리기 바라지 않았달까."

12년 전 유리벽 너머에 온갖 생명 유지 장치를 달고 누운 연하는 어리고, 약하고, 평범했다. 처음 아일에 왔을 때의 애나처럼.

그때 이 세상 사람들을 줄 세워놓고 가장 무해할 것 같은 사람을 가리키라고 한다면 대부분은 애나를 가리켰을 것이다. 그리고 그건 어느 정도 사실이었다. 애나 스스로도 이후 그녀가 한 일 중 어떤 일도 자신이 해낼 수 있을 거라고 생각하지 못했을 테니까.

그렇다면 이반은 또 한 번 '계기'가 되길 원하지 않았다. 죽음 앞에서도 제 형제부터 걱정하는 다정한 존재가 다른 어떤 것이 되길 바라지 않았다. 그래서 떠나는 길을 선택했다.

다행히 간간이 들리는 이야기로 연하는 사소한 문제는 있지만 대체로 잘 적응해 살아가는 것 같았다. 이반은 그거면 됐다고 생각했다. 그대로 각자 삶을 살아가면 된다고.

그는 아직도 남 걱정밖에 할 줄 모르는 착한 아이가 좋은 삶을 살길 바랐다. 그 이상은 바라지 않았다.

그려놓은 듯이 아름다운 저택에 웃음소리가 가득했다. 초록색이 눈부신 정원에 고급스러운 차림을 한 여자들이 티를 내놓고 삼삼오오 모여앉아 있었고, 나이대가 제각각인 아이들은 그 주변을 해맑게 뛰어다녔다.

붉은 투피스 정장을 갖춰 입은 시몬은 그 모습을 지켜보며 서 있었다. 한 여자가 시몬에게 차를 가져다주었다.

"감사합니다."

시몬은 웃으며 차를 건네받았다. 그때 아이들이 그녀 옆으로 달려갔다. 시몬은 아이들이 칠 뻔했던 찻잔을 부드럽게 옮겨 피했다.

"조심해야지!"

차를 건네줬던 여자가 이미 멀리 간 아이들에게 소리쳤다.

"미안해요, 시몬!"

아이들은 외치고 달려갔다. 여자는 시몬을 돌아보고 난색 어린 웃음을 지었다.

"하여간 소란스럽다니까요."

시몬은 살짝 웃었다. 그때 전화가 울려 시몬은 밴드를 확인하고 말했다.

"실례하겠습니다."

그리고 찻잔을 내려놓고 사람들에게서 떨어져 나와 전화를 받았다.

"장관님."

전화 너머 남자는 물었다.

[다음 모임은 언제인가?]

"곧 공지를 드릴 텐데요."

시몬은 대답하고, 최대한 어떤 비난도 섞이지 않은 투로 덧붙였다.

"이 연락처는 정말 비상시에만 연락을 달라고 부탁드리지 않았습니까?"

하지만 상대는 바로 불쾌감을 드러냈다.

[지금 내게 명령하는 건가?]

시몬은 상대가 앞에 있는 것처럼 살짝 눈을 내리깔고 말했다.

"그럴 리가 있겠습니까. 다만 요즘 냄새를 맡고 다니는 사람들이 있는 것 같아서 노파심에 말씀드렸을 뿐입니다."

장관은 침묵하다가 말했다.

[시간이 오래 걸리는 것 같군.]

시몬은 연인을 대하는 것처럼 달콤한 웃음기를 띤 목소리로 말했다.

"곧 완성될 겁니다. 조만간 연락드리겠습니다."

전화를 끊고 자리로 돌아가자 테이블에 둘러앉아 있는, 하나같이 고급스러운 옷차림을 한 여자들 중 한 사람이 시몬을 보고 말했다.

"제노아틱스는 참 훌륭한 제약회사예요."

그러면서 여자는 뛰어다니고 있는 아이들 중 한 아이를 더없이 다정한 눈으로 보았다.

"저 아이가 저렇게 뛸 수 있다니 꿈만 같아요. 사람들은 제노아틱스라고 하면 하이마만 떠올리지만 저는 오히려 제노아틱스는 여러 제약 분야에서 꾸준히 명성을 쌓아온, 전통적이고 성실한 회사라고 생각해요. 앞으로도 힘써주세요."

여자가 다정하게 말해, 시몬은 부드럽게 웃었다.

"여부가 있을까요."

샤넬 정장을 입은 다른 여자가 찻잔을 들며 말했다.

"사람들이 참 바보 같죠. 당신들 같은 루아스도 있는데 말이에요. 오히려 못 배운 사람들이나 차별 같은 걸 하는 거죠. 꽃을 먹고 산다는 거, 어딘지 우아하기까지 한 면이 있지 않나요?"

시몬은 살짝 고개를 숙이는 것으로 대답했다.

"그러게요. 칼로리도 낮을 것 같지 않아요?"

다른 여자가 웃으며 말했다. 그러고는 여자들은 시몬에 대해 잊어버린 것처럼 그들끼리 대화하기 시작했다. 대체로 어느 헤어살롱에, 마사지 숍에, 디자이너 숍에 누가 잘한다더라 하는 주제였다. 시몬은 잠깐 더 그 자리에 있다가 화장실을 가기 위해 저택으로 들어갔다.

화장실에 갔다가 나오자 바로 연결되는 파우더룸에 한 여자가 서 있었다. 아까 샤넬 정장을 입은 여자, 예쁜 얼굴 하나로 성공한 여배우가 되었다가 여러 뷰티 사업을 성공시킨 유명한 사업가였다. 오늘 티 파티에 참석한 여자들과는 조금 다른 부류였다. 여자는 돈 많은 사모님들의 한담에 참여하기보다 상류 계층의 최신 트렌드를 파악하기 위해서 참석한 거였으니까.

여자는 거울을 보면서 제 매무새를 매만졌다. 이미 완벽한 헤어스타일, 화장, 옷차림이었지만 건강한 윤기가 흐르는, 세팅된 금발을 매만지고 앞섶을 정돈하면서 물었다.

"아직 멀었나요?"

"머지않았습니다."

시몬은 정중하게 대답했다. 여자는 손바닥만 한 핸드백에서 립스틱을 꺼내 발랐다. 한동안 침묵이 흘렀다. 시몬은 침착하게 기다렸고, 립스틱을 다 바르고 난 여자는 여전히 시선을 돌리지 않고 물었다.

"늙는다는 게 어떤 기분인지 기억하나요, 드무스티에?"

시몬은 집주인을 대하는 집사 같은 태도를 잃지 않고 대답했다.

"기억이란 게 묘한 점이 있어서, 오래된 기억일수록 선명해져 가더군요."

여자는 립스틱을 핸드백에 넣고 몸을 돌렸다.

"그럼 매일 아침 주름이 하나씩 늘어가는 걸 보는 게 어떤 기분인지 이해하겠군요."

시몬은 대답하기보다 살짝 고개를 숙일 뿐이었다. 여자는 차갑게 말했다.

"남자들이야 상관없을지 몰라도, 여자는 그래요. 하루라도 젊을 때 루아스가 돼야 하죠. 주름이 자글자글한 얼굴로 영원히 살 수는 없으니까. 그 100% 감염에 성공하는 루아스 바이러스라는 거, 내가 당신네 회사에 붓는 그 많은 돈을 기억한다면 서둘러요."

여자는 말하고 파우더룸을 나섰다. 시몬도 그제야 밖으로 나가서, 바로크식으로 꾸며진 복도를 걸어가는 여자의 뒷모습을 보고 살짝 한숨을 삼켰다.

'핫초코라도 만들고 있는 줄 아는군.'

조르거나 재촉한다고 뚝딱 눈앞에 대령될 리 없다는 걸 알고 있으면서 형제들은 조바심을 냈다. 마음은 이해하지만 말이다.

시몬은 문득 아까 여자가 했던 말이 생각났다. 제노아틱스는 여러 제약 분야에서 꾸준히 명성을 쌓아온, 전통적이고 성실한 회사라던.

시몬은 영원히 푸를 것처럼 녹음이 화사한 밖을 내다보며, 언뜻 비웃음 같은 미소를 지었다.

아까 여자는 틀렸다. 제노아틱스는 그저 그런 제약회사가 아니었다. 영생의 용광로였다.

중무장을 하고 야간투시경을 쓴 대원들은 종대로 벽에 붙어서 있었다. 복도에 떠도는 공기가 무거웠다. 문은 굳게 닫혀 있었다. 문 오른쪽에 대기한 도영이 손짓하자 산탄총을 든 브리처(통로개척 대원)가 문 앞으로 나섰다. 도영은 잠깐 안쪽에 귀 기울이고 있다가 손짓했다. 브리처는 자물쇠에 산탄을 쏘았다.

탕, 쾅! 총이 불을 뿜고, 자물쇠가 박살 났다. 브리처가 재빨리 문을 열고 물러나자 문 왼쪽에 대기한 포인트맨, 연하가 먼저 안으로 총구를 겨누며 진입하기 시작했다.

"승냥이 셋, 엔트리."

이어서 팀 리더인 도영이 말하고 진입했다. 모든 동작이 사전에 조율된 연극 무대처럼 정확하고 신속했다.

폐허가 된 공장 내부는 텅 비어 있었다. 빛이 닿는 순간 빗자루로 바닥을 쓰는 것 같은 사악, 삭, 소리가 났다. 하지만 그건 그들만의 파티를 즐기고 있는 작은 동물 친구들이 빠르게 몸을 피하는 소리일 뿐이었다.

"A-2 클리어."

도영은 자세를 풀고 말했다.

"아무것도 없습니다."

그때 발치에, 상황 판단이 좀 느린 쥐 한 마리가 뒤늦게 달려 도망갔다. 그 모습을 보고 도영은 덧붙였다.

"쥐들의 연회 장소를 찾으시는 게 아니라면."

상황실에서 지켜보고 있는 김 중령이 말했다.

[실없는 소리 하지 말고 후퇴로가 있는지 찾아봐.]

도영은 대원들에게 손짓했다. 그러자 연하를 포함한 대원들은 바로 사방으로 흩어져서 후퇴로를 찾기 시작했다. 도영도 안쪽으로 들어갔다. 그런데 아무도 쓰지 않는 것처럼 폐허로 보였던 공장 안쪽에, 꽤 깨끗한 공간이 나왔다. 말 그대로 아무것도, 그야말로 먼지 한 톨 없었지만 주변 환경을 생각하면 오히려 수상해 보이는 공간이긴 했다.

위성으로 봤을 때 폐쇄된 공장 지대에 갑자기 드나드는 인기척이 감지된다던 게 이 공간과 연관이 있을 것 같았다.

그때 연하에게서 무전이 들려왔다.

[일곱, 있어. 후퇴로. 좀 전에 사용한 것 같아.]

"알았어."

도영은 말하고 상황실에 보고했다.

"후퇴로가 있답니다. 아무래도 쥐들의 연회 장소가 맞았던 모양이군요. 저희가 온다는 낌새를 눈치채고 잽싸게 달아난 것 같습니다."

이반은 상황실의 패널을 보고 있었다. 패널에는 여러 개로 분할된 화면들이 떠 있었다. 개중 한 화면에는 도영의 헬멧에 붙어 있는 카메라가 비추는 거여서 막 도영이 있는 방으로 들어오는 연하가 말하는 모습이 떠 있었다. 혼자서만 야간투시경을 쓰고 있지 않은 연하가 도영에게 손짓하고, 같이 밖으로 나갔다. 어두운 복도는 대원들이 찾아낸 후퇴로 쪽으로 연결되었다.

패널 앞에 있는 김 중령이 한숨을 내쉬고 이반을 돌아보았다.

"어떻게 낌새를 눈치챘군요. 요즘 이 녀석들 동작이 더 잽싸진 것 같습니다."

이반은 패널에서 시선을 돌리지 않았다.

확실히 SN은 몸집이 너무 불어나고, 네트워크가 복잡해졌다. 이런 산발적인 작전으로는 잡을 수가 없었다.

김 중령과 대화하고 있는데 무전이 울렸다.

[ERU 3팀, 임무 종료. 집으로 돌아간다.]

이반이 팔짱을 풀고 돌아서자 김 중령이 물었다.

"들어가십니까?"

이반은 고개를 끄덕이고 상황실을 나섰다. 밤이 깊은 시간이라 청사는 조용했다. 복도를 지나는데 일전에 연하가 들여다보던 자판기가 눈에 띄었다. 그는 왠지 모르게 자판기 앞에 가 섰다.

"국장님?"

부르는 소리에 돌아보자 얼굴이 낯익은 장교가 의아해하는 얼굴로 서 있었다.

"무슨 문제라도…… 아, 음료수 뽑으시려고요? 뭐가 안 됩니까?"

이반이 물끄러미 쳐다보고 있는 게 자판기가 안 돼서 그런 거라고 생각한 것 같았다.

"제 걸로 뽑으시죠."

장교는 이반이 뭐라고 하기도 전에 제 손목 밴드를 자판기 패널에 찍었다. 그러자 자판기 버튼에 불이 들어왔다. 선택하길 기다리는 장교의 얼굴을 보니 이제 와 오해를 정정하기도 그래서, 이반은 아무 버튼이나 눌렀다.

덜컹. 음료수가 떨어졌다.

"여기 있습니다."

장교는 음료수를 꺼내 건넸다.

"고맙습니다."

이반은 조금 웃고 말했다. 장교는 인사하고 제 갈 길을 갔다. 이반은 음료수 캔을 보다가, 주변을 둘러보았다.

'집이라.'

귀환을 알리는 관용적인 표현이었지만 그 말대로 이곳은 연하의 집이었다. 사실 한순간도 집이 아닌 적이 없었다. 그녀는 이곳에서 태어나 자랐고, 비록 지금은 떨어져 살고 있지만 쌍둥이 자매도 이곳에 있었다. 그에겐 연하가 집을 떠나게 할 권리가 없었다.

이번 일만 일단락되면, 그는 떠날 것이다. 연하는 데려가지 않을 셈이었다. 언젠가 연하가 이곳을 집으로 여길 만한 요소를 모두 잃어버려 스스로 그에게 오고 싶어 하지 않는 한.

'정을 들이는 것이 아닌데.'

이반은 쓰게 웃었다.

'단순히 정 이상의 것이 들어버린 것 같은 느낌이 들지만.'

"렉스."

이반이 부르자 몇 걸음 떨어진 곳에 동상처럼 서 있는 렉스는 고개를 들었다. 이반은 시선을 돌리지 않고 말했다.

"자카르타에 연락해."

자판기 유리에 비치는 얼굴이 심각했다.

그들이 타고 온 수송기 C-130A가 소속된 오산 공군 기지 활주로 너머로 해가 떠오르고 있었다. 간밤에 비가 내린 모양인지 활주로가 축축하게 젖어 있었다. 매끄러운 웅덩이 위로 해가 비춰 사방이 붉게 타오르는 것 같았다.

ERU 3팀이 중앙 램프도어(화물 적재문)를 통해 땅에 내려섰을 때였다. 수송기 위에서, 오늘 C-130A를 조종한 공군 조종사가 말했다.

"오늘도 오산 에어포스 에어라인을 이용해 주신 고객 여러분들 감사드립니다. 남은 가시는 길까지 안녕히 가라, 자식들아."

팀원들은 조종사를 돌아보고 피식 웃었다.

"감사합니다."

팀원들은 인사하고, 하나둘 대기하고 있는 버스에 올랐다. 버스는 활주로에 고인 물웅덩이를 헤치며 달렸다. 물웅덩이에 태양빛이 비춰 붉게 타오르는 들판을 달리는 것 같았다.

덜컹. 버스가 가볍게 흔들렸다. 중무장한 대원들을 계속 태우고 다니느라 의자 겉가죽이 다 벗겨진 버스는 승차감이 매우 좋지 않았다.[22] 도영은 옆자리에 앉아 창밖을 보고 있는 연하의 옆모습을 보았다. 황금빛 광선에 비춰 둥그런 볼이 반짝였다.

새삼스럽지만 참 어린 나이였다. 연하가 죽었을 때, 가슴이 뻥 뚫려서, 현대 의학기술로도 도저히 살릴 수 없는 상태였다고 들었다. 그렇다고 감염이라고 가망이 있는 건 아니었지만 연하는 어쨌든 삶으로 돌아왔다.

이런 삶으로.

가족에게 생사도 알릴 수 없고, 그나마 팀을 잘 만나서 그렇지 아직도 마초 근성으로 가득한 우락부락한 남자들 사이에서 몸이 가장 튼튼하다는 이유 하나로 탱커 역할을 하는.

끼익. 버스가 멈추자 다들 앞으로 몸이 한 번 쏠렸다.

"푹 쉬어."

앞서 버스에서 내린 도영이 내리는 연하를 돌아보고 말했다.

"너도."

연하는 손을 들어 보이고 걸어갔다. 도영도 막 걸음을 옮기려는데 격납고 앞에 MCTC 마크가 새겨진 전용기가 서 있는 모습이 눈에 띄었다. 막 출항 준비가 끝났는지 햇빛을 비춰 표면이 잘 닦아놓은 거울처럼 반짝였다.

"어, 국장님."

그때 연하가 놀라 말하는 소리가 들려 도영은 돌아보았다.

격납고에서 국장이 걸어 나오고 있었다. 그제야 도영은 왜 전용기가 있는지 이해할 수 있었다. 국장급은 혹여 그들을 노린 테러에 시민들이 휘말리지 않도록 규칙상 전용기를 이용해야 했기 때문이다.

---

22) 마크 오언, 케빈 모러, 「노 이지 데이(NO EASY DAY)」, 이동훈, 길찾기(2013). p.227

국장은 연하 앞에 멈춰 섰다. 뒤를 따르는 렉스와 이 대위는 알아서 몇 걸음 떨어진 곳에서 멈추었다.

"이 시간에 여긴 어쩐 일이세요?"

연하가 얼떨떨하게 묻자 국장은 전용기 쪽을 가리켰다.

"일 때문에 잠깐 나가게 돼서."

연하는 전용기를 돌아보았다가 다시 국장을 보았다. 국장 역시 그녀를 보았다. 이코노미 잡지 표지에서 걸어 나온 것 같은 붉은 눈의 남자와 전투복을 입은 어린 소녀의 모습은 모든 기준과 규격에서 벗어난 이상한 그림이었다. 그런데 이상하게도, 그들 사이에는 섣불리 끼어들을 수 없는 공기가 있었다.

국장이 계속 쳐다보고 있어 연하는 의아해졌는지 고개를 조금 젖혔다.

"국장님?"

국장은 멀리서 돌아온 것처럼 말했다.

"수고했어."

이어서 국장이 무어라 말했지만 마침 도영 앞으로 컨테이너를 실은 지게차가 지나가는 소리 때문에 인간의 귀에는 무슨 말인지 들리지 않았다.

연하는 웃었다. 손을 휘두르며 무어라 말하는 모습이, 임무 도중 있었던 일을 설명하는 것 같았다. 국장도 웃는 눈으로 그녀가 하는 말을 들었다. 그들이 꽤 오랫동안 그러고 있자 이 대위가 다가가 밀하며 전용기 쪽으로 손짓했다.

"그럼 나중에 보자."

그때 마침 지게차가 다 지나가서 국장이 하는 말이 들렸다.

"다녀오세요."

단순한 인사였을 뿐인데 국장은 연하가 이상한 말이라도 한 것처럼 보더니, 조금 웃었다.
"그래. 다녀와서 보자."
연하는 거수경례하고, 전용기로 걸어가는 국장을 지켜보았다. 그가 탑승 계단을 올라갈 때까지. 그러다가 연하는 지켜보는 시선을 느낀 것처럼 도영을 보고는 어깨를 으쓱이고 돌아서서 걸어갔다.
"그렇게 해서 뚫리겠어요?"
갑자기 들려온 말에 도영은 돌아보았다. 간 줄 알았던 한 중사가 뒤에 서 있었다.
"무슨 말씀입니까?"
도영이 묻자 한 중사는 연하가 사라진 쪽을 고갯짓하고는 말했다.
"좀 질투 나지 않습니까?"
"질투요?"
도영은 한 중사가 외계어로 말하기라도 한 것처럼 쳐다보았다. 하지만 한 중사는 개의치 않고 말했다.
"우리 상사님인데 요즘 국장하고 친하게 지내시는 걸 보면 말이죠."
아니, 이 사람들이 정말 여기가 고등학교냐고?
도영은 기가 막혀 생각했다. 그사이에 한 중사는 어깨를 으쓱이고 덧붙였다.
"동족은 어쩔 수 없는 동족인가 봐요. 하긴, 외로우셨겠죠."
"저 녀석이요?"
도영은 이건 또 무슨 소리인가 싶었다. 한 중사는 고개를 끄덕였다.
"그렇잖아요. 우리 지부에 말을 터놓고 지낼 만한 동족 친구가 있었던 것도 아니고. 소령님과 친하긴 해도 그건 동성 친구와 이성 친구가 다르듯이 다른 거죠."
한 중사는 미묘한 웃음을 짓고 덧붙였다.
"그것도 좀 다른 것 같긴 하지만. 저 두 사람, 좀 묘하잖아요."

“하지만 강 상사는…….”

도영은 말하다가 미간을 찌푸렸다. 스스로도 무슨 말을 하고 싶은 건지 알 수 없었기 때문이다.

그런데 한 중사는 난감해하는 것 같은 웃음을 지었다.

“설마 소령님, 강 상사님이 영원히 열아홉일 줄 아셨어요?”

“그런 건…….”

아니었지만, 도영은 멈칫했다. 정말 아니었을까?

연하는 늘 그곳에 있는 존재였다. 나이를 먹지도, 어디론가 가지도 않고. 그런 연하를 보며 어딘가 심리적인 안정감을 느낀 건 사실이었다. 돌이켜 보면 도영은 군인이 된 후로 가장 즐거웠던 지난 이 년간의 삶이 막연히 계속될 거라고 믿어왔는지도 몰랐다.

하지만 살아 있는 한 변하지 않는 존재는 없었다. 그리고 마땅히 그래야만 했고. 삶은 계속 흘러가고 있으니까.

‘그런데 왜일까?’

어쩐지 그게 마음에 들지 않는 이유는. 도영은 알 수 없었다.

“오셨습니까?”

제복을 입은 흑인 남자가 문 앞에서 이반을 알은체하고 손을 내밀었다. 악수하고 그가 물었다.

“서울 지부 생활은 좀 어떠십니까?”

“생각보다 평화로운 곳이어서 좋더군요.”

이반은 손을 놓고 대답했다.

“아무렴 서울은 여기 자카르타에 비하면 천국이죠. 아, 시작하겠군요. 들어가시죠.”

남자는 손을 내밀며 말했다. 같이 안으로 들어가자 국회 같은 반원형 공간이 펼쳐졌다. 조명이 낮은 무대 위 단상은 아직 비어 있었고, 반원형 자리에는 열 명 정도가 띄엄띄엄 앉아 있었는데 이반처럼 정장을 입은 사람들과 휘장이 화려한 군복을 입은 사람들이 섞여 있었다.

이반은 개중 한 자리에 앉았다. 테이블 패널에는 푸른 배경에 MCTC 마크가 떠 있었다.

얼마 지나지 않아 군복을 입은 한 남자가 나와 단상에 섰다. 그리고 정면을 똑바로 보고 말했다.

"SN에 대한 대규모 소탕 작전 개요 발표를 시작하겠습니다."

그 모습을, 이반은 입가에 손가락을 괴고 진지한 눈으로 보았다.

사실 지금까지 이반은 대공이 있건 없건 크게 상관하지 않았다. 모두 버리고 떠난 판국에 대공이 세상을 쑥대밭으로 만들어도 그가 알 바는 아니라고 생각했기 때문이다. 그리고 호랑이가 없는 곳에는 여우가 왕인 법, 대공이 사라지면 또 다른 대공이 나타날 뿐이었다.

하지만 적어도 대공이 사라져야 연하가 쌍둥이 자매와 다시 만날 수 있을 것이다. 경호원들을 수십 명씩 붙여서 만나게 해주는 방법도 있긴 하지만 그건 100% 안전을 보장할 수 없는 미봉책일 따름이었다. 그러니까 이게, 이반이 연하에게 해줄 수 있는 최소한의 일이었다.

7

흡혈귀와 아이스크림

청사를 나오는 길인 연하는 자신의 눈을 의심했다.

"국장님?"

그건 분명히 그녀가 익히 알고 있는 국장이었다.

"강 상사."

이반도 연하를 보았다. 연하는 얼떨떨해 물었다.

"여기서 뭐 하세요?"

이반은 빙긋이 웃었다.

"아이스크림 먹는데."

과연 그 말대로 국장은 아이스크림을 들고 벤치에 앉아 있었다. 평소처럼 고급스러운 양복에 코트를 걸친 차림으로. 무엇보다…….

연하는 주변을 둘러보았다. 잿빛 하늘 아래 청사 앞 광장은 을씨년스럽고도 황량했다. 입김이 폴폴 올라오는 날씨여서 지나다니는 사람들도 걸음을 재촉하기 바빴다.

연하는 다시 이반을 보았다.

"이 날씨에요?"

그라는 남자가 이런 차림으로 아이스크림을 먹고 있다는 것부터 지적해야 할지, 장소와 날씨의 부적절성에 대해서부터 지적해야 할지, 너무 지적할 게 많아서 문제였지만 어쨌든 연하는 가장 이질감이 느껴지는 것에 대한 것부터 이야기했다. 하지만 이반은 눈에 자색이 좀 더 짙어지는 특유의 웃음을 지었다.

"온도 차에 민감하지 않다는 게 루아스의 좋은 점이잖아."

아니, 그건 분명히 그렇지만…….

"하지만 이런 곳에서 혼자……?"

물론 진짜 혼자는 아니었다. 한 10미터 정도 떨어진 곳에 렉스가 서 있었다. 늘 그렇듯. 하지만 아이스크림을 먹고 있는 건 국장 혼자였기 때문에 혼자라고 한 것이었다.

"저기."

이반은 아이스크림을 들고 있는 손으로 손가락만 뻗어서 도로 건너편에 있는 카페를 가리켰다. 연하는 손끝을 따라 돌아보았다.

"갈 때마다 아이스크림이 맛있어 보이더라고. 한번 먹어보고 싶었는데 마침 시간이 남아서."

연하도 아이스크림이 유명한 집이라고 언뜻 듣긴 한 것 같았다. 그녀가 군것질을 좋아하긴 하지만 열정적으로 맛집을 찾아다니며 먹는 스타일은 아니어서 가본 적은 없었다.

"강 상사도 하나 먹을래?"

연하는 이반을 보았다. '이런 날씨에.'라고 하긴 했지만 그가 제안한 이상—

"네."

또 당연한 듯이 대답하고 있었다.

이반은 일어났다. 그러자 그냥 일어서는 것만으로도 정장 화보 같은 사람이 파스텔 색감의 아이스크림을 들고 있는 그림이 정말 뭔가 거짓말 같았다. 누가 멋들어진 화보에다가 아이스크림을 합성해 놓은 것 같았다.

연하는 막 그들을 따라 움직이려 하는 렉스를 돌아보았다.

"렉스 씨는……."

"아까도 권했는데 안 먹는다더라고."

이반은 마음에 들지 않는다는 듯이 렉스를 보았다.

"저러니 뱀파이어들이 인간미가 없다는 소리를 듣지."

연하는 난감한 웃음을 지었다. 정말 이 둘은 사이가 좋은 건지 나쁜 건지 알 수 없었다.

어쨌든 둘은 같이 길을 건너서 카페로 갔다. 렉스는 꽤 뒤에 따라와서 카페에 들어오지 않고 밖에서 기다렸다.

"어서 오세요."

카운터 뒤에 서 있는 젊은 여자 직원이 인사했다. 지금은 많은 가게들이 기계화되긴 했지만 아직 감성이나 편의성 면에서 인간 직원을 쓰는 가게도 적잖았다.

"또 오셨네요."

여자 직원은 짐짓 웃으며 이반에게 말했다. 아까 아이스크림을 사 갔기에 기억하는 것 같았다. 이반도 웃으며 연하를 가리켰다.

"같이 먹어줄 사람이 생겨서요."

그러고는 연하에게 말했다.

"뭐 먹을래? 골라봐."

"네."

연하는 대답하고 아이스크림 진열대 앞으로 가면서 고개를 갸웃했다. 이해할 수 없었기 때문이다. 왜 갑자기 기분이 나빠지는지. 분명히 국장과 함께 카페에 들어올 때까지만 해도 발걸음이 풍선을 달아놓은 것 같았는데…….

"아이스크림은 먹을 만하세요?"

뒤에서 직원이 이반에게 묻자 그가 대답했다.

"추천해 주신 게 맛있더군요."

연하는 뒤에서 둘이 대화하는 데 신경이 쏠렸다. 어쨌든 국장은 붉은 눈도 그렇고 한눈에도 루아스 티가 나니까 루아스라는 걸 알 텐데 여자 직원은 별생각이 없어 보였다. 사실 그런 사람들도 꽤 많았지만 연하는 어쩐지 생각해 버렸다.

왜 저렇게 쓸데없이 오픈마인드인 거야? 하고. 그리고 연하는 편견을 가지지 않는 착한 사람을 두고 그렇게 생각한 자신을 믿을 수가 없었다.

'미안해요, 착한 사람.'

연하는 속으로 사과했다.

"안 그래도 그게 저희 집 시그니처거든요."

여자 직원은 말하고 대답을 기다렸지만, 아이스크림을 사 가지 않았어도 기억할 수밖에 없는 손님은 다른 곳을 보고 있었다. 정확하게는, 아이스크림 진열대 앞에 뒤돌아 서 있는 '같이 먹어줄 사람'을.

이반은 한 템포 늦게 직원이 한 말을 깨달은 것처럼 돌아보고 대답했다.

"그렇군요."

직원은 유난히 오래 고민하고 있는 여자 손님을 보았다. 어려 보이지만, 외모로 나이를 짐작할 수 있는 세상이 아니라서-특히 이곳은 MCTC 청사 앞이니까.- 실제로 어린 사람인지는 알 수 없었다. 아마 아닌 것 같았다. 손님이 그녀를 보는 눈을 보면.

직원이 흘긋 이반을 보자 그는 희미하게 웃었다. 마치 비밀로 해달라고 말하듯.

직원은 웃으며 연하에게 다가갔다.

"추천해 드릴까요?"

연하는 정신을 차린 것처럼 고개를 들었다.

"아, 괜찮아요. 이걸로 할게요."

연하는 딸기나 블루베리 계열을 좋아해서 늘 그런 쪽 맛으로 먹기 때문에 어차피 처음부터 먹고 싶은 건 정해져 있었다.

기다리고 있으니 직원이 아이스크림을 떠서 건네주며 말했다.

"새콤달콤 러블리 라즈베리 키스의 맛 나왔습니다."

연하는 아이스크림을 받아 들고 말했다.

"이름이 굉장하네요. 국장님 건?"

"이름?"

이반은 딱히 이름은 신경 쓰지 않았는지, 그가 샀던 아이스크림 앞에 꽂혀 있는 팻말로 시선을 돌렸다. 연하도 따라 시선을 돌렸다.

-민트와 초코가 함께 빠진 사랑의 마그마

연하는 애써 웃음을 감추었다. 이름을 지은 사람이 누군지는 모르겠지만 자기만의 세계가 있다고 해야 할지, 감수성이 풍부하다고 해야 할지…….

"그러게. 굉장하네."

이반도 웃고 말았다.

"아, 계산."

연하가 말하고 계산하기 위해 아이스크림을 다른 손으로 옮기는데 이미 이반이 계산대에 손목을 내밀고 있었다.

"어, 제가……."

연하가 말했지만 이반은 패널에 밴드를 찍었다.

"괜찮아. 다음에는 강 상사가 사."

"그럴까요?"

그 모습을 보며, 직원은 신기해 생각했다.

'뱀파이어들도 연애를 하는구나.'

하긴, 인간이 영원히 살게 되었다고 사랑하는 감정을 느끼지 못하게 될 것 같지는 않았다. 오히려 영원히 사는 만큼 더 오랫동안 함께할 수 있는 배우자를 찾고 싶어 하지 않을까? 직원은 막연하게 생각하며 카페를 나서는 두 사람에게 말했다.

"안녕히 가세요."

"감사합니다."

두 사람은 카페를 나와 다시 광장으로 걸어갔다.

"여기 앉을까?"

이반은 광장에 있는 벤치를 가리켰다.

"네."

그리고 둘은 벤치에 나란히 앉아 잠깐 지나다니는 사람들을 구경했다. 청사 앞이라서 거의 정장이나 군복을 입은 사람들이 오갔다. 개중 몇은 이쪽을 보고 국장인가 아닌가 긴가민가하는 것 같았지만 굳이 와서 확인까지 하고 가진 않았다.

"좋네요."

연하는 갑자기 중얼거렸다.

"이 날씨에 혼자 광장에서 아이스크림 먹는 거. 뭔가 자유로워진 느낌이랄까?"

"이해했구나."

꼬고 앉은 다리 위에 양팔을 교차해 걸치고 있는 이반은 웃고는 덧붙였다.

"그리고 단건 기분을 좋게 해주니까. 뭔가 세상을 다 가진 것 같은 기분이 들잖아."

그것도 그렇지만 어쨌든 연하는 미슐랭 쓰리 스타 레스토랑 같은 곳에서만 밥 먹을 것 같은 사람이 의외로 소탈하다는 걸 알게 되었다.

"국장님은 다 드셨네요."

연하는 빈손인 이반을 보고 말했다. 그는 아이스크림을 다 먹고 남은 종이를 카페 쓰레기통에 버리고 나왔다.

"좀 드실래요? 이 부분에는 입 아직 안 댔거든요."

연하는 아이스크림을 이반에게 내밀며 말했다.

"그럴까?"

이반은 연하가 아직 먹지 않았다고 가리킨 부분을 조금 먹고 다시 돌려주었다. 그리고 입술에 살짝 묻은 아이스크림을 엄지손가락으로 훑고 카페에서 나오면서 가져온 휴지에 닦고는 혼잣말처럼 말했다.

"키스의 맛이 이런 건가?"

연하는 무슨 소리인가 했다가 아이스크림 이름을 기억해 냈다.

'키스의 맛이라니 무슨 생각으로 그런 이름을…….'

연하는 우스워하며 아이스크림을 입으로 가져가다가, 멈칫했다. 갑자기 아이스크림에서 국장의 입이 닿았던 부분이 의식되면서, 왠지 모르게 아이스크림을 먹기가 주저되었다. 그의 입술을 먹는 것 같아서…….

'히익. 그게 무슨 말이야.'

연하는 단번에 문제에 부딪치듯이 아이스크림을 한입에 욱여넣었다. 이반은 그녀가 난데없이 그러는 데 조금 놀란 것 같았다. 그리고 차가운 걸 한꺼번에 먹었다면?

"으윽……. 머리 아파요."

연하는 반대쪽으로 엎어져서 머리를 부여잡고 끙끙거렸다.

"갑자기 그렇게 먹으니까 그렇지."

이반은 웃음기가 섞인 목소리로 말하며 연하의 팔을 잡아 끌어당겨 일으켜 세우고 물었다.

"괜찮아?"

연하는 머리를 붙잡은 채로 제대로 앉았다.

"뱀파이어가 돼도 왜 이런 기본적인 건 변하지 않는 걸까요?"

"아마 몸이 작동하는 방식은 비슷하니까?"

연하는 관자놀이를 문지르고는 아무 일도 없었던 것처럼 남은 아이스크림을 먹기 시작했다.

"그래도 맛은 있네요."

이반은 피식 웃어버렸다.

일상이 즐겁다고 느낀 마지막 순간은 언제였을까. 이렇게 아무 의미 없는 일상이 세상 모든 의미를 지닌 것처럼 반짝거렸다. 아니면 반짝거리는 건 연하인지, 아이스크림을 먹는 둥그스름한 볼 위로 햇빛이 은은하게 흘렀다.

연하는 고개를 젖혀, 무거운 구름 틈새로 빛이 새어 나오는 하늘을 보았다.

"아, 햇빛 나왔다."

이렇게 과학이 발전한 세상이지만 유전학적으로 인간은 수십만 년 전 들판을 뛰어다니며 사냥할 때와 다르지 않다고 하듯이, 뱀파이어도 마찬가지였다. 수십만 년 전만 해도 뱀파이어들의 선조는 개체 수도 비슷한 인간을 무서워할 이유가 없었고, 당당하게 햇빛 아래를 걸었다. 뱀파이어들이 정체를 숨기기 위해 인간들 사이로 숨어들기 시작한 건 인간들이 지구를 모두 덮을 정도로 많아지면서부터였다. 그러니까 뱀파이어들에게 자연스러운 상태는 오히려 햇빛 아래였다.

뱀파이어로 사는 게 불편한 점이라고 한다면 역시 피를 마셔야 한다는 것 정도였는데, 그리고 그게 다른 장점을 다 희석시킬 만큼 불편한 점이었지만, 이제 드디어 그들은 흡혈의 굴레에서 벗어났다.

연하는 하늘을 본 채로 아이스크림콘의 마지막 부분을 쏙 입안으로 집어넣고 우물거렸다. 흡혈귀와 아이스크림. 꽤 괜찮은 조합이지 않은가, 하고 이반은 생각했다.

"맛있었어요."

연하는 웃고는 일어나 물었다.

"이제 국장님은 어디로 가세요?"

이반은 아직 앉은 채로 대답했다.

"사무실로 돌아가 봐야지. 강 상사는?"

"저는……."

대답하던 연하는 멈칫했다. 순간 이반은 연하의 눈동자에 무언가 반짝이는 빛이 비치는 것을 보았다. 그리고 모든 일은 동시에 일어났다.

"국장님!"

연하가 외치며 이반을 덮쳐 들었다. 멀찍이 서 있는 렉스가 당장 이쪽으로 뛰려는 것처럼 자세를 잡았다. 그때 이반도 연하의 그림자 너머 건물 저편에서 날아오는 총알을 보았다. 이대로라면 연하가 맞을 각도였다.

이반은 연하를 끌어안으며 몸을 틀었다.

까앙. 마치 쇳덩이로 쇳덩이를 치는 것 같으면서도 둔탁한 소리가 울렸다.

렉스가 그들 앞에 서 있었다. 그는 급한 대로 총알을 막기 위해서 권총을 내밀고 있었는데 총알이 총신을 치고 지나간 흔적이 있었다. 이반은 당장 연하를 품에서 떼어내고 확인했다.

"괜찮아?"

연하는 고개를 끄덕였다.

"국장님은……."

그사이에 렉스는 총알이 날아온 곳을 돌아보았다. 청사 근처는 이런 위험성 때문에 어지간한 뱀파이어 저격수 사정거리 안에는 높은 건물이 없었다. 사정거리를 벗어난 곳에서 날아온 것 같았다.

렉스는 시선을 떼지 않고 말했다.

"어서 안으로 들어가셔야 할 것 같습니다."

2차 공격이 있을 수도 있기 때문이었다. 두 사람은 더 말할 것 없이 일어나 청사로 가기 시작했다. 다른 건 모두 안전이 확보되고 난 다음에 할 일이었다. 렉스가 주변을 경계하면서 그들을 따라왔다.

"국장님!"

정문으로 통하는 계단을 올라가고 있는데 급하게 소식을 들었는지 무장한 팀이 달려와 그들을 둘러싸 보호했다. 그대로 정문을 통과하는 동안 두 번째 공격은 없었다.

총성을 들은 사람들, 소식을 들은 사람들, 소식을 전하기 위해 달려가는 사람들, 달려 나온 대원들, 무장한 팀, 온갖 사람들이 섞여 로비는 순식간에 소란스러워졌다.

"무슨 일입니까?"

긴급하게 출동한 팀 리더가 묻자 렉스가 정문 건너를 가리키며 대답했다.

"1시 방향, 흰 건물에서 날아왔습니다."

"국장님, 괜찮으세요?"

연하는 바로 이반을 돌아보았다. 그런데 그는 살짝 찡그린 표정으로 말이 없었다. 그리고 코트 안으로 손을 넣었다가 빼자 핏물이 묻어나왔다. 그것을 본 이반은 미간을 찌푸린 채 중얼거렸다.

"일반 총기가 아니군."

연하를 포함해 사람들 눈이 화등잔만 해졌다. 마치 경고등이 켜진 것처럼.

"국장님!"

"국장님이 총에 맞으셨습니다!"

"메딕!"

로비는 달려오고 달려가는 사람들도 아비규환 같았다.

"진정하십시오."

그 가운데 국장은 한 손을 들고 말했다. 그 어조가 너무 평이해서, 사람들은 주춤거렸다. 그러자 국장은 덧붙였다.

"죽지 않으니까."

그러고 보니 국장은 총에 맞은 사람이라고는 볼 수 없을 정도로 침착하고 크게 고통을 느끼는 것 같지도 않았다. 똑바로 서 있음은 물론이고. 그제야 사람들은 그들의 국장이 인간이 아니라는 사실을 깨달은 것 같았다.

그때 막 복도 너머에서 의료팀이 헐레벌떡 달려 나왔다.

"국장님은……!"

국장은 그들을 보고 걸음을 내디디며 말했다.

"가죠. 총알은 빼야겠으니."

"네?"

뭘 뺀다고? 의료팀은 자신들이 제대로 들었나 의심하듯 반문했다. 그리고 멀쩡하게 걸어가는 국장을 보고, 대원들을 돌아보았다.

"총에 맞으신 거 맞죠?"

간호 장교가 스툴에 앉은 국장이 코트를 벗는 걸 도와주었다. 양복 상의까지 벗자 와이셔츠의 오른쪽 옆구리가 피로 젖어 있었다. 와이셔츠는 잘라내고, 총상 전문의로 급하게 호출되어 온 군의관 소령이 상처 부위를 확인했다.

의료용 마스크를 끼고 있는 소령은 흘긋 국장을 보았다.

"아프지 않으십니까?"

국장은 무슨 소리냐는 듯이 소령을 보았다.

"루아스도 통증은 느낍니다만."

"몸에 총알이 박혀 있는 분이라고는 보이지 않아서요."

안 그래도 국장은 종이에 손끝이 베여서 반창고라도 받으러 온 사람 같았다.

"참는 거죠. 어른이니까."

국장이 태연히 말하자 소령은 기가 막힌 것 같았다.

"총상을 말이죠."

총상 전문의라고는 하지만 한국은 아직도 총기가 규제된 나라인 데다 루아스가 많지 않은 지부 소속이어서 젊은 소령은 루아스 총상 환자는 다뤄본 적이 없었다. 하지만 루아스도 상처를 입으면 인간만큼이나 고통을 느낀다는 것만은 잘 알았다. 중상을 입으면 죽는 건 물론이고.

국장은 조금 웃었다.

"좋은 세상이죠. 옛날엔 다리를 절단할 때도 술 마시고 목덜미 한 방 맞는 게 마취였는데."

소령은 그제야 국장이 마취제도 개발되기 전 세상을 살아나온 사람이라는 사실을 깨달았다.

"그런 이야기를 그렇게 산뜻한 얼굴로 하시면 어떤 표정을 지어야 할지 모르겠군요. 아무튼 마취가 된 것 같으니 빼겠습니다."

핀셋이 상처에 깊숙이 들어가자 이물감이 느껴지는지 이반은 미간을 조금 좁혔다.

"기다리세요. 나옵니다."

소령은 일그러진 총알을 작은 쟁반에 내려놓았다.

"좀 보죠."

국장이 말해, 소령은 쟁반 채로 그에게 건네주었다. 그러자 국장은 핏물에 젖은 총알을 유심히 보았다. 이내 쟁반을 대기하고 있는 한 대원에게 건네주었다.

"포렌식 센터에 가져다주십시오."

"알겠습니다."

대원은 쟁반을 받아 인사하고 돌아섰다. 그리고 대원이 나가면서 열린 문 너머에 서 있는 연하가 안을 들여다보았다가 이반을 보고는 파랗게 질렸다. 이반은 말했다.

"강 상사, 들어와."

그러자 다시 문이 열리고 연하가 들어왔다. 이반은 자신이 총에 맞은 것 같은 얼굴을 한 연하를 보고 말했다.

"괜찮아."

연하는 고개를 저었다.

"안 괜찮아요. 어떻게……."

"드레싱만 잘 하면 금방 나을 테니까."

이반이 람보도 울고 갈 태도로 말하자 소령은 한숨을 내쉬었다.

"이건 종이에 베인 게 아니라 총상입니다만……."

어쨌든 소령은 상처를 봉합하기 시작했다. 요즘엔 네일건 같이 생긴 슈처 기계로 간단하게 봉합할 수 있는 인간 환자와 달리 손가락으로 피부 결을 더듬어가면서 방향을 맞추어 한 땀 한 땀 수작업해야 하는 일이라 제법 오래 걸렸다. 마지막으로 파스 같은 방수 패드를 상처 주변으로 크게 붙였다.

"그래도 검사는 받아보셔야 할 것 같습니다."

소령은 라텍스 장갑을 벗으며 말했다.

"루아스는 항생제도 필요 없는 몸이라고 하지만 어쨌든 루아스의 피부를 뚫은 물건이니까요."

"그러죠."

국장은 순순히 대답했다.

간호 장교가 국장이 수술복 같은 옷을 입는 것을 도와주었다. 국장은 구멍 난 왼쪽 옆구리가 결리는지 팔을 드는 데 조금 어색해 보였다. 소령은 그 모습을 보며 벗은 라텍스 장갑을 카트에 내려놓고 말했다.

"루아스들의 육체 능력에 대해서는 익히 알고 있었지만, 그래도 놀랍군요. 평범한 총기도 아니고 루아스의 살갗을 뚫을 만한 총기였는데 이 정도로 아무렇지 않으신 걸 보니."

"국장님을 기준으로 삼으시면 안 되죠."

계속 한쪽에 서 있던 리웨이가 갑자기 말하자 모두 그녀를 돌아보았다. 그러자 리웨이는 루아스도 아닌 자신이 너무 아는 척했다고 깨달았는지 덧붙였다.

"눈이 붉으시니까……?"

국장은 검사를 받으러 가기 위해 자리에서 일어나서는 리웨이를 빤히 보았다. 그가 그렇게 보자 리웨이는 괜히 위압된 듯 주춤하며 물었다.

"왜 그러세요?"

"아무것도 아닙니다."

그제야 국장은 시선을 돌리고 방을 나섰다.

"아, 도와드릴게요."

연하가 급히 말하며 그를 따라갔다.

"뭐야?"

뒤에 남은 리웨이는 미간을 찌푸리고 중얼거렸다.

"하여간 괜히 긴장하게 만드는 사람이라니까."

문이 열리고 초록색 수술복 같은 옷 위에 코트를 걸친 이반이 관사로 들어왔다. 연하가 부축해 주고 있었지만 조금 힘들어 보인다는 걸 제외하면 도저히 막 총에 맞은 사람이라고는 생각할 수 없었다. 그들 뒤를 따라 렉스가 들어왔다.

"좀 앉아야겠군."

이반이 거실 소파에 앉자 연하가 다급하게 물었다.
“물 드릴까요?”
이반은 고개를 끄덕였다.
“부탁할게.”
“제가 가져오겠습니다.”
렉스가 말하고 복도 건너 부엌으로 사라졌다. 그러자 연하는 급한 일이라도 있는 사람처럼 부산스럽게 물었다.
“안 추우세요? 담요 좀 갖다드릴까요?”
“그건 괜찮을 것 같아.”
이반은 대답했다. 그때 렉스가 물을 가지고 와 그에게 건네주었다. 이반이 물을 받아 한 모금 마시고 옆에 내려놓자 렉스가 말했다.
“탄환이 날아온 건물을 수색한 팀이 돌아왔다고 합니다. 이야기 좀 듣고 오겠습니다.”
“그래.”
렉스는 밖으로 나가고, 연하는 다시 부산하게 물었다.
“뭐 필요한 건 없으세요? 플로스 팩이라도…….”
연하가 자신을 돌봐주려고 부산을 떠는 건 귀여웠지만 이반은 왠지 그녀가 무슨 생각을 하는지 알 것 같아 불렀다.
“강 상사.”
그러자마자 연하는 전원을 끈 로봇처럼 시무룩해져 멈추었다.
“죄송해요. 제가 그때 아이스크림을 먹셌다고만 안 했어도…….”
역시, 그런 생각을 하고 있을 것 같았다. 이반은 말했다.
“아이스크림을 먹자고 한 사람은 나였잖아. 기억 안 나?”
연하는 우물거렸다.
“하지만…… 제가 나서지만 않았으면 피하실 수 있었던 거죠?”
건물 위에서 반짝이는 뭔가를 봤다고 생각했을 때 연하는 본능적으로 몸이 움직였다. 하지만 생각해 보면 이반을 보호하려던 그녀를 다시 그가 보호하려 하지 않았더라면 충분히 혼자 피하거나 렉스가 막았을 것이다.

"음……."

이반은 거짓말은 할 수 없는지 조금 웃을 따름이었다. 연하는 기운이 빠진 듯이 바닥에 앉아 한숨을 내쉬었다. 이반은 그런 그녀를 다정한 눈으로 보며 말했다.

"그래도 보호해 주려고 했잖아. 고마웠어."

그럼에도 연하는 그다지 안심한 것 같지 않은 얼굴로 그를 올려다보았다.

"인간이었으면 목숨이 위험하셨을 거예요. 그렇게 생각하면……."

이반은 빙긋이 웃었다.

"하지만 인간이 아니니까. 다행이지."

연하는 말을 멈추고 이반을 빤히 보았다. 그는 '응?' 하고 묻듯이 고개를 조금 젖혔다. 그런데 갑자기 연하가 제 남방 단추를 끄르기 시작해, 이반은 놀랐다.

"강 상사?"

부르는데도 연하는 계속 단추를 푸르더니 헐크처럼 옷을 양옆으로 찢듯이 열어젖히고 외쳤다.

"제 피를 드세요!"

이반은 눈을 크게 떴다.

"뭐?"

반면 연하는 단호한 표정이었다.

"저도 국장님 피를 마셨잖아요. 리웨이가 같은 혈액형을 가진 루아스들끼리는 수혈하는 것처럼 피를 공유할 수 있다고 했어요. 그래서 국장님도 처음에 피를 주셨던 거죠? 그러니까 제 피를 드세요."

이반은 드물게도 말문이 막혀 한동안 연하를 쳐다보기만 했다. 확실히 피를 마실 수 있다면 상처는 더 금방 나을 것이다. 하지만 그보다…….

군인이라는 직업 특성상 연하는 속옷에 정말 '속에 입는 옷' 이상의 의미를 부여하지 않는 것 같았다. 보통 때라면 그도 그랬겠지만, 길가에 떨어진 단순한 돌멩이도 이성적인 의미가 있다면 전혀 다른 느낌으로 다가오기 마련이었다.

실용성 외에 다른 기능이라고는 없어 보이는 검은색 민무늬지만 속옷이 다 보이도록 옷을 열어젖히고 제 피를 마셔달라며 눈을 빛내는 여자를 어떡해야 할지, 이반은 몹시 난감했다. 다른 어떤 걸 참을 수 없게 될 것 같아서 거절하기로 마음먹었다.

"괜찮……."

"거절하지 마세요."

이반이 거절하려 하는 것을 알았는지 연하는 말하며 벌떡 일어나 소파에 무릎을 짚었다.

"이렇게라도 국장님이 낫는 데 도움이 되고 싶어요. 그러니까 제발 거절하지 마세요."

사람들이 흔히 제 주장을 밀어붙일 때 그렇듯이, 연하는 소파 팔걸이를 짚고 점차 몸을 기울여 왔다. 그러니 당연히 이반은 조금씩 뒤로 몸을 기울일 수밖에 없었다. 결국 등받이에 등이 닿아 더 이상 갈 곳이 없어졌지만.

이반은 제 위를 거의 덮다시피 한 연하를 보고 난감한 웃음을 지었다.

"강 상사? 지금 자세가 좀……."

그러거나 말거나, 연하는 물러설 것 같지 않았다.

'그러고 보니 의외로 고집이 셌지.'

이반은 문득 깨달았다. 하지만 살짝 숙인 자세 때문에 거의 가슴이 드러날 것 같은 모습으로, 그것도 간절해서인지 물기가 어린 것처럼 보이는 눈으로 애원하다니……. 이건 그의 인내심을 시험하는 것도 아니고, 지금 그녀가 도와줬으면 하는 건 그쪽이 아닌데 말이다.

그때 현관문이 열리는 소리가 났다. 인심 좋은 대감댁 대문처럼 열려 있는 연하의 앞섶을, 이반은 당장 한 손으로 잡아 닫았다. 그리고 돌아보자 현관에 멈춰 서 있는 렉스가 물었다.

"조금 이따 올까요?"

렉스는 별로 놀란 것 같지 않았다. 처음부터 딸 타령을 믿지 않았다고 말하듯이.

"넘겨짚지 마. 그런 거 아니니까."

이반은 말하고 연하를 돌아보았다.

"그럼 이렇게 하자. 생각보다 잘 낫지 않으면 그땐 네 도움을 받기로."

연하는 영 떨떠름한 얼굴이었다. 그 제안이 마음에 들지 않는다는 얼굴이기에, 이반은 화제를 돌리기 위해 렉스를 보고 물었다.

"그래서 수색한 결과는?"

렉스는 대답했다.

"역시 아무런 흔적이 없다는군요. 저격을 끝내자마자 현장을 벗어난 것 같습니다. 주변으로 갑자기 움직인 차량이나 이동 수단이 있는지 수색하고 있습니다."

이반은 연하를 돌아보고 말했다.

"오늘은 돌아가서 쉬어."

연하가 바로 반박하려는 얼굴이기에 이반은 바로 덧붙였다.

"나도 좀 쉬어야 할 것 같으니까."

"그럼 침실로 모셔다드릴까요?"

그것 역시 거절하려 했지만 연하가 워낙 애원하는 눈이어서 이반은 거절할 수 없었다.

"그래."

연하가 또 부축해 주려는 것처럼 손을 뻗었다. 이반은 그녀의 손을 잡고 일어나 그대로 2층에 있는 침실로 올라갔다. 손녀에게 부축을 받는 거동이 불편한 노인이 된 것 같아서 기분은 썩 유쾌하지 않았지만 연하가 부축하는 것에도 워낙 열심이라서 불평할 수가 없었다.

연하는 이반이 침대에 앉을 때까지 부축해 주고 물었다.

"정말 괜찮으시겠어요?"

"괜찮아."

"그럼 편히 쉬세요."

이반이 고개를 끄덕이자 연하는 거수경례하고 문을 나섰다. 밖에서 그녀가 렉스와 인사하는 소리가 나고, 1층 거실을 지나 문을 나서는 기척이 느껴졌다. 이어서 렉스가 문 앞에 나타났다.

"그냥 피를 마셔도 될 텐데요."

이반은 한숨을 내쉬었다.

"다 알면서 모르는 척하는 건 어디서 배웠어?"

"제 피라도 나눠 드릴까요?"

렉스는 무심히 물었고, 이반은 대답하기도 싫은지 가보라는 듯 손을 내저었다. 렉스는 살짝 묵례하고 나갔다.

"쉬십시오."

확실히 좀 누워야 할 것 같아 이반은 침대에 등을 대고 누워 천장을 올려다보았다. 구멍 난 옆구리가 뻐근했다.

그가 원하는 것은 한순간의 쾌락이나 어느 기간 지속되다가 시간의 경과에 따라 변해가는 단순한 연애 감정 따위가 아니었다.

그는 가족을 원했다. 언제나.

다른 뱀파이어들이 들으면 돌덩이가 될 만큼 살고도 그 심장 한번 말랑하다며 코웃음을 칠 일이지만, 세상을 전부 가져도 결국 죽어서 누울

자리는 한 뼘의 땅뿐이라는 사실을 알게 됐을 때부터였을 것이다. 쏟아지는 금과 지평선까지 이어진 땅, 세상을 제 발밑에 가져다줄 군대 같은 건 더는 아무 의미가 없었다.

하지만 연하는 고작 서른한 살이었다. 인간 기준으로는 '고작'이라고 할 수 없을지 모르지만 그녀는 쌍둥이 자매를 지켜야 한다는 의무감에 제대로 살아본 적도 없이 그 나이가 되었다. 영원에 가까운 세월을 허락받은 연하에게 벌써부터 한 남자에게 매이라는 건 잔인한 일일 것이다.

수십 년 전에만 만났더라도 서로 몸과 마음이 끌리는 상황에 주저할 이유는 없었다. 하지만 이반은 더 이상 알량한 호감이나 충동적인 호기심 같은 것은 필요하지 않았다. 이제 그런 것은 충분히 겪었다. 오히려 '하나'라고 생각되는 순간 그는 놓지 않을 셈이었다. 영원히.

연하는 국장 관사를 나와 복도를 걸어갔다. 얼마 가지 않아, 무슨 일이라도 난 것처럼 모여 있는 동료 대원들과 마주쳤다. 도영이 가장 먼저 그녀를 발견했다. 그리고 도영과 대원들은 웅성거리며 다가와 저마다 물었다.

"강 강사, 괜찮아?"

"괜찮으세요?"

연하는 고개를 끄덕였다.

"괜찮아요."

연하가 정말 괜찮아 보였는지 그제야 대원들은 서로를 보고 말했다.

"청사 바로 앞에서 공격했다면서요?"

"대범하네요."

"근데 누굴 노린 걸까요?"

한 대원이 한 말에 모두 그를 쳐다보았다. 그리고 다른 대원들이 의아해하며 말했다.

"당연히 국장 아냐?"

"강 상사님이 표적이 될 이유가 없잖아요?"

잡아넣은 범죄자나 테러리스트들이 있긴 하지만 팀 단위로 움직였으니까 특별히 연하가 표적이 될 이유는 없었다. 종종 연하가 미끼 역할을 했을 때 유난히 집착하던 변태들을 빼면. 하지만 그들은 대개 뒷배가 없는 잡범에 지나지 않았고, 그나마도 감옥에서 잘 썩고 있었다.

그런데 연하는 뭔가 깊은 생각에 빠진 것처럼 말이 없었다. 역시 저격을 당할 뻔했던 건 그녀에게도 충격적인 경험이었을 것이다.

"충격이 컸겠지만……."

도영이 위로해 주려고 연하의 어깨를 짚으며 말문을 텄을 때였다.

"있잖아."

연하는 굉장히 심각한 이야기를 하려는 것처럼 고개를 들고 물었다.

"피를 만드는 음식이 뭐가 있지?"

도영을 포함해 대원들은 시선을 교환했다.

"글쎄……. 멸치?"

도영이 대답했다.

"멸치……."

연하는 중얼거리면서 걸어갔다. 뒤에 남은 대원들은 왜 저러느냐는 듯 서로를 보았지만 답을 해줄 사람은 없는 것 같았다.

"근데 멸치는 뼈에 좋은 거 아니에요?"

한 중사가 말했다. 도영은 어깨를 으쓱였다.

"어쨌든 몸에 좋은 거니까 아무렴 어때요."

그리고 도영은 여전히 깊은 생각에 빠진 채 걸어가는 연하의 뒷모습을 보았다.

'국장하고 같이 아이스크림을 먹고 있었다고? 저 녀석 설마 진짜 국

장을……'

"상사님이라면 정말 국장한테 멸치를 사다 줄지도 모른다고요."

그때 한 중사가 말해 도영은 정신을 차리고 돌아보았다.

"너무 가능성이 농후해서 할 말이 없네요."

다른 대원이 웃으며 말했다.

"그럼 뼈 튼튼해지고 좋겠죠, 뭐."

도영은 대수롭잖게 말했다. 오랫동안 함께한 팀원들이지만 그들은 아직 연하에 대해 잘 모르는 것 같았다.

자동문이 열리고, 연하가 검은 봉지를 들고 방으로 들어왔다.

[다녀오셨습니까? 상사님.]

평소처럼 AI가 인사했다.

"응, 안녕. 블라인드 좀 걷어줄래?"

[네.]

창문을 가린 블라인드가 올라가는 동안 연하는 탁자에 앉았다. 그리고 들어올 때 가져온 검은 봉지 안에서 빵빵한 봉지를 꺼내 따고는, 안에서 내용물을 한 줌 꺼내 입에 털어 넣고 씹었다. 과자를 먹는가 싶었는데, 연하는 있는 대로 인상을 구겼다.

"……맛없어."

봉지에는 쓰여 있었다. 청정 볶은 멸치 1kg.

하얀 가운을 입은 포렌식 센터 연구원은 깨끗하게 씻은 총알을 넣은 팩을 들어 보이고 말했다.

"어디에도 등록돼 있지 않은 물건입니다. 러시아제로 짐작되는데 확실하게 규격엔 맞지 않고요. 아무래도 독자 개발한 모델인 것 같습니다."

연구원 뒤로 보이는 패널에는 총알을 확대해서 여러 각도에서 찍은 사진들이 떠 있고, 앞에는 MCTC 서울 지부의 간부급 군인들이 둘러앉아 있었다. 개중 가운데 앉은 것은 국장이었다.

어제 총격을 당했지만 이반은 오늘 아침 아무 일도 없었던 것처럼 출근했다. 멀쩡하게 회의실로 걸어 들어오는 그를 보고 꿀 먹은 벙어리가 된 간부들의 표정은 꽤 볼만한 것이었다.

포렌식 센터 연구원이 내려가고, 이어서 수색팀을 지휘하는 문 소령이 앞으로 나섰다. 패널에 버려진 자동차 사진과 이동 경로를 표시하는 지도가 떴다. 문 소령은 그것을 보면서 말했다.

"저격수는 서울에서 개인 차량으로 부산항까지 이동했습니다. 해당 차량을 쫓아 부산 지부 ERU 팀이 긴급 출동했습니다. 그리고 어제 21시 13분 체포하려 하자 총격전 끝에 맹독을 먹고 자살했다고 합니다. 조사 결과 최종 목적지는 모로코 마라케시였다고 하는군요."

"SN의 영향권입니다."

한 간부가 말하자 다른 간부가 말할 가치도 없다는 듯 대답했다.

"당연하죠. 그 거리를 쏠 수 있을 만큼 훈련받은 루아스 저격수가 SN이 아니었겠습니까?"

브리핑이 끝나자 사람들이 모두 나가고 이반과 렉스만이 남았다. 이반은 팩에 들어 있는 총알을 보았다. 안 그래도 SN이 이번 테러를 주도했다는 게 놀라울 건 없었지만, 몇 가지 의문은 남았다.

"연하를 함부로 건들진 않을 거야. 날 화나게 할 뿐이라는 걸 알 테니까."

이반은 중얼거렸다. 굳이 그가 연하에게 감정이 없다 하더라도 그녀는 그의 클리엔테스니까. 함부로 누군가의 클리엔테스를 건드린다는 것은 그 클랜에 대한 전쟁 선포였다.

렉스도 동의하는지 말했다.

"안 그래도 강 상사를 이용해 뭔가를 할 생각이었으면 지난 12년 안에 했을 테죠."

그 말대로 이제 와서 진심으로 연하를 노렸다고는 생각되지 않았다.

옆에 서 있는 렉스는 이반을 보다가 말했다.

"소탕 작전에 대해 뭔가 새어 나간 게 아닐까요? 작전에 대해 새어 나갔더라도 이런 식으로 반응하진 않겠지만 말이죠."

이반이 죽는다고 작전이 섣다운될 리는 없기 때문이다. 오히려 더 강한 모티브를 줄 뿐이었다. 게다가 총사령부의 승인을 받기 위해 대기 중인 극비리 작전에 대해 새어 나갔다면 그건 그것대로 문제였다.

굳이 대답하지 않아도 렉스가 대답을 안다고 생각했기에 이반은 그에 대해서는 말하지 않았다.

"날 쏠 생각도 아니었을 거야."

그를 쏠 생각이었다면 연하가 오기 전 꽤 오랜 시간 혼자 앉아 있었을 때 쐈을 것이다. 오히려 SN은 굳이 둘이 함께 있을 때 저격했다. 그 전에는 페인을 암살했고. 이 팩트들이 의미하는 바는 뭘까? 이반은 눈을 가느다랗게 떴다.

'몰아넣고 있다…….'

어쩐지 그런 느낌을 받았다. 지금 그들로서는 알 수 없는 어떤 심리적 지점으로.

그때 문이 열리고 이 대위가 들어왔다. 이반은 그를 돌아보고 물었다.

"다음 일정은 어떻게 됩니까?"

이 대위는 조금 걱정스러운 얼굴이었다.

"정말 일정을 그대로 소화해도 괜찮으시겠습니까?"

"괜찮습니다."

옆구리가 좀 뻐근하긴 했지만 심한 근육통 정도라고 생각하면 될 정도였다. 근육통보다는 많이 결리긴 하지만.

"다음 일정은 정기 훈련 시찰입니다."

이 대위는 말했다.

실전처럼 무장한 채인 도영은 흘긋 복도 쪽을 봤다가 손짓했다. 그러자 뒤로 늘어서 있는 대원들이 신속하게 앞서갔다. 연하도 그 사이에 있었다.

앞 대원을 따라가는데 문득 위를 보니 드라마 세트장 같은 훈련장을 전지적 시점에서 내려다볼 수 있도록 2층에 만들어놓은 철제 가설물 위에 이반이 서 있었다. 정확하게는 김 중령을 포함해 꽤 많은 간부들이 있었지만 눈에 들어온 건 그 한 사람이었다. 어쩐지 연하는 순간적으로 멍해졌다.

"움직여!"

그때 도영이 강하게 등을 밀치며 말했다. 연하는 깜짝 놀라 움직였다.

한참 훈련용 레이저 총소리가 들리고, 건물 하나를 그대로 옮겨온 것처럼 거대한 무대 같은 훈련장 '사일런트 하우스'의 천장 조명에 불이 들어왔다. 대원들은 넘어진 다른 팀 대원들의 손을 잡아 일으켜 주었다. 연하가 훈련용 헬멧을 벗자 가설물 위에 서 있는 김 중령이 소리쳤다.

"강 상사, 너 인마, 집중 안 해? 어제 네가 총에 맞은 것도 아닌데 왜 멍을 때려? 이제 짬 좀 찼다고 훈련 따위 그냥 날로 먹는다 이거야?"

다들 연하를 돌아봐, 연하는 머쓱해져 말했다.

"시정하겠습니다."

김 중령은 마뜩잖은 것 같았지만 국장이 보고 있어서인지 더 말하진 않았다. 이반은 다른 장교가 하는 말을 들으며 사일런트 하우스의 다른 쪽으로 걸어갔다. 장교가 사일런트 하우스의 구조를 설명해 주는 것 같았다.

연하는 뒷머리를 긁적였다.

'정말 요즘 왜 이러지. 정신 차려야지.'

"집중하는 게 힘들어 보이네."

문을 나오는데 익숙한 목소리가 들렸다. 연하는 기대하지 않았기에 조금 놀라 돌아보았다.

"국장님."

이반은 복도에 혼자 서 있었다. 자신을 기다리고 있었던 걸까? 연하는 설마 그렇진 않을 거라고 생각했지만, 어쩐지 이상했다. 가슴이 울렁거리는 것 같은 기분.

"상처는 어떠세요?"

연하가 묻자 이반은 조금 웃었다.

"다 나았어."

"괜찮다고 하지만 마시고요."

"정말 다 나았어."

"아무리 그래도 총상인데……."

그런데 이반이 갑자기 연하를 빤히 보았다. 연하는 왜 그러나 싶어 말을 멈추고 그를 마주 보았다.

이반이 그녀에게로 몸을 기울였다. 갑자기 서로 온기가 느껴질 정도로 가까워졌다. 연하는 놀랐지만 차마 반응하지 못하고 굳어 있는데 이반이 뭔가 냄새를 맡더니 다시 몸을 들었다.

"강 상사한테서 뭔가 이상한 냄새가 나지 않아?"

연하는 정신을 차렸다. 이 사람이 말을 다 돌릴 줄 아는 것 같았다.

"말 돌리지 마시고요."

"아니, 정말 나는데."

이반이 진지하게 말해, 연하는 의아해하다가 뭔가 깨달았다.

"아, 아직 샤워를 안 해서……."

그렇게 땀 냄새가 심한가 싶어 민망해져 뒷목을 문질렀다. 이반은 잠깐 생각하는 얼굴이었다.

"좀 더 비린내에 가까운데."

"아."

그제야 연하는 무슨 의미인지 이해했다.

"어제 멸치를 좀 많이 먹었거든요."

워낙 많이 먹었다 보니 아직 냄새가 남아 있는 모양이었다. 물론 씻고 잤으니 인간은 맡지 못할 정도겠지만 알다시피, 이쪽은 인간이 아니었다.

"갑자기 멸치는 왜?"

이반은 정말 궁금해져 물었다. 다 좋은데 멸치는 너무 뜬금없지 않은가.

"멸치가 피를 만드는 데 좋다고 해서요."

연하는 대답했다.

"피?"

이반은 피가 어쨌다는 건지 반사적으로 물었다가, 설마 싶어져 연하를 보았다. 연하는 뭔가 신경 쓰이는 점이 있는지 뒷목을 문지르면서 중얼거렸다.

"그래야 혹시 도움이 필요하시면 도와드릴 수 있으니까……."

이반은 생각지도 못한 대답을 듣고 말문이 막혔다. 그런 거라면 차라리 플로스를 마시는 편이 나았을 테지만…….

이반은 연하를 물끄러미 보며 말했다.

"멸치는 뼈에 좋은 거 아냐?"

"그래요?"

정말 몰랐는지 연하는 눈을 동그랗게 뜨고 놀라더니, 미간을 좁히고 중얼거렸다.

"한 봉지 다 먹었는데……."

이반은 정말로 곤란했다. 이 아이를 어째야 할지.

"뼈는 튼튼해졌겠네."

말하자 연하는 살짝 그를 노려보았다.

"놀리지 마세요."

놀리는지 모를 거라고 생각했는데 백치미를 풍기다가도 순간 이렇게 명석해지는 구석이 있었다.

"국장님."

그때 뒤에서 이 대위가 불렀다. 이반은 한 번 돌아봤다가 연하를 보고 말했다.

"나중에 보자."

연하는 거수경례했다. 이반은 돌아서서 복도를 걸어가다가 갑자기 피식 웃었다.

"나 참, 멸치라니."

"네? 멸치요?"

따라오던 이 대위가 의아하게 되물었다.

"아무것도 아닙니다."

이반은 대답하고 계속 걸어갔다. 그러다가 눈을 동그랗게 뜨고 되묻는 연하의 얼굴이 생각나 또 피식 웃고는, 이번에는 갑자기 분위기가 바뀌어서 심각한 얼굴이 되었다.

'내가 뭘 하고 있는 건지 모르겠군.'

그는 분명 결심을 했는데 말이다. 하지만 아이는 알면 알수록 사랑스러웠고, 이만큼 살고도 예측할 수 없는 엉뚱함까지 지니고 있었다.

연하는 뜨거운 김을 뿜으며 샤워 칸 밖으로 나왔다. 그리고 탈의실에서 막 옷을 입고 있는데 문이 열리고 한 무리의 여성들이 들어왔다.

"상사님."

여군 부대 부사관들이었다. 아직도 대테러부대의 전투원으로 일하는 인간 여성은 거의 없었지만-싸워야 하는 상대가 루아스가 되면서 오히려 예전보다 전투원 자격 요건의 기준이 높아졌기 때문이다- 여군들의 기준도 높아졌기 때문에 그녀들의 피지컬은 비범하지 않았다.

"훈련 끝나셨어요?"

여군들이 옷을 벗으며 물었다.

"네."

연하는 대답하고 옷을 마저 입었다. 그런데 한 부사관이 왠지 모르게 능글맞은 미소를 띠며 말했다.

"강 상사님, 요즘 국장님하고 분위기가 묘하다던데요?"

"분위기가 묘해요?"

연하는 이해하지 못해 되물었다. 부사관은 고개를 끄덕였다.

"네. 어제 일이 터졌을 때도 같이 계셨고."

'아이스크림을 먹고 있었을 뿐인데?'

그런 생각을 하면서 멀뚱히 쳐다보자 부사관은 연하가 전혀 이해하지 못하고 있다는 사실을 눈치챈 모양이었다. 난감한 웃음을 지으며 덧붙였다.

"두 분, 잘되고 있는 거 아니시냐고요."

"네?"

그제야 연하는 깜짝 놀랐다. 요즘 국장하고 친하게 지낸 건 맞지만 이런 오해를 받을 거라고는 생각도 해 본 적이 없어서 뭐부터 이야기해야 하는지 알 수 없었다. 하지만 일단…….

"국장님인데요……?"

전투원은 진급이 빨라서 연하도 서른하나에 벌써 상사긴 하지만 어쨌든 일개 상사와 준장급인 국장이었다. 나란히 앉는다는 것 자체가 일반 군대라면 상상하기 힘든 일인데 하물며 그런…… 사이라니?

연하가 그러자 부사관은 오히려 이해하지 못하는 것처럼 말했다.

"하지만 같은 루아스잖아요. 인간보다는 가망이 있지 않아요? 가망이라는 단어가 맞는지는 모르겠지만."

다른 부사관이 거들었다.

"안 그래도 민 소위님은 벌써 네 번째 인간 아내분하고 살고 계신다잖아요. 자기 딴에는 첫 번째 아내분이 계속 환생하는 거라고 생각한다나?"

"그게 뭐예요."

여자들은 조금 질색했다.

"그래서 자기는 순애보라고 꿋꿋이 주장한다지 뭐예요. 뭐, 인간하고 살려면 그 정도 멘탈은 갖춰야 하는지도 모르겠지만…… 그러니까 강 상사님은 오히려 잘된 거 아니에요?"

그러면서 다들 뭔가 기대하는 것 같은 얼굴로 보는데, 연하는 뭐라 대답해야 할지 알 수 없어 입술만 달싹였다. 그러자 여자들은 호들갑을 떨었다.

"어머, 부끄러워하시나 보다."

"아니, 그게……."

연하는 당황스러워 어물거렸다.

"괜찮아요. 다 안다고요."

도대체 뭘 안다는 건지, 부사관들은 자기들끼리 결론을 내리고는 웃으며 샤워실로 들어갔다. 연하는 변명할 타이밍을 놓쳐 버리고 멍하니 서 있다가 어쩔 수 없이 밖으로 나왔다. 삐빅. 마침 밴드에 대기 해제 코드가 떴다. 연하는 주머니에 손을 넣어 얼마 전에 새로 짠 미산가 팔찌를 꺼내 들었다.

'일단 오늘 다녀올까.'

그리고 고개를 드는데 렉스가 서 있었다. 아무 말도 없이. 연하는 깜짝 놀랐다.

"렉스 씨."

하여간 이 사람은 너무 기척이 없었다. 렉스는 연하가 놀라면서 떨어뜨린 것을 주워 건네주었다.

"더 만드셨군요."

무슨 말인가 하다가, 예전에 렉스가 미산가 팔찌에 대해 물어본 적 있다는 것이 기억났다. 결국 규하가 술 먹고 떨어뜨린 것을 찾아주려 한 거라고 알게 됐지만…….

연하는 팔찌를 받아 들며 물었다.

"네. 렉스 씨도 하나 만들어 드릴까요?"

렉스는 그 제안이 뜻밖인 것 같았지만 무심히 대답했다.

"전 괜찮습니다. 저보다 국장님께 만들어 드리세요."

"네? 구, 국장님한테 왜요?"

연하는 왠지 뜨끔해져 말을 더듬고 말았다. 렉스는 그런 반응이 오히려 이해되지 않는 얼굴이었다.

"좋아하실 테니까요."

연하는 말문이 막혔다.

"그걸 렉스 씨가 어떻게 알아요?"

연하는 괜히 렉스를 탓히듯이 말하고는 가버렸다. 렉스는 무표정한 얼굴로 돌아보았다.

'귀엽군.'

지금까진 연하가 어떻게 돌 같은 그의 파트로네스를 녹였는지 알지 못했다. 사람마다 취향이 다르니까 유난히 꿋꿋하고 씩씩한 모습이 좋은가 보다 막연히 생각했을 뿐이다. 그런데 조금은 알 것 같았다. 남녀 사이의 일에는 마냥 어린 줄로만 알았는데, 발긋하게 볼을 붉힌 얼굴이나 물기 같은 윤기가 도는 눈동자가 생각보다 '여자' 같았다.

'그런데 혹시…….'

렉스는 저 멀리 가는 연하를 보다가 생각했다. 하지만 금세 생각을 떨쳐 냈다.

'아니겠지.'

연하는 창문을 열고 미끄러져 들어갔다. 수업 중이라 교무실은 비어 있었다. 하지만 여러 사람이 오가는 장소 특성상 오래 비어 있진 않을 테니 빨리 움직여야 했다. 그래서 얼른 규하의 책상으로 가서 핑크색 봉투를 내려놓았다.

규하가 끊어진 팔찌를 보면서 속상해하는 모습을 여러 번 보았다. 안 그래도 12년 전에 만들어준 거라 팔찌는 낡을 대로 낡아 있었다. 지금까지 끊어지지 않고 버텨준 게 기특할 지경이었으니 새로 만들어주고 싶었는데, 저승에서 팔찌를 보낼 방법을 찾지 못해 여태 그냥 둘 수밖에 없었다. 하지만 마침 예전 팔찌가 끊어진 김에 연하는 새로 짠 팔찌를 전해줄 방법을 강구해 냈다.

이 정도는 괜찮을 것이다. 오는 길에, 예전에 아이스크림을 사먹은 청사 앞 카페에 들러서 직원에게 부탁해서 편지도 동글동글한 여고생 필체로 보이게 적었으니까. 여담이지만, 연하의 필체는 의외로 굉장히 진지한 궁서체라서 티가 났다.

-선생님께서 가지고 다니시는 팔찌가 끊어진 것 같아 만드는 김에 하나 더 만들었어요.

편지에 이름은 적지 않았지만 그 정도는 수줍은 성격의 학생이려니 생각하고 넘길 수 있을 것이다.

연하는 어떻게 두면 봉투가 더 눈에 잘 띌까 요리조리 놓다가 돌아섰다. 그때 문이 열리고 수학 선생이 들어왔다. 밖에다 대고 외치면서.

"이 녀석들! 뛰지 마!"

마침 아이들이 뛰어가는 바람에 소리가 섞여서 연하도 수학 선생이 오는 소리를 듣지 못했던 것이다.

후드를 뒤집어쓴 채인 연하는 수학 선생에게 꾸벅 인사하고 지나쳐 갔다.

"어, 그래."

수학 선생은 연하를 전혀 의심스럽게 보지 않았다. 연하는 문을 나섰다.

"선생님, 내일 봬요!"

규하는 막 교무실로 들어가려는 참이었다. 복도 건너에서 가연이 외쳤다. 규하는 돌아보고 손을 흔들어주었다. 가연은 웃으며 친구들과 함께 갔다. 다행히 가연이 교우 관계는 좋아서 일단 학교에만 온다면 걱정할 일은 없었다.

그리고 규하는 몸을 돌리다가 교무실에서 나오는 학생과 부딪혔다. 규하는 얼른 사과했다.

"어, 미안."

후드를 쓴 학생은 말도 없이 거의 90도로 인사하더니 지나갔다. 규하는 교무실로 들어가 자신의 책상으로 갔다. 그런데 책상에 낯선 물건이 올려져 있었다.

핑크색 봉투는 뭔가 물건이 들어 있는 것처럼 두툼했다. 규하는 아무 생각 없이 봉투를 열고 물건을 꺼냈다. 미산가 팔찌였다.

순간 그것의 의미를 깨닫지 못해 규하는 미간을 찌푸리고 옆을 돌아보았다. 교무실은 일상의 공기에 잠겨 있었다.

그러고 보니 그 학생, 교복을 입고 있지 않았다.

규하는 당장 교무실을 박차고 나갔다. 막 들어오던 영어 선생이 놀라 눈을 크게 떴다.

"강 선생, 왜 그래요?"

"후드……. 회색 후드 입은 학생 어디로 갔어요?"

영어 선생은 규하의 박력에 밀려 저도 모르게 대답했다.

"어, 오른쪽인 것 같은데."

규하는 당장 오른쪽으로 달리기 시작했다.

"강 선생!"

뒤에서 영어 선생이 불렀지만 규하는 돌아보지 않았다. 모퉁이를 돌자 삼삼오오 떠들며 몰려나오는 학생들 사이로 얼핏 회색 후드가 비쳤다. 여전히 후드를 눌러쓰고 있어서 얼굴이 보이지 않았다. 키는 165cm, 아니, 170cm 정도……. 연하보다 큰 것 같았지만 아무래도 상관없었다.

"거기, 너……!"

규하는 외쳤다. 하지만 많은 아이들이 서로 떠들고 웃는 소리에 묻혀 들리지 않는지 후드를 쓴 학생은 빛이 쏟아지는 정문을 나섰다. 규하는 그녀를 따라 다시 달리기 시작했다. 학생들이 놀라 규하를 돌아보았다.

"어, 선생님……."

개중에는 규하를 알아보고 부르는 학생들도 있었지만 그녀는 신경 쓸 겨를이 없었다. 후에 아이들이 이야기한 바에 따르면 귀신이라도 본 얼굴로 넋을 놓고 정문을 달려 나갔다. 넋을 놓았다고는 볼 수 없는 엄청난 속도로.

규하는 다급하게 양쪽을 돌아보았다. 학생, 학생들, 또 학생들. 사방에 같은 교복을 입은 아이들밖에 없었다.

"일어나."

규하는 무작정 거리를 달렸다. 학생들밖에 없던 풍경은 점차 그러데이션이 희미해지듯이 일반인들이 귀신에 홀린 것 같은 낯빛을 한 그녀를 힐끔대며 지나가는 풍경으로 바뀌어갔다. 그럼에도 회색 후드는 시야에 나타나지 않았다.

"당장 일어나."

규하는 숨이 턱까지 차올랐다. 운동을 쉰 지 오래돼서 심장이 터질 것 같았다. 멈출 수가 없어서 계속 달렸지만, 결국 멈출 수밖에 없었다. 규하는 멈춰 서서 가쁜 숨을 몰아쉬었다.

"장난하지 마! 연하야, 연하야! 강연하! 제발……!"

영안실 침대에 누운 연하는 푸르고 깨끗했다. 도저히 제 쌍둥이라고 믿을 수 없는 시신을 눈앞에 두고 규하는 짐승처럼 울부짖었다. 그때 그녀를 사로잡은, 영혼이 산산이 부서지는 고통은 진짜 육체가 느끼는 고통과 다름없었다. 규하는 숨을 쉴 수가 없었다. 연하가 먼저 태어나서, 그녀는 태어난 이래 단 한 번도 혼자 숨을 쉬어본 적이 없었으니까.

"제발 날 두고 가지 마."

도로 건너편 건물 사이의 골목에 몸을 숨긴 렉스는 낮게 가라앉은 눈으로 규하를 보고 있었다.

'역시 그 팔찌는…….'

애써 아닐 거라고 생각했지만, 역시 강규하에게 주려고 만든 모양이었다.

길 건너편에 있는 규하는 숨을 몰아쉬면서 몸을 뒤로 젖혔다가 앞으로 숙이더니, 갑자기 주저앉았다. 렉스는 움찔하며 팔짱을 풀었다. 행인들도 놀라서 하나둘 멈춰 섰다. 규하는 호흡에 문제가 있는 것 같았다.

'과호흡.'

렉스는 바로 깨달았다. 규하는 경찰 조사 당시에도 여러 번 같은 증상을 보였었다.

스스로도 낯설지 않아서인지 규하는 과호흡이 온 사람치고는 침착하게 숨을 몰아쉬려고 노력했다. 하지만 폐 속에 갇힌 숨이 다시 밖으로 나오지 않아 점점 파랗게 질려갔다. 렉스는 뛰어나가려는 다리를 겨우 붙잡았다. 그는 더 이상 그녀의 인생에 뛰어들 자격이 없었다.

"아가씨, 괜찮아요?"

다행히 지나가던 중년 여자가 규하에게 다가갔다. 규하는 숨을 헐떡이면서 겨우 말했다.

"비닐…… 비닐, 봉……."

용케 알아들은 여자가 자신의 핸드백을 뒤지다가 슬슬 주변에 몰려드는 사람들에게 외쳤다.

"혹시 비닐봉지 있는 사람 있어요?"

"어, 저, 여기! 여기!"

누군가가 다급하게 외치며 봉지를 들고 달려 나왔다. 규하는 그가 건네준 봉지를 입에 대고 숨을 규칙적으로 들이쉬고 내뱉었다. 렉스는 조금 안도했다.

그래, 처치 방법을 알고 있으니까 금방…….

하지만 비닐봉지가 소용이 없자 규하는 가슴을 치면서 숨을 뱉어내려고 했다. 하지만 그렇게 될 리가 없었다. 그녀가 느끼고 있는 괴로움과 공포를 대변하듯 일그러진 얼굴에 눈물이 흘러내렸다.

제발…… 누가 좀…….

건물 옥상에서 지켜보고 있는 연하가 울먹이는 소리가 들려왔다. 렉스는 꾹 눈을 감았다.

"아가씨!"

갑자기 중년 여자가 기겁해 외쳤다. 렉스는 눈을 떴다. 규하는 힘을 잃고 바닥에 쓰러져 있었고, 숨소리가 들리지 않았다. 그는 더 이상 아무 생각도 하지 않았다.

달려 나갔다.

렉스는 단숨에 차가 들이치는 도로를 건너, 몰려든 사람들을 헤치고 들어갔다. 그리고 거의 의식을 잃기 직전인 규하를 똑바로 눕혔다. 까라지는 눈이 얼핏 그를 알아보는 것 같았다. 규하는 보라색으로 질린 입술을 희미하게 달싹였다. 렉스는 지체하지 않고 그녀에게 입 맞추었다.

모두 한동안 얼어 있었던 것 같았다. 멀리서 달려오는 구급차 소리에 사람들이 하나둘 정신을 차렸다. 누군가가 불렀는지 구급차가 멈추더니 유니폼을 입은 응급구조사들이 내리며 소리쳤다.

"비켜주세요!"

렉스는 겨우 숨을 쉬기 시작한 규하의 목 아래와 무릎 아래에 팔을 넣어 안아 들었다. 그리고 막 이동식 침대를 꺼내는 응급구조사들에게 다가갔다.

"학교가 발칵 뒤집혔어요. 본 애들이 많거든요."

윤재가 말했지만 규하는 이마를 짚은 채로 말이 없었다. 응급실 침대에 앉은 규하 옆에는, 소식을 듣고 부랴부랴 온 영어 선생과 반장 윤재가 서 있었다.

"그런데 저 사람은……?"

영어 선생은 응급실 한쪽에 앉아 있는 렉스를 눈짓했다. 윤재가 그쪽을 돌아봤다가 대답했다.

"선생님을 구해주신 분이래요."

"어머머, 너무 괜찮다."

두 아이가 있는 사십대 아줌마이자 다소 푼수 끼가 있는 영어 선생은 흥분을 숨기지 못했다.

"선생님."

규하가 부르자 영어 선생은 그제야 학생 앞이라는 사실을 깨달았는지 머쓱한 얼굴이 되었다. 하지만 윤재는 신경 쓰지 않는 것 같았다.

"교장 선생님께서 오늘은 이대로 퇴근하셔도 된대요. 제가 댁까지 바래다드릴게요."

"윤재 네가?"

영어 선생이 의외라는 듯이 묻자 윤재는 고개를 끄덕였다.

"혼자 가실 순 없을 테니까요."

"어머머, 윤재 너 혹시 강 선생 좋아하니?"

영어 선생은 또 금세 호들갑을 떨었다. 반면 침착한 성격으로 반장 역할을 훌륭하게 수행하지만 그만큼 귀여운 맛이 없는 윤재는 성격대로 말했다.

"선생님께서 매력적인 여성인 건 분명하지만 이 정도 나이 차이는 저로서도 좀 극복하기 힘든데요."

"넌 뭐 쓰잘머리 없는 소리를 하고 있냐."

규하는 휘휘 손을 내저었다.

"내 집은 내가 알아서 찾아가니까 열일곱 살은 학원이나 가라."

윤재는 무심히 대답했다.

"학원 안 다녀요."

"그래, 훌륭하다."

규하는 침대에서 내려와 구두를 신더니 옷걸이에 걸린 코트를 들고 렉스에게 다가갔다. 응급실 풍경을 구경하던 렉스는 그녀를 올려다보았다. 그 모습이 꼭 주인을 기다리는 강아지 같았다. 규하는 말했다.

"약속 없지? 지금까지 기다린 거 보니."

그녀가 기다리라고 하긴 했지만 말이다.

"나 집까지 좀 바래다줘."

렉스는 막 응급실 문 너머로 사라지는 윤재와 영어 선생을 돌아보았다. 꼭 조금 전에 나눈 대화를 들은 것 같은 반응이라 규하는 뜨끔했다. 거리상 들렸을 리 없지만 말이다. 아무튼 렉스는 군말 없이 일어났다.

"입원하지 않으셔도 되겠습니까?"

"구급차 타고 온 것도 쪽팔리거든."

규하는 문을 나서며 대답했다.

"많이 괴로워했습니다."

렉스가 갑자기 멈춰 서며 말해, 규하도 멈춰 서서 돌아보았다. 그는 진지한 얼굴이었다. 규하는 쓴웃음이 올라올 것 같았다.

그래, 그녀는 많이 괴로웠다. 12년이나 지난 후에도 연하의 죽음이 어제였던 것처럼 생생해서. 연하를 제 손으로 묻고도 언제든 그녀가 저 모퉁이를 돌아올지도 모른다는, 근거 없는 헛된 희망을 놓지 못해서…….

갑자기 렉스가 규하의 팔을 잡아 끌어당겼다. 그러자마자 뒤로 이동식 침대가 바쁘게 지나갔다.

"아, 고마워."

규하는 말하며 렉스를 올려다보고, 문득 그가 생각보다 크다는 사실을 깨달았다. 그녀의 팔을 잡고 있는 손도, 처음 만났을 때 한순간이지만 여자로 착각했다는 게 믿기지 않을 정도로 '남자'의 것이었다.

'응? 지금 무슨 생각을?'

혼자 놀라는데 렉스는 규하를 놓고 앞서갔다. 그리고 몇 걸음 가다가 오지 않느냐는 듯이 돌아보았다. 확실히, 저런 점도 아주 남자였다. 규하는 고개를 내젓고 걸어갔다.

"택시를 타는 게 낫지 않습니까?"

렉스가 물었지만 규하는 일단 타라는 듯 고갯짓하고 먼저 버스에 올랐다.

"세상에서 제일 아까운 게 택시비거든."

버스가 급하게 출발해서 규하가 비틀거리자 렉스가 팔을 뻗어 막았다. 덕분에 균형을 잡은 규하는 그를 위아래로 보았다.

"뭐 경호원이야? 가만 보니 이런 데 익숙하네."

"네."

어쨌든 지금은.

"아, 경호원이었어?"

규하는 렉스를 새삼스럽게 보고 2인용 좌석의 안쪽에 앉았다. 렉스가 그냥 서 있자 규하는 '안 앉아?' 하고 묻듯이 보았다. 그때 마침 렉스 뒤로 다른 사람이 지나가면서 자리가 비좁아지자 그는 어쩔 수 없이 규하의 옆자리에 앉았다. 처음 타보는 버스의 좌석은 생각보다 좁았다. 서로 허벅지가 닿아서…….

"혹시 보디가드 영화 봤어?"

갑자기 규하가 물어 렉스는 정신을 차렸다.

"I will always love you는 진짜 명곡이지. I will always love you가 울려 퍼지면서 여자주인공이 비행기에서 달려와서 남자주인공한테 키스하는 장면은…… 크."

규하는 거의 생동감이 느껴지는 표정으로 혼자 감탄했다. 인간의 표정이란 참 풍부하다고 생각하다가, 렉스는 뭔가를 깨닫고 말했다.

"옛날 영화를 잘 아는군요."

"좋아하기도 하지만 퇴근하고 집에 가면 혼자 할 만한 게 별로 없어서. 최신 영화를 모두 섭렵하고 나면 어련히 고전까지 돌아가게 되어 있거든."

말하다가 규하는 갑자기 헛웃음을 지었다.

"나 원래 이렇게 짠내 나는 캐릭터가 아닌데 왜 자꾸 네 앞에서는 짠내를 풍기는지 모르겠네."

규하는 창틀에 팔꿈치를 걸치고 턱을 괴었다. 그리고 물끄러미 렉스를 보며 혼잣말처럼 말했다.

"왜 꼭 내가 짠내 나는 순간에만 나타나는지."

아마 그건…… 강연하가 근처에 있을 때이기 때문에. 하지만 그렇게 말할 수 없어, 렉스는 화제를 돌렸다.

"그러고 보니 언젠가부터 반말을 하시는군요."

"이리 보고 저리 봐도 내가 연상 같은데? 몇 살이야? 한……."

규하는 렉스의 얼굴을 살폈다.

"스물여섯?"

"스물일곱인 것 같습니다."

규하는 의아해하는 표정을 지었다.

"인 것 같다는 뭐야?"

"어렸을 때 버려져서 정확한 나이를 모릅니다."

규하는 렉스를 보고 있을 뿐이었다. 그가 시선으로 의미를 묻자 규하는 다시 턱을 괴며 중얼거렸다.

"막상 당해보니 어쩔 줄 모르겠네. 부지불식간에 사연으로 치고 들어오는 거. 반성해야겠다."

"저도 딱히 쓸쓸하게 웃으며 이야기한 건 아닙니다. 오히려……."

렉스는 정면을 보았다가, 조금 눈을 내리떴다.

"그때가 제일 행복했던 것 같습니다."

"좋은 사람들을 만났나 봐."

갑작스러운 말을 이해하지 못해 렉스가 돌아보자 창 바깥의 나무 사이로 잦아드는 해가 마지막 빛을 발했다. 그 빛을 받아 어렴풋이 웃는 규하가 반짝거리는 것 같았다.

"원래 일 힘들고 적성에 안 맞는 건 참아도 사람 거지 같은 건 못 참잖아."

렉스는 오랫동안 잊고 지낸 사람들을 생각했다.

"네, 좋은 사람들을 만났습니다."

버려진 갓난쟁이였던 그를 거두어준 사람들, 가족으로, 아들로 받아주었던 사람들……. 지키기 위해 신마저도 버렸지만, 결국 지키지 못했던 사람들.

규하는 희미하게 웃고 말했다.

"우리 둘 다 운이 좋았네. 이쪽도 부모님이 돌아가셨지만, 그래도 다 컸을 때여서 그럭저럭 살아나갈 만했거든. 보험금도 꽤 나왔고. 아니면 대학도 못 갈 뻔했는데, 덕분에 지금 밥 벌어서 먹고살고 있지."

규하가 정부와 보험사에서 받은 걸로 알고 있는 돈에는 연하가 MCTC에서 가불받은 몇 년 치 연봉이 포함되어 있었다. 따라서 수영을 계속할 수도 있었을 텐데 규하는 사범대로 진학했다. 청소년 국가대표 후보군이었으면 꽤 재능이 있었던 걸 텐데.

렉스는 궁금해져 물었다.

"교사가 된 이유가 있습니까?"

규하는 콧잔등을 찡그렸다.

"와, 이제 막 치고 들어오네."

렉스는 동요하지 않았다.

"이제 이 정도는 물어도 되지 않습니까?"

"은인이라 이거야? 의외로 생색내는 타입이었구나."

규하는 또 콧잔등을 찡그렸지만 진심으로 불쾌해서는 아닌 것 같았다.

"그냥, 좀 쪽팔려서. 사실 선생님은 내 쌍둥이 꿈이었거든. 나 쌍둥이라고 이야기했나? 나랑 똑같이 생긴 얼굴로 그러지 좀 않았으면 싶을 정도로 어리바리한 녀석이었지만 좋은 선생님이 됐을 거야. 제 인생을 바꿔줄 선생을 잃은 학생들이 불쌍해서."

규하는 바깥을 보며 중얼거렸다. 열어둔 창문 틈으로 불어드는 바람에 그녀의 머리카락이 흩날렸다.

"그래서 나라도 그 자리를 채워야지 생각한 것까진 좋았는데 제 깜냥이란 게 있다는 걸 몰랐지 뭐야. 그래서 결국 주정뱅이, 마귀할멈, 욕쟁이 교사밖에 못 됐지만."

렉스는 아이들과 함께 있는 규하를 떠올리고 말했다.

"그래도 아이들을 좋아하시는 것 같던데요."

"응. 좋아해. 사고뭉치들이지만 발칙하고 귀엽잖아. 녀석들하고 씨름하고 있으면 하루가 어떻게 가는지도 모르겠는 게……."

규하는 아이들을 생각하는지 웃었다. 하지만 자신이 그렇게 웃고 있다는 걸 깨닫지 못하는 것 같았다. 그런데 어느 순간 웃는 걸 멈추었다. 렉스는 그것이 시드는 꽃을 보는 것보다도 아쉬웠다.

뒤늦게 렉스는 자신이 눈도 깜빡이지 않고 규하를 바라보고 있어서 그녀가 웃음을 멈췄다는 사실을 깨달았다. 어쩐지 어색해져, 두 사람은 정면을 바라보았다. 버스가 덜컹거리며 흔들리고, 몸이 스쳤다. 둘은 계속 말없이 앉아 있었다.

전화를 끊은 이반은 팔짱을 끼고 창밖을 보았다. 한참 있다가 옷장에서 겉옷을 꺼내 걸치고 사무실을 나섰다. 천천히 걸어 관사에 도착했다. 구름다리와 로비를 지나, 문을 열고 들어갔다. 어두운 내부에 불이 들어왔다.

소파 등받이 너머로 둥그스름한 검은 뒤통수가 보였다. 이번에는 아무것도 하지 않고 앉아 있으면서도 뒤돌아보지 않았다.

이반은 소파를 돌아가서, 연하 앞에 무릎을 굽히고 앉았다. 연하는 멍하게 그를 보았다가 뒤늦게 깨어난 눈빛으로 돌아왔다.

"아, 오셨어요?"

이반은 아무 말도 하지 않았다. 연하는 그녀를 응시하는 눈동자에서 무언가를 감추듯이 시선을 돌렸다.

"어, 또 멋대로 들어와 있어서 죄송해요. 그냥 방에 가기 싫어서……."

이반이 연하의 팔을 잡았다.

"강 상사."

연하는 횡설수설하는 말을 멈추었다. 그리고 다리를 가슴 앞에 모은 자세 그대로 제 무릎을 만지작거렸다. 그러다 입을 열었지만 다시 다물었다가 겨우 말했다.

"규하가…… 괴로워했어요."

연하는 말하는 순간 알았다, 참을 수 없다는 걸.

"근데 난 또 아무것도 할 수가 없었어요."

연하는 울음을 터뜨리고 말았다. 울지 않으려 했는데. 그냥, 그의 얼굴만 보고 돌아가려고…….

"숨을 쉬지 못해서……."

누가 먼저라고 할 건 없었다. 이반은 팔을 뻗었고, 연하는 그의 품에 안겨들었다. 이반은 그녀의 뒷머리를 감싸고 허리를 안아 더 깊이 끌어

안았다.

응급실까지 따라간 연하는 두 사람이 응급실을 나오기 직전 사라졌다. 이후로 아무도 그녀를 봤다는 사람이 없었다. 하지만 이반은 직감이라 해야 할지, 감각을 집중해 보기도 전에 그녀가 어디 있을지 알 수 있었다.

조금은 자신의 직감이 틀렸기를 바랐다. 하지만 그건 작은 속삭임에 불과한 소리였다. 그녀가 감정적으로 무너졌을 때 자신을 찾아왔다는 사실에, 이기적인 남자는 기뻐했다.

"아, 여기야. 내려야 해."

규하가 갑자기 정신을 차리고 말했다. 렉스도 정신을 차리고 창밖을 보았다. 익숙한 거리가 보였다.

둘은 아슬아슬하게 버스에서 내렸다. 그리고 규하의 집으로 이어지는, 다소 인기척이 없는 길을 걸었다. 그들이 처음 만났던 무인 편의점을 지나 골목 어귀를 돌아갔다. 가는 동안 대화는 없었다.

규하가 아파트 단지로 들어가기 전 골목에 멈춰 서자 렉스도 따라 멈추었다. 규하는 렉스를 돌아보고 말했다.

"고마워, 오늘."

렉스는 말없이 바라보고 있을 뿐이라, 규하는 조금 인상을 썼다.

"왜 그렇게 봐?"

사람 기분 묘해지게. 규하는 뒷말은 삼켰다.

렉스는 상념에서 깨어난 듯이 물었다.

"저번에 고향으로 돌아간다고 했던 말…… 거짓말이었다는 거 알면서 왜 아무것도 물어보지 않습니까?"

규하는 어깨를 으쓱였다. 역시 고향 이야기는 거짓말이라는 걸 눈치채고 있었던 모양이다.

"우리 사이에 어떤 의무가 있는 것도 아닌걸. 네 나름대로 사정이 있겠지. 그리고 내가 말했잖아."

규하는 척 렉스를 가리켰다.

"있을 놈은 있다고."

막을 새도 없이, 렉스는 견고한 무표정을 허물어뜨리며 웃고 말았다.

적어도 강규하는 멋진 사람이었다. 어린 그녀는 확실한 악의를 가진 비인간적인 존재들을 상대로도 용기를 잃지 않았다. 그녀는 인간 여자라는, 육체적으로 가장 약한 존재이기에 오히려 영웅적이었다. 무섭지 않았을 리가 없건만, 약한 육체는 그녀에게 걸림돌이 아니었다. 일어나고자 하는 의지, 오로지 그것이 중요할 뿐이었다. 험난한 세상, 강한 상대, 악한 의지, 그런 건 다른 이들의 문제였을 뿐, 본인이 할 일은 그저 일어나는 것뿐이었다.

아무래도 반해 버린 것 같았다. 가당치 않은 일이라는 걸 알면서도—

렉스는 규하를 끌어당겨 볼을 감싸며 입 맞추었다. 규하는 당황하지 않았다. 기다렸던 것처럼 그의 목에 팔을 감아왔다. 그 몸짓에, 렉스는 정말로 참을 수 없어지고 말았다.

렉스는 규하를 끌어안았다. 두 몸이 부딪치며 규하가 헉 소리를 터뜨렸다. 품 안의 몸이 얼마나 연약한지 알기에 힘을 조절했지만 그나마도 셌던 모양이다. 그래서 조금 팔을 푸는데 규하가 그의 목에 감은 팔을 더욱 조이며 부딪쳐 왔다.

"렉스……."

뜨거운 입술로 속삭였다. 그제야 렉스는 그녀가 다른 의미로 낸 소리였다고 깨달았다. 그는 다시 그녀에게 부딪치듯이 키스했다. 그를 환영하듯 벌어지는 입술 사이를 파고들었다. 입술이 여러 각도로 재차 부딪쳤다.

그때였다. 규하가 이쪽으로 혀를 넣으려고 하자 렉스는 그녀의 어깨를 잡아 부드럽게 떼어놓았다. 규하는 숨을 몰아쉬며 그를 보았다. 이유를 묻듯.

입안에 들어왔다가 자칫 송곳니를 느낄 수 있기 때문이었다. 게다가 연하가 MCTC에 제시한 조건은 쌍둥이 자매 강규하가 뱀파이어나 대테러부대 같은 것과는 관련이 없는, 그저 평범하고 평화로운 삶을 살다가 가는 것이었다. 렉스에게는 그 간절한 소망을 방해할 권리가 없었다.

"죄송, 합니다."

막 어깨를 떠나려는 손을 규하가 잡았다. 손가락 하나로도 뿌리칠 수 있는 손을, 렉스는 온 힘을 다해도 뿌리칠 수가 없었다. 돌아서서 가야 한다고, 다시는 그녀 앞에 나타나지 말아야 한다고…… 생각만 할 뿐이었다.

"죄송하다고 하지 마."

규하는 속삭였다. 렉스를 보는 검은 눈동자에 물기 같은 빛이 돌았다. 렉스는 다시 규하를 끌어당겨, 뱃속에서 치솟아 오르는 욕망을 토해내듯이 그녀에게 키스했다. 성마른 키스였지만 규하는 거절하지 않았다. 오히려 그를 꽉 끌어안았다.

연하는 작게 훌쩍였다. 울음은 거의 잦아들어 있었다.

"규하가 죽을까 봐 무서웠어요."

"죽지 않아."

연하는 미간을 찌푸리고 이반을 돌아보았다. 그는 그녀와 같이 바닥에 앉아 소파에 기대고 있었다. 벗은 정장 상의와 풀어낸 넥타이는 소파 팔걸이에 걸쳐져 있었다.

"소장이 어떻게든 했을 테니까."

이반은 담담하게 사실을 말했다. 하지만 연하는 냉정하게 말하는 그가 못내 미워 눈을 흘겼다.

"그런 말이 아니잖아요."

"미안해."

이반은 바로 사과했다. 연하는 입술을 깨물었다. 그제야 그 나름대로는 그녀가 우려하는 사태는 없었을 거라는 확신을 주려고 했던 거였다고 깨달았다.

"사과하지 말아요. 내가 나빠지잖아요."

"넌 나쁘지 않아."

이반은 어떤 신념이라도 주지하듯 똑바로 연하를 보고 말했다. 연하는 입을 열었다가 다물었다. 그리고 고개를 정면으로 돌려 한 지점을 응시했다.

"나쁘지 않은 사람은 없어요. 나쁘지 않아서도 안 돼요."

울면서 비는 것만으로는 아무도 구할 수 없다는 사실을 알게 된 후, 연하는 다시는 그러지 않겠다고 결심했다.

이반은 당장에라도 다시 쏟아낼 것 같으면서도 꾹 참는 옆모습을 보다가 물었다.

"모두를 구하고 영원히 지옥에서 고통받아야 한다고 하면, 그럴 수 있을 것 같아?"

연하는 갑작스러운 질문이 이해되지 않는 눈치였다. 하지만 생각보다 깊이 고민하지 않고 대답했다.

"선택지가 천국하고 둘 중 하나라면요."

"어째서 천국이 아냐?"

이반이 궁금해하며 물었지만 연하는 오히려 이반이 그렇게 묻는 이유를 이해할 수 없다는 표정이었다.

"혼자 올라간 천국이 의미가 있어요?"

이반은 연하를 빤히 보다가, 조금 웃었다.

"그렇구나."

침묵이 감돌았다. 연하는 가만히 앉아 있었다. 이반의 숨소리가 어쩐지 크게 느껴졌다. 그가 딱히 숨을 크게 쉬는 것도 아닌데.

연하는 화제를 찾다가 잊고 있던 게 생각나 돌아보고 물었다.

"참, 상처는 어떠세요?"

"다 나았어."

연하는 지극히 의심스러워하는 눈으로 이반을 보았다.

"그럼 보여주세요."

이반은 가만히 있었다. 연하는 한숨을 내쉬며 말했다.

"역시 다 낫지 않았죠."

이반은 조금 웃었다.

"그럼 도움을 좀 받을까?"

"그러실래요?"

연하는 드디어 도와줄 수 있다는 생각에 마냥 기뻐하는 얼굴로 단추를 푸르기 시작했다. 이반은 천진난만하기까지 한 그녀를 웃는 얼굴로 보았다.

저번처럼까지는 아니지만 연하는 어느 정도 앞섶을 열어 목덜미가 드러나도록 하고 그를 보았다. 자, 어서 드세요, 하고 말하듯. 이반은 연하의 허리에 손을 짚고 가볍게 끌어당겼다. 그가 너무 가까워져 그녀는 흠칫했다. 이반은 여전히 웃는 얼굴로, 둘밖에 없는데 왜인지 속삭였다.

"피를 마시려면."

"아, 네."

이반이 고개를 기울여 오자 연하는 예상치 못하게 온몸의 솜털이 곤두서는 느낌이었다.

"요즘 국장님하고 분위기가 묘하다던데요."

왜 하필 지금 그 말이 생각났는지 알 수 없었다. 그러고 보니 집은 너무 조용했고, 둘은 너무 가까웠다. 지금까진 전혀 의식하지 않았는데 이반의 머리카락이 닿을 듯 말 듯 스치는 느낌에 이상하게 피부가 울렁거렸다.

목덜미에 따듯한 입술이 닿았다. 연하는 움찔거리려는 몸을 가까스로 억눌렀다. 여태까지는 국장을 도와줘야 한다는 생각에 사로잡혀서 흡혈하려면 어쩔 수 없이 동반되는 행위들에 대해 생각해 본 적이 없었다. 거의 스킨십을 하는 것 같은 느낌이었지만 연하는 사무적으로 생각하려고 애썼다. 이건 일종의 의료 행위였다. 수혈을 해주는 것과 마찬가지니까.

'그런데 왜 이렇게…….'

어쩐지 평생 느껴본 적 없는 감각이 열릴 것만 같아, 연하는 속으로 애국가를 부르기 시작했다.

이반은 박동이 느껴지는 혈관을 따라 입술을 미끄러뜨렸다. 아마 필요 이상으로 길게. 궁극적인 목적을 위해서라면 그냥 이를 박아 넣는 것만으로도 충분할 텐데, 솔직히 인정해야 할 것 같았다. 그는 이 순간을 즐기고 있었다.

연하의 피부는 보는 것처럼 부드러웠다. 목덜미를 따라 올라가자 배냇머리 같은 귀밑의 머리카락이 얼굴을 간질였다. 어리고 연한 향기가 콧속을 채웠다. 이반은 최근 느낄 수 없었던 욕구가 밀려왔다.

사실 늙고 교활한 흡혈귀에게 어린 동족은 인간이나 다름없는 먹이였다. 그래서 진화하는 과정에서 혈액형이 다른 감염원을 공격하게 되었을지도 몰랐다. 동족의 포식자로부터 자신을 지키기 위해. 어쨌든 더 강하고 경험이 많은 동족을 상대로는 단단한 피부와 날카로운 손톱만으로는 부족할 테니까.

"강 상사."

이반은 마지막 이성을 붙잡고 불렀다. 본능적으로 위기감을 느낀 연하가 밀어내길 바라며. 하지만 그녀는 대답이 없었다. 이성을 깨울 수 있어도, 그는 그러고 싶지 않았다.

연하는 질끈 눈을 감았다. 이반이 그녀의 귀 뒤에 얼굴을 파묻었다. 등줄기가 섬뜩했다. 이건 스킨십이 아니었다. 본능적으로 먹잇감을 가늠하는 쪽에 가깝다는 걸 알았다. 고양이라 생각하고 부주의하게 쓰다듬었던 것이 실은 호랑이여서 거대한 몸을 편 것처럼, 그가 압도적으로 느껴졌다.

동물로서 달아나고 싶은 마음과 여자로서 달아나고 싶지 않은 마음이 뒤엉켰다. 밀고 당기는 힘 사이에서 어디로도 가지 못하고 있는데 이반이 목덜미에 나직한 숨을 내쉬었다. 뜨거운 숨이 차가운 소름을 전달하는 이율배반적인 느낌이 올라왔다.

그리고 목덜미에 날카로운 것이 닿았다.

'언젠가 비슷한 느낌을 겪었는데.'

순간 연하는 그 생각이 섬광처럼 지나갔다. 흐릿한 기억 너머 목덜미에 닿는 입술, 송곳니…….

'……수염?'

연하는 불현듯 미간을 좁히고 생각했다. 그때였다. 이반이 손으로 등허리를 쓸어 올리면서—

연하는 몸을 떨었다. 바늘에 찔렸을 때처럼 온몸의 신경이 곤두섰다.

"극……."

반사적으로 말하려던 연하는 이를 꾹 물었다. 한 방향으로 끌려 나가는 격렬한 혈액의 흐름 때문에 손끝과 발끝이 저릿저릿했다. 연하는 애써 참으며 오히려 나머지 한 팔로 이반의 어깨를 안았다. 그가 더 강하게 빨아내면서 그녀를 더 깊이 끌어안았다.

연하는 고통스러워 밭은 숨을 몰아쉬었다. 생각보다 시간이 길어지고 있어서, 참다못한 신음을 터뜨렸다.

"읏……."

그 작은 소리가 신경을 건드린 듯, 이반이 정신을 차렸다. 모든 것이 인식되었다. 그가 붙잡고 있는 가느다란 팔목, 맞닿은 몸, 떨리는 숨……. 그는 들러붙어 있어 쩍 소리를 내며 떨어지는 것 같은 입을 뗐다. 그리고 천천히 고개를 들었다.

연하는 숨을 몰아쉬면서 이반을 보았다. 그는 아직 전부 제정신으로 돌아오지 않은 것 같았다. 내리뜬 눈이 몽롱했다. 그리고 입술 안쪽이 그녀의 피로 젖어 있었다. 이반은 그것을 깨달은 것처럼 검지로 입술을 훑었다.

이내 그가 연하를 보는 눈이, 그녀는 실제로 본 적은 없지만 용암의 색깔이란 꼭 이럴 거라고 생각했다.

연하는 이반에게 키스했다. 충동을 이기지 못해 와락 부닥치는 것에 가까웠다.

"연……."

이반이 순간 정신을 차린 듯이 부르려고 했지만 연하에겐 이미 들리지 않았다. 본능이 외치는 대로 무작정 입술을 비비면서 무게를 실어, 이반은 점차 뒤로 기울었다. 그는 얼른 한 손으로 바닥을 짚어 몸을 지탱하고 생각했다.

'이건 뭘까.'

이건 키스라기보다…… 개가 주인을 보고 흥분해서 핥는 느낌이었다. 이반은 오히려 정신이 번쩍 들었다.

'설마 이 녀석, 키스도 해 보지 않은 건가.'

헐떡이며 입술을 비빌 줄밖에 모르는 모습을 보아하니 거의 확실했다. 서른하나나 먹은 여자의 첫키스 상대가 자신이라는 데 감동이 느껴질 지경이었지만 아무래도 이건 키스로 쳐선 안 될 것 같았다. 사실 흡혈욕은 성욕과 비슷한 점이 있어서 어린 흡혈귀들은 둘을 구별하지 못할 때가 많았다.

이반은 연하의 어깨를 잡고 밀어내려 했다. 하지만 이미 흥분할 대로 흥분한 연하는 팔에 힘을 주면서 떨어지지 않으려 했다. 거의 본능적인 행동 같았다. 이반은 곤란했다. 이러면 아무리 그라도 참기가 힘들었다. 연하가 그에게 무게를 거의 싣고 있어서, 몸의 굴곡이 전부 느껴졌다. 솔직히 좋아하는 여자가 육탄전으로 덤벼오는데 이 정도까지 참을 수 있는 남자가 있다면, 이반은 기꺼이 그를 파트로네스로 모실 의사도 있었다.

이반이 아무 반응이 없자 연하는 입술을 뗐다. 흐려진 눈이 정체를 모를 열기로 달떠 있었다. 숨이 뜨거웠다.

"국장님……."

목소리마저도 뜨거웠다. 그를 원하는 열기가 고스란히 느껴졌다. 이반은 더는 참을 수 없어 손을 들었다.

아니, 손을 올리려는 찰나였다. 열기로 부옇게 흐려진 눈에 반짝 빛이 돌아오더니, 연하는 사색이 되었다. 자신이 무슨 일을 저질렀는지 깨달은 것처럼.

"죄, 죄송합니다!"

연하는 벼락같이 외치며 일어났다. 이반은 그녀가 이대로 달아나려 하는 것을 깨달았다.

"잠……."

이반은 연하의 팔목을 잡았다. 그런데 그도 미처 조절하지 못한 힘에 연하가 뒤로 휘청했고, 중심이 흐트러지면서 카펫에 발이 미끄러졌다.

차라리 그대로 넘어지는 편이 나았을 텐데 불행인지 다행인지 반사신경이 좋은 몸이 멋대로 움직였다. 연하는 몸을 뒤로 훌쩍 휘면서 네

발로 내려섰다. 타악, 하고.

그러니까 어떤 자세가 만들어졌느냐면, 이반을 가운데 두고 네 팔다리로 땅을 짚은 채 배가 천장을 보는 활 자세였다. 체조였다면 10.0이 나올 만한 완벽한 활 모양이었으나, 짧은 정적이 흘렀다.

"저 지금 엄청 볼썽사나운 거 맞죠?"

연하는 울고 싶은 기분으로 중얼거렸다. 이반은 입가를 가렸다. 웃지 않을 생각이었다. 정말로. 그런데 웃음이 터졌다.

"웃지 마세요."

자세를 바로 한 연하가 옆에서 말했지만 이반은 웃음이 멈추지 않았다. 세상에, 이 타이밍에 웃을 수 있을 거라고 생각도 못 했는데.

"국장님!"

연하가 얼굴을 들이밀었다. 화가 났다는 걸 피력하듯 눈에 힘이 잔뜩 들어가 있었다. 이반은 겨우 웃음을 멈추었다.

"미안해."

연하는 뚱한 표정을 풀지 않았다.

"아직 웃고 계시잖아요."

이반은 한 손으로 바닥을 짚고 일어나 연하의 머리를 쓰다듬었다.

"아니, 내가 좀 흥분했던 거 같아서."

연하는 허를 찔린 듯 뒷말을 잇지 못했다. 이반은 일어났다.

"기다려."

이반이 복도 너머로 사라지고, 연하는 뒷머리를 긁적이다가 앞섶이 거의 훤히 열려 있는 제 옷매무새를 보았다. 놀라서 얼른 옷매무새를 추스르는데 그가 휴대용 드레싱 밴드를 가지고 돌아왔다.

이반은 옆에 앉아 밴드를 뜯어 연하의 목에 붙여주었다.

"죄송해요."

연하는 차마 이반을 보지 못하고 웅얼거렸다.

"괜찮아. 흔한 일이야."

이반이 하도 태연히 말해, 연하는 주춤거리며 그를 보았다.

"흔한 일…… 이요?"

"흡혈은 성관계와 비슷한 점이 있으니까. 순간 묘한 기분이 드는 건 자연스러운 일이야."

이반은 마치 성교육을 해주는 보건 교사처럼 객관적인 투로 말했다.

"성……."

연하는 저도 모르게 따라 말하다가 입을 다물었다.

"사고였다고 생각해."

그렇게 말하는 이반은 아무렇지 않아 보이는 얼굴이었다. 입술에 묻어 있던 피도 지워서, 혈색이 한결 좋아 보인다는 점을 빼면 피를 마신 적도 없는 것 같았다. 처음부터 딱히 건강해 보이지 않는다거나 혈색이 나빠 보인다거나 하진 않았지만 피를 마신 것과 마시지 않은 건 확실히 차이가 있었다.

이반은 웃었다.

"오히려 내가 미안해야지. 나이도 먹을 만큼 먹고 참지 못했으니."

거짓과 진실의 경계는 어디까지일까.

이반은 분명히 참지 못했지만, 그가 참지 못한 건 성욕으로 둔갑한 흡혈욕이 아니었다. 오히려 그 반대, 흡혈욕을 가장한 성욕이었다. 연하는 지금 그가 어떤 자제력을 발휘하고 있는지 꿈에도 상상할 수 없을 것이다.

다시 침묵이 흘렀다.

"가, 볼게요."

연하는 갑자기 일어났다. 이반은 잡지 않았다. 그게 못내 서운하게 느껴져서 연하는 자신이 미쳐 가는구나 싶었다. 먼저 가겠다고 일어나 놓고 잡지 않는다고 서운해지다니. 정신분열증도 아니고 말이다.

이반은 연하를 현관까지 배웅해 주었다. 연하는 신발을 신고 말했다.

"안녕히 주무세요."

이반은 여전히 다정한 미소를 지었다.

"너도. 잘 자."

연하는 거수경례하고 문을 나섰다. 그녀 뒤로 천천히 문이 닫혔다. 이반은 꽤 오랫동안 그 자리에 서 있다가, 마침내 돌아섰다. 그리고 부엌으로 가서 냉장고를 열고 팩을 꺼내 유리잔에 따랐다. 연한 사과주스 빛이 나는 액체가 찰랑거렸다.

이반은 잔을 들고 한 모금 마셨다. 그리고 내려놓고, 유리잔을 빤히 내려다보았다. 플로스는 맛에까지 신경 쓴 완전식품이었다. 하지만 지금은 그야말로 무미, 아무 맛도 느껴지지 않았다.

이반은 옷을 걷고 옆구리에 붙은 패드를 떼어냈다. 옆구리에는 아무런 흔적도 남아 있지 않았다. 패드를 구겨 탁자 위에 던져 놓았다.

지금 일로 이반이 한 가지 확실하게 깨달은 점이 있다면, 그는 연하를 원한다는 점이었다. 왜 하필 강연하인가—라기보다, 왜 그녀가 아니었겠는가? 심지가 굳고 사랑스러운 여자였다.

사실 이반은 연하만큼 사랑스러운 생물은 이만큼 살고도 본 적이 없었다. 평소 약간 넋을 놓고 있는 것 같은 표정, 갑자기 총기를 띠는 눈동자, 웃을 때면 한없이 풀어져서 어쩐지 상대까지 무장 해제시키는 얼굴, 의외로 볼륨감이 있는 몸…….

생각하자, 그녀를 그냥 놓아준 것이 후회되기 시작했다.

이반은 이마를 짚고 심각한 고민이라도 있는 사람처럼 한숨을 내쉬었다. 그리고 얼굴 아래 그림자 속에 놓인 잔을 쳐다보며 생각했다.

그가 연하에게 원하는 것이 일시적인 연애 감정이나 충동적인 호기심이 아니라는 사실은 분명했다. 이런 사태는 막내 클리엔테스를 데리러 올 때만 해도 전혀 예상하지 못했는데 말이다. 역시 인생은 어떤 모퉁이에서 서프라이즈가 튀어나올지 알 수 없는 법이었다.

이반은 잔을 들어 고개를 들고 한 모금 더 마셨다.

평화로운 삶을 살고 난 쌍둥이 자매가 늙어 죽고 나면, 더 이상 연하를 이 땅에 묶어둘 건 없을 터였다. 그때 연하가 원한다면 MCTC도 그녀를 옭아맬 수 없도록 해줄 수 있었다.

이반은 기다릴 셈이었다. 연하가 그에게 올 준비가 될 때까지. 어쨌든 시간은 썩어나도록 많으니까 급할 건 없었다. 한동안은 살아야 할 목적도, 의미도 없던 삶이었다. 이런 기다림이라면 오히려 달콤할 것이다.

연하는 복도를 뚜벅뚜벅 걸어갔다.

"아, 강 상사님……."

한 대원이 마침 연하를 발견하고 인사하려는 듯 부르려고 했지만 연하는 그를 그냥 스쳐 지나갔다.

"강 상사님?"

대원이 의아해하며 불렀지만 연하는 '전진'이라는 행동 패턴밖에 입력되어 있지 않은 로봇처럼 성큼성큼 걸어 화장실로 들어갔다. 그리고 세면대 앞에 섰다. 잠깐 그대로 서 있는가 싶더니, 갑자기 수도꼭지 아래 머리를 집어넣었다. 사물을 인식한 자동 수도꼭지는 사정없이 찬물을 쏟아붓기 시작했다.

쏴아아아. 물이 계속해서 머리를 내려쳤다.

연하는 양쪽으로 세면대를 짚은 채 한참이나 가만히 있다가, 머리를 집어넣었을 때만큼이나 갑자기 몸을 일으켰다.

촤악. 물이 사방으로 튀면서 얼굴에도 폭포처럼 흘러내렸다. 물을 양동이로 들이부은 것처럼 옷이 흠뻑 젖어 들었다. 연하는 얼굴을 쓸고 머리를 쓸어 올렸다. 찬물 샤워에도 소용없이, 거울에 비친 얼굴이 그야말로 새빨간 색이었다. 달궈진 숯처럼 지글거리는 머리에서 뜨거운 김이 올라오는 것 같았다.

"나 국장을 좋아하는구나."

연하는 확신조로 말했다.

국장을 처음 만났을 때 겪어봐서 흡혈이란 행위 자체가 상당히 묘한 기분을 들게 한다는 사실은 알고 있었다. 안 그래도 처음에 그가 누군지도 모르면서 키스하려고 했었고.

이번에도 단순히 국장과 그렇고 그런 짓을 하고 싶다는 생각이었다면 그쪽으로 생각할 수 있었을 것이다. 하지만 연하는 그런 게 아니라는 걸 알았다. 바보는 아니니까. 그녀는 국장을 좋아했다. 다정하고, 신비롭고, 근사한 그를.

'세, 섹시하기도 하고.'

거기서 연하는 어쩐지 부끄러워져 속으로 더듬거리며 생각했다. 그리고 거울 너머 자신을 마주 보았다.

"국장을 좋아해……."

멍하니 중얼거리는데 화장실 문이 열리는 소리가 났다.

"어맛, 깜짝이야."

한 여자 직원이 들어오다가 물에 빠진 생쥐 꼴 같은 연하를 보고 화들짝 놀랐다.

"여기 배수관 터졌어요?"

여자 직원은 화장실을 둘러보며 물었다.

"아니에요. 쓰세요."

연하는 말하고 화장실을 나왔다. 역시 복도에 지나가는 사람들도 젖은 그녀를 보고 놀라거나 의아해했다. 그런 반응에 연하는 어쩐지 머쓱해졌다. 정신을 차리고 생각해 보니 너무 드라마 같은 행동을 했나 싶었다.

'그런데 내가 흡혈을 당한 건 오늘을 빼면 그때가 처음이자 마지막이

었는데.'

12년 전 감염될 때. 아까 국장의 송곳니가 닿았을 때 불현듯 수염의 감촉이 중첩되어 떠올랐다. 그건 아무래도…….

'내 기증자, 남자였구나.'

아예 정신을 잃고 나서 감염된 줄 알았는데 얼핏 의식이 있었던 모양이다. 갑자기 기억난 걸 보면.

연하는 허공을 보았다.

'많은 깨달음을 얻은 날이네.'

8 매화가 피는 풍경

-Ivan Ivanov, the Director of the Office

연하는 익숙한 음각 팻말이 걸린 문 앞에서 심호흡했다.

사고를 쳐 놨으니 조만간 호출을 받을 거라고는 생각했다. 아무리 규하가 그녀의 가족이라고 해도 관찰 대상과 접촉하려면 어쨌든 조직에는 따라야 하는 프로세스가 있는 법이었으니까. 하지만 연하는 막상 호출을 받고 오자 어떤 얼굴로 국장을 봐야 할지 알 수 없었다. 누군가를 좋아한다고 깨닫고 얼굴을 마주 보는 건 처음이었기 때문이다.

어쨌든 계속 이러고 있을 수는 없어 숨을 삼켰다가 길게 내쉬었다. 그리고 걸음을 내딛자 자동문이 열렸다. 책상 앞에 렉스가 서 있었고, 국장은 없었다.

"렉스 씨."

불러도 렉스는 창밖을 쳐다본 채 움직이지 않았다. 연하는 의아해 다시 불렀다.

"렉스 씨?"

그제야 렉스는 인기척을 느낀 듯 돌아보았다. 평소처럼 침착하면서도 어딘가 얼이 빠져 보였다. 착각인가 싶은데 다시 사무실 문이 열리고 국장이 들어왔다. 연하는 긴장했지만 애써 티 내지 않고 거수경례했다. 이반은 그녀를 한 번 보고 책상을 돌아가 종이 파일을 내려놓고 앉았다.

원래도 잘생긴 사람인데 더 잘생겨 보였다. 그게 가능할 거라고 생각 못 했는데 가능한 모양이었다.

문제는 국장을 좋아하는 걸 깨닫긴 했는데 이제 뭘 해야 하는지 알 수 없다는 점이었다.

'고백을 해?'

그렇다면 둘이 사귄다는 건데-국장이 '예스' 한다면 말이지만- 어쩐지 상상이 되지 않았다. 그와 보통 커플처럼 데이트를 하고, 스킨십을 하고 그런 건…….

연하는 갑자기 눈을 위로 들었다. 왠지 '이미 그런 것들을 하지 않았나……?' 하는 생각이 들었을 때였다.

"강연하 상사."

이반이 말해 연하는 정신을 차렸다. 그리고 교장 선생님 앞에 불려간 문제아처럼 똑바로 섰다.

"'완전히 안전해졌다고 판단되기 전까지는 접촉하지 않는다.' 이게 룰 아니었나?"

이반은 고백하는 건 엄두도 나지 않을 만큼 엄한 얼굴로 말했다. 연하는 할 수 있는 말이 있을 리 없었다.

"죄송합니다."

"시말서 써와."

"네. 감사합니다."

다음으로 이반은 렉스를 보았다.

"소장은 자기 역할을 좀 헷갈리고 있는 것 같군. 소장은 내 경호원으로 온 거야. 친구를 사귀러 온 게 아니라."

렉스는 조용히 대답했다.

"알고 있습니다."

"아는 사람이 SN이 어떻게 반응할지도 모르는데 계속 관찰 대상과 접촉했나?"

갑자기 연하가 끼어들었다.

"근데 저…… 한 말씀만 드려도 될까요?"

이반은 노기나 불쾌함이 없는 무심한 얼굴로 대답했다.

"그래."

"저는 그렇다 쳐도 소장님께서는 규하를 구해주신 걸로 알고 있습니다. 그러니까 소장님께는 너무……."

"저쪽은 그것만이 아냐."

그러면서 이반은 종이 파일을 열고 사진 한 장을 들어 올렸다.

"하?"

연하는 자신이 보는 것을 이해하지 못해 소리를 내었다. 렉스는 시종일관 아무 반응도 보이지 않았으나 이번만은 확실히 움찔했다.

"이게 무슨……."

연하는 자기도 모르게 열중쉬어를 풀고 이반에게서 사진을 거의 뺏다시피 가져왔다. 사진 속에는, 두 남녀가 얽혀 있었다.

한참 보다가 겨우 이해한 모양이었다. 연하는 날카롭게 렉스를 돌아보았다. 슈퍼맨을 보는 꼬마의 눈빛은 온데간데없고, 애지중지 키운 막내딸을 노리는 소도둑놈을 보는 아버지의 눈빛이 이글거렸다.

"규하한테 접근하지 마세요!"

연하는 이를 물고 으르렁거리더니 휙 이반을 돌아보았다.

"물러가도 되겠습니까?"

"가봐."

이반이 말하자 연하는 다시 한번 렉스를 노려보고는 사무실을 나섰다. 렉스는 한숨을 내쉬었다.

"즐거워 보이시는군요."

사진이 찍힐 줄 알았고 그래도 상관없다고 생각했지만 이런 식으로 사용할 줄은 몰랐다.

이반은 훗 웃었다. 의기양양한 사내애 같은 얼굴이었다.

"기분 탓이야. 너도 가봐."

렉스가 묵례하고 몸을 돌리는데 뒤에서 이반이 사진을 보며 말했다.

"예전부터 생각했는데 넌 그냥 무채색을 입어. 꼭 패션 센스라고는 없는 녀석들이 색에 집착하더군. 참, 한 사이즈 작은 걸로. 어떤 건 두 사이즈 작아도 되겠어."

이번에는 렉스가 쳐다보고만 있어서, 이반은 서류로 내렸던 눈을 들어 그를 보았다.

"할 말 있으면 해."

렉스는 사양하지 않았다.

"이바노프 씨는 왜 참으시는지 모르겠군요."

"참는 게 아냐."

이반은 다시 서류로 시선을 내렸다.

"기다리는 거지."

"강 선생."

규하는 창가에 서서 멍하니 창밖을 보고 있었다.

"강 선생?"

누군가가 다시 부르는 소리에 규하는 놀라 돌아보았다.

"네?"

수업을 끝내고 온, 교무실에서 옆자리를 쓰는 국어 선생이 규하를 이상하다는 표정으로 보고 있었다.

"괜찮아? 몸은 좀 어때?"

규하는 창가에서 몸을 돌려 커피를 내려놓고 자리에 앉았다.

"멀쩡합니다. 학교 다닐 때 제일 부러운 게 여름에 운동장 좀 뛴다고 쓰러지는 애들이었는데, 그 꿈을 늦게 이뤄보네요."

"안 그래도 어제 바람처럼 나타나서 구해준 사람이 있었다면서? 애들 말로는 엄청 멋있었다고 하던데."

국어 선생이 한 말에 규하는 어깨를 으쓱였다.

"안 그래도 그것 때문에 교감한테 대판 깨지고 온 길이랍니다. 애들 교육에 안 좋은 짓을 하다하다 이제는 애들 다 보는 앞에서 남자하고 키스했다고요."

국어 선생은 질렸다는 표정을 숨기지 않았다.

"하여간 무식한 티는 혼자 다 내요. 원래 과호흡에는 인공호흡이 제일 좋은데."

"아시네요. 보통 비닐봉지나 종이 쇼핑백만 생각하던데."

"내 동생이 배우 지망생이었는데 오디션 보러 갔다가 너무 긴장해서 과호흡을 일으킨 적 있거든. 하여간 걔가 뭐든지 호들갑스럽다니까. 아무튼 그때 인공호흡 해준 사람이 현장 카메라 감독이었는데 지금 둘이 결혼해서 잘 살아."

"어머."

규하는 입을 가리는 손짓을 했다.

"욕 나오게 로맨틱하네요."

국어 선생은 능글맞게 웃었다.

"강 선생도 혹시 모르지? 강 선생 구해준 남자, 애들 말로는 백마 탄 왕자님 같았다던데. 금발 막 휘날리면서."

규하는 어깨를 으쓱였다.
"연락처도 모르는걸요."
"아쉽네. 바로 물어봤어야지."
"그러게요."
'연락처보다 더한 걸 나누긴 했지만.'
규하는 생각하고 책상 거울을 흘긋 보았다. 얼굴이 조금 붉어진 것 같았다. 이 나이에 남자랑 키스한 걸 떠올리며 얼굴이 붉어질 줄은 몰랐다. 그리고 연락처를 나누진 않았지만 이쪽이 연락처를 주긴 했다.
렉스는 그런 키스를 한 주제에 끝나자마자 숙맥처럼 90도로 인사하고 가버리려고 했다. 그래서 규하는 덥석 그를 붙잡고 주머니에서 쪽지를 꺼내 손안에 쥐어주었다.

"연락해."

병원에서 나올 때부터 언제 줄까 타이밍만 노리던 참이었다. 또 렉스가 고향 운운하면서 연락처를 주지 않으려 한다면 이쪽이라도 억지로 알려주려고 했던 것이다. 그런데 키스를 할 줄이야…….
그런 뜨거운 키스는 간만, 아니, 거의 처음이라 규하도 렉스에게 쪽지를 쥐어주기 무섭게 뒤돌아 가버렸다. 그러지 않으면 저도 모르게 물을 것 같아서. '들어갔다 가지 않을래?'라고.
'경호원이라.'
규하는 생각했다.
'나쁘지 않지. 좀 위험해 보이긴 해도 형사처럼 범인을 잡으러 뛰어다니진 않잖아. 형제는 있나? 난 형제가 많은 게 좋은데.'
규하는 실소했다. 이거야말로 키스 한 번 했을 뿐인데 이미 애 이름까지 생각하고 있는 짝이었다. 하지만 이런 기분, 나쁘지 않았다. 정말 오랜만…… 아니, 거의 처음인 것 같으니까.

그때 규하는 손을 옆으로 옮기다가 문제의 핑크색 편지 봉투를 발견했다. 규하는 봉투를 들어서 빤히 보다가는 내려놓고, 창밖을 바라보고 중얼거렸다.

"하긴, 그럴 리가 없겠지."

쓸데없는 기대였을 것이다, 혹시 그 회색 후드가 연하일지도 모른다는 생각은.

오래전에 직접 연하의 시신을 확인해 놓고도 미련한 가슴은 이렇게 계속 제 쌍둥이의 흔적을 좇았다. 하지만 벌써 12년이었다. 이제는 정말 연하를 보내줘야 할 때가 된 것 같았다. 이렇게 있어서는, 자신은 평생 앞으로 나아갈 수 없을 테니까.

'수년째 결심만 하고 있지만.'

규하는 한숨을 내쉬고 수업에 들어가기 위해 일어났다. 봄이 이르게 찾아오려는지 벌써 바깥에 매화 냄새가 났다.

연하는 미간을 잔뜩 좁히고 사진을 보았다.

사실 늘 멀리서 지켜보다 보니 본의 아니게 규하의 개인적인 순간들을 목격한 적이 있었다. 규하가 알게 되면 머리끄덩이 잡고 화낼 일이겠지만 대학생 때 과동기와 했던 첫키스나 몇 년 전에 친구에게 소개받은 남자와 한 키스, 종종 썸남들과의 그렇고 그런 짓.

하지만 규하는 한 번도 격정에 사로잡히지 않았다. 멀리서도 그 정도 보디랭귀지는 읽을 수 있었다. 규하는 좋아하는 것은 투지를 다해 부딪치는 편이었다. 그래서 대체로 고양이들은 규하를 싫어했다. 오다가다 만난 그 남자들이 규하에게 처음 보는 길고양이만큼이라도 마음을 동하게 했다면 그런 시어빠진 시금치 같은 시들한 반응은 아니었을 것이다.

그냥, 어떤 의무감 같은 게 아닌가 싶었다. 대학 졸업반이 되도록 첫

키스조차 하지 못한 자신에 대한, 주변에서 레즈비언이 아니냐는 시선을 살 정도로 오랫동안 솔로로 지내는 자신에 대한.

규하는 살아야 한다고 생각하는 것 같았다. 그녀의 쌍둥이가 어려서 끝내야 했던 삶을 악착같이 살아야 한다고. 어두운 집, 식어 있는 부엌, 혼자 보는 고전 영화, 쳇바퀴 같은 일상. 모든 게 시어빠지고 재미없지만 누군가는 원했어도 가질 수 없는 삶을 규하는 누구보다 성실하게 묵묵히 살아내고 있었다.

그런데 이건…… 다르다고 해야 할까. 아니, 분명히 달랐다. 물론 그건 좋았다. 연하는 규하가 결코 의무감만으로 살길 원하지 않았으니까.

'하지만 왜 하필 소장님이야?'

소장이 나쁘다는 건 아니지만, 그는 뱀파이어였다.

아니, 같은 뱀파이어로서 이게 정말 우스운 말이라는 건 알지만, '내가 하면 로맨스 남이 하면 불륜'의 전형이라는 것도 알지만, 연하는 규하의 상대로 눈이 부시도록 아름다운 뱀파이어 군인은 상상해 본 적도 없었다. 그녀는 규하가 평범하게 멋진 남자를 만나 평범하게 행복한 삶을 살길 바랄 뿐이었다.

그걸 잘 알고 있는 소장이 이런 걸 보면, 이건 분명히 미필적 고의였다.

"뭐 하냐?"

갑자기 목소리가 들려 연하는 정신을 차렸다. 그녀는 격납고에 보관된 전투기 조종석에 앉아 있었고, 전투기 날개에 올라온 도영이 그녀를 쳐다보고 있었다. 그리고 도영은 무심코 연하가 들고 있는 사진을 보고 허, 소리를 냈다.

"이 자식, 뭐 이상한 걸 보고 있……."

그러다가 도영은 사진의 두 주인공을 다시 보고는, 아까 그녀보다도 더 크게 소리를 냈다.

"하?"

도영은 바로 사진을 뺏어갔다.

"소장이랑…… 규하 누나? 뭐야, 이거? 왜 이렇게 되는 거야?"

도영은 진심으로 당황한 것 같았다. 연하는 표정이 뚱해졌다.

"나도 몰라. 잠깐 눈 뗐는데 이렇게 되어 있었어."

"남녀 사이는 알다가도 모를 일이다."

탄식 같기도 감탄 같기도 한 어조였다. 어쩐지 후자에 더 가까워 보였다.

"하지만 규하는 소장님이 뱀파이어라는 걸 모른단 말이야."

도영은 불퉁하게 말하는 연하를 보았다. 호칭이 어느새 렉스 씨에서 소장님으로 바뀌어 있었다. 그만큼 멀어진 마음을 대변하는 것이리라. 하여간 바위인지 곰인지 사람인지 헷갈리는 녀석에게 규하는 가장 예민한 부분이니까. 그야말로 새끼를 지키는 어미 곰, 보물이 들어 있는 동굴을 지키는 바위 문이라고나 할까.

"아마 소장한테도 생각이 있어서……."

도영은 자기도 모르게 렉스의 편을 들어주고 말았다. 연하는 다시 도영에게서 사진을 뺏어 들었다.

"이게 생각이 있어 보여? 당연히 찍힐 줄 알면서도 이랬다는 건데. 이성적인 사람인 줄 알았는데 무슨 생각인지……."

"이성하고는 전혀 상관없는 거거든."

"그럼 뭐가 상관있는 건데?"

연하는 애꿎은 도영을 다그치듯 보았다. 약간 화가 나 있기 때문인지 연하는 평소보다 표정이 또렷하고 눈이 번쩍였다.

"소령님?"

그런데 도영이 대답하지 않고 빤히 쳐다보고 있었던지 연하는 살짝 고개를 젖히며 불렀다.

연하는 도영을 꼬박꼬박 '소령님'이라고 불렀다. 실제로 둘이 또래인데다 같은 팀에서 구르다 보니 자연스럽게 반말을 하게 됐지만 그게 그의 계급에 대한 최소한의 예의라고 생각하는 것 같았다. 그러면서 자기 얼굴로 너, 너, 부르면 다른 사람들이 도영까지 어리게 생각하고 얕잡아 볼 수 있다고, 그는 팀을 이끌어야 하기 때문에 그래선 안 된다고 말했다. 따라서 반말과 존칭이 섞인 연하의 묘한 말투는 천진함과 사려 깊음의 이상한 조화였다.

갑자기, 도영은 공군기지 활주로에 마주 서 있는 국장과 연하의 모습이 떠올랐다.

어쩐지 도영의 눈이 어두워져, 연하는 이상하다고 생각했다. 격납고에 불이 꺼져 있어 햇빛 아래서는 때로 밝은 에메랄드빛까지 띠는 눈이 거의 검은색으로 보였다.

향수 냄새가 연하를 감싸왔다. 언젠가 도영이 향수를 쓴다는 걸 깨닫고 '역시 프랑스인.' 하고 생각한 적이 있었다. 부드러우면서 남자다운 향이었다.

서로 홍채가 들여다보일 정도로 거리가 가까워졌다. 하지만 도영이었으니까. 연하는 그가 뭔가를 할 거라고 전혀 생각하지 않았기 때문에 그냥 쳐다보고 있었다.

도영의 숨결이 입술에 닿았다. 갑자기 커다란 경고음이 터졌다.

[화재 경보. 화재 경보.]

연하는 깜짝 놀라 고개를 들었다.

"뭐야?"

입구 쪽에서 웅성거리는 소리가 들리고, 순식간에 사람들이 달려 들어왔다. 연하는 그쪽을 보았다가, 조종석 턱에 엎드린 채 움직임이 없는 도영을 의아하게 보았다.

"소령님? 왜 그래?"

도영은 정말로 믿을 수가 없었다.
'지금 내가 뭘 하려고 한 거지.'
등에 식은땀이 흐르는 느낌이었다. 상대는 강연하였다. 루챠챠를 돼지처럼 퍼먹고, 매일 멍이나 때리고, 힘든 임무를 끝내고 겨우 공수한 헬기 구석에 박혀 돌아올 때는 한 덩어리로 얽혀서 자도 아무 느낌이 없는.
연하는 재차 물었다.
"소령님, 어디 아파?"
"아니……."
도영은 일단 몸을 들고 아래쪽에 달려가는 대원을 보고 물었다.
"무슨 일입니까?"
"어느 간 큰 놈이 장난으로 화재 경보를 터뜨린 것 같습니다."
대원은 말하고 뛰어갔다. 도영은 고개를 돌려 연하를 보았다.
이건 아무래도 진지하게 고민해 볼 필요가 있는 문제 같았다. 그는 강연하를 이성으로서 좋아하는가? 설마, 이 얼뜨기 뱀파이어를?
"소응니."
도영이 양 볼을 잡아 늘리고 있어, 연하는 늘어진 볼 때문에 불분명한 발음으로 그를 불렀다.
도영은 지금도 이 얼빠진 얼굴이 귀엽다고는 생각했지만 그건 고양이 새끼나 강아지, 혹은 아기, 심지어는 계란찜의 소담한 곡선이 귀엽다고 생각하는 것과 같았다. 아무리 생각해도 계란찜 같은 무생물과 동급인 귀여움이라고 할까……. 역시 그는 좀 더 성숙한 여성이 취향이었다.
"윽!"
도영은 갑자기 아픔에 찬 소리를 터뜨리고 연하를 확 밀어냈다. 연하가 제 볼을 잡고 있는 그의 손을 콱 깨물어 버렸기 때문이다.
"왜 이래? 미쳤어?"

도영은 손을 부여잡고 소리쳤다. 연하는 불퉁하게 말했다.

"그러니까 놓으라고 했잖아."

생각에 빠져 듣지 못했던 모양이다. 하지만 아무리 그래도 그렇지, 사람을 이렇게 물어버리다니.

"아, 이 자식이, 누가 뱀파이어 아니랄까 봐. 그리고 너 송곳니 세웠지? 너무 아픈데?"

"세웠으면 소령님 손가락 뚫렸어."

두 사람이 그러고 있는 격납고 천장을 넘어, 사람들이 달려오는 복도의 벽을 넘어, 경보음에 놀란 대기 요원들이 있는 방을 지나 위로, 위로, 위로……. 주먹이 복도 벽에 달린 패널에서 떨어졌다. 깨진 유리가 파스스 떨어져 내렸다.

"국…… 장님?"

이 대위는 돌발 행동에 놀라 눈이 화등잔만 한 상태였다. 이반은 돌아보고 조금 웃었다.

"파리가 앉아 있어서."

그러고는 아무 일도 없었던 것처럼 가던 길을 갔다. 뒤에 남은 이 대위는 박살난 화재 경보를 보면서 멍하게 중얼거렸다.

"파리……."

그야말로 엄청나다고 할 수밖에 없는 힘에 흔적조차 남지 않은 파리에게 삼가 명복을 비는 바였다.

반면 앞서가던 이반은 한숨을 삼켰다.

'나도 모르게 저질렀군.'

이반은 허공을 보고, 갑자기 그로서도 확신이 서지 않는 자문을 던졌다.

'기다릴 수 있는 거겠지?'

"소령님."

겨우 화재 경보가 꺼지고 같이 격납고를 나오는데 연하가 불렀다. 도영은 돌아보았다. 왜인지 연하는 의심스럽다는 얼굴이었다.

"그런데 혹시 나한테 키스하려고 한 거야?"

평소엔 겨울잠 자는 곰이 형님 하자고 하는 눈치 주제에 또 이럴 때는 어찌 이리 기민한가 모르겠다. 하지만 도영은 생각하기 전에 이미 말하고 있었다.

"미쳤어? 내가 너한테 왜? 네가 홀딱 벗고 달려들어 봐라. 내 거기가 서나."

"아."

어쩐지 굉장히 거슬리는 외마디라 도영은 눈썹을 추켜들었다.

"뭐야?"

"상상했어. 토 나올 것 같아."

"꺼져."

"응."

연하는 오히려 그렇게 말해줘서 고맙다는 양 선선히 대답하고는 돌아서서 갔다. 뒤에서 도영은 절레절레 고개를 저었다. 역시, 그에게 강연하는 계란찜이었다.

"와, 나, 인간이 이렇게 피곤할 수도 있는 걸까요."

규하는 마당 테이블에 엎드려 중얼거렸다.

"그러게 좀 쉬지 않고 이번 주에도 나오셨어요."

양로원의 요양보호사인 동훈이 바구니를 안고 지나가다가 말했다. 규하는 고개를 들고 관자놀이를 괴었다. 그나마도 거의 무너질 것 같은 자세였지만.

"평일 내내 일하고 오늘은 때려 죽여도 못 일어난다고 해도 남자친구

전화 한 통에 벌떡 일어나는 게 여자랍니다. 그리고 풀 메이크업에 10센티 하이힐을 신고 온종일 돌아다닐 수 있죠. 그렇게 생각하니까 안 나올 수가 없더라고요. 제가 이렇게 쓸데없이 정직해요."

"남자친구도 없으시면서."

동훈이 한 말에 규하는 어깨를 으쓱였다.

"없으니까 일요일에 여길 나오죠."

"있을 때도 빠진 적 없으시잖아요."

"여길 빠지게 만들 정도로 날 빠지게 만드는 남자가 없었나 보죠. 오, 라임."

동훈은 피식 웃고는 요양원 본관 건물로 들어갔다. 뒤에 남은 규하는 하늘을 보다가 온몸에 힘을 빼고 털썩 늘어졌다.

말도 안 되는 연상 작용이지만 하늘을 보니 비슷한 푸른 눈동자가 떠올랐다. 보고 싶다—고, 생각해 버렸다. 대체 이런 기분이 얼마만인지 알 수 없었다. 하지만 문제는 그게 아니었다.

규하는 제 손목 밴드를 보았다. 들어온 메시지 없음.

'왜 연락을 안 해?'

규하는 이를 갈았다.

'먹튀야? 그런 거야?'

렉스는 연락이 없었다. 열흘째. 규하는 둘째 날까진 일이 있겠지 했고, 나흘까진 사고가 났나 걱정했고, 엿새째까진 분노했고, 일주일이 넘어가자 무념무상이 되었다. 이제는 연락하면 죽여 버리겠다고 마음먹고 있었지만 수시로 손목 밴드를 확인하는 건 이미 버릇이 돼버렸다.

번호는 분명히 제대로 적어줬는데……. 규하는 중얼거렸다.

"키스가 별로였나."

하다 하다 이젠 이런 생각까지 하고 있었다.

"선생님, 좀 도와주시겠어요?"

그때 동훈이 입구에서 불렀다. 규하는 한숨을 내쉬고 일어났다.
"네, 갑니다."
반면 멀리서 지켜보고 있는 렉스는 기가 막혔다. 키스가 별로였다니, 그런 말도 안 되는 오해를…….
렉스는 팔짱을 끼고 있는 제 팔을 보았다. 하긴, 그러고 나서 아예 사라져 버렸는데 무슨 생각인들 하지 못할까. 차라리 키스라도 하지 않았다면…….
렉스는 한숨을 내쉬었다. 어차피 지난 일에 대한 건 괜한 생각이었다.
규하는 바빴다. 저번에 그에게는 퇴근하고 누워 영화나 보는 것처럼 말했지만 오히려 그럴 시간이나 있을까 싶을 정도였다. 방과 후에도 늦게 나오는 편이었고, 주말에는 고아원에서 아이들을 가르치거나 양로원에서 노인들을 돌보았다. 그런 일이라도 없을 때는 밖에 나가 쓰레기라도 주웠다.
그냥 봉사 정신이 투철하다고 하기에는, 불평불만이 너무 많았다. 아침마다 갈까 말까 고민하는 소리가 거의 앓는 소리처럼 울려 퍼졌다. 어떤 날은 다 준비해서 문을 나오면서도 '쨀까.' 중얼거리기도 했다.
그때였다. 갑자기 믿을 수 없어 하는 목소리가 들렸다.
"렉스?"
렉스는 움찔 돌아보았다. 언제 나왔는지 규하가 고아원 밖의 골목길 안쪽에 서 있는 그의 앞에 서 있었다. 기가 차고, 황당하고, 무어라 형용해야 할지 알 수 없는 복잡한 감정이 마구 올라오는 표정이었다.
렉스는 자신이 이런 실수를 하다니, 믿을 수가 없었다. 너무 생각에 깊이 빠져 있었다.
짧은 황망함이 가시자 규하는 대차게 인상을 썼다.
"너 여긴 어떻게 알고 왔어?"

“따라왔습니다.”
렉스는 당황은 했지만 얼굴빛은 변하지 않았다. 반면 규하는 흠칫했다.
“따라왔다고? 어디서부터? 왜 말을 걸지 않고…….”
렉스는 잠깐 말이 없다가 조금 주저하듯 말했다.
“뭐라고 말을 걸어야 할지 모르겠어서…….”
임기응변이긴 하지만 거짓말은 아니었다. 만약 규하에게 말을 거는 게 아무 문제 없는 상황이었더라도, 그런 키스를 하고 난 후에 뭐라고 말을 걸어야 할지 알 수 없었기 때문이다.
규하는 기가 막혔다. 렉스보다, 자신에게.
‘미쳤구나, 강규하. 스토커 같다고 학을 떼야지, 왜 귀엽다고 생각하는 거야?’
“그럼 왜…….”
규하는 다시 말문을 뗐다. 그런데 순간 딱 연애 초기 여자의 증상 같은 ‘너무 많은 생각’이 휘몰아쳤다. 왜 연락하지 않았느냐고 물어보면 너무 전화를 기다린 것 같나? 좀 질척거리는 것 같나? 그런 여자는 싫어하나?
규하는 한숨을 삼켰다. 내가 언제 그런 걸 신경 썼다고.
“연락은 왜 안 했어?”
“바빴습니다.”
렉스의 대답에 규하는 인상을 썼다.
“변명이야. 아무리 일이 바빠도 문자 하나 보낼 틈은 있잖아?”
“보안상…….”
‘아, 경호원이라고 했지.’
규하는 깨달았다. 하지만 열흘 동안 감정의 롤러코스터를 타도 수백 번은 탄 걸 생각하면 이대로 넘어갈 수는 없었다. 규하는 다시 심기일전했다.

"그럼 일하러 가기 전에라도 보냈어야지."

"아……."

렉스는 그런 수가 있는지 미처 몰랐다는 듯 외마디를 냈다.

실제로는 조금 다른 의미였다. 지금까지 그가 한 말에 거짓말은 없었다. '나는 흡혈귀입니다.'라는 대전제를 말하지 않은 것만 제외하면. 하지만 여기서는 거짓말을 하지 않고서는 넘어갈 수 없을 것 같았다. 그래서 결국 거짓말을 하지 않으려면 렉스가 할 수 있는 건 하나뿐이었다.

"죄송합니다."

렉스는 은사에게나 할 것같이 정중하게 묵례했다. 그가 쓴 캡 모자의 정수리를 보며 규하는 할 말을 잃었다.

허무해졌다. 이 남자에 대해 잘 아는 건 아니지만 일부러 뭔가를 속이거나 사기를 칠 사람이 아니라는 것만은 알았다. 그냥 여자의 마음은 조금도 모르는 숙맥인 것 같았다. 규하는 한숨을 내쉬고 손짓했다.

"들어와."

렉스는 규하가 무슨 생각인지 깨달은 듯 대문 너머 양로원을 보았다.

"하지만 전……."

규하는 기가 차다는 듯이 말했다.

"밖에서 계속 기다릴 셈이야?"

"괜찮다면……."

"안 괜찮아. 누가 보면 나 스토커 생긴 줄 알아."

그러고는 먼저 안으로 들어갔다. 렉스가 따라오지 않자 규하는 '뭐해?' 하고 묻듯이 돌아보았다. 그게 또 '이리 와.'라고 말하는 것처럼 보였다면 피해망상이겠지만, 렉스는 어쩔 수 없이 따라 들어갔다. 이건 정말 실수인데 만약 연하가 알게 되면 믿어줄지는 알 수 없었다.

그때 동훈이 본관에서 나오다가 두 사람을 보았다. 렉스는 그가 누군지 알기에 묵례했다. 동훈도 얼떨결에 인사하고는 규하를 보았다.
"누구……."
규하는 렉스를 가리키며 말했다.
"일꾼이요. 마음껏 부려먹으세요. 말도 걸지 않고 여기까지 따라올 정도로 한가한 것 같으니까."
"네?"
당연히 무슨 말인지 이해하지 못하는 동훈을 두고 규하는 앞서갔다.
"안 그래도 오늘 창고 정리해야 하죠? 마침 일꾼이 필요했는데 잘됐네요."
동훈은 렉스를 돌아보고 난감한 웃음을 지었다.
"어쩌다가 강 선생님을 알게 되셔서. 고생이 많으시네요."
"선생님, 뒷담화는 저 안 듣는 데서 해주시겠어요?"
규하가 바로 돌아보고 말하자 동훈은 대답했다.
"뒷담화하다가 걸리면 무슨 화를 입으려고요."
그러고는 동훈은 렉스를 보고 물었다.
"그런데 여기 일 생각보다 힘든데 괜찮으시겠어요?"
"네."
렉스는 무표정한 얼굴로 그렇게 대답하고 말았다. 동훈은 머쓱한 얼굴로 웃었다. 규하와는 전혀 다른 타입이었지만 일반적이지 않다는 의미에서 비슷한 점이 있는 것 같았다.
"그럼……."
동훈은 말하고 슬그머니 규하 옆으로 갔다. 렉스는 창문 너머를 보았다. 정원이 깔끔하게 정리되어 있었다.
그런데 둘이 속닥거리는 소리가 들렸다.
"스토커라기엔 너무 잘생겼고……. 선생님 혹시?"
"아니에요."

규하는 거의 정색했다. 렉스는 두 사람을 보았다. 둘은 들리지 않는다고 생각했겠지만 알다시피 그는 듣고 싶지 않아도 들을 수 있었다. 규하가 아니라고 했지만 동훈은 설득되지 않았는지 말했다.

"아니긴요. 이건 아무리 봐도……."

"아니라니까요."

규하는 다시 정색하더니 덧붙였다.

"아직."

렉스는 다시 창문을 돌아보았다. 여전히 이렇다 할 만한 표정은 없었다. 왜냐하면 한심했기 때문이다, 그런 말을 듣고 좋아하는 자신이.

"이쪽으로 오시겠어요?"

그때 동훈이 말해, 렉스는 두 사람을 따라갔다.

복도를 지나 창고로 가자 먼저 들어간 동훈이 불을 켜고 말했다.

"기부 들어온 물건들인데 손이 부족해서 정리하지 못했거든요. 사용할 수 없는 건 솎아내서 버리고 쓸 만한 건 좀 씻어야 할 것 같아요."

렉스는 창고 안으로 들어갔다. 여기저기서 기부받은 것 같은, 통일성 없는 물건들이 가득 쌓여 있었다. 소파 같은 큰 물건들도 있었고, 책이나 옷, 사용처를 알 수 없는 운동기구까지 별게 다 있었다. 그런데 뒤에서 기척이 느껴져 돌아보자 문밖에서 노인들이 물끄러미 그를 보고 있었다.

"못 보던 얼굴이네?"

한 노인이 말하자 선반에서 박스를 꺼낸 규하가 대답했다.

"제 친구예요."

"강 선생 친구? 남자친구?"

그 말에 렉스와 규하는 서로를 쳐다보았다가 시선이 마주쳤다. 규하가 먼저 시선을 떼고 노인들을 지나 복도로 가면서 말했다.

"몰라요. 저쪽한테 물어보세요."

노인들은 전부 렉스를 쳐다보더니 한마디씩 하기 시작했다.

"남자가 그러면 안 돼. 확신을 줘야지."

"자네 설마 강 선생을 상대로 어장 관리하고 그러는 건 아니지?"

렉스는 당황했다.

"아뇨. 그게……."

그 모습을 보며 규하는 피식 웃었다. 렉스가 정말 당황한 모습은 처음 보는 것 같았다. 경호원이라서 유난히 침착한 건지 아까 그녀에게 걸렸을 때도 그다지 당황하는 것 같지 않았으니까. 그런데 노인들은 무료한 양로원 생활에 모처럼 재미있는 일이다 싶었는지 렉스를 쉽게 놓아주지 않았다.

"자, 확실히 말해봐."

한 노인이 렉스의 등을 밀면서 말했다. 규하는 그들이 하는 말을 들을 수 있었지만 모르는 척하고 박스를 내려놓았다.

렉스는 노인들을 돌아보았다.

"확실히라면……?"

"있잖아. 사귀자, 좋아한다, 뭐 그런 거."

"어서."

노인들은 렉스를 규하 쪽으로 떠밀었다. 그에 렉스가 엉겁결에 오자 규하는 의뭉스럽게 돌아보았다.

"왜?"

"저……."

렉스는 입을 열었다. 뒤에 있는 노인들은 하나같이 응원하는 표정이었다. 규하는 그들이 귀여워서 웃음이 나올 것 같기도 했고, 설마 렉스가 정말 말하려나 싶어서 기대되기도 했다.

마침내 렉스는 말했다.

"걸레는 어디 있습니까?"

노인들은 바로 손을 내저으며 돌아섰다.

"글렀어."

"텄어."

"딴 놈 알아보라고 해."

노인들이 흩어지고, 규하는 흘긋 렉스를 보더니 갔다.

"가져다줄게."

렉스는 한숨을 삼켰다. 그로서도 속 시원하게 말할 수 있다면 얼마나 좋을까마는.

"여기."

조금 기다리고 있자 규하가 걸레를 가져다주었다. 그러면서 물었다.

"부탁해도 되지?"

"이미 빠져나가긴 늦은 것 같은데요."

렉스는 걸레를 건네받으며 말했다. 규하는 피식 웃었다.

"잘 아네. 비번을 이렇게 보내게 돼서 억울하겠지만."

규하는 말하고 다시 창고로 들어갔다. 렉스도 따랐다. 한참 박스를 옮기다가, 한쪽에 꽤나 구식인 커다란 소파를 보았다. 렉스는 다른 쪽에서 정리하고 있는 동훈에게 물었다.

"이것도 옮겨야 합니까?"

동훈은 돌아보았다.

"아, 그건 무거우니까 같이해요."

그제야 렉스는 자신이 소파를 혼자 들려고 했다는 사실을 깨달았다. 그리고 그러면 안 된다는 것도. 지금 그는 '인간 남자'니까.

"엄청 무거워 보이네요."

어느새 규하도 와서 돕기 시작했다. 동훈은 소파 반대쪽을 가리켰다.

"선생님이 그쪽을 들어주세요. 네. 좋아요. 렉스 씨는 다른 쪽으로 가주시겠어요?"

렉스는 얼결에 밀려 왼쪽에, 동훈은 오른쪽, 규하는 뒤쪽을 잡았다.

"자, 하나둘 셋 하면 드세요. 하나, 둘, 셋!"

동훈과 규하는 얼굴이 붉어지도록 힘을 썼다. 반면 렉스는 거의 힘을 쓰지 않았다. 인간 남성의 힘이 어느 정도인지 감이 잡히지 않았기 때문이다. 동훈은 규하만큼 말라서 별로 참고할 만하지 않았다.

"조심, 조심!"

그들은 비틀거리며 문을 빠져나와 쿵 소리가 나도록 소파를 내려놓았다. 규하는 소파를 짚고 숨을 몰아쉬며 말했다.

"어우, 힘들어. 밥 못 먹고 왔어? 왜 이렇게 힘을 못 써? 경호원이라며."

동훈은 그새 비지땀을 흘리며 말했다.

"아, 경호원이세요? 그러면……."

"I will always love you 이야기는 제가 먼저 했어요."

규하가 말하자 동훈은 고개를 주억거렸다.

"역시, 선생님은 뭘 좀 아신다니까."

"누가 아니래요."

그러면서 둘은 껄껄대며 웃었다. 렉스는 뭐가 웃긴 건지 이해하지 못했지만.

두 사람은 꽤 친해 보였다. 규하는 봉사활동을 다니며 만난 사람들과 그나마 마음을 트고 지내는 것 같았다. 평범한 직장인이 다 그렇겠지만 대학 친구들은 가뭄에 콩 나듯이 만나고, 주변에 또래라고는 동료 선생들밖에 없으니.

고등학교 동창들은 전혀 만나지 않았다. 연락이 와도 이런저런 이유를 대고 나가지 않는 것 같았다. 입학할 땐 둘이었다가 혼자 졸업한 고등학교는 마치 그녀의 목에 걸린 가시 같아 보였다.

규하가 갑자기 렉스를 보고 물었다.

"그러고 보니 너 머리 안 불편해?"

지금 렉스는 머리카락은 그대로 풀고 캡 모자를 쓰고 있는 상태였기 때문이다.

"끈이 없어서요."

"나도 이거 하나밖에 없는데."

규하는 자신이 묶고 있는 걸 의미하는지 뒷머리를 긁적이며 주변을 둘러보았다. 그러자 창고로 다시 들어갔던 동훈이 몸을 내밀고 말했다.

"노란 고무줄은 많은데요."

규하는 손을 내저었다.

"머리 다 쥐어뜯겨요. 얘도 머리가 길어서."

동훈은 규하 앞에 서 있는 렉스를 보았다.

"그러고 보니 경호원이 그렇게 머리가 길어도 돼요?"

"사복 경호원 같은 것도 있으니까 그런 거 아닐까요?"

다행히 렉스가 어떤 거짓말을 생각해 내야 하기 전에 규하가 알아서 대답해 주었다. 그러면서 규하는 옆에 있는 바구니를 뒤져서, 선물을 쌌던 걸 버리기 아까워 넣어놓은 것 같은 끈을 하나 꺼내 들었다.

"어쩔 수 없다. 임시방편으로 이거로라도 묶어."

또 하필 빨간색이었다.

하지만 렉스도 다른 수가 없어서 끈을 받아 들려고 하는데 갑자기 규하가 끈을 다시 가져갔다.

"아니다. 내가 묶어줄게. 혼자 묶기 힘들 테니까. 돌아서 봐."

렉스는 이미 모두 포기한 상태였으므로, 저항 따위 하지 않았다. 얌전히 돌아섰다. 그러자 뒤에서 규하가 머리카락을 모아 잡았다.

감각기관이라고는 없는 머리카락이었는데 렉스는 뒷목이 오싹해져서 놀랐다. 갑자기 뒤에 있는 규하가 전부 인식되었다. 숨소리, 피부의 온기, 입술을 오므렸다 펼 때 나는 작은 소리, 머리카락을 쓸어내리는 손길……. 심장이 뛰는 소리.

규하는 태연한 체하고 있었지만 속으로는 전혀 태연한 상태가 아닌 것 같았다. 렉스만큼이나.

규하는 머리를 다 묶고 손을 떼면서 말했다.

"양심적으로 리본은 참았다. 너무 잘 어울릴 것 같긴 하지만."

어깨 너머를 보자 머리카락을 한 갈래로 묶고 끈을 늘어뜨린 상태였다. 렉스는 시선을 거기서 규하에게로 옮겼다. 규하도 그를 보았다. 창밖에서 스며든 하얀 햇빛이 그녀를 비추었다. 어쩐지 두 사람은 계속 서로를 응시했다.

"우리 강 선생 시집가나?"

갑자기 말소리가 들려 둘은 흠칫 돌아보았다. 흩어졌다고 생각했던 노인들이 조금 떨어진 곳에 옹기종기 모여 그들을 지켜보고 있었다. 그러다가 개중 살짝 정신이 없는 할머니 하나가 소리 높여 말했는지 분위기가 깨지자 노인들은 그녀를 탓했다.

"아, 분위기 좋았는데 왜 산통을 깨?"

"하여간 이놈의 여편네 주책은."

"그리고 진도는 왜 이렇게 빨리 나가? 지금이 무슨 6.25야?"

재미있는 구경을 놓쳤다고 생각하는지 노인들은 쯧쯧 혀를 내차며 흩어졌다. 평균 연령이 80세 이상은 되는 노인들이 모여드는 소리를 듣지 못할 정도로 정신이 팔려 있었다는 데 렉스는 말문이 막혔다. 규하도 어이가 없는지 노인들이 흩어지는 모습을 보다가, 피식 웃어버렸다.

"다들 밝으시군요."

렉스는 말했다. 규하는 고개를 끄덕였다.

"응. 요양사가 좋으니까. 본받을 게 많은 사람이야."

"제가 듣고 있어서 말씀해 주시는 건 아니고요?"

동훈이 창고 안에서 고개를 내밀고 말했다. 규하도 그쪽으로 가면서 말했다.

“그러게요. 왜 거기서 없는 척하고 계신 거예요?”

“아니, 뭐랄까……. 그게 그렇게 된다고요. 그 사이에 있으면.”

동훈은 꿍얼거렸다.

렉스도 알고 있었지만 잊고 지냈다고 할까. 사람이 모여 사는 곳에 할 일이 얼마나 많은지.

처음에는 소위에 준하는 OF-1 코드를 받고 군 생활을 시작했지만 전시에 가까운 상황이어서 그는 대령까지도 순식간에 진급했다. 그래서 오히려 군에서는 제 방 정리도 제 손으로 해 본 적이 없었다. 그런데 이곳에선 창고 청소에, 노인들 목욕 시중에, 저녁 준비까지…….

쉽게 지칠 리 없는 몸이건만 오랜만에 멍을 때리고 싶어졌다. 그래서 잠깐 쉬면서 창가 앞 의자에 앉아 창밖을 보았다. 노인들이 가꾸는 텃밭과 정원이 조그맣게 있고, 마당이라고 하기엔 조금 넓은 공간 너머에 정문이 있었다. 마음을 평온하게 해주긴 해도 슬슬 매화가 꽃봉오리를 틔우고 있다는 것 외에는 특별할 것 없는 풍경이었다.

“자.”

그때 규하가 캔 음료수를 내밀면서 옆에 앉았다. 렉스는 캔을 받아 들었다.

“감사합니다.”

규하는 옆에 앉아 캔을 땄다. 캔을 따는 소리가 청량했다.

“근데 아까부터 뭘 그렇게 유심히 봐? 뭐 있어?”

규하는 렉스가 보고 있는 창밖을 살피면서 물었다. 그는 캔을 따면서 대답했다.

“옛날에 살던 곳이 떠올라서요.”

옛날에 살던 곳이라면…….

'아, 버려졌다고 했지.'

규하는 렉스가 예전에 했던 이야기를 생각해 냈다.

고아원에서 살았던 모양이다. 그런데 고아원을 나와 경호 일을 하면서 한 사람의 몫을 하고 사는 걸 보니 기특하면서도 짠한 마음이 밀려왔다. 큰일 났다. 모성애가 발동하기 시작했다. 몰랐는데 자신이 이런 타입에 약했던가 보다. 생긴 건 여자쯤은 트럭으로 있을 것 같으면서 숙맥이고, 불우한 환경에 지지 않고 성실한.

그때 동훈이 다가와 말했다.

"두 분, 혹시 마지막으로 욕실 청소만 부탁드려도 될까요?"

"그래요."

규하는 일단 대답하고 렉스를 돌아보았다.

"괜찮지?"

제 의견이 의미는 있는 걸까 생각했지만 렉스는 어쨌든 대답했다.

"네."

둘은 일어나 욕실로 갔다. 공용 욕실이어서 일반 가정집 욕실보다는 작은 목욕탕 같은 느낌이었다. 규하는 바지를 걷고 들어가며 말했다.

"반으로 나눠서 하자. 오른쪽은 네가 하고, 나머지는 내가 하고. 오케이?"

"네."

둘은 욕실 청소를 하기 시작했다. 규하는 바가지를 모아와 거품을 내어 닦다가 제법 능숙하게 청소하는 렉스를 보았다. 동화 속 왕자님같이 생긴 녀석이라 뭐 할 줄 아는 거나 있을까 싶었는데 아까부터 보니 의외로 일하는 모습이 어색하지 않았다.

"우리 가족은 흡혈귀한테 죽었어."

규하는 갑자기 말했다. 렉스는 거울을 닦다가 멈칫하고 그녀를 보았다. 여전히 바가지를 닦고 있는 규하는 대수로울 것 없는 표정이었다. 하지만 전처럼 일부러 거리를 둔다기보다 분위기를 어둡게 만들지 않으려는 것 같았다.

규하는 어깨를 으쓱이고 말했다.

"나도 뭔가 털어놔야 할 것 같아서. 너무 심각하게 들을 필요는 없어. 오래전 이야기고……."

"압니다."

이번에는 규하가 멈칫하고 렉스를 보았다.

"안다고?"

렉스는 고개를 끄덕였다.

"말하지 않으셨습니까? 술 먹고."

규하는 기가 막혔다.

"내가 언제……."

하지만 말하다가 멈칫했다.

'잠깐, 뭐지? 이 기억은?'

"혹시 그날 열차 테러로 몇 명이 죽었는지 알아?"

편의점의 플라스틱 테이블에 앉은 규하는 맥주를 흔들며 말했다. 맥주가 얼마 남지 않아 캔 안에서 찰찰찰 소리가 났다. 렉스는 가만히 앉아 있었다. 그녀가 갑자기 털어놓기 시작한 이야기에 어떻게 반응해야 할지 알 수 없었기 때문이다. 아니면 알고 있다고 해야 할까? 320명 중에 95명이라고.

"320명 중에 무려 95명이야."

규하는 그 규칙 없는 숫자를 잊을 수 없는 것 같았다.

"그중에는 우리 부모님도 계셨어. 사고의 충격으로 고통을 느낄 새도 없었을 거라고 하더라."

규하는 피식 웃었다.

"조금만 더 제정신이었다면 그걸 위로라고 건네는 경찰이라는 작자의 뚝배기를 깨버렸을걸. 그런데……."

규하는 말을 잊은 듯이 테이블 아무 곳에나 시선을 멈추었다.

부상과 충격으로 어지러운 눈앞에 연하의 시신이 있었다. 영안실 침대에 누운 연하는 푸르고 깨끗했다. 모든 세속의 빛이 탈색되어 오히려 푸른 얼음으로 빚은 것 같았다. 한없이 맑고 투명해서…….

규하는 풀린 눈을 들어 렉스를 보았다. 편의점에서 쏟아지는 희미한 빛을 받은 조각 같은 얼굴은 미동도 없었다. 사실 이미 눈앞에 있는 게 누구인지는 중요하지 않았다. 자신이 어디 가게 앞에 세워놓은 배우의 입간판을 들고 왔구나 하고 어렴풋이 생각했을 뿐이다.

아무래도 좋아서, 규하는 계속 말했다.

"그거 알아? 경찰이 그러는 거야. 흡혈귀가 콕 집어 공격한 게 수상하다고, 혹시라도 연하가 흡혈귀를 추종하거나 저주하는 광신도 모임 같은 곳에 관련되어 있지 않았느냐고."

규하가 이를 갈면서 꾹 움켜쥔 과자가 손안에서 부스러졌다.

"아무리 생각해도 그 새끼 뚝배기를 깨버렸어야 하는 건데. 물론 말이야, 연하는 도를 아냐고 물으면 설명해 주시면 감사하겠다고 하고, 하느님 어머니를 모시는 모임에 오지 않겠냐고 물으면 언제까지 가면 되느냐고 묻는 녀석이었지만. 그래도 흡혈귀라니……."

지금 생각해도 어이가 없어서 규하는 짧게 웃었다.

"차라리 쑥이나 미나리 같은 걸로 사는 쪽이 더 속 편할 녀석이라고."

그러고는 말이 없어, 렉스는 규하를 보았다. 규하는 맥주 캔을 쳐다보고 있었다. 맥주 캔 표면에 고인 서리가 물방울이 되어 미끄러져 내렸다. 마치 눈물처럼. 어렴풋한 빛을 받은 옆얼굴이, 드가의 '압생트를 마시는 사람' 같은 쓸쓸한 고독함과 부드럽게 여린 르누아르의 화풍을 섞어놓은 것 같은 느낌을 풍겼다.

규하가 캔을 붙잡자 물방울은 깨져 사라졌다. 그리고 규하는 맥주를 들이켜고 거세게 내려놓더니 갑자기…….

"그래서 그 새끼가 아가리 털린 것 같은 소리를 지껄이기 시작하는데 내가 진짜 야마가 돌아서……."

아까 하던 이야기를 마구 토해내기 시작했다.

'취했구나.'

렉스는 결론지었다.

자신을 응시하는 푸른 눈을 보며, 규하는 주춤 고개를 물렸다.

"워……."

기억나 버렸다. 믿을 수가 없었다.

"내가 처음 보는 사람한테 그런 이야기를 했다고?"

렉스는 고개를 끄덕였다. 다음에 만났을 때 기억하지 못하는 것 같아서 이야기하지 않았지만 말이다. 규하는 기가 차 말했다.

"혹시 그날 내가 마신 거 맥주 다섯 캔이 아니라 보드카 다섯 병이었어?"

아니, 보드카 다섯 병을 생으로 때려 넣지 않았고서야…….

렉스는 웃지도 않고 말했다.

"그렇게 말하셨죠. '오빠, 사람 말을 참 잘 들어주네. 그럼 이것도 좀 들어줄래?'라고."

중간에 '입간판이니까 당연하겠지만.'이라는 이해하지 못할 말을 하긴 했지만 어쨌든 렉스는 그런 말을 듣고는 더 이야기할 수 없었다. 자신은 흡혈귀라고.

"힘드셨을 테니까요."

"거기까지."

규하는 갑자기 손을 들어 렉스를 막았다.

"그렇게 사람 마음 흔들고 그러는 거 아냐."

렉스는 영문을 모르는 얼굴이었다. 규하는 바가지에 묻은 거품을 씻어내며 흘긋 그를 보고 말했다.

"그쪽도 참 숙맥이네."

렉스는 여전히 따라오지 못하고 있었다.

"그런 게……."

규하는 거품이 씻겨 나가는 바가지를 보며 중얼거렸다.

"나쁘지 않아."

그러고는 규하는 아무 말도 하지 않은 척 다 씻은 바가지들을 모아 정리하고 일어났다. 그리고 호스를 들고 주변을 슥슥 물로 쓸어냈다. 그러는 동안 렉스는 규하에게서 시선을 떼지 않았다.

솔직하고 거침없는 사람이었다. 여태 그럴 만한 상대를 만나지 못했을 뿐, 아마 사랑을 하는 데서도 그럴 것이다. 그가 그럴 만한 상대인지는 알 수 없었다. 그냥, 그랬으면 좋겠다고 바랄 뿐이었다.

호스에서 뿜어져 나간 물줄기가 허공을 날아 바닥에 몸을 부서뜨렸다. 열어놓은 창문 너머로 매화 냄새가 났다. 평화로운 일상……. 사물 곳곳에 편재한 신의 냄새였다.

렉스는 화제를 돌리기 위해 물었다.

"이렇게 열심히 봉사 활동을 하는 이유가 있습니까?"

"연하가 살아 있었다면 그랬을 테니까."

규하는 심상하게 대답했고, 렉스는 할 말을 찾지 못한 것처럼 그녀를 보았다. 규하는 피식 웃고 덧붙였다.

"그리고 아부하는 거야."

"아부요?"

"신한테. 내가 착한 일 많이 할 테니까, 연하 좀 잘 봐달라고."

규하는 어깨를 으쓱였다.

"사실 주말에 딱히 할 일도 없고. 겸사겸사 기도가 전해지면 좋은 거고."

그렇게 말은 하지만 규하가 연하를 위해 믿지도 않는 신에게 기도하고 있다는 걸 알 수 있었다. 마치 불교 신자들이 오체투지를 하듯이 제 온몸으로.

시선을 느꼈는지 규하가 렉스를 보았다. 저물어가는 햇빛이 그녀의 얼굴을 쓸었다. 아마 꽤 오랫동안 서로 바라보고 있었던 것 같다. 인식하지 못했지만, 어느새 렉스는 규하에게 고개를 기울이고 있었다.

규하의 얼굴 위로 그림자가 드리웠다. 하지만 그녀는 피하지 않았다. 오히려 살짝 눈을 내리깔았다. 고개가 점차 가까워졌다.

"선생님, 렉스 씨, 이것만 하시고……."

동훈의 목소리가 들려, 둘은 흠칫 떨어졌다. 그러면서 규하가 급하게 방향을 트는 바람에 호스에서 뿜어져 나온 물이 가로로 렉스의 배를 치고 지나갔다. 규하는 놀라서 얼른 호스를 치웠다.

"이런, 미안."

렉스는 제 배를 내려다보았다.

"괜찮습니다."

티셔츠는 젖었지만 다행히 바지는 젖지 않아서 민망한 모양새는 아니었다.

"저런, 갈아입을 옷 드릴까요?"

동훈이 말했다. 렉스는 이 정도는 괜찮을 것 같아 말했다.

"아뇨. 괜찮습니다."

"아직 좀 쌀쌀해서 젖은 티셔츠 입고 가면 감기 걸려. 기다려."

규하가 발을 헹구고 밖으로 나갔다. 그사이에 렉스는 티셔츠의 젖은 부분을 모아 물을 짜냈다. 그리고 탁탁 터는데 시선이 느껴졌다. 규하와 동훈이 그를 보고 있다가 동시에 휙 고개를 돌렸다. 렉스는 의아해졌지만 규하가 티셔츠를 가져오는 동안 욕실을 정리하기 위해 호스를 들었다.

"봤어요?"

"봤어요."

갑자기 수군거리는 소리가 들려 렉스는 돌아보았다. 규하와 동훈이 복도를 걸어가면서 머리를 모으고 속삭이고 있었다. 역시 보통 사람이라면 들을 수 없는 거리였지만…….

"말랐다고 생각했는데……."

규하는 입가에 손을 대고 중얼거렸다. 동훈은 맞장구를 쳤다.

"그냥 마른 거랑 옷 때문에 티 나지 않는 건 느낌이 다르죠. 근데 사람 배가 진짜 저럴 수 있는 거였구나."

렉스는 저도 모르게 제 배를 내려다보았다. 반면 복도 너머로 멀어지고 있는 규하는 툴툴거렸다.

"그래봤자 소파 하나 제대로 못 드는 근력인데요. 근육이 아깝다, 근육이 아까워."

동훈은 갑자기 물끄러미 규하를 보았다.

"선생님, 여길 빠지게 하는 남자는 없어도 데려올 남자는 있었네요."

"재가 멋대로 따라온 거라니까요."

"그런 것치고는 너무 즐거워 보이시는데요?"

"즐거워 보이긴……."

규하는 또 툴툴거리더니 덧붙였다.

"좋아 죽는 거죠."

동훈은 놀라는 것 같았다.

"와, 선생님. 이러시는 건 정말 처음 아니에요? 놀라운데요."

그때 규하가 이쪽을 돌아보려 했다. 목 근육의 움직임으로 알 수 있었다. 렉스는 바로 고개를 다른 쪽으로 돌리고 물을 뿌리는 척했다. 규하가 그를 보면서 작게 말하는 소리가 들렸다.

"이상하게 좋다는 느낌이 들어요. 모르는 게 더 많은데 뭐랄까, 그런 건 별로 상관없어지는 느낌 알아요?"

그리고 두 사람은 모퉁이 너머로 사라졌다.

문득 렉스는 자신이 살아온 세월을 떠올려 보고, 뭘 하며 살았던 걸까 생각했다. 지난 세월을 떠올려 보면 수많은 이미지들이 지나가지만 이런 느낌을 주는 이미지들은 없었다. 어쩐지 시린 듯하고, 빛나는 듯한.

동훈이 입구에서 두 사람을 배웅하며 말했다.

"갑자기 도와준다고 수고 많이 하셨어요. 덕분에 계속 미뤄두던 창고 정리를 끝냈네요. 감사해요."

"아뇨. 저도 즐거웠습니다."

렉스가 말하자 동훈은 조금 웃었다.

"선생님을 잘 부탁드립니다."

"부탁은 무슨 부탁이요. 다 각자 사는 거지."

규하는 투덜거렸다. 동훈은 그녀가 부끄러워 그런다고 알았는지 웃을 뿐이었다.

"그럼 조심히 가세요."

규하와 렉스는 인사하고 양로원을 나왔다. 한동안 아무 말도 오가지 않아, 슬슬 노을빛이 깔리는 거리에 침묵이 감돌았다. 두 사람이 걸어가는 소리만이 울렸다.

"저기."

갑자기 규하가 용기를 낸 듯이 돌아보고 물었다.

"저녁 먹을래? 시간 있으면."

"네."

렉스는 스스로 생각했던 것보다 더 빨리 대답했다. 규하는 속으로

'아자' 소리를 냈다.

"뭐 먹고 싶은 거 있어?"

규하는 귀엽게도 신이 난 기색을 숨기지 않고 물었다.

"아무거나 괜찮습니다."

정말 쇠를 씹으라고 해도 괜찮을 것 같아서 그렇게 대답했을 뿐인데 규하는 찡그린 웃음을 지었다.

"여자친구가 그렇게 대답하는 순간 남자들 머릿속에서는 지옥이 펼쳐진다고 하지 않아? 제일 어려운 대답이라고."

그렇다면……. 안 그래도 렉스는 식사 이야기를 했을 때 가장 먼저 떠오른 곳이 있어 말했다.

"그럼 제가 아는 곳으로 가시겠습니까?"

"네가 아는 곳? 좋지."

규하는 선뜻 대답했다.

"……저기."

어쩐지 규하는 잔뜩 굳어서 말했다.

"네가 아는 곳이라고 했지? 나도 여기가 어딘진 알아."

하긴, 규하는 계속 이 도시에서 살았으니까 알고 있을 법했다. 맞은편에 앉아 있는 렉스는 살짝 고개를 끄덕였다.

"다행이군요."

규하는 렉스가 뭔가 이상한 말이라도 한 것처럼 쳐다보았다. 왜 그런 얼굴을 하는지 알 수 없는데 그녀가 앞으로 몸을 기울이고 잔뜩 목소리를 낮춘 채 외쳤다.

"들어올 엄두를 못 내서 그렇지!"

규하 뒤로 한강이 내려다보이는 고급스러운 호텔 레스토랑의 정경이 펼쳐졌다. 레스토랑 자체는 모던한 디자인이었지만 곳곳에서 대기하고 있는 웨이터들은 성별에 관계없이 단정한 가르송 복장을 하고 있었다.

"특히 이런 차림으로는!"

규하는 누가 보기라도 할까 봐 겁난다는 듯이 메뉴판으로 제 옷을 가리려는 헛된 노력을 했다. 렉스는 그녀가 그러는 걸 이해하지 못해 말했다.

"따로 드레스 코드는 없는 곳입니다."

주변 테이블에 앉은, 고급스러운 차림을 갖춰 입은 선남선녀들이 창가 자리에 앉은 둘을 힐끔거렸다. 교양 있는 사람들이라 대놓고 흰 눈을 뜨고 보진 않았지만 분명히 그림을 합성해 놓은 것처럼 장소에 어울리지 않는 차림을 한 그들을 의아해하고 있었다.

"아니, 아무리 그래도 그렇지……."

규하는 기가 막혀 중얼거렸다.

아까 입구에서 둘을 맞이한 직원들은 그들을 한 번 훑고는 정중하면서도 단호한 미소를 지으며 거절하려 했다. 그 입모양은 분명히 '실례합니다만.'이라고 말하려는 모양이었다. 그런데 렉스를 알고 있는 것 같은 매니저가 뛰어나왔다. 그러고는 바로 프리패스였다. 이 레스토랑에서 가장 목이 좋은 창가 자리로 정중하게 안내받았다. 규하는 순간 자신이 영부인이라도 되는 줄 알았다.

동훈이 준, '버리긴 아깝지만 그렇다고 어딘가에 입고 나가기는 좀 그래서 누군가가 옷을 더럽혔을 때 내주기 좋은 티셔츠' 따위를 입고 있는 렉스는 아주 태연했다. 늘 이런 곳에서 식사해 온 것처럼.

'이번 달 월급이 얼마 남았더라.'

규하는 머릿속으로 빠르게 계산기를 때렸다. 하지만 애써 생각하다가 그만둬 버렸다.

'에라, 모르겠다. 몇 끼 굶어도 안 죽겠지.'

규하는 포기하고 등받이에 등을 기대었다. 어쨌든 일단 들어온 이상 오히려 당당하게 있는 게 '알고 보면 재벌' 느낌이라도 줄 법했다.

규하는 고작 물을 담는데도 이렇게 비싸 보이는 컵을 써야 하는지 궁금해하며 물을 한 모금 마시고 물었다.

"경호원이 이렇게 끗발이 좋은 직업이었어?"

"경호하는 분이 꽤 요인이어서요."

거짓말은 아니었다. 렉스, 그의 파트로네스라면 세계에서도 손에 꼽는 요인이니.

"그래?"

다행히 규하는 의심하지 않고 납득하는 눈치였다.

"좋은 사람이네. 경호원도 이런 곳에서 식사하게 해주고."

렉스는 그냥 더 말하지 않는 편이 좋겠다고 생각했다. 좀 수상해 보일 줄 알면서도 규하를 이런 곳에 데려온 이유는 그녀에게 괜찮은 식사를 대접하고 싶었기 때문이다.

"그래도 정말 알 수가 없네."

규하는 고개를 젓고 중얼거렸다. 렉스는 무슨 소리인가 싶어 되물었다.

"뭐가요?"

"너 말이야. 이제 좀 알 만하다 싶으면 뭔가 새로운 점이 나오고, 또 알 만하다 싶으면 새롭고…… 뭐가 진짜 너인지 알 수가 없어."

"보시는 그대로입니다."

렉스는 똑바로 규하를 보고 말했다. 규하는 입을 다물었다. 가끔 그가 저렇게 보면, 무슨 말을 해야 할지 알 수 없었다.

"식사 나왔습니다."

그때 웨이트리스가 하얀 장갑을 낀 손으로 전식을 각자 앞에 내려놓았다. 망쳐야 하는 게 아까울 정도로 플레이팅이 예술 작품처럼 아름다워서, 규하는 '요리도 예술'이라는 말을 처음으로 실감했다. 한 입 떠먹자마자 탄성을 내고 말았다.

"맛있어."

규하의 얼굴이 어린애처럼 밝아졌다. 단순히 맛있는 음식을 맛보는 것만으로도 삶의 기쁨이 그녀에게서 광선처럼 뿜어져 나왔다. 이 때문에 렉스는 규하를 이곳에 데려온 것이었다.

규하는 갑자기 창밖을 보았다. 노을이 지는 도시가 강처럼 유유히 흘러가고 있었다.

"그래도 살다 보니 이런 곳에서 식사하는 날이 다 나오네. 역시 똥 밭에 굴러도 저승보다는 이승이 낫다는 건가."

"보통 남자친구와 와보지 않습니까?"

규하는 난색 어린 얼굴로 렉스를 보았다.

"뭐야, 그거? 떠보는 거야?"

"아뇨, 딱히……."

반사적으로 말하려던 렉스는 입을 다물었다.

"거침이 없으셔서 뭐라고 해야 할지 모르겠군요."

사실 그는 옛날 남자고, 사상적인 면에서는 많이 진보했어도 이런 연애라고 할까, 남녀 사이 일에 대해서는 잘 알지 못했다. 거쳐 간 여성들이 없는 건 아니지만 그의 인생에서 여성은 중요한 요소가 아니었다. 셀레나는 그런 그를 두고 '전형적인 워커홀릭', '인간이었다면 과로사할 팔자', '소장님을 사로잡은 걸 보니 일한테 성별이 있다면 절대 여자는 아니다.'라는 등 말했다.

규하는 다시 식사하면서 태연히 말했다.

"주저하면 사라져 버리거든. 특히 이런 세상에서는."

렉스는 규하를 보았다. 그녀는 어려서 가치관을 바꿀 정도로 엄청난 상실을 경험했고, 주변은 언제 발이 꺼져 버릴지 모르는 불안한 지대였다.

"인생은 애초에 비극일 수밖에 없지만, 그런 인생의 본질을 깨닫고 수용하는 데는 영웅적인 용기가 필요하지."

갑자기 이반이 예전에 했던 말이 생각났다. 그 말대로 인생은 어차피 비극, 하지만 그것을 똑바로 쳐다보면서 받아들이고 뚜벅뚜벅 걸어 나갈 용기는 아무에게나 존재하지 않았다.

"가족이 그립습니까?"

렉스가 묻자 규하는 찡그린 웃음을 지었다.

"지금 그걸 질문이라고 하는 거야?"

하지만 바로 알 만하다는 듯이 덧붙였다.

"알아. 대화 주제를 생각해 본 거겠지. 당연히 그리워. 난 당장에라도 연하가 저 모퉁이를 돌아 나올지도 모른다는 생각이 들어."

규하는 레스토랑 저편을 쳐다보았다. 안쪽으로 통하는 모퉁이가 있고, 그 앞 테이블에는 잘 차려입은 가족이 식사하고 있었다. 어머니와 아버지, 남매……. 스물쯤 되어 보이는 남매는 그리 친해 보이지도, 사이가 나빠 보이지도 않았다. 평범한 형제남매들이 그렇듯.

규하는 그들을 보면서 중얼거렸다.

"열아홉 살이었어. 내 쌍둥이가 죽었을 때. 정말 예쁜 나이인데 말이야. 수업을 하고 있다 보면, 연하가 살아 있었으면 나 대신 여기에 서 있었을 텐데 생각할 때가 많아."

규하는 남매를 보며 다른 것을 보고 있는 것 같았다. 아마…… 연하가 그대로 커서 선생님이 된 모습 같은 것. 연하가 군복을 입은 모습 같은 건 상상도 할 수 없으리라.

"그럼 오히려 이건 모두 꿈이 아닌가 싶어. 꿈에서 깨면 연하가 선생을 하고 나는……."

규하는 어깨를 으쓱였다.

"글쎄, 수영을 계속했으려나? 아니면 전혀 다른 일을 했을 수도 있겠지. 아, 군인 같은 거 괜찮았을지도. 나 예전에 적성검사 했을 때 군인 나왔었거든."

렉스는 와인을 마시는 척하면서 애써 내색하지 않았다. 만약 그녀가 루아스가 되어 MCTC에서 일했다면 그야말로 무시무시했을 것이다. 조금 무서웠을 것 같기도 했다.

규하는 와인을 한 모금 마시고 내려놓고는 두 손을 맞잡았다.

"자, 그럼 네 차례야."

"제 차례요?"

갑작스러운 말에 렉스는 의아한 얼굴을 했다. 규하는 고개를 끄덕였다.

"너도 뭔가 이야기해 줘야지. 나도 알고 싶으니까."

렉스는 잠깐 말이 없다가 갑자기 말했다.

"얼마 전에 들어온 신입이 있는데."

규하는 한쪽 눈썹을 추켜들었다. 자기에 대해 말해달라고 했는데 갑자기 웬 신입……? 그러거나 말거나 렉스는 계속 말했다.

"좀 자기만의 세계가 있다고 할지……. 멸치가 몸에 좋다는 말만 듣고 볶은 멸치 1kg짜리를 다 씹어 먹었더군요."

"뭐? 봉지로 나온 거 전부?"

"네. 전부요."

규하는 피식 웃었다.

"그게 뭐야."

"재단사분을 침입자로 착각해서 엎어 메치고 손이 발이 되도록 빈 적도 있고……."

"골 때리는 신입이네."

규하가 이렇게라도 쌍둥이의 소식을 접할 수 있다면……. 정작 살아 있다거나 군인이 되었다거나 하는 중요한 정보는 알릴 수 없지만 이런 사소한 이야기 정도라면 괜찮을 테니까.

“근데 그 신입, 여자야?”

그런데 규하가 문득 물었다.

“네.”

“그래……?”

규하는 미묘하게 말을 끌며 와인을 마시는 체했다. 잠깐 이유를 알 수 없었던 렉스는 깨닫고 말했다.

“따로 좋아하는 남자가 있습니다. 아마.”

“아마는 뭐야?”

“본인은 자각하지 못하고 있는 것 같지만요.”

렉스는 눈을 위로 들어, 이반에게 팔찌를 만들어주라던 말에 화들짝 놀라던 연하를 떠올렸다. 그래서 다시 규하를 보고 말했다.

“아니, 자각하고 있는 것 같긴 하군요.”

“그럼 남자는?”

역시 남의 연애사만큼 흥미진진한 이야기는 없는지 규하는 금세 흥미를 가지고 물었다. 렉스는 조금 생각하다가 말했다.

“남자 쪽도 자각하고 있다고 생각하는데…….”

자각쯤이야 애초에 하고도 남았다고 생각하지만 말이다. 그러면 뭐가 문제라는 건지 규하는 의아한 것 같았다.

“근데 왜?”

“신입이 좀 어린 편이어서요.”

그래봤자 규하와 동갑이지만-1분 차이라고 했던가? 아이러니하지만 연하가 먼저 태어난 쪽이라고 들었다.- 그의 파트로네스와 밸런스를 맞추자니 그렇게 이야기할 수밖에 없었다.

규하는 고개를 갸웃했다.

“그래봤자 같은 성인 아냐?”

“그렇긴 하죠.”

규하는 쯧쯧 혀를 내찼다.

“그럼 남자가 삘짓 하고 있네.”

규하가 워낙 가감 없이 말해, 렉스는 그런 건가 싶어졌다. 이반 이바노프와 삘짓이라, 흥미로운 조합이긴 했다.

규하는 다시 식사를 하려는지 접시를 보며 말했다.

“아니면 그만큼 간절하지 않은 거야. 간절한데 차 떼고 포 뗄 게 어디 있어? 간절하면 무조건 붙잡는 거야. 움켜쥐는 거지.”

규하는 눈을 들어 렉스를 보았다.

“간절함이란 그런 거야.”

“와, 진짜 잘 먹었다.”

규하는 배를 두드리며 호텔 로비를 나섰다. 같이 나온 렉스는 머지않은 곳에 보이는 한강을 가리켰다.

“산책하시겠습니까?”

“좋아.”

호텔이 약간 높은 지대에 있어서 두 사람은 인적이 드문 언덕길을 걸어 내려갔다. 그동안 고급 차들이 연달아 옆을 지나갔다. 규하가 갑자기 웃음을 터뜨려, 렉스는 의아해하며 그녀를 보았다.

“왜 웃습니까?”

규하는 웃음을 전부 거두지 않고 말했다.

“아니, 이런 차림으로 걸어와서 이 호텔 레스토랑의 가장 좋은 자리에서 밥을 먹었다는 게 갑자기 웃겨서. 너도 어지간히 또라이구나.”

또라…….

"제가요?"

렉스는 금시초문이라는 듯이 물었다. 규하는 짓궂은 웃음을 지었다.

"왜? 주변 사람들이 이야기해 준 적 없어?"

렉스는 고개를 저었다.

"그다지……."

"생각보다 직급이 높은가 봐. 그래서 사람들이 차마 말하지 못한 게 아니고서야."

렉스는 정말 그랬던 건가 진지하게 고민했다. 사단으로 돌아가게 되면 꼭 물어봐야겠다고 생각하며, 한강변으로 들어섰다. 아직 공기가 조금 서늘하지만 산책이나 운동을 나온 사람들이 꽤 있었다. 사람들은 다양했다. 장난감을 흔들며 뛰어가는 아이들, 느긋하게 걷는 노부부, 시끌벅적한 젊은 그룹들, 손을 잡고 걷는 커플…….

"한강변은 참 예나 지금이나 변하지 않아. 그렇지?"

규하는 사람들을 보며 말했다. 렉스가 처음 서울에 와봤을 당시와 비교하면 그런 말이 나오지 않을 테지만 그때는 이름도 달랐으니 논외로 치기로 했다.

후웅. 갑자기 허공에 뭔가 반짝이는 게 날아갔다. 빛을 내는 비행 장난감이었다. 멀리서부터 불빛이 번쩍거리는 걸 보긴 했는데 가까이 오니 꽤나 많았다. 날아다니는 장난감은 헬기나 비행기처럼 실제와 닮은 꽤 정교한 것도 있었고, 팅커벨이나 유니콘 같은 모양도 있었다.

공터에 거의 벼룩시장이라도 열린 것처럼 잡상인들이 여기저기 자리를 펴놓고 장난감을 팔고 있었다. 몇몇 아이들은 날아다니는 것들을 쫓아 이리저리 달렸다. 현대의 반딧불이라고 할까.

"이런 장난감들은 아직도 파네."

규하는 양옆으로 늘어선 가판대를 보고 말했다. 장난감들이 더 정교해지고 기술이 가미된 것으로 바뀌었다는 점을 빼면 꼭 옛날 같았다.

이런 곳에서 반짝이는 장난감을 보면 십중팔구 가지고 싶어 하는 아이들의 심리나, 아이들이 조르면 끝까지 거절하지 못하는 부모들의 심리가 여전하기 때문이겠지만 말이다.

규하는 한 가판대 앞에 멈춰 서서 장난감을 하나 들어 올렸다.

“예전에 이런 거 보면 연하랑 꼭 하나씩 샀는데 말이야.”

렉스는 규하를 보았다. 그녀는 이제 꽤 편하게 연하에 대한 이야기를 했다. 그것도 꼭 살아 있는 사람에 대해 이야기하는 것처럼.

“하나 살까? 이거 어때?”

규하는 하나를 들어 올리며 물었다. 렉스는 진지하게 생각한 바를 말했다.

“쓸모가 있을까요?”

규하는 눈알을 굴렸다.

“이런 게 참 쓸모가 있어서 사겠다. 그냥 기념, 작지만 확실한 행복, 경제의 선순환을 위한 도움, 뭐 이런 거지. 여기 파시는 분도 오늘 나온 교통비는 벌어 가셔야 할 거 아냐.”

“아가씨가 뭘 좀 아시네.”

장난감을 파는 가판대 주인이 웃고는 말했다.

“이건 뭐예요?”

규하는 작은 큐브처럼 생긴 장난감을 만지작거리다가 용도를 알 수 없자 물었다. 가판대 주인이 대답했다.

“찍은 걸 홀로그램으로 쏴주는 거예요.”

“아아……. 이거 괜찮네. 두 개 주세요.”

규하는 계산하고 돌아서면서, 렉스에게 하나를 내밀었다.

“자, 기념.”

렉스는 얼결에 장난감을 받아 들었다.

“여기 풍경 같은 거 찍어서 가끔씩 쏴보면 추억도 되고…….”

규하가 말하며 돌아보는데 삑 소리가 나고 렉스가 장난감 홀로그램 카메라를 눈높이에 들고 있었다.

"너 지금 나 찍었어?"

규하는 황당해했다.

"기념이라고 해서."

렉스는 태연한 얼굴이었다.

"하필 찍어도 그런 표정을……. 그럼 나도 너 찍는다."

렉스는 규하가 카메라를 들어 올린 손을 잡아 막았다. 규하는 그럴 줄 알았다는 듯 투덜거렸다.

"넌 내가 방심한 순간에 찍은 주제에……."

렉스는 규하에게 키스했다. 모든 것이 멈추는 것 같은 순간이었지만 빛나는 비행 장난감들은 여전히 사방을 날아다녔다. 부웅, 위이잉……. 아이들이 즐거워하며 뛰어다니는 소리가 어렴풋이 들려왔다.

입술이 떨어지고, 규하는 렉스를 노려보듯이 올려다보았다.

"너……."

"죄송합니다."

렉스는 말은 그렇게 했지만 전혀 죄송한 표정이 아니었다.

규하는 렉스에게서 시선을 떼지 않았다. 차분한 푸른 눈동자가 그녀를 담고 있었다. 이 남자가 좋았다. 자기 이야기는 거의 하지 않고, 아는 것보다 모르는 게 더 많은 남자인데 이상하게 이 눈을 보면 전부 다 상관없어져 버리고 말았다.

갑자기 벨소리가 나, 규하는 흠칫 정신을 차렸다. 손목 밴드가 울리고 있었다.

"잠깐만."

규하는 전화를 받았다.

"네, 여보세요?"

규하는 상대가 하는 말을 잠깐 듣고 있다가 깜짝 놀랐다.

"뭐? 알았어. 금방 갈게. 거기 꼼짝 말고 있어."

규하는 다급하게 렉스를 보았다.

"미안해. 먼저 가볼게. 우리 반 애들이 불량배들 싸움에 휘말린 것 같아. 지금 경찰서에 있다네."

렉스가 뭐라 대답하기도 전에 규하는 급하게 돌아섰다. 그러다가 무슨 생각이 난 듯 돌아보았다.

"잠깐, 너 전화번호…… 아니, 연락해. 알았지?"

연락처를 받을 시간이 없을 만큼 마음이 급하지만 그 대답만은 듣고 가야겠다는 듯 렉스를 보았다. 렉스는 고개를 끄덕였다.

"예."

규하는 안심한 듯이 바로 큰길가로 뛰어나가서 택시를 잡아탔다. 렉스는 금방 시야에서 멀어지는 택시를 쳐다보다가, 이내 걸음을 돌렸다.

그가 살면서 만난 수많은 여자 중에 왜 하필 규하를 유난히 좋아하게 됐는지 생각해 보면, 답은 간단했다. 그녀 같은 여자는 없었다. 미소, 성품, 위트, 그리고 살기를 포기하지 않는 불굴의 의지마저.

하지만 연락은 하지 않을 것이다. 그는 드디어 결심할 수 있었다. 다시는 규하 앞에 나타나지 않으리라고. 규하는 처음에는 화를 내고, 걱정하겠지만 종내에는 괜찮아질 것이다. 그리고 그녀가 늙어서 젊은 시절을 반추해 봤을 때 그래도 좋은 기억을 남겨놓고 사라진 미스터리한 남자가 하나 있어도 나쁘진 않을 것이다.

설사 규하가 처해 있는 특수한 상황이 아니더라도, 그는 그녀에게 해줄 수 있는 것이 없었다. 같이 늙어줄 수도, 가정을 꾸릴 수도 없었다. 적어도 그녀가 바라는 형태로는. 상황은 달라도 이반이 왜 처음에 연하를 버리고 갔는지 이제 알 것 같았다. 그가 없는 게 더 나은 삶의 형태로 보였기에.

그때였다. 렉스는 갑자기 멈칫하고 휙 고개를 돌렸다. 주변에는 아무 일도 없었다.

렉스는 그대로 뛰어올라 한강 다리 위로 올라갔다. 그가 훌쩍 뛰어오르는 모습을 본 사람들이 위를 쳐다보며 웅성거렸다. 몇몇은 높이 있는 그를 가리키고, 어떤 사람들은 손목을 들어 밴드로 사진을 찍기 시작했다. 하지만 렉스는 개의치 않고 도로를 보았다.

규하가 탄 택시는 금방 찾아냈다. 직진하는 택시 앞에 사거리가 있었다. 막 정지 신호가 들어오려 했다. 택시는 신호에 걸리지 않기 위해 조금 속도를 높였다. 그리고 오른쪽 도로에서 달려오는 화물 트럭도 속도를 높였다.

푸른 눈이 심각해졌다.

지금 힘을 써서 구한다면 규하는 그가 루아스라는 사실을 알게 될 것이다. 그렇게 되면…….

반사적으로 그런 생각을 한 렉스는 자신을 믿을 수가 없었다. 뭘 비교하고 있단 말인가. 렉스는 바로 다리에 힘을 주고, 뛰었다.

"하여간 하루도 조용할 날이 없지, 이 녀석들."

규하는 투덜거리며 패드를 보고 있었다. 화면에는 싸움에 휘말렸을 경우에 대한 법적인 조언을 검색한 페이지가 떠 있었다.

빠앙. 그런데 멀리서 얼핏 소리가 들렸다. 규하는 무의식중에 눈을 들었다.

"어……."

차창 너머, 거대한 화물 트럭이 속도를 늦추지 않고 달려오고 있었다. 이대로라면 규하의 자리부터 들이박을 각도였다. 하지만 절체절명의 순간에 누구나 그렇듯이, 규하 역시 어떤 반응도 하지 못했다. 단숨에 가까워지는 트럭을 멍하니 보는 것밖에는.

박는다— 규하는 마지막에도 태평하게 생각했다. 트럭이 거의 코앞이었다.

굉음이 났다.

안전벨트를 하고 있지 않았더라면 그때 충격 때문에 튕겨져 나갔을 것이다. 안전벨트가 가슴을 압박하는 압력 때문에 숨도 제대로 쉬지 못할 지경이었지만 그나마도 그 정도로 무사할 수 있었던 이유는, 트럭을 막아선 사람 덕분이었다.

규하는 눈을 크게 떴다. 그가 양손으로 짚은 트럭 앞부분이 비명을 지르는 것 같은 소리를 내며 우직, 우지직, 일그러지기 시작했다. 하지만 트럭은 조금도 속도를 늦추지 않았다. 콰아아앙. 오히려 이를 드러낸 짐승처럼 울부짖으며 거세게 밀어붙였다. 타이어가 바닥에 스키드마크를 새기는 소리가 귀를 터뜨릴 것 같았다. 트럭을 막아선 사람이 밀리면서 택시에 등이 닿았다.

드득. 택시 문이 안쪽으로 우그러지기 시작했다. 그 상태로 끝도 없이 밀려났다. 밖에서 온갖 파편들이 터져 올랐다. 하지만 너무 현실감이 없어서, 규하는 영화를 보듯이 보고 있을 따름이었다.

익숙한 티셔츠를 입은 등에 근육이 무시무시하게 움직였다. 그리고 거대한 트럭이 옆으로 휘청거렸다. 말도 안 되지만, 남자가 힘으로 밀어낸 것처럼.

쿠웅. 트럭은 그대로 거인의 주먹처럼 땅을 치며 넘어지고, 택시는 더 밀려나서 크게 한 바퀴를 돌아 멈추었다.

세상이 멈춘 것 같았다. 위잉……. 귀에 이명이 너무 짙어서 규하는 이게 꿈인지 생시인지 알 수 없었다. 아니, 자신이 살아 있다는 게 믿기지 않았다.

일그러진 차 문이 시끄러운 소리를 내며 뜯겨 나가고, 가로등 빛이 쏟아졌다.

"괜찮습니까?"

다급함이 묻어나는, 낯익은 목소리와 함께. 규하는 반응하지 않았다. 그저 차 문을 뜯고 나타난 렉스를 더 이상 크게 뜰 수 없는 눈으로 쳐다볼 따름이었다. 뒤에서 쨍한 빛이 내리쳐 푸른 눈동자가 순간 붉게 빛나는 것처럼 보였다.

규하는 멍하니 중얼거렸다.

"흡혈…… 귀……?"

순간 렉스의 눈에 스치는 감정이 어떤 것인지 알 수 없었다.

그때였다. 저편에 넘어진 트럭의 운전석 문이 날아갔다. 그리고 트럭 운전사가 뛰어내려 차들을 밟고 사라졌다. 그쪽도 전혀 인간 같지 않은 몸놀림으로. 렉스는 번뜩 뒤를 돌아보았다.

렉스는 규하를 한 번 돌아보았다. 규하는 여전히 눈을 크게 뜨고 그를 보고 있었다. 아직 놀란 상태여서 다른 생각은 하지 못하는 눈이었다.

렉스는 바로 고개를 돌리고 앞에 멈춰 있는 차를 밟고 올라갔다. 그리고 가볍게 뛰어오른 순간, 더 이상 보이지 않았다.

사전에 도주로를 확보해 놓고 철저하게 준비한 공격이었다. 그래도 평소라면 놓치지 않았을 테지만 잠깐 주저한 것이 좁힐 수 없는 거리를 만들었다. 렉스가 현장에 돌아오자 이미 경찰과 레커차, 구급차 등이 와 있었다.

"들어오시면 안 됩니다."

경찰이 렉스를 막으려 하자 그는 손목 밴드를 들어 보였다.

"조회해 보십시오."

석연찮았지만 손목 밴드를 찍고 화면을 본 경찰은 깜짝 놀라더니 바로 길을 열어주었다. 그 모습을 규하가 모두 보고 있었다. 뒷문이 열린 구급차 앞에 서서 누군가와 통화하며. 다친 곳은 없어 보였다.

렉스는 몇 걸음 떨어진 자리에 멈춰 섰다. 규하는 정신을 차린 듯 전화통화로 주의를 돌렸다.

"네, 부탁드려요. 그럼 다시 전화 드릴게요."

규하는 전화 상대에게 말하고 전화를 끊었다. 그리고 렉스를 위아래로 훑어보고는 실소했다.

"인간이 얼마나 보고 싶은 대로 보는 동물인지 새삼 알겠네."

오히려 왜 몰랐을까 싶을 정도였다. 그는 어디로 보나 흡혈귀였다. 사람을 홀리는 아름다운 외모, 윤기가 도는 도자기 같은 피부, 큰 키…….

"흡혈귀라고?"

규하는 기가 막혀 중얼거렸다.

"죄송합니다."

렉스는 그 말밖에 할 것이 없었다. 아까 다시는 그녀 앞에 나타나지 않겠다고 결심하며 간과한 점이 있다면, 인생은 결코 그가 생각한 대로 흘러가지 않는다는 것이었다.

"죄송……?"

규하는 들불이 번지듯이 확 얼굴이 사나워졌다. 하지만 따귀를 때리려는 것처럼 손을 들었다가 멈칫하고는 그냥 손을 거뒀다. 닿는 것도 무섭다는 듯이. 렉스는 눈이 어두워졌다.

규하의 눈에 고통에 가까운 감정이 어렸다.

"나는 널 좋아하게 됐어. 근데 이제 와서 죄송하다고?"

렉스는 똑바로 규하를 보았다.

"죄송하다고 말씀드린 건 저에 대해 정확하게 말씀드리지 않아서입니다. 다른 것에 대해서 사과드린 게 아닙니다."

규하는 기가 막힌다는 얼굴로 렉스를 노려보았다.

"뭐가 이렇게 당당해? 넌 흡혈귀들이 내 쌍둥이를 죽였다는 말을 듣고도……."

규하는 말을 멈추었다. 말을 꺼냈을 뿐인데도 마치 그날이 어제였던 것처럼 생생한 고통이 올라왔다. 이제는 무뎌졌다고, 그럴 때도 됐다고 생각했는데, 전혀 그렇지가 않았다.

"흡혈귀들이 바로 내 눈앞에서 연하를 죽였어. 웃으면서."

규하는 꾹 주먹을 쥐었다. 눈에 물기가 일렁였다.

"그러고는……!"

규하는 폭발할 것 같은 감정을 추스르는 것처럼 다시 숨을 삼켰다. 겨우 내는 목소리가 떨려왔다.

"심지어 넌 첫날부터 알고 있었어. 그런데……."

렉스는 조용히 말을 듣고 있을 뿐이었다. 푸르고 깨끗한 눈동자……. 규하는 푸르고 깨끗한 연하가 떠올랐다. 겨우 밖으로 내뱉는 목소리가 떨려왔다.

"네 사정이 뭐였어도 신경 쓰지 않았을 거야. 세상천지 기댈 곳 없는 고아여도, 반대로 병든 어머니와 여덟 남매를 책임져야 하는 장남이었더라도……."

이런 상황이지만 렉스는 규하를 안아주고 싶다고 생각했다. 그녀가 너무 슬퍼 보여서, 어떻게든 위로해 주고 싶었다.

"미안해."

규하는 갑자기 말했다.

"자신이 없어. 널 보면서 그날을, 그 흡혈귀들을 떠올리지 않을 자신이. 그러니까 사라져. 제발, 내 앞에서…… 내 인생에서……."

"미안해하지 마십시오."

규하를 보는 렉스의 눈은 흔들리지 않았다.

"당신이 미안해야 할 일은 아무것도 없으니까요."

렉스는 끝까지 차분하게 묵례하고 돌아섰다. 규하는 입술을 달싹였지만 아무 말하지 않았다.

규하는 경찰서 문을 나섰다. 밖은 이미 어두웠고, 입구에서 국어 선생이 기다리고 있었다.

"강 선생."

"선생님, 애들은 어떻게 됐어요?"

규하는 국어 선생을 보자마자 물었다. 그녀는 교통사고 조사 때문에 경찰서에 가야 해서 국어 선생에게 애들 쪽으로 대신 가달라고 부탁했기 때문이다.

국어 선생은 고개를 끄덕이고 말했다.

"다 집에 보냈어."

"뭐래요?"

"애들 문제는 심각한 건 아냐. 지레 놀라서 부모님에게는 연락을 못하고 강 선생한테 전화했던 모양이야. 상대 쪽에서도 합의하고 조용히 넘어가길 원하는 것 같더라고. 강 선생은 어때? 괜찮아?"

규하는 웃었다.

"네. 타박상 하나 없어요. 굉장하죠?"

국어 선생은 한숨을 내쉬었다.

"강 선생 어째 요즘 사고가 많네."

규하가 대답하지 않자 분위기가 조금 어색해졌다. 국어 선생은 좀 주저하는 것 같더니 말을 꺼냈다.

"저기, 말하기 좀 조심스러웠는데…… 강 선생 12년 전에 열차 테러도 겪었다면서?"

아무리 쉬쉬해도 소문은 나기 마련이라, 학교에서도 어지간한 사람들은 알고 있었다. 다만 규하의 눈치를 보느라 거의 언급하지 않을 뿐이었다. 평소 규하는 '언제 적 일인데.' 하고 대수롭지 않게 생각했지만, 오늘은 타이밍이 좋지 않았다.

국어 선생은 규하가 안쓰러운지 말했다.

"남들은 평생 한 번 겪을까 말까 한 일인데 어지간히 악운이 센가 보다."

규하는 지친 미소를 지었다.

"그러게요."

규하는 주변을 둘러보았다. 밤거리는 조용했다. 기름진 어둠 속에 보이지 않는 무언가가 있다는 기분이 들었다. 무서웠다. 그녀가 이해할 수 없는 것들이 저 바깥을 배회하고 있는 느낌……. 불현듯 자신이 어둠 속에 혼자 서 있다고 깨달은 사람처럼 공포감이 밀려왔다. 경찰서에서 뿜어져 나오는 빛은 눈이 부실 정도로 밝았는데도.

"강 선생?"

국어 선생이 부르는 소리에 규하는 정신을 차렸다. 경찰서 안에서 뿜어져 나오는 빛을 받으며 국어 선생은 미안해하는 미소를 지었다.

"내가 괜한 이야기를 했네. 미안해. 그러고 보니 그때 그 남자랑은 어떻게 됐어? 연락 안 왔어?"

국어 선생은 화제를 돌려보려는지 밝게 물었다. 규하는 웃었다. 그녀가 뭘 알겠는가.

"네. 안 왔어요."

"그래? 아깝다."

"그러게요. 악운도 운이라고 다른 운은 참 지지리도 없네요."

티 없이 웃는 규하를 보며, 국어 선생은 생각했다.

'그런데 왜 이렇게 울 것 같은 얼굴일까.'

자동문이 다 열리기도 전에 연하가 헐레벌떡 뛰어 들어왔다. 브리핑룸에 있는 모두가 돌아보았다. 연하는 보기 드물게 사색이 된 얼굴이었다.

"규하는……! 어떻게…… 뭐가, 왜……."

"진정해. 무사하니까."

이반이 말하고, 뒤에 서 있는 렉스를 돌아보았다.

"오히려 털끝 하나 다치지 않았지. 이 경우엔 소장이 근처에 있어서 다행이었다고 해야 하나."

연하도 렉스를 돌아보았다. 그녀도 오는 길에 이야기를 듣긴 했다. 소장이 트럭을 막았다고.

그런데 이반은 말했다.

"하지만 오늘부로 소장은 중앙사단으로 돌아가는 게 좋겠군."

렉스는 짐작했는지 별로 놀라지 않았다.

"경호는……."

"없이도 잘 살았어."

이반은 유난히 차가웠다. 하지만 렉스는 말했다.

"대체 인력이 올 수 있게 허가해 주시기 바랍니다."

그렇지 않다면 절대 가지 않겠다는 투였다.

"어쨌든 제 파트로네스를 이대로 경호도 없이 두고 갈 수 없습니다."

모두 깜짝 놀랐다. 소장이 경호하는 걸 보고 다들 어느 정도 짐작하긴 했지만 설마 정말 그럴까 생각했기 때문이다.

연하도 둘을 새삼스럽게 보았다.

'소장님의 파트로네스였구나, 국장님.'

이반은 렉스를 보다가 팔짱을 풀었다.

"좋아. 하지만 최대한 서두르라고 해. 소장이 또 무슨 사고를 칠지 무서워지니까."

이반은 렉스 앞을 지나 밖으로 나섰다. 사람들도 웅성거리며 하나둘씩 흩어졌다. 렉스도 돌아서서 나가다가 뭔가 생각난 듯 연하를 돌아보았다.

"강 상사."

연하가 보자 어떤 물건을 바지 주머니에서 꺼내 건넸다.

"이건 뭐……."

말하면서 만지작거리다 버튼을 누르자 허공에 홀로그램이 떴다. 규하였다. 막 고개를 돌리는 것 같은 얼굴로 이쪽을 보고 있었다.

"뭐야, 웃긴 표정……."

연하는 십여 년 만에 바로 눈앞에서 보는 것 같은 제 쌍둥이를 울듯이 웃는 눈으로 보았다. 렉스는 말했다.

"선물입니다."

연하는 조용한 붉은 눈동자를 마주 보았다.

"하지만 이건 소장님께 준……."

"그걸 가질 자격이 있는 건 강 상사 쪽이니까요."

렉스는 그렇게 말하고 돌아서서 갔다. 연하는 그 뒷모습을 보며 생각했다.

'정말 규하를 좋아하셨던 걸까…….'

솔직히 여태까진 믿지 않았다. 그는 눈이 붉은 뱀파이어고, 대단한 군인이니까. 인간을 정말로 좋아할 리 없다고……. 어쩌면 동족인 자신마저도 편견을 가지고 있었는지 모른다는 생각이 들었다. 한 번도 본 적 없는 '알렉스 야크트훈트 소장'이 아닌, 그녀가 아는 '렉스'라면 그런 식으로 생각할 리 없다고 알면서도 말이다.

물론 잘 알 만큼 많은 대화를 해 보진 않았지만 진중한 눈빛은 그가 어떤 남자인지 충분히 알게 해주었다.

연하는 카메라 장난감을 보았다.

'정말 진심이었다고 해도 달라질 건 없어.'

규하의 목숨이나 평화로운 일상과 저울질할 수 있는 건 아무것도 없었다.

"꼭 그러셔야 했습니까?"

시몬은 한쪽 허리에 손을 얹고 물었다. 소파에는 대공이 방학을 맞은 학생처럼 티셔츠에 반바지를 입고 책을 읽으면서 널브러져 있었다. 책은 정말 시간이 많을 때나 읽는, 대충 써낸 공상과학소설이었다.

"즐거워 보이는 게 영 마음에 들지 않아서."

대공은 책에서 시선을 떼지 않고 심술궂은 웃음을 지었다. 시몬은 그 모습을 보다가 말했다.

"강규하를 죽일 생각은 아니었군요."

"아니면 사냥개가 근처에 있을 때 그랬겠어?"

사실 애초에 대공의 주요한 역할은 연막이었다. 짙은 연기 너머에서 무슨 일이 일어나고 있는지 모르도록 하는. 대공이 날뛰면서 시선을 끌어줄수록 다른 쪽 일을 진행하기가 용이하기 때문이었다. 다만 요즘 너무 개인적으로 행동해서 곤란했다.

"그러고 보니 연구는 어떻게 돼가고 있어?"

대공이 갑자기 물었다. 시몬은 그를 보았다.

"의외군요. 연구에 대해 물으시다니."

대공은 어깨를 으쓱이고 일어나 앉더니 물었다.

"그런데 그거, 정말 만드는 게 가능하긴 한 거야? 100% 감염에 성공하는 루아스 바이러스라니."

"송구합니다만 꽃에 대해서도 제가 옳지 않았던가요?"

시몬은 특별히 뻐기지 않는 투로 말했고, 대공은 그녀를 빤히 보았다.

"그랬지."

"갑자기 흥미가 생기셨습니까?"

제 쌍둥이에 대해서가 아니면 대공이 흥미를 보이는 일은 많지 않았기에 시몬은 물었다.

“하이마가 성공하는 걸 봤으니까.”

대공은 성격에 비해 의외로 제 실수를 인정하는 데 인색하지 않은 편이었다. 시몬은 말했다.

“연구는 순조롭게 진행 중입니다. MCTC에서 자꾸 냄새를 맡고 다녀서 계속 장소를 바꿔야 하는 번거로움은 있지만요.”

“하긴, 요즘 MCTC한테 한눈 팔 여유를 주긴 했지.”

시몬은 한쪽 어깨를 조금 으쓱이고는 더 말하지 않았다. 대공은 중얼거렸다.

“그러고 보니 이바노프, 곧 취임식을 한다고 했지. 취직하더니 남들 하는 짓은 다 하려고 하는군.”

이바노프가 그래서 취임식을 한다고는 생각하지 않았지만 시몬은 아무 말도 하지 않았다. 다만 그녀도 취임식을 한다고 한 걸 기억해 내고 생각했다.

시선을 돌리기 위해서는, 이쪽도 한번 얼굴을 내비쳐 줘도 좋을 것이다.

이 모습으로 이바노프를 만나는 것은 처음이었다. 아일을 떠난 이후 시몬은 철저하게 그림자 속에 숨어 있었다. 당연하지만 ISLE 측에서도 SN과 손잡은 그녀의 존재를 파악하고 있었고, 그녀도 특별히 숨기려는 생각은 없었지만 전면으로 나선 적은 없었다. 하지만 이제 때가 되었다.

“왜 그런 얼굴이야?”

대공이 갑자기 말해 시몬은 정신을 차리고 보았다.

“무슨 말씀이십니까?”

“꼭 졸업식 무도회 가기 전날 고등학생 같은 얼굴이라서.”

시몬은 의외라는 표정을 감추지 않았다.

“그런 것도 아십니까?”

대공은 기가 막힌다는 얼굴이었다.

"누굴 외계에서 갓 떨어진 바이러스 덩어리로 생각하는 거야? 가본 적도 있어. 고등학생인 척하고. 꽤 즐거웠어. 춤도 추고, 거기서 만난 여자애랑 뒤뜰에서 키스도 하고."

시몬이 쳐다보고 있자 대공은 어깨를 으쓱였다.

"다들 하더라고. 무슨 느낌인가 궁금해서. 별 느낌은 없었지만 여자애는 좀 귀여웠어."

"그래서 죽였습니까?"

시몬은 무표정하게 물었다.

"응. 되살아나면 클리엔테스 삼아주려고 했는데 매가리 없이 가버리더라고."

대공은 머리 아래 한쪽 팔을 받치고 중얼거렸다. 그리고 뭔가 생각하는 얼굴이더니 시몬을 보았다.

"시몬, 취임식에 다녀와."

시몬은 눈썹을 추켜들었다. 이건 또 무슨…….

대공은 빙긋이 웃었다.

"오랜만에 이바노프를 볼 수 있는 기회잖아? 선물이야."

9

Outburst

금발 남자가 곁을 지나갔다. 규하는 흠칫 돌아보았다. 그러자 낯선 외국인은 의아한 듯이 그녀를 보았다. 하지만 서로 아는 사이가 아닌 듯하자 그는 다시 제 갈 길을 갔다. 규하는 외국인이 가는 모습을 쳐다보았다.

"선생님?"

윤재가 불러 규하는 정신 차렸다.

"애들 전부 탔는데요."

윤재는 뒤에 서 있는 버스를 가리키며 말했다. 버스 앞 유리에는 '혜문 고등학교 1-4반'이라고 쓰인 패널이 붙어 있었다.

수학여행이고 자시고 놀러 갈 기분 따위 나지 않는 선생과는 관계없이 아이들은 물구나무를 설 정도로 신나 있었다. 안에서 뛰고 소리치는 아이들 때문에 버스가 흔들거리는 것처럼 보일 정도였다.

"가자."

규하는 한숨을 삼키고 걸음을 옮겼다.

연하는 조용한 호텔 복도를 둘러보았다. 그리고 엘리베이터 앞에 서 있는 두 대원에게 눈짓으로 인사하고 복도를 걸어갔다. 방문 앞에도 검은 정장을 입은 대원 두 명이 서 있었다. 연하는 역시 눈짓으로 인사하고 안으로 들어갔다.

"국장님."

부르며 들어갔는데 호텔방 한가운데 놓인, 그야말로 거대한 화환이 시선을 사로잡았다. 웬 건가 싶어 연하는 놀랐다.

이반은 화환 앞에 서 있었다. 머리는 쓸어 올렸고, 아직 상의를 입지 않은 검은 정복 차림이었다. 불빛이 넘실거리는 야경을 배경으로 그가 숨 막히도록 커다란 화환 앞에서 카드를 읽고 있는 모습이란, 어쩐지 뇌리에서 떠날 것 같지 않았다.

이반이 돌아보았다. 낮고 침착한 눈이 연하를 훑어 내렸다. 오늘은 경호 근무 때문에 입은 검은 정장과 한 갈래로 묶어 올린 머리까지 꼼꼼히.

연하는 최면에서 깨어나듯 정신을 차리고 말했다.

"아, 시간이 돼서요."

"그래."

이반은 카드를 내려놓고 상의를 입었다.

"어."

갑자기 연하가 놀란 소리를 냈다. 그녀는 카드 봉투의 발신인을 보고 놀란 눈치였다.

"제노아티스에서 보낸 거예요?"

연하는 새삼스러운 눈으로 화환을 보았다.

"그런 큰 회사에서 화환을 보내다니 대단하네요."

이반이 피식 웃어, 연하는 궁금해하는 얼굴로 돌아보았다. 이반은 그야말로 백지 같은 얼굴을 보니 시끄러웠던 속이 편해지는 느낌이었다.

"거기 넥타이 좀 줄래?"

이반이 말해, 연하는 옆 의자 등받이에 걸쳐져 있는 넥타이를 보았다. 그리고 넥타이를 들고 그에게 다가갔다. 이반은 넥타이를 받아 들고 와이셔츠 칼라를 펴 올린 뒤 능숙한 손길로 넥타이를 매기 시작했다. 연하가 가지 않고 빤히 보고 있어, 이반은 거울 너머로 의미를 묻듯이 그녀를 보았다. 그러자 연하는 말했다.

"국장님 오늘 멋있으세요."

그러고는 쑥스러운 듯 웃으며 덧붙였다.

"평소에도 멋있으셨지만."

넥타이를 매던 손이 멈추었다. 이반은 아무런 사심 없이 부딪쳐 오는 누군가의 진심이 너무 낯설어서, '아, 이런 것도 존재했지.' 라고 새삼스럽게 깨달았다.

그는 전신거울의 윗부분을 잡고 돌아서서 연하를 마주 보았다.

"멋있다는 건 어떻게?"

"네? 어, 그러니까, 아주……?"

연하는 얼결에 대답하면서도 이 대답이 맞는 건지 의심스러워하는 것 같았다.

그 모습이 꼭 눈이 까맣고 털이 하얀 토끼 같았다. 너무 귀여워서 이반은 손이 근질거렸다. 조금만 쓰다듬어 보는 건 괜찮지 않을까 하고 저도 모르게 생각하며, 조금 웃었다.

"그런 설명으로는 잘 모르겠어."

"어, 그게……."

연하는 어물거렸다. 그냥 마음에서 우러나서 던진 칭찬 한마디가 이렇게 자신을 곤란한 상황에 빠지게 할 줄은 몰랐다. 그런데 왠지 모르게 즐거워하는 이반의 눈을 발견하고, 그녀는 바로 부루퉁한 얼굴이 되었다.

“또 놀리시는 거죠?”

“아니.”

“아니긴요. 분명히 놀리시는 거…….”

이반은 그만둬야 한다고 생각했지만 입은 저절로 지껄이고 있었다.

“듣기 좋아서. 네가 칭찬해 주는 거.”

그런데 이번에 연하는 눈을 화등잔만 하게 뜨고 쳐다볼 따름이었다. 거의 메두사라도 본 것 같은 반응이었다. 이반은 난감해하는 웃음을 지었다.

“그건 무슨 반응이야?”

연하는 애써 정신을 차렸다. 그러니까, 이런 꿀이 배어날 것 같은 얼굴, 유혹하는 것 같은 목소리, 묘한 여지를 주는 말을 어떤 의미로 받아들여야 하는지 해석하느라 뇌에 과부하가 와서 잠깐 모든 반응 체계가 꺼졌다. 그녀가 뭘 모르긴 하지만 보통 아무 사이도 아닌 상대, 혹은 일개 하급자에게 이런 말을 하나 싶었다.

‘너무 나 좋을 대로 해석하는 건가.’

그런 생각이 들기도 했지만 아무리 생각해도 동족이라는 것 외에 특별히 공통점이 없는 상대에게 이럴 것 같지는 않았다. 국장이 여자라면 가리지 않는 난봉꾼이 아닌 한. 그리고 국장에 대한 여자들의 총평은 ‘전혀 관심을 보이지 않아서 오히려 아쉽다.’ 쪽이었다. 약간 목석미가 있다는 것 같았다.

그때 무전이 들려왔다.

[이상 없음.]

지금 연하가 근무 중이라는 사실을 일깨우는 소리였다.

이어서 방 안으로 누군가 들어오는 기척이 느껴져 연하는 돌아보았다. 코트 아래 정복을 입은 사람이었는데 모자 때문에 얼굴은 볼 수 없었지만 연하는 별이 두 개 박힌 견장을 보고 반사적으로 거수경례했다. 그리고 나서야 얼굴을 보고 깜짝 놀랐다.

"렉스 씨?"

놀란 이유는 그가 너무 '소장'다운 모습이었기 때문이다. 처음으로.

"머리 자르셨어요?"

그리고 다음으로 놀란 이유는 그의 머리가 짧았기 때문이다. 모자도 모자지만 그래서 처음에 알아보지 못했던 것이다.

"아니, 소장님."

연하는 놀라서 평소처럼 말하고 나서야 지금이야말로 그래선 안 된다고 깨닫고 말을 고쳤다.

이반은 연하에게로 기울어져 있던 몸을 들었다.

"나중에 이야기하자."

"아, 네."

안 그래도 연하는 이 방에 별이 너무 많아 얼른 나가고 싶었다. 가끔은 옆집 사람들처럼 친근하게 느껴지지만 역시 둘 다 까마득한 상급자인 것이다. 연하는 거수경례하고 밖으로 나갔다. 그러자 렉스가 안주머니에서 카드 봉투를 꺼내 이반에게 건네주면서 말했다.

"소탕 작전에 대한 승인이 표류하고 있습니다."

이반은 봉투를 받아 들었다.

"어느 선에서?"

"왔다 갔다 하는 것 같습니다. 보통 반대하는 이유는 아직 시기상조라거나 SN 세력 내에서 분열 조짐이 보이니 조금만 더 기다려 보자는 거더군요."

이반은 봉투를 든 채로 생각에 빠진 얼굴이었다. 렉스는 그를 보다가 말했다.

"로스의 입김이 닿았을 가능성이 있을까요?"

이반은 방 한가운데 서 있는 화환을 돌아보았다. 렉스도 화환을 보았다. 화환은 마치 자기를 보라고 이야기하듯 화려하고, 숨이 막히도록 짙은 향기를 내뿜었다. 이반은 거기서 시선을 돌리고 말했다.

"만약 그렇다면 MCTC도 끝이군."

말은 그렇게 해도 전혀 심각성을 느끼지 못하는 것 같은 어조였다. 렉스도 시선을 돌렸다.

"우리가 뿌린 씨앗은 우리가 거둬야 하지 않겠습니까?"

비록 암브로시아[23]를 훔쳐 간 거라고 해도, 애나 로스는 이바노프 혈통이었다.

"로스는 현신일 뿐이야. 인간들이 바라고 희망하는 욕망의 현신. 로스가 아니었어도 그 자리는 누가 채워도 채웠을 테지."

이반은 말하고 봉투를 열었다.

"어쨌든 결자해지는 해야겠지만."

봉투 안에 들어 있는, 금박이 박힌 고급스러운 카드에는 메시지가 힘이 느껴지는 명필로 쓰여 있었다.

-취임을 축하드립니다. 어차피 얼마 가지 않을 자리긴 하지만 즐기세요.

"셀레나가 전해달라더군요."

렉스가 말해, 이반은 피식 웃었다. 사실 셀레나는 그가 국장으로 가는 걸 반대했다. 그냥 연하를 데려오면 되지 않느냐고. 12년 전에 연하를 ISLE에 데려오지 않는 것부터 반대했으니 당연한 반응이었다.

이반은 카드 아래쪽을 보았다.

-선물은 이바노프 씨가 좋아하실 것 같아 보냅니다.

23) 그리스 신화에 등장하는 신들의 음식. 먹은 자를 불로불사하게 한다.

"선물?"

이반이 고개를 들고 묻자 렉스는 탁자를 가리켰다. 아까 사람들이 보낸 선물이라고 이것저것 들여놓은 선물 더미 사이에 납작한 박스가 하나 있었다. 이반은 은회색 박스를 열어보고 의아해하는 얼굴이 되었다. 박스 안에 곱게 포개져 있는 것은 검은 실크 드레스였다.

이반은 중얼거렸다.

"예쁘긴 하다만 설마 이걸 나한테 입으라고 보낸 건 아닐 거고……."

그러고 보니 카드가 접힌 안쪽에 말이 더 있었다.

-강 상사님이 좋아하시면 이바노프 씨도 좋아하실 테니까요.

이반은 카드를 가리키고 물었다.

"이 녀석 뭐 알고 있어?"

렉스는 무심한 얼굴이었다.

"모르겠습니까?"

"알 게 뭐가 있는데? 아무것도 안 했는데."

렉스는 무표정하게 있더니 갑자기 말했다.

"기다리신다고 하셨는데, 강 상사가 나중에도 이바노프 씨를 선택할 거란 생각은 섣부른 것 같군요."

이반은 눈썹을 추켜들었다. 렉스가 이런 이야기를 할 거라고는 생각지 못했기 때문이다.

렉스는 이어 말했다.

"내일 당장에라도 어떤 남자와 살림을 차릴 수도 있겠죠. 그게 인간 남자라면 다행이지만 루아스라면 어떡하실 겁니까? 아무리 기다려도 안 죽는다고 죽이실 겁니까?"

이반은 기가 막힌다는 얼굴이었다. 하지만 렉스는 개의치 않았다.

"인간 남자여도 강 상사가 그 남자를 평생 잊는다는 보장은 없습니다. 외로워서 차선책으로 이바노프 씨를 찾을 순 있어도 말이죠."

"차선……."

이반은 황당해서 저도 모르게 따라 말하다가 말을 멈추었다. 렉스는 무표정하게 그를 마주 보았다.

"영원히 산다고 해서 영원히 기회가 있는 건 아니지 않습니까?"

침묵이 흘렀다.

"너……."

한참 후에야 이반은 미간을 찌푸리고 입을 열었다. 렉스는 기다렸다. 이반은 말했다.

"머리는 역시 실연당한 사람 같아."

렉스는 방을 나왔다. 복도를 지나자 엘리베이터 앞에 연하가 기다리고 있었다. 숨소리가 들려서 기다리고 있다는 건 알고 있었다. 연하는 물었다.

"내려가세요?"

렉스는 고개를 끄덕였다. 연하는 내려가는 버튼을 누르고 엘리베이터가 오길 기다리는 동안 말했다.

"떠나신다고요, 오늘."

"네. 대체 인력이 오늘 도착합니다."

연하는 묵례했다.

"감사합니다. 지켜주셔서."

상황이 어쨌거나 그 순간 제 감정에 솔직한 걸 보니 역시 규하와 한 핏줄이었다. 렉스는 엘리베이터 문을 보고 별 기색 없이 말했다.

"딱히 강 상사를 위해 한 일은 아닙니다."

"알아요."

그러고서는 침묵 속에 서 있는데 연하가 작게 말했다.

"그래도 안 돼요."

렉스는 반응하지 않았다. 누구보다 그 본인이 잘 알고 있는 이야기를 또 할 필요는 없었다. 그런데 연하가 꿍얼거리듯이 덧붙였다.

"소장님은 애인이 있으시잖아요."

사실 이건 연하도 뒤늦게 기억해 냈는데 렉스는 루아스인 것만이 문제가 아니었다.

"제가요?"

하지만 렉스는 영문을 모르는 표정이었다. 순박해 보이기까지 하는 얼굴이라, 연하는 시치미를 떼는 거라면 연기 대상감이라고 생각했다.

"다들 알고 있던걸요. 셀레나 씨라고."

렉스는 기가 막혔다.

"셀레나는……."

어디서부터 아니라고 해야 할지 알 수 없었지만 너무 터무니없는 오해에 설명할 의지마저 잃었다.

"아닙니다."

"아니에요?"

"절대, 결코, 어떤 일이 있어도 아닙니다."

어쨌든 렉스 그와 ISLE의 관계는 대외비니까 이렇게 이야기할 수밖에 없었다. 연하가 모든 걸 알기 전에는. 그 스캔들이 여기에까지 영향을 미칠 줄은 몰랐다.

"그래…… 요?"

연하는 어색하게 중얼거렸다. 렉스의 어조가 너무 강경해서, 더 의심할 생각도 하지 못했다.

그때 엘리베이터가 도착해서 둘은 올라탔다. 렉스는 갑자기 연하를 돌아보고 물었다.

"설마 그것 때문에 반대한 겁니까?"

"아뇨. 뭐, 루아스이기도 하시고……."

"강 상사와 같죠."

"나이도……."

"이바노프 씨보다는 어립니다."

"네? 네."

그쪽 나이 차이에 비하면 이쪽이 그런 말을 들을 입장은 아니라는 소리였다. 하지만 연하는 무슨 의미인지 이해하지 못한 것 같았다. 렉스는 이런 이야기가 의미가 없다는 걸 깨닫고 다시 침묵을 지켰다.

엘리베이터가 거의 1층에 닿을 때쯤 이번에는 연하가 물었다.

"파트로네스가 있다는 건 어떤 느낌이에요?"

"글쎄요……. 저도 수십 년 만에 뵌 거라."

연하는 고개를 갸웃했다.

"하지만 파트로네스와 클리엔테스는……."

마침 엘리베이터가 도착해서 두 사람은 내렸다. 그리고 엘리베이터 앞에서 서로 마주 보고, 렉스는 대답했다.

"파트로네스와 클리엔테스는 가족이 아닙니다. 같은 감염원을 가졌다는 것에 의미를 부여했을 뿐이죠. 특히 이바노프 씨는 클리엔테스를 두지 않는 걸로 유명하시죠. 잠깐 다 같이 지낸 적이 있긴 합니다만……."

렉스는 아일을 떠올렸다. 한동안 이바노프 클랜이 함께 지냈던 섬, 그리고 필립과 애나, 주민들, 그로서도 정말 가족을 가진 것 같았던 순간. 지금은 모든 사람이 떠난 무인도로 어떤 모습일지도 알 수 없는 섬을…….

연하가 뒷말을 기다리고 있어, 렉스는 그녀를 보고 말했다.

"둘째가 사고로 죽고 다시 뵌 건 불과 얼마 전입니다."

"아……."

연하는 숙연한 얼굴이 되었다.
"그리고 셋째는……."
렉스가 말을 꺼내고는 잇지 않자 연하는 그를 보았다.
"셋째도 있어요?"
"네. 있습니다."
렉스는 연하를 똑바로 보며 말했지만 그녀는 설마 그게 자신을 의미하는 거라고는 생각지도 못하는 얼굴로 웃었다.
"부럽네요."
"파트로네스가 있으면 좋을 것 같습니까?"
"아뇨. 딱히?"
연하는 단번에 대답했다. 이반에게 미안해질 정도로. 그러더니 이어 말했다.
"기증자가 어떤 사람일까 궁금한 적은 있지만 결국은 모르는 사람이고……. 좋을 것까지 있나? 뭐, 그 정도 느낌이에요."
그때 무전이 들어와 연하는 대답했다.
"여덟, 갑니다."
그리고 연하는 렉스를 다시 보았다.
"그럼 가볼게요."
렉스는 고개를 끄덕였다. 연하는 돌아섰다가 무슨 생각이 났는지 돌아보고 말했다.
"하지만 소장님이나 국장님이 파트로네스라면 좋을 것 같아요."
그러고는 회장 안으로 사라졌다. 렉스는 역시 자매는 자매인가, 생각했다. 저런 아무것도 모르는 얼굴로 사람을 들었다 놨다 하는 게.
그때 위로 올라갔던 엘리베이터가 열리고 이반이 내렸다. 꽤 차가운 표정으로.
"쓸데없는 소리를 하는군. 네 녀석이 안 된다고 깽판 치고 가려는 거면 다시 생각해."

이반은 말하고 렉스를 지나 걷기 시작했다. 렉스는 따랐다.

"강 상사도 어린애가 아니라는 의미입니다."

이반은 어깨 너머로 렉스를 보았다.

"그건 내가 제일 잘 알아."

"그런데 왜 아무것도 알려주지 않으십니까? 12년 전이라면 모르겠지만 강 상사도 스스로 선택할 수 있는 나이가 됐습니다."

이반은 기막혀하며 걸음을 멈추고 돌아섰다.

"언제부터 연하의 대변인으로 취직했어?"

아마 렉스에게 규하와 연하의 상황이 겹쳐 보였기 때문일 것이다. 둘 다 자신의 인생을 뒤흔들 수 있는 정보에서 배제되어 있었고, 규하는 알았다. 그리고 그녀는 선택했다. 렉스에게는 최악의 결과지만, 그는 연하도 응당 그럴 수 있어야 한다고 생각했다.

"하지만 처음에 분명히 말하지 않았나? 무섭다고."

이반은 말했고, 렉스는 미간을 찌푸렸다.

"진심이었습니까?"

이반은 기가 막힌다는 얼굴이었다.

"대체 내 말 어디가 농담으로 들리는지 좀 말해주지 않겠어?"

"당신은 이반 이바노프가 아닙니까?"

그러자 인간이었을 때 이미 왕 중의 왕, '샤한샤'로 불렸던 남자는 태연히 말했다.

"이반 이바노프는 수많은 이반들 중 하나일 뿐이니까."

아무개에 다름없는 이름이 그 나름대로의 해학이라는 건 렉스도 알고 있었다. 하지만 고양이가 호랑이가 될 수 없듯이 호랑이도 고양이가 될 수 없는 법이었다.

렉스는 말했다.

“강 상사가 이제 와서 왜 자신을 뱀파이어로 만들었느냐고 탓할 것 같진 않습니다만…….”

“아니.”

이반은 단호했다.

“그냥 파트로네스에 불과해질까 봐 무서웠던 거겠지.”

렉스는 물끄러미 이반을 보았다.

“애초에 기다릴 생각 따위 없었던 것 같군요.”

“나도 그렇게 생각해.”

이반은 말하고 탓하듯이 렉스를 보았다.

“그래도 노력 중이었는데 말이야.”

연하는 벽 앞에 서서 사람들을 훑었다. 하나같이 잘 차려입은 사람들은 서로 웃으며 인사를 나누었다. 사람들은 곳곳에 위치한 경호원들을 석상쯤으로 여기는 경향이 있어서 그들의 시선은 거의 의식하지 않았다. 그래서 연하는 특별히 시선을 숨기지 않고 그들을 꼼꼼히 관찰했다.

이반은 멀리서 그 모습을 보고 있었다.

‘확실히…… 연하가 나중에 내게 올 거라 생각했던 건 막연한 자신감이었는지도 모르지.’

아까는 드물게 당황해서 머리 이야기를 하며 말을 돌려 버리고 말았지만, 렉스가 한 말은 의미가 있다는 걸 인정했다. 연하는 눈앞에 있는 것에서 눈을 돌리는 성격이 아니었으니까.

게다가 어째서인지 이반은 여태까지 렉스가 말한 시나리오는 생각해 본 적이 없었다. 연하가 다른 뱀파이어를 사랑하게 된다거나, 그녀가 사랑하게 된 남자가 우연한 기회에라도 뱀파이어가 된다거나. 그리고 그 남자가 죽지 않는다면…… 그는 무엇을 할 것인가?

이반은 조금 인상을 썼다. 매우 좋지 않은 생각을 할 뻔했다.

그런데 연하가 지나가는 여자들을 보고 있었다. 그것도 아주 빤히. 그래서 이반도 지나간 여자들을 돌아보았다. 이런 장소에서는 으레 그렇듯이 다들 한껏 꾸미고 있었다. 하지만 수상한 점이 있어서 저렇게 보는 것 같지는 않았다. 아니라면 저렇게 꼬맹이가 사탕을 들고 지나가는 사람을 보듯이 하진 않을 테니까. 어쩐지 하늘거리는 드레스 자락을 넋 놓고 보는 것 같았다.

이반은 지금 그의 방에 있는 어떤 물건이 떠오르지 않을 수 없었다.

이반은 연하에게 다가가 물었다.

"왜? 너도 입고 싶어?"

연하는 놀라 돌아보았다. 여자들을 보느라 옆에 다가오는 기척을 느끼지 못한 것 같았다.

"아뇨."

하지만 연하는 반사적으로 대답했다.

"전 군인이니까요. 제게 맞는 건 이거예요."

여자들이 입은 옷을 넋 놓고 보는 걸 보고 그래도 역시 여자는 여자구나 생각했는데 역시 섣부른 판단이었던 모양이다. 하긴, 인간이었을 때 여자다운 차림을 즐겨 입었던 건 여자는 어때야 한다는 학습화된 고정관념 때문이었는지도…… 하고 이반이 생각하는데, 연하가 덧붙였다.

"그냥, 예쁘다고 생각했어요. 국장님도 저런 걸 좋아하실까 하고."

연하는 이반을 마주 보지 못하고 눈을 내리깔고 있었다. 볼이 은근히 붉었다. 그가 아무 대답도 하지 않자 연하는 고개를 갸웃했다.

"국장님?"

"아."

이반은 갑자기 깊은 생각에서 깨어난 듯싶더니, 조금 웃었다.

"자신에게 뭐가 어울리는지 아는 게 좋아."

왠지 쑥스러워져서 연하는 인사하듯이 꾸벅 고개를 숙였다. 이반이 뭐라고 말하려고 할 때 뒤에서 목소리가 들렸다.

"이바노프 국장."

이반은 돌아보았다. 그에게 말을 건 사람은 정확히 기억나지 않지만 어디의 장관 같았다.

"잠깐만."

이반은 연하에게 말하고 장관에게로 다가갔다. 그러면서 흘긋 연하를 돌아보자 그녀는 상기된 얼굴을 가라앉히려고 애쓰고 있었다. 도대체가…… 저런 귀염성이라니, 이반은 믿을 수가 없었다.

반면 렉스는 조금 떨어진 곳에서 그들을 지켜보고 있었다. 저 모습을 셀레나가 봤다면 아마 '썸 타는 십대들 같네요.'라고 말했을 것이다.

렉스는 반대쪽으로 시선을 옮겼다. 사람들을 훑는 것 같았지만 실제로 보고 있는 것은 없었다. 양로원에서 그와 규하가 저렇게 보였을까 싶었다.

[여덟, 2층 여자 화장실 좀 확인해 봐.]

그때 무전이 들어와 연하는 자세를 풀고 계단을 올라갔다. 연하가 움직이는 모습을 발견한 렉스는 이반을 보았다. 이미 이반은 이쪽을 보고 있다가 그와 눈이 마주치자 고갯짓했다. 렉스는 연하를 따라 계단을 올라갔다.

화장실로 들어간 연하는 칸을 하나씩 열어보고 아무도 없는 걸 확인했다. 그러다가 문득 생각했다.

'근데 누구한테서 온 무전이었지? 들어보지 못한 목소리였는데…….'

그때 문이 열리는 소리가 나 연하는 돌아보았다. 여자는 스킨색의 롱드레스를 입고 있었는데 약간 탄력이 있는 새틴 재질의 드레스는 얼핏 아무것도 입지 않은 것 같은 느낌을 주었다. 하지만 여자의 몸매가 너무도 훌륭해 오히려 압도적이라고 할 만한 관능미를 내뿜었다.

여자는 송곳처럼 얇고 높은 하이힐을 부딪치며 들어왔다. 그리고 화장실로는 들어가지 않고, 붉은 클러치를 세면대에 내려놓고 손을 씻기 시작했다. 연하는 고개를 살짝 갸웃했다.

'뭐지.'

여자가 모든 행동을 하면서 똑바로 연하를 보고 있었기 때문이다. 눈도 깜빡이지 않고.

이내 여자는 휴지를 몇 장 빼내 손을 닦으면서 연하를 위아래로 훑었다. 연하는 자신을 해치는 것도 아닌 남의 시선에 굳이 기분 나빠할 이유가 없다고 생각하는 편이었지만 여자의 눈빛은 확실히 유쾌하지 않았다.

여자는 다시 클러치를 들고는, 작게 코웃음을 치며 말하고 화장실을 나갔다.

"너무 작군요."

물론 서양인 특유의 큰 체구를 가진 여자에 비하면 이쪽이 전체적인 느낌은 작겠지만, 초면에 평가라니.

"예의 없는 여자네."

연하는 중얼거렸다. 밖에서 여자가 멈칫하는 게 느껴졌다.

'아참, 들을 수 있지.'

그제야 생각했지만, 머리끄덩이라도 잡으러 온다면 먼저 그쪽이 무례하게 굴었으니 상대해 줄 생각이었다. 하지만 여자는 다시 돌아오지 않았다. 그래서 연하도 화장실을 나왔다. 그런데 복도에 렉스가 서 있었다. 그제야 여자가 멈칫한 게 그 때문이라는 사실을 깨달았다.

여자는 렉스에게서 몇 걸음 떨어진 자리에 멈춰 있었다.

"소장님."

시몬은 웃음기가 섞인 목소리로 말했다.

"대단하군요. 소장님을 바로 움직이는 존재란."

"로스."

렉스가 무심한 어조로 말하자 시몬의 미소가 짙어졌다.

"시몬 드무스티에입니다. 애나 로스는 죽었죠. 낙원에서 쫓겨나면서요."

렉스는 큰 감흥이 없는 얼굴로 시몬을 보았다.

"네가 필립을 죽였으니까."

"필립은 죽지 않았어요."

시몬은 자신의 가슴께를 짚었다.

"이 안에 있죠. 내가 모조리 마셔 버렸으니까."

연하는 뒷모습밖에 보이지 않았지만 여자에게서 어마어마한 악기를 느꼈다. 시몬은 흘긋 연하를 보았다.

"기회를 주셨다면, 저 자리는 제 자리였어요. 전 감염을 이길 자신이 있었으니까요. 실제로도 이겼고요."

무슨 소리인지 이해할 수 없어, 연하는 미간을 좁혔다. 시몬은 다시 렉스를 보았다.

"보호받는 온실 속의 화초……. 그런 게 먹힐 시대는 지났잖아요."

시몬은 렉스를 지나쳐 가면서 말했다.

"하지만 긴장하지 마세요. 오늘은 취임을 축하해 드리러 왔을 뿐이니까요."

시몬은 먼저 모퉁이를 돌아 사라졌다. 이어서 1층으로 내려가면서 두 사람은 아무 말도 하지 않았다. 아마 같은 생각을 하고 있었으리라.

느낌이 좋지 않았다. 특히 연하로서는 지금 자신이 들은 게 무슨 의미인지 알 길이 없었지만, 그런 것 전에 무언가 일이 일어나려 하고 있다— 그런 느낌을 받았다.

아래층으로 내려오자 이반은 금발에 푸른 눈동자를 지닌 미남과 함께 서 있었다. 시몬은 계단 아래 잠깐 멈춰 서 있었다. 그리고 숨을 깊게 들이쉬는 것 같았다. 마치 무언가를 결심하듯. 왜인지는 모르지만 그 순간에 연하는 깨달았다.

'국장을 좋아하는구나, 저 여자.'

시몬은 나아갔다.

"취임을 축하드립니다."

이반은 돌아보았다. 특별히 렉스 같은 무표정은 아니었지만 그의 눈에는 어떤 감정도 뚜렷이 떠오르지 않았다. 시몬은 마치 왕의 간택을 기다리는 후궁처럼 그의 시선을 받았다. 마침내 그녀가 무언가 말하려고 했을 때였다.

"무슨 짓을 꾸미고 있지?"

이반이 차가운 미소로 물었다. 시몬은 입을 다물었다. 그의 청력 반경이 압도적으로 넓다는 사실을 잊고 있었다.

"애석하게도."

시몬은 말문을 텄다. 오랜 세월을 기다려 그에게 처음으로 건네는 말이란 게 고작 이런 것인가 싶어 허무한 마음마저 들었다.

"제가 아닙니다."

이반은 사람들 너머로 렉스를 보았다. 그 의미를 깨달은 렉스는 바로 몸을 돌리려고 했다.

"소장님."

연하가 다급하게 불렀다.

"저도 가겠습니다."

렉스는 이반을 보았고, 그는 고개를 끄덕였다. 이어서 빠르게 사라지는 두 사람을, 경호 업무를 맡은 대원들 몇이 주변을 둘러보고 따랐다.

이반 앞에 서 있는 시몬이 말했다.

"저는 말리려고 했습니다만."

이반은 시몬을 보았다.

"로스."

시몬은 숨길 새도 없이 어깨가 움찔했다. 꿈에서도 다시 듣고 싶지 않은, 찌꺼기 같은 이름이었지만 무엇이든 이반이 불러줬다는 것만으로도 미련한 가슴은 환희로 찼다. 하지만 그의 눈빛에는 아무런 감흥이 없었다.

"언젠가는 내게 변명이 아닌 걸 들고 와야 할 거야."

그게 전부였다. 그러고는 이반은 돌아서 갔다. 시몬이 서 있는 뒤로 하인리히가 고개를 기울였다.

"당신은 거짓말쟁이로군요, 애나 로스."

시몬은 무표정하게 돌아보았다.

"제 이름은 시몬입니다."

하인리히는 웃는 얼굴을 풀지 않고 생각했다. 시몬……. 왜일까. 예수를 세 번 부정했지만 결국 스승을 위해 교회를 세운 시몬 베드로의 이름이 생각난 이유는.

'사실 꿈을 꿨던 건 아닐까.'

규하는 창문을 보며 멍하니 생각했다.

'생각해 보면 그런 남자가 현실일 리 없잖아. 그래, 내가 꿈을 꿔도 너무 양심 없는 꿈을 꾼 거지.'

손목 밴드를 보자 여전히 들어온 연락은 없었다.

렉스는 한 번도 먼저 연락한 적이 없었고, 앞으로도 연락할 일 따위 없었다. 사실 규하도 그가 연락하길 기대하거나 원하지 않았다. 꺼지라고 소리친 건 이쪽이니까. 그런데도 그녀는 시간만 나면 밴드를 들여다보고 있었다.

'미련한 여자 뽑기 대회 같은 건 없나. 지금이라면 1등을 할 자신도 있는데.'

와글와글. 시끌시끌. 이쪽은 심각한데 뒤로 소리가 자꾸만 커져 갔다. 규하는 꾹 관자놀이를 짚었다. 참자, 참자. 하지만 소리는 높아질 수 있는 데시벨의 한계를 모르는 것 같았다.

"와, 나. 이놈의 애새끼들……."

결국 참다못한 규하는 벌떡 일어나며 소리쳤다.

"이것들이!"

정신없이 떠들고 장난치던 아이들이 멈칫하고 규하를 보았다. 당장에라도 소리치려고 했던 그녀는 마음이 약해지고 말았다.

"다 안전벨트 맸어?"

"네!"

아이들은 이구동성으로 외쳤다. 규하는 한숨을 내쉬고 말했다.

"하나라도 안전벨트 안 맸으면 죽는다."

"다 맸어요."

규하는 도로 의자에 앉았다. 그래, 저 혈기왕성한 것들이 이때 아니면 언제 맘껏 떠들어보겠는가. 그리고 선생이 웃고 떠들 마음이 없다고 녀석들이 무슨 죄랴. 규하는 작게 한숨을 쉬고 다시 창밖을 보았다.

버스는 막 다리로 들어서고 있었다. 그런데 길가에 남자가 서 있었다. 규하는 눈을 깜빡였다. 잘못 봤나 싶었지만 다시 봐도 남자는 사라지지 않았다. 여기는 자동차 전용 도로인데.

'위험할 텐데…….'

그런 생각할 때 버스가 남자 앞을 지나갔다. 처음 보는 얼굴이었지만 비웃음을 머금은 눈이 멀어졌다. 규하는 미간을 찌푸리고 앞을 보았다. 이상한 느낌이 들었다. 그건 단순히 '좀 이상한데.' 싶은 막연한 생각이 아니었다. 본인도 이해되지 않을 만큼 압도적인 직감이었다.

규하는 저도 모르게 운전기사에게 외치고 말았다.

"멈춰요!"

그 순간에 놀라 제 입을 막았지만 운전기사가 백미러 너머로 황당한 눈빛을 던졌다.

"에?"

규하의 말에 아이들이 놀라 웅성이기 시작했다.

"선생님?"

규하는 아이들을 불안하게 만들면 안 된다는 걸 알았지만 진정할 수가 없었다. 어쩐지 그날 같았다.

그날, 열차 내부는 조용했다. 열차가 선로를 달리는 소리와 진동이 희미하게 전해질 뿐이었다.

규하는 고개를 들었다. 통로 건너 자리에 앉은 사람들이 뒤척이는 소리, 코를 훌쩍이는 소리, 짐칸에 올려놓은 가방의 끈이 흔들리며 탁탁 부딪치는 소리……. 갑자기 왠지 모든 소리가 가깝게 다가오는 느낌이었다. 그러는 그녀가 의아했는지 옆자리에 앉은 연하도 돌아보고 물었다.

"왜 그래?"

"아니, 그냥."

규하는 기분 탓이려니 하고 고개를 저었다. 그 순간에 무어라 형용할 수 없는 굉음이 나고 세상이 거꾸로 뒤집혔다.

갑자기 전화 벨소리가 울려, 규하는 흠칫 정신을 차렸다. 밴드에 모르는 번호가 떠 있었다.

'설마. 내 인생에 그런 일이 또 있으려고.'

규하는 애써 생각했다. 어쨌든 평소라면 렉스가 아닌 걸 알면서도 그일까 싶어서 정신없이 받았을 테지만 이제 그런 소모적인 기대는 하지 않았다. 규하는 기계적으로 전화를 받았다.

"여보세……."

[멈추세요.]

렉스였다.

"뭐?"

[버스를 멈추세요.]

규하는 주변을 둘러보았다.

"내가 버스에 탄 건 어떻게……."

전화가 끊겼다. 단 1초도 낭비할 시간이 없다는 듯. 규하는 밴드를 보았다. 아무것도 이해할 수 없었지만, 머릿속에 엉망으로 뒤엉킨 실타래를 강렬한 직감 하나가 관통했다. 이건 기분 탓이 아니었다.

"멈춰요!"

규하가 다시 외치자 운전기사는 미친년 보듯이 그녀를 보았다.

"여기서 어떻게 멈춥니까?"

"멈추라고 했잖아요!"

규하는 급한 대로 물병을 잡아 던졌다. 앞창에 물건이 날아와 부딪치자 깜짝 놀란 운전기사는 브레이크를 밟았다. 한창 달리던 버스가 갑자기 속도를 늦추자 뒤따라오던 차들이 거세게 경적을 울렸다. 운전기사는 사나운 눈빛으로 백미러를 쳐다보았다.

"미쳤……!"

그 순간이었다. 앞에서 폭발이 일었다. 두쿵, 하고 진동과 폭음이 뼛골까지 울려왔다.

불꽃과 함께 앞차들이 마치 장난감처럼 날아갔다. 연이어 퉁, 퉁, 다리 철골구조물의 버팀대와 들보에서도 폭발이 일어났다. 경악한 운전기사가 온 힘을 다해 브레이크를 밟았다. 불꽃과 검은 연기가 버스를 덮쳐왔다. 그리고 갑자기 바닥이 사라진 듯이 버스가 쑥 꺼지면서 앞으로 쏠렸다. 아이들이 목이 째져라 비명을 내질렀다.

쿵. 반동과 함께 버스가 멈추었다. 그리고 장막 같은 검은 연기가 걷히면서 버스의 전면 유리에 풍경이 비쳤다. 규하는 날숨을 삼켰다. 탁한 녹색의 입을 벌린 강물을 향해, 아직도 다리의 잔해와 앞차들이 추풍낙엽처럼 우수수 떨어지고 있었다. 아이들은 비명을 멈추지 않았다.

규하는 고개를 돌렸다. 버스가 거의 45도로 기울어 있어 뒤에 앉은 아이들이 높이 있는 모양새였다.

“다 조용히 해!”

규하는 외쳤다. 그러자 평소에는 목이 쉬도록 소리쳐야 겨우 말을 듣는 아이들이 한꺼번에 입을 다물었다. 짧고 굵은 외침에서 심상치 않은 것을 들었기 때문이리라.

“다들 제 짝이 무사한지 확인해.”

한동안 히끅히끅 겨우 억누른 울음 사이로 옷자락이 스치는 소리만이 들려왔다. 규하는 조금 있다가 다시 물었다.

“다친 사람 있어?”

“어…… 없어요.”

규하는 다시 유리 너머를 보았다.

“아무도 움직이지 마. 아무도.”

등줄기를 타고 식은땀이 흘러내렸다. 뭐 때문에 버스가 멈추었는지는 알 수 없었다. 아마 끊어진 다리 단면의 잔해에 걸린 것 같았다. 아까 속도를 늦추지 않았더라면 앞차들처럼 강물을 향해 뛰어들고 있었을 것이다. 폭발은 마치 그들이 탄 버스를 기다렸던 것 같았다.

“곧 구조하러 올 거야. 곧…….”

규하는 중얼거렸다. 그때였다. 밖에서 자동차가 스키드마크를 내면서 미끄러지는 소리가 들려왔다. 규하는 깜짝 놀랐다. 이어서 총성이 들려왔기 때문이다. 무언가 움직이는 표적을 따라가는 것처럼 연달아 울리는…….

밖에서 사람들이 소리치고 달려가는 소리, 그리고 다시 울부짖기 시작한 아이들의 소리가 섞여 그야말로 아비규환이었다. 12년 전 악몽이 재연되는 것처럼.

다리의 폭발과 총소리를 미루어보았을 때, 이건 단순한 사고가 아니라 테러였다. 규하는 깨닫고 운전기사를 보았다. 그는 다리를 부여잡고 고통스러워하고 있었다. 온 힘을 다해 브레이크를 밟느라 다리 인대를 다친 것 같았다. 그녀를 도와줄 수 있는 상태가 아니었다.

규하는 이제 비명도 지르지 못하는 아이들을 보고, 결심했다.

'이번엔 안 돼. 어림없어.'

규하는 안전벨트를 풀고 의자를 발판 삼아 올라가기 시작했다.

"선생님!"

멀리 앉은 윤재가 놀라 불렀다.

"다 움직이지 마."

규하는 의자를 밟고 올라가 비상용 망치가 걸려 있는 좌석 위로 몸을 뻗었다.

"서, 선생님……."

그 자리에 앉은 아이들은 눈으로 보일 만큼 벌벌 떨고 있었다.

"그대로 있어."

규하는 비상용 망치를 주머니에 넣고 가장 끝 좌석까지 올라갔다. 그리고 창밖을 살폈다. 일단 사고 현장에서 날 만한 소음들을 제외하고 총소리는 더 이상 들리지 않았다.

규하는 바로 아래 창가에 앉은 승훈을 보았다.

"승훈아. 선생님 좀 도와줄 수 있겠어?"

승훈은 흠칫하더니 고개를 내저었다. 극도의 공포로 동공이 수축되어 있었다.

"제가 할게요."

그 옆자리에 앉은 윤재가 말했다. 힘은 승훈이 더 좋겠지만 성격은 윤재가 훨씬 차분하니까 차라리 나을 것 같았다.

정상적인 선생님이라면 이건 생각조차 해선 안 되는 일일지도 몰랐다. 하지만 이대로 있다가 또 무언가 잃게 된다면……. 규하는 자신이 죽는 한이 있어도 그런 일은 용납할 수 없었다.

"할 수 있겠어?"

묻자 윤재는 긴장한 눈빛으로 고개를 끄덕였다. 규하는 말했다.

"안전벨트 풀고 이리로 와. 조심히. 승훈이는 비켜주고."

윤재가 용기를 내는 모습을 보고 좀 진정됐는지 다행히 승훈이 움직였다. 규하는 윤재가 나오는 걸 도와주었다. 그리고 자세를 잡고 비상용 망치로 유리의 모서리를 내려쳤다. 처음 해 보는 일이라 쉽지 않았지만 여러 번 내려치자 유리 전체에 균열이 일어났다. 규하가 겉옷을 벗어 팔에 감으려고 하자 윤재가 옷을 잡았다.

"제가 할게요. 그래도 제가 힘이 더 세니까요."

윤재는 허세나 만용 따위 없는 진지한 눈이었다. 규하는 옷을 건네주었다.

"그래. 손 조심해."

윤재는 옷을 팔에 감아 제법 능숙한 동작으로 유리를 밖으로 쳐 냈다. 그리고 둘은 각 끝에서 남은 유리들을 밖으로 쓸어냈다. 그러고는 규하는 창밖으로 몸을 내밀고, 총소리가 났을 때 이쪽으로 피신했는지 모여 있는 사람들을 향해 외쳤다.

"학생들이 타고 있어요! 아이들 좀 받아주세요!"

사람들이 어떡해야 하나 웅성이며 돌아보았다. 그러다가 개중 몇 남자들이 나서는 모습을 보고 규하는 다시 버스 안으로 몸을 넣었다.

"맨 아래서부터 한 사람씩 올라와. 한 사람씩이야."

그런데 아무도 올라오는 기색이 없었다. 아래를 보자 아까 규하의 자리 뒤에 앉아 있는 은혜가 고개를 전부 돌리지도 못하고 울먹거리고 있었다.

"모, 못 하겠어요. 너무 무서워요."

규하는 말했다.

"안 무서워. 탈출하는 거잖아."

"하, 하지만……."

"선생님 말대로 안전벨트 맸더니 다들 무사하잖아. 선생님 믿지?"

은혜는 겨우 심호흡을 하며 앞을 보았다. 그리고 몇 번이나 안전벨트를 풀려 했지만 도저히 엄두가 나지 않는 모양이었다. 천 길 낭떠러지 아래를 마주 보고 있는 상황에서 쉽게 용기를 내기 힘들다는 걸 이해했다. 하지만 규하는 마음이 급해져 말하려는데, 갑자기 은혜에게서 대각선 자리에 앉아 있는 가연이 안전벨트를 풀고 일어났다.

"일어나. 도와줄게."

은혜는 마침내 울음을 삼키고 안전벨트를 풀었다. 그리고 가연의 도움을 받아 덜덜 떨리는 팔다리로 좌석을 짚으며 올라오기 시작했다. 그제야 용기를 되찾은 몇몇 남자아이들이 도와주겠다고 나서는 것을, 규하는 가만히 있으라고 엄포를 놓았다.

규하와 윤재는 위로 올라온 은혜가 밖으로 나갈 수 있도록 도와주었다. 밖에서 남자들이 은혜를 받아주었다. 그렇게 아이들은 하나씩 탈출하기 시작했다.

이내 규하는 얼마 남지 않은 아이들을 훑어보고 말했다.

"가연이도 올라와."

그때 멀리서 헬기가 날아오는 소리가 들렸다. 규하는 창밖을 살폈다. 구조대일까?

"어……!"

"저, 저기!"

그런데 갑자기 아이들이 비명을 지르며 난리를 쳤다. 규하는 다급히 아래를 내려다보았다. 버스 앞 유리 너머로 다리 기둥을 타고 무언가가 빠르게 올라오고 있었다. 분명히 사람의 형체를 한…….

그것은 엄청난 거리를 점프해서 버스 앞 유리에 들러붙었다. 아이들은 자지러지도록 비명을 질렀다.

"흐, 흡혈귀야!"

아까 그 남자였다, 찻길에 서 있던.

남자와 눈이 마주친 규하는 온몸에 소름이 끼쳤다. 그는 씩 웃더니, 단번에 주먹으로 유리를 뚫었다. 콰장창. 시끄러운 소리가 났다.

남자가 맨손으로 잡아 뜯은 앞 유리가 통째로 떨어져 나갔다. 그리고 남자는 안으로 들어오려는 듯 손을 넣어 안쪽을 잡았다. 그때였다. 버스 뒤가 번쩍 열렸다. 통조림을 따듯이.

햇빛이 쏟아졌다. 하지만 규하는 돌아볼 새도 없었다. 빠르게 지나간 검은 무언가가 단숨에 아래까지 도달해 흡혈귀에게 총을 연사했다. 흡혈귀는 잽싸게 위로 기어 올라갔다. 천장에서 쿵쿵, 발소리가 들렸다. 검은 사람은 주저 없이 옆 창문에 총을 쐈다. 그리고 어깨로 유리를 밀어내는 동시에 밖으로 몸을 내밀고 여러 차례 총을 쏘아댔다.

몇 번 위에서 춤을 추듯 쿵, 쿵, 움직이던 인기척이 사라졌다. 검은 사람은 다시 몸을 집어넣고 휙 돌아보았다. 규하는 미간을 찌푸렸다.

'여자?'

얼굴 절반을 가리는 검은 마스크를 쓰고 있었지만 한눈에도 아이들만큼 어리다는 걸 알 수 있었다.

"빨리!"

마스크 너머로 외치는 목소리는 기계음이었다. 하지만 규하는 질문 따위 하지 않았다. 그런 건 모두가 안전해지고 난 다음의 일이었다.

"다들 빨리 올라가!"

규하는 외쳤다. 왜소해 보이는 여자는 가연을 한 팔로 번쩍 안아 올려주었다. 가연은 깜짝 놀랐지만 역시 우선순위를 가릴 줄 아는 아이라서 최대한 빨리 올라왔다. 여자는 밖을 경계하면서 운전기사까지 데리고 올라오기 시작했다. 성인 남자를 가볍게 둘러메는 힘은, 그녀가 인간이 아니라는 증거였다.

아이들이 모두 밖으로 나가고 가연을 포함해 서너 명밖에 남지 않았을 때쯤이었다. 끼익. 불길한 소리가 나더니 버스가 앞으로 기울었다.

으아악, 아아악! 좌석 뒤에 몸을 숨긴 아이들이 목을 놓고 비명을 질렀다. 규하도 눈을 부릅뜨고 바람이 훤히 들어오는 아래를 바라보고 있는 수밖에 없었다.

쿵 소리를 내며 버스가 다시 멈추었다. 꽉 다문 규하의 입술 사이로 거친 숨이 비집고 나왔다. 이제 버스는 거의 일직선이었다. 아이들도 아직 살아 있다는 게 믿기지 않는지 숨을 몰아쉬다가, 거의 성토하듯이 외쳤다.

"아, 이 씨발……!"

"미, 미친!"

그때 규하는 결심했다. 이 자리에서 살아나간다면 다시는 욕을 하지 않겠다고. 아무래도 이 녀석들이 욕쟁이 담임을 닮아가는 것 같았다.

"괜찮아요?"

규하는 아래를 보고 외쳤다. 여자는 그들처럼 좌석 뒤에 몸을 숨기고 있었다. 그리고 버스가 멈췄다 싶자 바로 운전기사를 둘러업고 다시 올라오기 시작했다. 아래가 훤히 뚫려 있는 상황에서 웬만해서는 흉내도 낼 수 없는 담력이었다.

그런데 그때, 남은 아이들이 동아줄을 붙잡은 해님 달님 남매처럼 위로 쑥 딸려 올라갔다.

"어, 어……!"

아이들이 놀란 소리를 터뜨렸다. 규하도 놀라 외치려고 했지만, 여자처럼 검은 전투복을 입은 사람들이 아이들을 끌어 올리고 있었다. 여자와 다른 점은 좀 더 무장하고 있다는 점이었다. 그들 중 한 사람이 말했다.

"여덟, 선생님부터……."

어느새 옆까지 올라온 여자는 힐긋 규하를 보았다.

"아뇨. 아이들부터 대피시키세요."

마치 아이들이 대피하지 않은 상황에서 규하가 먼저 대피할 리 없다는 사실을 아는 것 같았다.

그러고는 여자는 고통에 신음하는 운전기사를 무장한 사람들에게 건네주었다. 군인 같아 보이는 사람들은 아이들과 운전기사를 데리고 버스를 내려갔다. 이어서 여자는 뚜껑이 열린 버스 단면을 잡고 팔 힘으로만 몸을 끌어 올려 위로 올라갔다. 그리고 뒤돌아서 규하에게 손을 내밀었다.

또렷한 검은 눈동자…….

"어서."

짧지만 강한 어조에 규하는 저도 모르게 손을 뻗었다. 그런데 갑자기 여자의 눈빛이 날카롭게 변했다.

여자가 몸을 돌린다고 느낀 찰나였다. 규하가 눈을 감았다 뜨자 우뚝 서 있는, 아까와는 다른 흡혈귀가 팔로 여자가 돌려 찬 다리를 막고 있었다. 순간이었지만 규하는 그 팔에 전해지는 돌려차기의 파워, 팔의 피부가 밀리는 에너지를 느낄 수 있었다.

남자는 이를 드러내며 으르렁거렸다. 그리고 출발 신호라도 내려진 것처럼 남자와 여자가 동시에 사라졌다. 그러고는 멀리 어디선가 시끄럽게 부딪치는 소리가 들려왔다.

그리고 어떤 우악스러운 손이 규하의 목을 휘어잡았다.

"……!"

그대로 규하는 몸이 딸려 올라갔다. 빛과 바람이 얼굴을 할퀴고 지나갔다. 마치 허공이 그녀를 잡아채 올린 것 같았다. 규하는 숨을 삼키고 바람이 새는 것 같은 소리를 흘렸다.

"넌……."

12년 전 악몽의 그날과 조금도 다르지 않은 얼굴을 한 거구의 흡혈귀가 규하의 목을 잡아 위로 쳐들고 있었다. 그녀는 졸린 목으로 겨우 숨을 들이켜고 힘겹게 말했다.

"또 너, 냐……. 이 좆 같, 은 새끼."

아직 살아나간 건 아니니까 욕을 하지 않겠다는 약속은 미뤄놔도 될 것 같았다.

그러자 12년 전에는 한 마디도 하지 않았던 거구의 흡혈귀가 굵은 목소리로 말했다.

"계집이 여전히 입이 걸어."

규하는 시대가 어느 때인데 계집 타령이냐고 외쳐 주고 싶었다. 하지만 흡혈귀가 손아귀에 더 힘을 주어 말을 할 수가 없었다. 목뼈에서 삐거덕거리는 소리가 들려왔다.

"개, ㅅ…… 조…… ㅊ까……."

그럼에도 불구하고 규하는 최선을 다해 말했다. 흡혈귀는 기가 막힌 것 같았다. 그때였다.

"놔라."

흡혈귀는 얼핏 제 어깨 너머를 보았다.

"야크트훈트."

어느새 흡혈귀 뒤에 렉스가 서 있었다. 흡혈귀의 목 뒤에 손잡이를 잡은 장검을 반대로 댄 채로. 규하는 눈을 부릅떴다.

"사냥개가 나타났군."

흡혈귀가 이죽거렸지만 렉스는 대답하지 않았다. 순간 알아보지 못했을 정도로 그는 낯선 모습이었다. 짧은 머리, 검은 제복, 한 번도 그와 함께 떠올려 본 적 없는 장검, 그리고…… 붉은 눈.

흡혈귀는 규하를 쳐다보았다.

"수고하는군. 이런 쓸모없는 것들을 지키느라. 겨우 얻은 영생인데 말이야. 너도 잘 생각해 보면……."

"아무것도 포장하지 마."

렉스는 차갑게 잘랐다.

"너희들은 공존이 머리 아플 뿐이니까. 닥치는 대로 부수고 죽이고 어지르면서 살고 싶은 것뿐이지. 그것도 네 삶의 방식이라면 내 알 바 아니지만 여기선 허락하지 않으니까 꺼져."

규하는 렉스가 이런 식으로 말하는 건 처음 보았다. 어조는 평이했지만 그는 정말로 화가 난 것 같았다.

거구의 흡혈귀는 낮게 으르렁거렸다. 그리고 누구에게 하는지 알 수 없는 말을 중얼거렸다.

"예거다. 퇴각해."

이어서 사라졌다. 흡혈귀가 일부러 거세게 박차고 뛰어오른 버스가 마침내 다리 끝에서 미끄러졌다. 섬뜩하게 낯선 부유감이 규하의 몸을 사로잡았다. 떨어진다— 생각한 순간이었다. 렉스가 검을 돌려 잡고 그녀의 허리를 안았다. 그리고 다리 근육의 힘만으로 도약했다. 그야말로 엄청난 높이를.

11m가 인간이 제일 공포를 느끼는 높이라던데 단번에 훨씬 높이 올라가자 규하는 공포심도 느껴지지 않았다. 아니면 렉스를 보느라 아래를 볼 겨를이 없었기 때문인지도 몰랐다.

렉스는 다리 위에 가볍게 착지했다. 그제야 투웅, 하고 버스가 수면에 부딪치는 소리가 들려왔다. 그는 규하를 놓아주었다. 서로 응시하기를 잠깐, 그녀는 흠칫 정신을 차리고 주변을 둘러보았다.

"잠깐. 애들은?"

현장은 이상할 만큼 조용했다. 차들이 다 급히 멈춰 선 모양으로 버려져 있었고, 사람들은 없었다. 꼭 재난이 닥친 도시에 사람들만 전부 사라진 것 같은 모양새였다.

"현장은 위험하기 때문에 일단 모두 대피시켰습니다."

렉스가 말해, 규하는 다시 그를 보았다. 그의 뒤쪽에서 머리부터 발끝까지 무장한 군인들이 주변을 엄호하며 다가오고 있었다.

렉스는 규하를 응시하며 말했다.

"선생님도 대피하시기 바랍니다."

선생님…….

대원들이 규하를 반 아치 형태로 둘러쌌다. 찰나, 현장에 기묘한 정적이 감돌았다. 렉스는 시선을 내려 규하의 목을 보았다. 그때는 몰랐지만, 그녀는 전혀 느끼지 못했다는 게 이해되지 않을 정도로 목이 새까맣게 멍들어 있었다.

렉스는 돌아섰다.

"잡아. 한 놈도 빠짐없이."

그리고 누구에게 하는지 알 수 없는 말을 하고, 다리 아래로 뛰어내렸다. 규하는 움찔했지만 그를 잡으려 달려 나갈 뻔했던 다리에 힘을 주었다.

"가시죠."

무장 때문에 얼굴이 전혀 보이지 않는 대원이 말했다. 규하는 그 말에 따랐다. 일단은 아무것도 생각하지 않을 예정이었다. 아이들이 모두 무사한지 확인하는 것, 그게 먼저였다.

"선생님!"

아이들은 응급실로 들어오는 규하를 보자마자 달려들어 울음을 터뜨렸다. 응급실은 한동안 울음바다였다. 규하도 아이들을 끌어안고 있자 눈물이 날 것 같았다. 정말 사지에서 살아 돌아온 것이다, 이번에는 누구 하나 죽는 사람 없이.

이 기적을 믿을 수 없어 규하는 아이들을 하나하나 훑어보았다.

"다들 괜찮아? 다친 사람 없어?"

아이들은 소란스럽게 대답했다.

"네, 괜찮아요."

"안 다쳤어요."

아직 다른 사상자는 집계되기 전이지만 규하의 반 아이들은 모두 작은 타박상만 제외하고 무사했다.

규하는 한참 아이들 상태를 체크하고, 타박상이라도 상처가 난 아이들은 의사들이 처치하는 모습까지 보고서야 비로소 의자에 앉았다. 그리고 응급실 입구와 복도를 지키고 서 있는, 정체를 알 수 없는 군복을 입은 사람들을 돌아보았다. 그들은 남자건 여자건 당장에라도 전투태세에 돌입할 수 있는 자세로 총을 들고 마네킹보다 표정 없이 서 있었다.

규하는 일어나 응급실 복도로 나섰다. 그리고 나이로 보아 계급이 가장 높을 것 같은 남자 군인에게 말을 걸었다.

"저기요. 아까 저희를 구해준 여자분 말인데……."

그런데 남자는 허공에 시선을 고정하고 꿈쩍하지 않았다. 규하가 보이지도 들리지도 않는다는 듯이.

"이봐요?"

규하가 의아해 다시 불렀지만 남자는 역시 대답하지 않았다. 규하는 미간을 찌푸리고 남자를 훑었다. 옷에 아무런 마크가 없었다.

"사람이 말을 하면……."

갑자기 남자가 알은체를 하는 것처럼 살짝 고개를 끄덕였다. 그리고 뒤에서 목소리가 들려왔다.

“그들은 본인의 임무를 수행하고 있을 뿐입니다.”

규하는 뒤돌아보고 싶지 않았지만, 뒤돌아보았다. 렉스는 검을 들고 있지 않다는 것만 제외하고 아까와 같은 모습이었다. 하지만 그녀를 내려다보는 붉은 눈동자가 차갑고 무감동했다. 오히려 이쪽이 가짜 눈처럼.

규하는 휙 몸을 돌렸다. 뒤쫓는 시선이 느껴졌지만 돌아보지 않았다. 그리고 응급실로 돌아와 아이들 곁에 앉았다. 갑자기 아이들이 입구를 보고 수군거리기 시작했다. 이유는 보지 않아도 뻔했다.

렉스는 응급실로 들어와 입구를 지키고 있는 군인 중 한 명에게 무어라 말했다. 군인은 고개를 끄덕이고 밖으로 나섰다. 대신 렉스가 그 자리에 섰다.

“대박. MCTC야.”

밀리터리에 관심이 많은 기준이 거의 감격해 말했다.

“그게 뭐야?”

다른 아이들은 어리둥절한 얼굴이었다. 기준은 우매한 군중을 보듯 기막혀했다.

“다국 대테러부대 연합 말이야, 루아스들이 소속된. 몰라?”

“그럼 저 사람들 진짜 뱀파이어야?”

우매한 군중이 된 건 어쨌거나 아이들은 웅성거리며 군인들 쪽을 돌아보았다. 뱀파이어의 존재가 공공연한 세상이라고 해도 일반인들이 뱀파이어를 볼 기회는 많지 않았기 때문이다. 있다 하더라도 제 옆을 지나가는 게 뱀파이어라는 걸 모르기도 했고.

갑자기 규하가 벌떡 일어났다. 아이들은 깜짝 놀라 그녀를 보았다.

“선생님?”

규하는 대답하지 않고 단호한 몸짓으로 다가가 렉스 앞에 섰다. 그는 그녀를 처음 보는 사람인 양 무심한 얼굴로 내려다보았다. 규하는 찌르듯이 바깥쪽을 가리켰다.

"나가주세요. 저희 아이들, 흡혈귀한테 공격받아서 여기 와 있거든요. 아이들 심정을 좀 생각해 주셨으면 좋겠는데요."

차별적인 말이라고 생각하는지 다른 군인이 인상을 썼다. 하지만 규하는 누가 어떻게 생각하든 좋았다. 렉스가 시야에 있는 한 생각을 제대로 할 수 없었다.

"실례했습니다."

렉스는 심상하게 대답하고 응급실을 나가려고 했다. 그 순간 바깥에서 소란스러운 소리가 들이닥쳤다.

"비켜주세요!"

그리고 달려 나온 의사와 간호사들이 외치고 응급실 밖으로 뛰어나갔다. 다음 사상자 그룹이 도착했는지 병원 입구가 시끄러웠다. 의료진이 뛰어나가는 김에 열려 있는 응급실 문 너머로 구급차의 불빛이 번쩍거렸다. 규하는 가슴이 무거워졌다. 다행히 그녀의 반 아이들은 무사했지만 12년 전 사고 때 풍경이 떠올라서…….

그런데 입구에 어지럽게 뒤섞이는 사람들 사이로, 한 여자가 규하의 눈에 들어왔다. 피범벅이 된 환자를 안고 들어오는…….

"베드 가져와!"

의료진이 여자가 안고 있는 환자를 보고 소리쳤다. 여자는 환자를 이동식 침대에 올려놓았다. 그러자 의료진이 덤벼들 듯이 환자를 처치하고, 여자는 그들에게 공간을 내주기 위해 뒤로 물러섰다.

의료진은 환자의 상태를 확인하고 응급실로 이동식 침대를 끌고 달려오며 사람들에게 소리쳤다.

"비켜, 비켜요!"

규하 옆으로 그들이 지나가는 너머, 여자가 이쪽을 보았다. 두 사람은 눈이 마주쳤다. 여자는 여전히 마스크를 쓰고 있었지만 눈만은 똑바로 볼 수 있었다. 하지만 여자는 몸을 돌렸다. 낯선 사람인 규하가 그녀에게 어떤 감정도 불러일으키지 않는다는 듯이.

"저기, 잠깐……."

규하가 따라가려는데 렉스가 팔을 내밀어 막았다. 규하는 그를 보았다.

"비켜."

"들어가시죠."

렉스는 무표정하게 말했다. 규하는 그를 무시하고 지나가려고 했다. 하지만 렉스가 팔을 잡았다. 규하는 얼굴을 일그러뜨리고 돌아보았다.

"이거 놔."

그러자 렉스는 순순히 손을 놓았지만 결코 가게 놔두지 않겠다는 의지만은 분명한 얼굴이었다. 두 사람이 대치하고 있자 사람들이 하나둘 돌아보기 시작했다.

"다른 사람들이 일을 하는 데 방해가 됩니다. 안으로 들어가 주시길 바랍니다."

렉스가 말하는 뒤로 여자가 막 모퉁이를 돌아가고 있었다. 규하는 마음이 급해져 말했다.

"비키라고 했어."

여전히 렉스는 움직이지 않았다. 규하는 그냥 그를 밀치고 지나갔다. 렉스가 다시 팔목을 잡아 규하는 거의 반동을 일으킬 만큼 세게 돌려세워졌다. 규하는 울컥했다. 그녀가 높이 손을 들었을 때, 경비를 서고 있는 MCTC 대원들은 생각했다.

'설마 때리려고.'

손이 내려갈 때도 렉스가 움직이지 않자 생각했다.

'설마 맞아주려고.'

살갗이 부딪치는 소리가 날카롭게 울렸다. 모두는 움찔했다.

"놔!"

힘을 완전히 빼고 있어서 고개가 살짝 돌아가긴 했지만 렉스는 아무렇지 않은 얼굴로 말했다.

"들어가 달라고 이야기했습니다."

여자는 거의 보이지 않았다. 규하는 더 이상 입씨름하기를 포기하고 뛰쳐나가며 소리쳤다.

"강연하!"

렉스는 막 제 곁을 지나가는 규하의 허리를 한 팔로 안아 막았다. 하지만 규하는 개의치 않고 모퉁이를 향해 외쳤다.

"너 강연하지!"

"소란은 그만두십시오."

"아니라면 얼굴을 보여줘! 강연하! 너 강연하잖아!"

규하는 울부짖었다. 렉스는 슬프다고 해야 할지, 안쓰럽다고 해야 할지, 분노와 비슷한 감정이 치밀었다. 워낙 정신이 없는 상황이라 메시지 전달에 혼선이 있었던 모양이다. 하필 사상자들이 이송되고 있는 여러 병원 중에서 딱 규하가 있는 곳으로 연하가 오다니.

"강연하!"

규하를 멈추게 해야 했다. 렉스는 팔의 힘으로만 그녀를 들어 한쪽 어깨에 업었다. 지켜보는 모두의 눈이 화등잔만 해졌다. 하지만 정작 당사자인 규하는 그가 그러거나 말거나 고래고래 소리칠 따름이었다.

"누굴 안면인식장애로 알아! 내가 널 못 알아볼 리가 없잖아! 이거 놔! 놓으라고!"

그대로 렉스가 성큼성큼 복도를 걸어가자 사람들은 규하가 정신없이 휘젓는 다리에 치일까 봐 분분히 물러섰다.

"귀가 먹었어? 내려달라고 했잖아! 내려놔!"

규하가 소리쳐도 렉스는 성실한 짐꾼처럼 묵묵히 그녀를 들쳐 업고 갈 뿐이었다.

규하는 눈에 눈물이 차올랐다. 모퉁이 너머로 사라진 여자는 이제 보이지 않았다. 그녀는 또 연하에게 갈 수 없었다. 바로 눈앞에 있는데. 이렇게 손만 뻗으면 닿을 것 같은 거리에 있는데.

"가지 마……. 제발."

규하는 숨이 끊어질 것 같아 중얼거렸다. 렉스는 꾹 이를 물었다. 규하는 마지막 힘을 끌어모아 외쳤다.

"강연하!"

렉스는 지나가는 길에 있는 아무 문이나 열고 들어가, 뒤로 쾅 소리가 나도록 닫았다. 그 충격에 복도가 몇 초간 후두둑 흔들려 막 모퉁이를 돌아온 간호사가 깜짝 놀랐다. 떨림은 금세 멎었다. 간호사는 고개를 갸웃하고 걸어왔다. 그녀가 여전히 이상한 점을 찾지 못하고 지나간 곳에는 '보관실' 팻말이 붙어 있었다.

연하는 도로로 걸어 나왔다. 이미 사방에 저녁 기운이 가라앉고 있었다. 다급한 사이렌을 울리는 구급차가 그녀를 지나 병원으로 들어갔다. 다시 밖으로 뛰어나온 의료진이 외치는 소리가 시끄러웠다.

그때 연하 앞에 검은 차가 미끄러지듯이 와 멈추고, 차 문이 열렸다. 차 안의 어둠이 그녀를 반기고 있었다. 연하는 차에 올라탔다. 뒤는, 돌아보지 않았다.

공간은 좁고 어두웠다. 갓 말린 빨래의 냄새가 나는 것 같은데 정확히 알 수 없었다.

규하는 숨을 몰아쉬었다. 입안이 온통 점령당해 숨을 쉬는 게 여의치 않았다. 입을 틀어막고 있는 열감이 질척한 소리를 내며 마찰했다.

규하는 몸이 흠칫 떨렸다. 하지만 뭔가 푹신한 곳에 못 박힌 채 렉스에게 눌려 있어 꼼짝도 할 수 없었다. 차오른 눈물이 볼을 타고 흘러내렸다.

렉스가 살짝 입을 뗐다. 규하는 숨을 몰아쉬며 가만히 있었다. 두 입술에서 흘러나온 숨결이 뒤얽혔다. 그런 상태로 꽤 오랜 시간이 지난 것 같았다. 바깥에서 이동식 침대가 지나가는 소리, 사람들이 걸어가는 소리, 누군가를 찾는 외침 같은 것들이 들려왔다.

규하는 거의 몸의 떨림이 잦아든 것 같았다. 그녀는 그의 어깨에 손을 짚은 그대로 움직이지 않았다. 렉스는 말했다.

"이만 놓아주실 수 있겠습니까?"

"싫어."

규하는 오히려 팔에 더 힘을 주며 그에게로 고개를 기울였다. 그에게 기댄다기보다, 지금 얼굴을 보이기 싫어하는 것 같았다.

"네가 여기 데려온 거잖아."

품속에서 웅얼거리는 규하를 보며, 렉스는 눈을 내리떴다. 맞닿은 몸이 고통스러울 정도로 의식되었다. 혈관으로 뜨거운 피를 뿜어내는 심장의 박동, 피부에 스치는 숨결, 떨리는 허리, 그리고 다리 사이의 흥분한 냄새…….

겨우 규하에게 닿지 않도록 힘을 주고 있는 두 손이 저절로 좁혀들어, 그녀의 가는 허리를 쓸었다.

"참기가 힘듭니다."

거리낄 것 없는 손길에 놀라 규하는 흠칫 고개를 들었다. 닫힌 블라인드의 틈으로 햇빛 한 줄기가 비쳐 들어, 햇빛의 창이 붉은 눈동자를 뚫고 지나갔다.

충동이었는지, 극대화된 감정에 정제된 본능이었는지, 규하는 렉스에게 키스했다. 렉스는 놀라지 않았다. 오히려 더 깊이 키스를 되돌려 주었다. 둘은 서로 밀고 당기면서 정신없이 입 맞추었다. 남자의 손이 블라우스 아래로 브래지어까지 단숨에 밀고 들어와 젖가슴을 움켜쥐었다.

"읏……!"

규하는 신음을 터뜨렸다. 다행히 렉스의 입에 막혀 있어 소리는 새어 나가지 않았다. 하지만 세상 사람이 모두 들었다고 해도 신경 쓰지 않았을 것이다.

그가 가슴 끝을 문지르고 있을 뿐인데 규하는 이미 참을 수 없는 느낌이었다. 할딱거리는 숨을 겨우 삼켰다. 가슴을 떠난 손이 그녀의 바지춤을 파고들었다. 역시 주저 따위 없었다. 부끄러울 만큼 젖어 있는 깊은 곳까지 단번에 파고들었다. 규하는 목을 젖혔다. 몸이 터져 버릴 것만 같아 눈물이 고였다. 깊은 곳에 틀어박힌 손가락이 예민한 곳을 건드렸다. 그녀는 더 이상 젖을 수 없을 정도로 젖어들었다.

"갈 것, 갈 것 같……."

규하는 헐떡임인지 말인지 알 수 없는 것을 내뱉었다. 이 정도로 예민하게 느껴지는 감각은 통각에 가까웠다. 쥐어짜지는 것 같기도 하고, 용암을 뒤집어쓴 것 같기도 했다. 온몸이 절절 끓었다.

렉스는 손을 빼내자마자 규하를 돌려세웠다. 규하는 숨을 몰아쉬었다. 바지와 속옷이 한꺼번에 내려가고, 다소 거칠게 벨트를 푸는 소리가 들렸다.

렉스는 손으로 그녀의 엉덩이 사이를 가르고, 남성을 단번에 밀어 넣었다. 규하의 온몸이 환희로 부르짖었다. 그가 손으로 막고 있지 않았더라면 온 건물이 다 울리도록 소리치고 말았을 것이다. 아마 그때 살짝 절정에 오른 것 같았다.

렉스는 지체하지 않고 움직이기 시작했다. 끝까지 빠져났다가 끝까지 밀고 들어왔다. 그에 규하는 무언가 푹신한 것을 담은 자루에 거의 처박히다시피 했다. 그의 것은 한 치 빈틈없이 규하를 메워와, 그녀는 미칠 것 같았다.

'맛있어, 너무…….'

아래가 또 다른 입이 되어 게걸스럽게 그의 것을 탐식했다. 단단한 손에 막혀 있는 입안에 진득한 침이 고였다. 규하는 뜨거운 숨을 뿜어내며 자루를 쥐어뜯었다.

'안 돼, 그만…… 갈…….'

"괜찮아."

렉스가 갑자기 말했다. 무슨 소리인가 싶어 규하는 엉킨 실타래 같은 머릿속에 얼핏 의문이 떠올랐다. 하지만 그가 움직임을 멈추지 않아 생각이 더 이어지지 않았다.

"그래, 무슨 일 있으면 이야기해."

렉스는 도저히 이런 상황이라고는 생각할 수 없는 예사로운 음성으로 말하고는, 손을 들어 무언가를 끄는 것 같았다. 규하는 이토록 미칠 것 같은 건 자신만인가 싶어 어렵게 어깨 너머로 렉스를 보았다. 하지만 등 뒤에 밀착해 있어 그의 얼굴이 보이지 않았다.

턱밖에 볼 수 없었다, 각이 튀어나오도록 이를 악물고 있는.

그리고 규하의 귀에 닿는 숨이 거칠고 뜨거웠다. 렉스도 느끼고 있다고 생각하자 여성이 잔뜩 조여들었다. 그러자 그는 검에 찔린 사람처럼 숨을 토해냈다.

'렉스.'

규하는 전율하며 그를 불렀다. 입이 막혀 있어 소리는 나가지 않았다. 그래서 오히려 더 안심하고 몇 번이고 불렀다.

'렉스.'

"그만……."

그가 악다문 잇새로 중얼거렸다.

"그만 부르세요. 미칠 것 같으니까."

그 순간 규하는 절정에 올랐다. 감각의 해일이 실제로 물리력을 가진 것처럼 그녀를 휩쓸어갔다. 정말로 살려달라고, 외칠 뻔했다.

전율하고 또 전율하면서 얼마나 시간이 지났는지 알 수 없었다. 떨리는 허리가 한참 진정되지 않았다. 렉스는 그녀가 진정될 때까지 기다렸다. 아주 오랜 시간이 지난 것 같은 뒤에야, 아직 단단한 것이 빠져나갔다. 단번에 뿌리 뽑히는 느낌에 규하는 머리털이 쭈뼛 섰다.

렉스가 어깨를 잡아 돌려 규하는 그를 마주 보았다. 그녀의 입술 사이로 공간을 습하게 만들 정도로 뜨겁고 거친 숨이 새어 나왔다. 그녀를 보는 붉은 눈이 너무 이글거려서 무서웠다. 지옥의 불길도 이보다는 온도가 높지 않을 것 같았다.

'정말 인간이 아니구나.'

규하는 새삼스럽게 생각했다. 그런데 이상한 일이지만 그 생각이 조금이라도 몸을 식게 하진 않았다.

렉스는 규하의 다리를 벌렸다. 그제야 깨달았지만 그녀는 빨래더미를 넣은 자루에 반쯤 걸터앉아 있는 상태였다. 그리고 둘 다 상체만 보면 아래쪽 상태를 짐작하기 힘들었다. 둘 다 상의는 단추 하나 풀지 않았고, 신발도 그대로 신고 있었다.

뜨거운 늪 같은 곳으로 짐승이 파고들었다. 규하는 목을 젖히고 신음을 삼켰다. 렉스는 그녀의 허벅지를 좀 더 밀면서 움직이기 시작했다.

그의 것은 용광로에 들어갔다 나올 때마다 더 단단해지는 금속덩어리 같았다. 규하는 처음에는 이를 악물고 신음을 참았지만 그가 파고들 때마다 점차 턱에 힘이 빠지며 신음이 흘러넘쳤다. 어느새 소리를 죽여야 한다는 생각은 머릿속에 존재하지 않았다.

렉스는 틈 없이 입술을 겹쳐 왔다. 모든 게 녹아들어 그와 그녀의 경계가 불분명했다. 뒤얽힌 혀, 입술, 맞붙은 피부, 원래 그런 모양이었던 것 같은 여성과 남성…….

렉스가 불가능할 정도로 깊이 허리를 밀어붙인 순간 어딘가에 닿았다. 규하는 허리를 휘며 억눌린 비명을 터뜨렸다. 그가 흥분을 참을 수 없는 것처럼 혀를 뒤섞은 순간, 규하는 혀끝이 따끔했다. 뭔가 날카로운 것에 베인 듯이.

렉스는 순간 멈칫하고, 서로 녹아 끈적거리는 것 같은 입술을 떼고 규하를 마주 보았다. 붉은 눈동자에 정체를 알 수 없는 감정이 휘몰아쳤다. 열기, 욕망, 어쩌면 불안감…….

더 생각할 겨를도 없이, 규하는 렉스를 끌어안으며 다시 키스했다. 입안에서 약하게 피 맛이 났다. 렉스는 뭉클거리는 혀를 뒤섞다가, 그녀의 혀를 빨았다. 미세한 혈액이지만 그가 탐하고 있다는 사실을 알 수 있었다. 역시, 무섭다고 생각해야 하는데 규하는 오히려 몸이 뜨거워졌다.

연하는 차창 너머를 보면서 움직이지 않았다. 밖으로 도시는 강처럼 계속해 흘러갔다.

"연하야."

부르는 소리에 연하는 오랜 잠에서 깨어난 것처럼 돌아보았다. 눈에 물기는 없었다. 현실을 인식하지 못하는 것 같은 멍한 눈빛이 있을 따름이었다.

연하는 옆자리에 앉아 있는 이반을 보았다. 반쯤 그늘에 잠긴 붉은 눈이 타오르고 있었다. 어둠 속에 도사린 위험한 짐승 같은 눈이 언뜻 침울해 보이기도 해, 연하는 웃었다.

"안 울어요. 이건 슬픈 일이 아니니까. 규하가 사는 일이니까."

이반이 손을 뻗어 연하의 뒷머리를 감쌌다. 쓰다듬어 주려는 듯이. 연하는 이번에는 진심으로 웃을 수 있었다.

"저 위로해 주시는 거예요?"

이반은 대답하지 않았다. 그저 그녀의 뒷머리를 감싼 손을 당기며 고개를 내린다고 생각했을 때—

연하는 눈을 크게 떴다. 붉은 눈 안쪽은 마치 꽃잎을 수없이 겹쳐 놓은 것처럼 정교한 모양새로 소용돌이쳤다. 그 묘한 일렁임에 시선을 빼앗겨 꼼짝도 할 수 없었다. 그사이에 뜨거운 혀가 입술을 벌리고 파고들었다. 연하는 움찔했다. 정신을 차리고 이반의 가슴을 밀어냈다.

"국장니……."

하지만 이반은 밀어내는 손을 잡아 빼며 다시 입술을 겹쳐 왔다. 조금은 강압적으로 느껴질 정도로.

연하는 잡힌 팔을 당겼지만 꼼짝도 하지 않았다. 상대가 그여서 힘을 전부 쓴 건 아니라지만 정말 미동도 없었다. 누군가가 힘으로 자신을 제압하는 게 너무 오랜만이라 다음엔 뭘 해야 할지 알 수 없었다.

입술이 재차 부딪쳤다. 뜨거운 입술이 비벼지면서 안에서 혀가 뒤얽혔다. 연하가 흠칫 고개를 물리자 이반이 더 깊이 쫓아왔다. 폐가 풀무가 되어 타오르는 심장에 바람을 불어넣은 듯이 연하는 온 내부가 열기로 이글거리는 듯했다. 숨을 쉴 수가 없었다. 숨통이 트이는 곳을 찾아 입을 벌릴수록 그가 안을 채웠다. 연하는 질끈 눈을 감았다.

'달라.'

이건 달랐다, 그녀가 충동에 못 이겨 했던 키스와는. 무언가 일깨워서는 안 되는 동물을 깨운 느낌이었다.

이반이 거의 입술을 떼지 않고 속삭였다.

"다른 건 생각하지 마."

녹아날 것 같은 입술이 말의 모양대로 입술을 스쳤다.

"나만 생각해."

연하는 눈동자가 떨려왔다.

"하지만 피가……."

사상자들을 옮기느라 차에 탄 것도 미안할 정도로 연하는 피범벅이었다. 차의 좌석 시트를 망칠 것 같았다. 그래서 그녀는 다시 이반을 밀어내려고 했다. 하지만 역시 그는 밀려나지 않았다. 손목을 붙잡고 있는 손에 힘을 주며 다시 입술을 겹쳐 왔다.

"다른 건 생각하지 말라고 했잖아."

그러고 싶지 않아도 그럴 수밖에 없이 만드는, 주술 같은 음성이었다.

〈2권으로 계속〉